Les Éditions du Boréal
4447, rue Saint-Denis
Montréal (Québec) H2J 2L2
www.editionsboreal.qc.ca

Le Métier de journaliste

Pierre Sormany

Le Métier de journaliste

Guide des outils et des pratiques du journalisme au Québec

*Troisième édition revue
et mise à jour*

© Les Éditions du Boréal 2011
Dépôt légal : 1er trimestre 2011
Bibliothèque et Archives nationales du Québec

Diffusion au Canada : Dimedia
Diffusion et distribution en Europe : Interforum

*Catalogage avant publication de Bibliothèque et Archives nationales du Québec
et de Bibliothèque et Archives Canada*

Sormany, Pierre, 1951-

    Le Métier de journaliste. Guide des outils et des pratiques du journalisme au Québec

    3e éd. rev. et mise à jour.

    Comprend des réf. bibliogr.

    ISBN 978-2-7646-2138-7

    1. Journalisme – Québec (Province). 2. Journalisme – Art d'écrire. 3. Journalisme – Pratique – Québec (Province). I. Titre.

PN4917.Q82S67   2011   071'.14   C2011-941638-7

ISBN PAPIER 978-2-7646-2138-7

ISBN PDF 978-2-7646-3138-6

ISBN ePUB 978-2-7646-4138-5

Introduction à la nouvelle édition

Ce livre en est à sa troisième édition. La première date de 1990, soit quelques années avant qu'Internet ne se déploie pour relier tous les ordinateurs de la planète et ne change profondément la façon des journalistes de s'informer. La deuxième édition, parue en 2000, tenait compte de l'arrivée de ce réseau planétaire. Mais Internet n'était alors qu'une nouvelle voie disponible pour accéder aux sources d'information, et un nouvel outil de distribution des contenus écrits ou audiovisuels. Son implantation rendait la circulation de l'information plus rapide et augmentait surtout l'accessibilité à de nouveaux contenus, qu'il s'agisse de sites d'information spécialisée, de groupes d'intérêt ou de médias étrangers (la radio de Delhi ou de Dakar, captée en direct à Paris, New York ou Montréal). Pour le reste, rien n'avait vraiment changé dans le travail des journalistes.

J'avais quand même esquissé, dans mon dernier chapitre, quelques hypothèses quant à l'impact que cette multiplication des sources accessibles pourrait avoir à court terme sur la façon de pratiquer le journalisme. J'y annonçais un nouveau rôle pour une classe de journalistes appelés à devenir des « guides de voyage » sur la toile, pour permettre aux internautes de s'y retrouver, de distinguer le vrai du faux, l'essentiel du superflu. Dix ans plus tard, le besoin demeure criant.

En 2002, une première crise : l'éclatement de la « bulle Internet ». Beaucoup de sites web surcapitalisés mais sans revenus réels ont fait faillite. Des milliers de « web-journalistes » ont perdu leur emploi. Et les médias qui avaient commencé à envahir la toile n'ont guère progressé pendant deux ou trois ans. Pour moi, ce n'était pas une si mauvaise nouvelle : pour l'essentiel, mon livre demeurait parfaitement à jour !

Au milieu de la décennie, on a commencé à parler du « web 2.0 », terme emprunté au jargon des techniciens pour désigner le nouveau credo des technologies numériques : l'interactivité. Ce fut d'abord l'arrivée de Wikipedia, l'encyclopédie universelle créée par l'interaction libre de millions d'internautes et dont on a vite compris qu'elle était devenue aussi fiable, et surtout beaucoup plus riche que toute autre encyclopédie traditionnelle confiée à un petit groupe d'experts. Ce fut ensuite la prolifération étonnante des « blogues », ces journaux personnels en ligne, où chaque lecteur pouvait ajouter ses commentaires. Très rapidement, des blogues spécialisés sont apparus, comme autant de forums où les experts d'un domaine viennent échanger au quotidien et rendre ainsi publique l'évolution de leur pensée. Autant de mines d'or pour les journalistes... mais aussi pour leurs publics traditionnels qui pouvaient désormais avoir un accès direct à tous ces forums. YouTube a ensuite permis aux internautes de devenir producteurs et diffuseurs de vidéos. Puis ce fut l'émergence des réseaux sociaux, comme Myspace, Facebook et Twitter, qui ont transformé pour des dizaines de millions d'internautes la manière de s'informer et surtout de partager l'information.

Les médias traditionnels y ont perdu une partie de leur public, et une partie de plus en plus importante de leurs revenus publicitaires. S'ils voulaient survivre, ils devaient mettre à profit ces nouvelles formes de communication, investir ces nouveaux territoires. Dès lors, on a demandé aux journalistes de produire leurs propres blogues (ou carnets), de participer aux forums de discussion, de diffuser l'information sur Facebook ou sur You-Tube. Et les grands médias traditionnels, ceux qui diffusaient jusqu'alors une information recueillie, filtrée et traitée pour être accessible à un auditoire le plus large possible (c'est la définition même des « médias de masse »), ont voulu jouer dans la cour des internautes : miser sur l'instantanéité, l'interactivité, en donnant la parole à tout le monde.

Il devenait évident que certaines règles du jeu étaient en train de changer et que ce livre devait être mis à jour. Or, en 2008, une crise bancaire majeure a fait chavirer une bonne partie de l'économie mondiale. Le krach qui en a découlé a fait chuter de 40 % les revenus publicitaires des grands quotidiens américains. Les 1 200 employés qui œuvraient dans la salle de rédaction du *Los Angeles Times* au début des années 2000 n'étaient plus que 500 en 2009. Dans les grands médias de masse, un journaliste sur cinq a perdu son emploi. Plusieurs prophètes ont annoncé la mort de la presse écrite quotidienne et des télévisions généralistes.

Quelle part du déclin des médias traditionnels était liée à la crise économique et se résorberait avec la reprise ? Quelle part était permanente, parce que liée à une mutation plus profonde des façons de diffuser et de consulter l'information ? Au cœur de la crise, j'aurais eu peine à répondre à cette question. Aussi ai-je retardé de plus d'un an la révision du *Métier de journaliste*, question de laisser la poussière retomber un peu. Je me lance aujourd'hui, en espérant que les tendances qui commencent à émerger demeureront présentes pour les dix prochaines années.

Pari téméraire? Peut-être. Mais j'ai la conviction que si le « modèle d'affaires » traditionnel des entreprises d'information — journaux, magazines, stations de radio et réseaux de télévision — ne fonctionne plus, le public aura toujours besoin d'endroits où l'information publique trop abondante sera pondérée, filtrée, clarifiée, remise en contexte et rendue significative. Le public aura toujours besoin de journalistes pour donner un sens aux événements. En outre, malgré l'explosion des sources d'information accessibles, les fondements du métier ne changeront pas. Reste à savoir où travailleront ces « professionnels du sens » et comment ils seront rémunérés.

Certes, la crise aura aussi des répercussions sur la façon de pratiquer le métier. On travaillait autrefois pour l'écrit, pour la radio ou pour la télévision. De plus en plus, ces médias se rejoignent sur Internet, et les frontières entre les médias s'estompent. Les frontières entre les métiers aussi. Hier, le journaliste de la télévision partait couvrir une conférence de presse avec son cameraman. On le voit de plus en plus manipuler lui même la caméra. Demain, le journaliste de l'écrit filmera lui aussi ses interviews, parce que son média voudra les offrir sur son site web. Cela change forcément le déroulement de la cueillette d'information et la manière de prendre des notes. J'ai essayé d'en tenir compte dans cette nouvelle édition.

* * *

Prenons un peu de recul par rapport à la crise actuelle. Pendant des siècles, c'est en conversant que les habitants des villes et des villages se sont échangé l'information utile. Dans les bourgades africaines, ça se passait sous l'arbre à palabres. Dans les villages européens du Moyen Âge, c'était sur la place du marché ou sur le parvis de l'église. Les « nouvelles » portaient, pour l'essentiel, sur les gens de la communauté et sur les événements locaux. C'est là aussi que les autorités affichaient leurs règlements, ou les faisaient lire par le crieur public. C'est également là que les aventuriers venaient raconter leurs voyages pour faire rêver les paysans sédentaires à ce qui se passait de par le vaste monde.

Avec la démocratisation de l'imprimerie, les premiers journaux sont apparus, à la fois feuillets d'information courante et lieux d'expression de quelques leaders d'opinion. Le métier de journaliste n'est apparu qu'ensuite, lorsque le volume de l'information à traiter est devenu trop considérable, que les seuls échos du village ne suffisaient plus, et qu'il a fallu demander à des témoins d'aller ailleurs recueillir des précisions au bénéfice du lecteur.

Dans les sociétés modernes de plus en plus complexes, l'information est devenue un bien de première nécessité. Bon nombre de feuillets pamphlétaires ont disparu. D'autres ont pris du volume et donné naissance à la presse moderne. On a inventé l'expression *médias de masse* pour désigner ces grands journaux de 16, 20, 40, voire 100 pages quotidiennes où on trouvait tout ce qu'il fallait savoir pour être « branché » sur sa communauté : l'essentiel de l'actualité politique et sociale, et aussi une collection de renseignements utiles, des horaires des spectacles aux cotes de la Bourse, en passant par les résultats sportifs et la chronique nécrologique. Bienvenue au supermarché de l'information !

Puis il y a eu la radio. Sa grande innovation : la rapidité. Elle pouvait livrer l'information à toute heure du jour, sans les délais de mise en page, d'impression et de distribution. Sa livraison orale et en continu ne permettait pas d'approfondir autant chaque nouvelle, mais elle avait l'avantage de rejoindre ceux qui n'avaient jamais appris à lire. Dans de nombreux pays peu scolarisés, où la presse écrite n'avait toujours rejoint qu'une infime partie de la population, la radio fut le premier véritable média de masse. Mais elle n'offrait pas que de l'information et des rubriques de service. Elle diffusait aussi des chansons, des œuvres dramatiques, du divertissement, de l'humour. Radio et journaux se sont donc développés dans des espaces complémentaires.

On a cru un temps que la télé allait déloger la radio. Cela ne s'est pas produit. D'abord parce qu'au début les lourdeurs de production des émissions télévisées ne permettaient pas à ce média de réagir aussi vite à l'actualité. Aussi parce que la télévision exige qu'on s'arrête et qu'on la regarde. Elle immobilise le téléspectateur. La radio permet une écoute plus libre, utile pour les gens au travail ou en auto, par exemple. Elle offre à l'auditeur un rapport différent avec ceux qui lui parlent. Là encore, radio et télé ont pu coexister.

L'expansion de l'univers du magazine (au Québec, on est passé d'une trentaine de titres au début des années 1970 à plus de 350 trente ans plus tard) puis le déploiement des réseaux de câbles coaxiaux, qui a permis de multiplier le nombre de stations de télévision, ont entraîné depuis quarante ans une fragmentation des auditoires et des marchés publicitaires, fragmentation qui risquait à moyen terme de compromettre la rentabilité des médias de masse. Mais cela ne changeait en rien la nature profonde de la presse écrite et parlée. Au début des années 1990, on a pu croire que l'arrivée d'Internet ne serait pas différente. En fait, au sens strict, il ne s'agissait pas d'un nouveau média, mais d'un nouveau réseau de distribution de l'information, sous forme électronique. Grâce à lui, on avait directement accès à un nombre incalculable de sources d'information (banques de données, sites gouvernementaux, sites d'entreprises, médias généraux ou spécialisés, groupes d'intérêt...), mais cela n'en rendait que plus nécessaire la présence de médias d'information de masse, capables de distinguer dans tout ce fatras ce qui est pertinent, de le mettre en contexte et de le rendre intelligible.

Mais la révolution du web est plus fondamentale. Depuis

la naissance de la presse, la diffusion de l'information a toujours exigé de lourds investissements. C'était en quelque sorte une barrière qui limitait le nombre de joueurs dans le champ de l'information. Désormais, chaque citoyen ou chaque groupe d'intérêt peut, moyennant quelques centaines de dollars, devenir émetteur d'information.

Cela dit, quand on regarde la liste des sites les plus fréquentés sur le web, on y trouve le site Google, qui domine encore en 2011 le marché des moteurs de recherche, les sites d'entrée des fournisseurs d'accès Internet (Bell, AT&T, Verizon, Vidéotron-Canoë, Rogers, France Télécom, Yahoo…) et les sites des grands médias de masse. Au Québec, ce sont cyberpresse et radio-canada.ca qui dominent. Aux États-Unis, ce sont les réseaux Fox et NBC, *USA Today*, le *New York Times* et le *Washington Post*. Comme quoi, même sur le web, les gens se fient encore aux grands médias.

Pour les futurs journalistes, ce constat est rassurant. Le problème est qu'à cause de l'offre très abondante les gens ne semblent pas prêts à payer pour avoir accès à cette information fiable qui coûte pourtant de plus en plus cher à produire. Mais il s'agit d'une question économique, d'un « modèle d'affaires » à développer pour rentabiliser la collecte et le traitement professionnel de l'information; pas d'une remise en question de la pertinence de l'information traitée par des journalistes.

La présente édition du *Métier de journaliste* ne va pas résoudre ce problème économique. Je ne sais pas encore si les journaux de demain seront livrés sur papier ou plutôt en format électronique, sur des tablettes de type iPad ou sur cellulaire. S'ils coûteront de plus en plus cher à un nombre plus restreint d'abonnés prêts à payer pour être mieux informés, ou s'ils seront gratuits, grâce à de nouvelles méthodes de financement. Je ne sais pas si les nouvelles télévisées nous parviendront par câble ou par le réseau Internet, sur notre télé ou sur notre ordinateur. Cela n'a aucune importance. Il est probable du reste que les frontières entre ces appareils s'estomperont. Mais j'ai la conviction que le métier de journaliste demeurera essentiel en raison même de la multiplication faramineuse des sources d'information. Plus il y a de bruit dans l'infosphère, plus il faut des professionnels compétents pour en extraire le sens. C'est à cette mission que ce livre est consacré.

Introduction

Pour exercer le métier de journaliste, il faut savoir dire les choses, savoir raconter l'événement dans un langage clair. C'est affaire d'écriture, de style, de ton. Mais cela suppose aussi qu'on sache rendre les faits intelligibles, c'est-à-dire qu'on puisse non seulement les comprendre, mais les faire comprendre en les replaçant dans leur contexte.

Pour décrire ce contexte et en retracer rapidement tous les éléments utiles, le journaliste doit lui-même bien le connaître. Il faudra donc compter sur une solide culture générale, sur une connaissance de l'histoire, de la géographie, de la vie politique de la société observée, pour en saisir rapidement les codes. Mais nul ne peut devenir spécialiste en toute matière. Aussi est-il important que ceux qui veulent pratiquer ce métier apprennent d'abord à s'informer, à identifier les faits significatifs et les sources crédibles, à distinguer le vrai du faux, l'essentiel du superflu. C'est sur cette démarche de recherche et d'analyse que reposera ensuite la synthèse que l'on attend des journalistes.

Pour y parvenir, ceux-ci disposent d'un certain nombre de techniques de recherche et d'outils de documentation qu'il convient de connaître et de maîtriser. Ces techniques, on a trop longtemps négligé de les enseigner, comme si elles ne s'apprenaient pas. On préférait entretenir le mythe selon lequel le journalisme est un art qui reposerait sur quelque don inné de la communication, et que la seule formation valable s'acquiert « sur le tas ». Résultat : on a longtemps privilégié dans ce métier l'embauche de gens qui savaient dire les choses, plutôt que de ceux qui savaient comment fouiller, comment remonter aux sources, comment analyser les données et approfondir les enjeux.

Certes, tôt ou tard dans leur carrière, les meilleurs journalistes finissaient par acquérir cette compétence de recherche, et il leur arrivait parfois de la transmettre aux débutants. Mais ce n'est que depuis une trentaine d'années que les directeurs d'information ont compris la nécessité d'embaucher des jeunes journalistes formés à ces techniques de recherche ou d'offrir à leurs vieux routiers une formation complémentaire. Reste que les conditions de travail qu'on impose aux journalistes, dans la presse électronique notamment (le *rush* du bulletin de nouvelles, renouvelé à chaque heure, où tout doit être dit en moins d'une minute et demie !), ne favorisent guère un exercice du métier qui soit satisfaisant, c'est-à-dire qui permette de donner un sens aux mille et un faits divers de l'actualité. Ainsi, les milieux journalistiques regorgent encore de rédacteurs qui pratiquent avec élégance l'art de la citation, de la transmission des idées et du résumé des événements, sans jamais arriver à en dégager les perspectives vraiment significatives.

Ce sont ces outils de documentation et ces techniques de recherche et de mise en perspective de l'information que le présent volume entend décrire. Il a été rédigé d'abord à l'intention des étudiants et des étudiantes en journalisme, mais il s'adresse tout autant aux journalistes professionnels qui, bien souvent, méconnaissent ou ne maîtrisent pas ces instruments. Combien de journalistes n'avouent-ils pas être totalement incapables de comprendre un rapport financier d'entreprise? Comment déceler alors les réalités que camoufle le discours habile des administrateurs?

Ce livre s'adresse aussi, indirectement, à tous ceux et celles qui lisent les journaux ou écoutent les émissions d'information, qui parfois même les alimentent en contenu, en se demandant sans cesse qui sont ces professionnels qui s'arrogent le pouvoir d'informer et comment ils font leurs choix. À travers ces pages, les « consommateurs d'information » comprendront un peu mieux comment procèdent les journalistes lorsqu'ils partent en quête de faits ou de déclarations. Ils verront comment les journalistes trient ce qui leur paraît intéressant et significatif, au risque d'omettre certains éléments, quelles vérifications ils devraient s'imposer — et pourquoi il leur arrive à l'occasion de ne pas faire ces vérifications essentielles!

Il y a au départ deux façons de s'atteler à cette tâche de présentation des techniques du journalisme. La première est normative : elle consiste à décrire les outils qui sont offerts aux journalistes et à indiquer comment ceux-ci devraient les utiliser, ce qui revient à définir la situation idéale où les spécialistes de l'information se donneraient le temps et les moyens de bien faire leur métier. La seconde approche est, au contraire, descriptive : à partir de la pratique actuelle de cette profession, et en prenant ainsi en compte ses contraintes réelles, il s'agit d'apprendre à ceux et celles qui veulent l'exercer (ou qui devront travailler avec des journalistes) comment s'y prennent les meilleurs parmi ceux et celles qui œuvrent dans les médias d'information.

À l'instar de la majorité des professeurs de journalisme des universités québécoises, j'ai choisi d'emprunter l'une et l'autre de ces voies. D'abord décrire, situer dès le départ la personne qui lira ce texte dans la perspective du journalisme tel qu'il se pratique présentement dans la presse commerciale québécoise, écrite ou électronique, la situation n'étant pas si différente, après tout, dans la presse commerciale des autres pays industrialisés. Surtout ne pas camoufler les obstacles qui entravent bien souvent notre pratique de l'information. Préciser aussi les limites idéologiques auxquelles se heurte cette presse commerciale (dite « libérale ») et leurs répercussions sur la forme des textes écrits ou des émissions produites. Cette « reconnaissance du terrain » peut paraître fataliste, mais elle est utile à quiconque veut percer dans ce milieu professionnel ou désire en comprendre les usages.

Je soulignerai cependant aussi souvent que possible comment ces contraintes et ces biais inhérents au journalisme commercial finissent par affecter la qualité de l'information véhiculée ; j'esquisserai parfois d'autres visions possibles pour que le lecteur conserve un regard critique sur le fonctionnement des médias. Essentiellement, je fais le pari d'offrir aux journalistes une plus grande maîtrise de leurs outils professionnels afin que ces limites puissent, peu à peu, être repoussées.

Le choix que j'ai fait d'étudier la pratique du journalisme dans la presse commerciale, quotidienne ou périodique, colore — cela va sans dire — toute mon analyse. Aussi était-il nécessaire de présenter, dès le **premier chapitre,** cette vision du journalisme qui prévaut dans les grands médias québécois, quitte à en souligner aussitôt les limites au **chapitre 2.**

Les **chapitres 3 à 6** portent ensuite sur le « produit » journalistique, c'est-à-dire le texte écrit, le topo lu en ondes ou le reportage télévisuel. J'y analyse les caractéristiques des textes d'information, leur construction, leur ton, leur style, mais aussi la démarche essentielle à leur préparation, depuis le choix du sujet jusqu'à la rédaction ou la présentation en ondes. Il s'agit en quelque sorte de rappeler l'a b c du journalisme, base de tout cours d'introduction à ce métier. Dans les deux premières éditions de ce livre, j'insistais surtout sur le genre qui est à la base du journalisme : la nouvelle. J'ai ajouté pour cette édition un chapitre complet sur la construction du reportage, tant dans la presse écrite que parlée.

La troisième partie, qui va du **chapitre 7** au **chapitre 13**, décrit les outils et les techniques de cueillette d'information, ce qui constitue l'objectif essentiel de ce livre : on y verra comment rechercher l'information, comment établir un réseau de personnes-ressources fiables ; comment préparer et mener une interview ; comment couvrir un événement ; où trouver de la documentation d'appoint ; comment utiliser les bibliothèques et le réseau Internet ; comment traiter les sondages, les sources statistiques, les rapports de recherche, les bilans financiers, etc.

La quatrième partie du livre (le **chapitre 14**) examine plusieurs champs de pratique spécialisée du journalisme pour en faire ressortir les caractéristiques et les difficultés particulières. La cinquième partie (les **chapitres 15, 16** et **17**) décrit trois approches particulières du traitement de l'information : le journalisme d'enquête, le « nouveau journalisme » et l'approche particulière — de type « courtage d'information » — qui devrait compléter dans l'avenir le travail des « web-journalistes ».

* * *

Avant d'entrer dans le vif du sujet, j'aimerais signaler que ce livre a été rédigé à partir des éléments d'un cours de méthode journalistique offert en introduction au certificat en journalisme de la Faculté de l'éducation permanente de l'Université de Montréal. Il est destiné en partie à la clientèle étudiante de ce cours. Cela expliquera la coexistence de passages très didactiques (listes de procédés d'écriture, techniques d'interview, conseils pratiques) et de développements qui visent plutôt à susciter la réflexion. Même ceux qui ne projettent pas de devenir journalistes, mais veulent simplement comprendre le fonctionnement des médias d'information, devraient tirer profit de cette découverte des trucs pratiques du métier.

Parce que ce guide s'adresse aussi bien aux journalistes de la presse électronique (radio, télé ou web) qu'à ceux de la presse écrite, je me suis souvent heurté, en cours de rédaction, à un problème de choix de termes. Par exemple, chaque fois que je renvoyais le lecteur au public cible d'un texte, devais-je écrire « votre lecteur, votre auditeur ou votre spectateur » (sans oublier les lectrices, auditrices ou spectatrices)? L'énumération, sans cesse répétée, aurait fini par devenir d'une lourdeur insupportable. J'ai parfois choisi d'utiliser des termes plus généraux (« le public »); il faudra toutefois garder à l'esprit que les éléments se rapportant aux « lecteurs », aux « articles », aux « textes » sont le plus souvent transposables d'un domaine à l'autre. Lorsque ce n'est pas le cas, j'ai tenté de souligner le plus clairement possible les distinctions nécessaires entre les différents médias.

Il en va de même pour l'utilisation du genre. J'ai choisi de donner parfois l'exemple d'« *une* journaliste aux affaires municipales » ou de « *la rédactrice* en chef d'un magazine », lorsque j'évoque des situations concrètes où la personne pourrait tout aussi bien être une femme qu'un homme, afin que les images mentales suggérées au lecteur ou à la lectrice de ce livre ne soient pas uniquement masculines. Cela correspond davantage à la réalité de la profession journalistique. Toutefois, pour éviter d'alourdir le texte, je m'en suis tenu au masculin lorsqu'il s'agissait d'une référence au collectif (exemple : « Le journaliste, c'est le témoin, celui qui... »). On comprendra que, dans tous les cas, l'utilisation du masculin n'exclut pas l'autre moitié de la profession.

PREMIÈRE PARTIE

Le journalisme:
ce qu'il devrait être,
ce qu'il est

I
Pourquoi les médias?
Pourquoi les journalistes?

Un souvenir en guise d'introduction. C'était à l'automne 1968. J'avais 17 ans à peine. À travers le Québec, les cégeps étaient en ébullition. Les étudiants débrayaient partout. Nous avions l'impression de porter les premiers coups d'un mouvement d'éveil qui allait secouer la province et remettre en branle cette « révolution tranquille » qui s'était endormie trop tôt.

Marcel Collard, du *Soleil*, avait été affecté à la couverture de la grève étudiante à Chicoutimi. C'était un journaliste qui possédait bien son métier. Lorsque je l'ai retrouvé plus tard, quand je suis à mon tour entré au *Soleil*, j'ai même découvert un journaliste plutôt vif. Mais à l'automne chaud de 1968, ô combien je l'avais trouvé médiocre! Nous lui avions parlé de grands enjeux de société; il avait feint de ne pas comprendre et nous avait questionnés sur les cours que nous refusions de suivre. Le lendemain, au lieu de la manchette, nous n'avions eu droit qu'à quelques paragraphes en page intérieure. Notre cause était réduite au rang de simple anecdote, submergée par le flot des nouvelles quotidiennes.

Cette expérience frustrante est partagée par beaucoup de ceux qui font appel aux journalistes : un événement vécu de l'intérieur prend une importance si grande que le jugement des reporters paraît toujours injuste, largement en deçà des attentes. Depuis que j'ai rejoint cette profession, combien de gens ont dû me percevoir à mon tour comme un autre Marcel Collard ? Un individu venu de nulle part qui, crayon ou micro en main, pose quelques questions, griffonne quelques hiéroglyphes sur un bloc-notes et repart à la hâte en laissant derrière lui un interviewé angoissé par ce qui paraîtra le lendemain dans le journal ou sera diffusé à la radio… A-t-on idée de laisser l'information aux mains de tels tâcherons ! Et même lorsque les journalistes font bien leur métier, d'où leur vient ce pouvoir de décider de ce qui mérite d'être diffusé et de ce qu'il faut taire ?

Le jugement suivant prend alors forme : les journalistes détiendraient en quelque sorte le monopole de l'information ; leur façon de sélectionner certaines nouvelles aux dépens des autres, puis de choisir sous quel jour ils présenteront ces nouvelles, contribuerait à rendre l'information partiale. Combien de politiciens ont fait référence, dans leurs discours, à ce filtre déformant ? Combien de groupes de pression ont aussi dénoncé le contrôle que les médias exerceraient sur la diffusion de leurs messages ? Ces questions sont pertinentes, à un point tel que certains pensent que les seules sources d'information vraiment fiables sont les médias « citoyens » qui apparaissent sur le web, hors de tout contrôle par les journalistes et les grands groupes de presse.

En fait, les journalistes ont parfois un parti pris. Ils commettent à l'occasion des erreurs de jugement. Il leur arrive de ne pas saisir toute la portée des faits qu'ils rapportent. Mais le plus souvent, quand ils choisissent de mettre en évidence certains aspects de l'actualité, ils ne le font pas de façon arbitraire ; ils le font selon des critères bien définis, qui tiennent de la nature même des médias et de leur rôle dans notre société. Aussi est-il nécessaire, dans le tout premier chapitre de ce livre sur le journalisme, de regarder d'un peu plus près les fonctions des médias pour faire ressortir les fondements de l'acte d'informer.

Les médias de masse dans la société contemporaine

Les gens n'ont pas que les médias comme sources d'information. On peut même supposer que les échanges qu'ils ont avec les membres de leur famille, avec leurs voisins ou leurs collègues de travail — ce on-dit qui alimente la rumeur même dans les pays où les médias d'information circulent peu — constituent le principal moyen des citoyens d'obtenir des renseignements sur ce qui se passe. Or, cette information non canalisée est celle qui risque le plus de s'ancrer dans les valeurs de ceux qui la partagent, précisément parce qu'elle est véhiculée par leurs proches. Étant sans cesse discutée, remise en question, puis réaffirmée, elle s'enracine en douceur, au point de devenir un « savoir de base » qui servira de cadre de référence pour juger des événements.

Ces réseaux sociaux plus ou moins informels se sont beaucoup élargis grâce à Internet. On discutait autrefois chaque jour avec quelques parents ou amis. On peut désormais le faire avec plusieurs dizaines d'« amis » virtuels sur Facebook sans sortir de sa chambre et partager avec eux tout ce qu'on a lu, ce qu'on a vu, ce qu'on a appris sur le web ou ailleurs. L'information y circule beaucoup plus rapidement.

Encore faut-il que la rumeur publique soit alimentée. Et les médias d'information constituent une voie importante de transmission de faits nouveaux. Ils n'ont cependant pas l'exclusivité à cet égard. Les gens sont souvent les témoins directs d'événements qui alimentent ensuite leurs conversations : un incendie dans leur quartier ; un match sportif auquel ils ont assisté ; une scène de violence de rue qui les a impressionnés... Ils lisent des livres, vont au cinéma ou assistent à des spectacles, ils sont inondés de brochures publicitaires, de panneaux-réclames, de dépliants institutionnels qui, s'ils ne sont pas toujours dignes de crédibilité, finissent néanmoins par laisser leur marque sur la culture (ce qui reste quant on a tout oublié, dit le proverbe). Certaines personnes voyagent et racontent ce qu'elles ont vu. D'autres fréquentent des institutions d'enseignement, assistent à des conférences, des colloques... C'est tout ce savoir sans cesse renouvelé qu'elles partagent ensuite.

En somme, les médias accroissent l'information disponible, permettant ainsi à chaque individu d'étendre l'univers des faits qui lui sont accessibles. Mais ils ne remplacent pas les canaux plus directs d'information et laissent au citoyen une grande marge d'interprétation qui dépend de son éducation, de ses valeurs, de ses préjugés et surtout de l'ensemble des conversations qui, au fil des mois, modifient sa lecture des faits ou ce qu'il en retient. Les médias n'ont pas le monopole de l'information accessible. Encore moins celui de l'information qu'on retient.

Du reste, les médias remplissent bien d'autres rôles que celui d'informer. La radio et la télévision donnent avant tout dans le divertissement et consacrent à peine quelques plages à l'actualité. Les médias écrits, même ceux qui donnent la priorité à l'information, servent aussi de véhicules publicitaires ; on y publie en outre des jeux, des bandes dessinées, des feuilletons, des « services à la communauté », des cotes de la Bourse ou des lettres d'opinion. Chaque article ou chaque émission d'information est donc en concurrence avec l'ensemble de la matière à lire ou avec la programmation d'une pléthore de chaînes de télévision.

Résultat : dans de tels « supermarchés », l'information disponible, déjà filtrée et incomplète, ne sera lue que par bribes — et par certains lecteurs uniquement. Chacun y ramassera ce qui l'intéresse et laissera tomber le reste. Il est important de comprendre ce dernier point : **en fin de compte, c'est le lecteur qui détermine non seulement ce qu'il lit et ce qu'il néglige, mais encore, et avant tout, ce qu'il retient.** Il ne suffit pas de lui vendre une copie du journal ou de l'asseoir devant son téléviseur pour qu'il assimile l'information qu'on lui a présentée.

Les médias des sommaires de ce qu'il faut savoir aujourd'hui

Ce pouvoir du lecteur de choisir ce qu'il veut connaître soulève une question primordiale : dans une société de plus en plus fragmentée entre groupes d'intérêt particuliers, où de plus en plus de gens s'informent en suivant quelques blogueurs ou à travers leurs réseaux de contact sur Twitter, les médias de masse ont-ils encore un rôle ?

Le déploiement de réseaux de communication sans fil à très haute vitesse permet déjà à n'importe quel citoyen d'être alerté sur son téléphone portable de tout ce qui se passe dans les secteurs qui l'intéressent et d'aller sur-le-champ consulter (sur son ordinateur ou sa tablette électronique portable) l'information de première source. Plus besoin d'aller chercher l'information dans le bulletin du soir ou le journal du lendemain. Quand elle est importante, cette information nous rejoint, où que nous soyons. De plus, s'il s'agit d'une question qui nous intéresse, il est possible de l'approfondir en furetant sur le web. Selon certains, cela pourrait compromettre la survie même des médias de masse, conçus au départ pour rejoindre de très larges auditoires en les fédérant autour d'un contenu commun.

Cette crise anticipée, la télévision la vit déjà : ses auditoires sont aujourd'hui partagés entre plus d'une centaine de chaînes accessibles. Au Canada, ces chaînes spécialisées comptent désormais pour près de la moitié des auditoires et génèrent déjà plus de la moitié des revenus publicitaires. Aux États-Unis, les bulletins de nouvelles des trois grands réseaux (ABC, NBC et CBS) ont perdu la moitié de leur auditoire total entre 2000 et 2010, surtout au profit des bulletins de Fox et de CNN, mais aussi en faveur de nombreuses autres sources, y compris Internet.

Pourtant, aux heures de grande écoute, le soir, la majorité des auditeurs syntonise encore les chaînes généralistes et les émissions les plus populaires rejoignent souvent de très forts pourcentages de l'auditoire. La raison est simple : le public a besoin de se reconnaître dans des produits culturels communs, de partager un espace d'information, au sens le plus large de ce mot. Lorsqu'on arrive, le matin, à son poste de travail, qu'on échange avec ses collègues, il *faut* avoir vu le téléroman-vedette de la veille (ou, à tout le moins, en connaître les personnages) ; il *faut* être au courant du vol spectaculaire ou de l'incendie majeur dont tout le monde parle ; il *faut* pouvoir évoquer le but magnifique du joueur-vedette de l'équipe locale.

En fait, ce sont les médias très spécialisés qui risquent de souffrir le plus de l'accès universel aux sources d'information que permet le réseau Internet. En effet, si on peut accéder par son ordinateur personnel, ou mieux encore sur sa tablette électronique portable, à tout ce qu'il faut savoir sur la fabrication de meubles ou la rénovation de patios, avec illustrations et photos à l'appui, les éditeurs des magazines de bricolage se verront forcés de se recycler dans la filière électronique. Ils continueront peut-être de publier en version magazine pour ceux qui aiment laisser traîner leurs revues sur la table du salon, mais leur clientèle sera de plus en plus branchée.

Ce déplacement vers le web de rubriques utilitaires (allant des horaires de cinéma aux annonces classées, en passant par les offres de vacances des agences de voyage) affecte déjà les grands médias de masse. Mais ce n'est pas leur fonction première que de répondre à ce genre de besoin spécifique. Leur rôle est plus fondamental : que dois-je savoir aujourd'hui pour comprendre le monde qui m'entoure, pour comprendre les conversations de mes proches, pour « être au courant » ? Voilà sur quoi repose la mission fondamentale des médias de masse.

Certes, les quotidiens vont continuer d'offrir aussi des contenus utilitaires : on les achète encore (parfois) pour connaître les résultats de la loterie nationale, pour les cotes de la Bourse, la météo, les horaires de cinéma, les spéciaux d'épicerie, les petites annonces (il en reste…) ou pour la chronique de bricolage, pourquoi pas ! Mais leur matière journalistique proprement dite sert avant tout à mettre chaque lecteur en contact avec la société qui l'entoure et à alimenter ses conversations. **L'information significative est celle qui éclaire la société où l'on vit, celle qui nous met en « communion » avec les autres, celle que l'on partage avec ses voisins de quartier, avec les gens que l'on rencontre quotidiennement.** Le journal, qu'il soit quotidien, régional, télévisé ou communautaire, c'est le portrait instantané de ce que le citoyen doit savoir, parce que ses voisins, eux, le sauront.

Les médias comme lieu de partage culturel

On découvre alors le premier paradoxe auquel se heurte notre presse d'information : **les gens lisent les journaux moins pour apprendre que pour partager un « espace culturel » avec leurs**

proches. On veut savoir quels faits alimenteront demain les conversations et prendre connaissance des opinions de ceux qui ont de l'influence, ceux dont on parle. Les lecteurs du *Devoir* se sont toujours reconnus dans les écrits du rédacteur en chef, depuis Henri Bourassa, Gérard Filion, Claude Ryan ou Lise Bissonnette. Combien de lecteurs de *La Presse* ont acheté ce journal pendant des années pour « échanger » avec Pierre Foglia ? Les grands médias l'ont compris quand ils ont développé leurs sites web et demandé à leurs chroniqueurs-vedettes d'y tenir des carnets interactifs (des *blogues*).

Mais le partage culturel se fait aussi sur un autre plan. L'individu utilise souvent son journal comme un outil de référence, comme un moyen de se reconnaître dans la société qui l'entoure. Voilà pourquoi les témoins d'un carambolage spectaculaire ou d'un vol à main armée, ou encore ceux qui ont participé à une manifestation, se précipitent ensuite devant leurs écrans ou vers les kiosques à journaux pour savoir ce qu'on en dit, ce qui s'écrit sur ce qu'ils ont vécu. Pas tant pour apprendre (après tout, ils étaient sur place, ils savent bien ce qui s'est passé !) que pour… comparer. Pour écouter ce que d'autres ont à dire sur ces faits. Voilà aussi pourquoi les lecteurs des pages sportives liront avec bien plus de bonheur le compte rendu sur un match qu'ils ont vu à la télévision que le rapport sur un match non télédiffusé. Le compte rendu est sans « nouvelle », mais combien efficace pour faire revivre de bons moments !

Le succès des sections sportives des journaux et des tribunes téléphoniques destinées aux « amateurs de sport » repose en bonne partie sur cette notion de partage culturel et de dialogue virtuel entre le public et les chroniqueurs. Chaque individu peut confronter sa pensée à celle d'un autre, un expert de surcroît : on est d'accord, on ne l'est pas, on réagit, on nuance… **La lecture d'un quotidien devient ainsi une activité dynamique où le lecteur confronte sans cesse ses opinions à la grille des**

faits qu'on lui présente, à la grille des idées que le journal véhicule de manière plus ou moins explicite. Et on peut dire de la
même façon que l'écoute de la télévision est beaucoup moins
passive qu'on l'affirme trop souvent. Là encore, l'auditeur réagit,
nuance et poursuit souvent en discutant avec ses proches. C'est
l'essence même du succès phénoménal (en France d'abord, puis
ici au Québec) d'une émission comme *Tout le monde en parle*.
On le voit à la télé parce que tout le monde en parle, et tout le
monde en parle parce qu'on l'a vu à la télé.

De tels échanges supposent bien sûr que le lecteur ou l'auditeur ait, au départ, une certaine connaissance du sujet traité.
Voilà pourquoi il est si difficile, dans les journaux, d'intéresser
un public à des sujets nouveaux ou à des nouvelles en provenance d'ailleurs, à moins bien sûr que la télévision n'ait au préalable diffusé des images si saisissantes que tout le monde en ait
parlé !

Propos et rumeurs de la place du marché

Dans les villages d'antan, l'information de base d'une communauté s'échangeait entre les laitues sur la place du marché, ou
le dimanche après la messe sur le parvis de l'église. Notre village s'est agrandi, jusqu'à devenir planétaire, écrivait McLuhan.
Les liens communautaires y sont beaucoup plus complexes. Le
journal joue alors ce rôle de « place du marché » pour ces villages éclatés que forment les différents publics cibles. Cela est
vrai pour les journaux spécialisés qui relient entre eux les initiés
d'un même domaine. Cela s'applique aussi aux journaux partisans, qui raffermissent les liens entre les militants d'une même
cause — qu'il s'agisse des anciens communistes français fidèles
à *L'Humanité* ou des indépendantistes québécois qui avaient
fondé il y a quelques décennies le quotidien *Le Jour*. Mais c'est

tout aussi vrai pour les médias de masse qui tissent des liens plus diffus sans doute, mais bien réels, dans les couches sociales qu'ils cherchent à rejoindre. *Le Devoir* a ses lecteurs, *Le Journal de Montréal* a les siens.

En ce sens, on peut dire que ces médias véhiculent une sorte de « sommaire collectif », un des rares liens qui subsistent dans nos communautés de plus en plus fragmentées. Notons que cette remarque ne vaut pas que pour l'information : les variétés, les spectacles ou les téléromans font aussi partie de cette culture qui soude une communauté ; ce n'est pas par hasard qu'on leur accorde autant de place dans notre couverture médiatique.

Les fonctions du journaliste

J'ai choisi d'analyser jusqu'ici le phénomène des médias du seul point de vue du « client » de l'information. D'où lui vient son information ? Pourquoi lit-il un journal, ou écoute-t-il un bulletin de nouvelles ? Que cherche-t-il à faire de cette information ? En procédant de la sorte, on néglige bien sûr l'autre face de la réalité : les intérêts des diffuseurs, propriétaires de journaux, de réseaux de télévision ou de sites web, qui déterminent aussi le contenu de ce sommaire collectif. Nous y reviendrons au chapitre 2, lorsqu'il s'agira de tracer un portrait réaliste des contraintes auxquelles se heurtent les journalistes. Il me semblait pourtant nécessaire d'analyser d'abord la fonction des journalistes dans la perspective de la clientèle qu'ils desservent. Poursuivons donc cette démarche et imaginons que ce soit les clients d'un média qui en assument entièrement le financement et qui embauchent les journalistes. Quel service en attendraient-ils ?

On imagine immédiatement quelques définitions de tâche : que les journalistes aillent sur place, voir ce que nous ne pouvons pas voir; qu'ils nous mettent en contact avec les gens qui nous sont inaccessibles; qu'ils posent les questions que nous aurions aimé poser; qu'ils nous ramènent toute l'information pertinente; qu'ils sachent nous expliquer ce qu'ils ont vu et entendu.

En d'autres mots, **le journaliste est celui dont le métier est de rapporter l'événement pour le bénéfice de ceux qui n'ont pas pu y assister, ou pour permettre à ceux qui en ont été témoins de pondérer leur jugement en le confrontant avec un commentaire externe, avec des données additionnelles.** En ce sens, il n'est pas là pour indiquer ce qu'il faut penser, ni pour louanger ou réprimander qui que ce soit. Il est là pour *témoigner*. Il est l'œil délégué par le lecteur, l'oreille qui doit écouter ce qui se dit, la bouche qui, par procuration, doit poser les questions les plus pertinentes, au nom de tous ceux qui n'ont pas accès à cette information de première main.

Mais l'impartialité ou l'apparente neutralité de la personne qui témoigne n'implique pas que son écriture doive être terne et ses émotions camouflées. Pour bien rendre compte de ce qu'elle a vu, de ce qu'elle a vécu, de ce qu'elle a ressenti en étant sur place, cette personne devra au contraire écrire avec son cœur. Faire voir et faire vivre. Raconter la vie, évoquer les regards, traduire les émotions; pas seulement les concepts, les idées ou les statistiques. Tout ce qu'on attendrait du « conteur du village », en somme. Dans le feu nourri du quotidien, ce n'est hélas pas toujours facile.

Mais avant d'examiner dans le détail ces questions de forme (ce que nous ferons dans les chapitres 3 et 4), revenons à la fonction primordiale des journalistes, soit leur rôle de témoin. Cela ne s'arrête pas à la couverture des événements, car ils ont aussi accès à des données complémentaires, à des archives, à des centres de documentation ou à des personnes-ressources qui sont difficilement accessibles à leurs lecteurs. Ils sont à même non seulement de rapporter, mais aussi d'analyser l'événement, c'est-à-dire de le replacer dans un contexte plus global pour le rendre significatif. Ils peuvent aussi fouiller les aspects plus obscurs, vérifier les déclarations et même remettre en question les discours officiels, s'il le faut. Bien sûr, avec Internet, ces sources documentaires sont de plus en plus accessibles à tous. Et on peut consulter bien des experts grâce à des forums ou des blogues spécialisés. Mais chacun n'a pas le temps de consacrer des heures à effectuer des recherches pour bien comprendre une nouvelle — encore moins pour comprendre toutes les nouvelles du jour ! D'où le besoin de journalistes.

D'abord, choisir quoi couvrir, quoi rapporter

Les journalistes ne peuvent être, de toute évidence, de simples courroies de transmission entre les sources d'information et leur public. Celles-ci sont si nombreuses qu'il faudrait éditer une encyclopédie quotidienne pour prétendre rapporter chaque jour l'ensemble de l'activité humaine. Et puisque chaque lecteur ou chaque auditeur ne dispose que d'un temps limité pour prendre connaissance de l'actualité, il sera le premier à réclamer qu'on lui donne **tout ce qu'il faut savoir, mais uniquement ce qu'il faut savoir !** C'est le premier rôle du média, donc, de faire une sélection, de donner, chaque fois, une vision succincte de l'essentiel. Ceux et celles qui voudront en savoir davantage pourront toujours consulter d'autres sources. Le compte rendu journalistique assure la première sensibilisation. Il sert de « carte géographique » des territoires d'actualité à explorer.

Une offre trop abondante forcerait de toute façon le lecteur (ou l'auditeur) à choisir, et les critères de sélection risqueraient alors de n'avoir aucun rapport avec l'importance réelle de l'information. L'abonné d'une banque d'information « à la carte » ne lira par exemple que les rubriques touchant les domaines qui le passionnent déjà ou ce dont il a entendu parler au bureau, ratant ainsi des nouvelles très importantes, simplement parce qu'il « ne savait pas que c'était là ». Les médias de masse se présentent donc comme des « guides de l'essentiel ». En cela, la multiplication des canaux d'information spécialisés et l'explosion de l'information sur Internet, loin de restreindre l'importance des grands journaux, en accentuent au contraire la nécessité. La même remarque vaut pour les magazines spécialisés qui se présentent eux aussi, auprès de leurs groupes cibles, comme des guides de l'essentiel dans leur secteur particulier.

À chaque étape du processus de traitement de l'information, le journaliste-témoin doit donc choisir quoi rapporter et quoi laisser de côté, quelles questions poser et quelles pistes approfondir. Il lui faudra ensuite choisir comment dire les choses, comment les faire vivre. Chaque fois, il devra faire appel à son jugement en tant qu'individu, en tant que témoin et en tant que professionnel de l'information. Or, c'est par rapport à cet exercice permanent de son jugement d'informateur — sans lequel il ne pourrait y avoir de journalisme — qu'il sera le plus souvent critiqué.

Cette fonction de sélection s'exerce sur trois plans :

1. La nature de l'information à traiter. On optera pour celle qui paraît la plus importante et la plus intéressante pour un auditoire aussi vaste que possible. Notons immédiatement que cette caractéristique (« aussi vaste que possible ») doit être nuancée : certaines émissions ou publications s'adressant d'emblée à un public spécialisé, les critères de sélection des nouvelles doivent tenir compte de la nature de ce groupe cible. Mais, là encore, à l'intérieur du groupe visé, les journalistes privilégieront les nouvelles susceptibles d'intéresser le plus grand nombre.

2. L'angle d'approche. On choisira celui qui peut le mieux mettre en évidence l'essentiel, attirer l'attention de la majorité et faire en sorte que chacun retienne cette information.

3. Les éléments importants à conserver, à l'intérieur de chaque « histoire ». On privilégiera les éléments qui feront ressortir la signification d'une nouvelle, en rendront la compréhension facile et la lecture captivante.

Cette triple sélection, essentielle si on veut éviter de publier chaque jour des millions de mots sur des milliers d'événements sans importance, constitue non pas une limite imposée aux journalistes mais le fondement même de leur acte professionnel. Se pose alors le problème des critères qu'il faudra utiliser pour faire ces choix. Qu'est-ce qui est nouveau? Qu'est-ce qui va le plus intéresser la personne à qui je m'adresse? Qu'est-ce qui est significatif, c'est-à-dire porteur de conséquences, dans cette information? De quoi les autres médias vont-ils parler, et donc de quoi mon « client » a-t-il besoin d'être informé, s'il veut suivre les conversations? (Nous reviendrons sur ces critères au chapitre 3.)

Quels que soient les critères explicites du média en cause, **les choix ne sont jamais exempts de subjectivité. Le travail du journaliste, même s'il est fait avec rigueur et honnêteté, implique nécessairement l'exercice d'un jugement et, par conséquent, la possibilité de se tromper.** C'est même inévitable dans la mesure où ce qui est significatif pour les uns peut fort bien l'être moins pour les autres; telle information, qui paraissait hier porteuse d'avenir, se révélera demain sans importance véritable. Cette « faillibilité » inévitable, c'est le prix à payer pour que l'actualité ne reste pas une jungle inexplorable.

N'empêche qu'on pourrait déjà, à cette étape, remettre en question les critères de choix qui prédominent dans nos journaux. Parce qu'ils traquent l'événement, ce moment privilégié où l'information se cristallise, les médias négligent souvent le fait social, celui qui se construit lentement, dans l'ombre. Parce qu'ils suivent les personnages publics, les vedettes, ceux et celles dont on parlera demain, ils négligent les « sans-voix ». Survient une crise : les médias sont pris de court. « Comment ! Des gangs de jeunes terrorisent les usagers du métro ? Mais on ne savait même pas que ce phénomène de gangs existait chez nous ! »

Savoir remettre en contexte

Le traitement de l'information ne s'arrête pas au seul tri de faits importants; encore faut-il que le public sache en quoi la nouvelle le concerne, en quoi elle est importante. La mort d'un grand personnage est sans importance pour qui ignore ce que ce personnage a fait de sa vie. Pour comprendre la pertinence d'une rumeur, il faut savoir dans quel contexte elle a pris racine. La progression d'un titre en Bourse n'a de sens que si on en connaît l'historique.

Mais il ne faut pas pour autant jouer les gourous. « Dites-moi ce que je dois comprendre » ne signifie pas « dites-moi quoi penser ». Il ne s'agit pas de transmettre des opinions, mais de fournir au public l'ensemble des éléments d'information périphériques qui vont lui permettre de mesurer la portée de chaque événement. Et pour y parvenir, le journaliste doit non seulement extraire certains faits significatifs de tout ce qu'il recueille, mais aussi étudier l'histoire, consulter des sources extérieures à l'événement, fouiller la documentation. C'est ainsi qu'il parviendra à donner un sens à des éléments d'information qui, à l'état brut, n'en auraient pas toujours. À cette étape aussi, il doit sélectionner, ce qui signifie qu'il doit exercer à nouveau son jugement journalistique.

Cette « création de sens », cette mise en perspective (une perspective bien souvent choisie par le journaliste) est-elle une déformation du réel ? Bien au contraire ! Même le spectateur direct d'un événement peut souvent ne pas en percevoir les conséquences, parce qu'il n'a pas accès aux ressources professionnelles ou documentaires offertes aux spécialistes. Alors, faute de pouvoir fouiller lui-même, interroger les acteurs du drame, enquêter sur chaque déclaration, il espère que le journaliste saura le faire à sa place. Ce qu'il attend de ce « témoin », c'est bien plus qu'un rapport factuel du type procès-verbal : il veut qu'on lui présente une description décodée de l'événement.

Voilà pourquoi — n'en déplaise aux politiciens — la diffusion intégrale des débats de l'Assemblée nationale ou du conseil municipal ne tiendra jamais lieu d'information. Quiconque a déjà suivi ces débats télévisés sait qu'il faut des heures d'écoute de propos sans signification réelle pour glaner au passage quelques données porteuses de conséquences. Et encore ! Dans la majorité des cas, leur sens échappera au téléspectateur moyen parce qu'il n'a pas accès à toute une trame de faits et gestes qui éclairent ces déclarations (le *background*, diront les gens du métier).

Rendre intelligible

Après avoir départagé les événements importants et ceux qui n'ont pas de véritable portée, après avoir jugé, dans la trame de ces événements, quels éléments méritaient d'être rapportés et avoir cherché ailleurs les compléments essentiels à la compréhension, le journaliste aura finalement la responsabilité de raconter tout cela dans une langue agréable, en suivant une structure intelligible.

Cela exigera souvent de redonner un ordre logique à des événements dont le déroulement naturel aura paru anarchique.

Il faudra éliminer ou simplifier certains aspects susceptibles d'embrouiller le public quant au sens profond de l'événement. Il faudra mettre en évidence des perspectives éclairantes en leur donnant un rôle pivot qu'elles n'auront pas semblé avoir au départ. Bref, le journaliste devra *reconstruire* le réel selon les règles de la communication, en fonction de l'efficacité du message. Là encore, c'est affaire de jugement, de subjectivité, d'art aussi. Une seule condition : ces aménagements essentiels à l'intelligence du propos ne doivent modifier ni les faits ni leur signification. Le message doit être fidèle, fût-il présenté selon une logique nouvelle.

Cette phase de transmission, de reconstruction du récit en fonction de l'efficacité de la communication impose elle aussi l'exercice d'un solide jugement et est teintée d'une certaine subjectivité. Elle expose donc le journaliste, une fois de plus, à la critique, surtout de la part de ceux qu'il met en scène. Les acteurs d'un événement ou les auteurs des déclarations rapportées se sentent souvent trahis par la simplification de leurs propos, par des renversements de perspectives, par certains procédés littéraires, par des réductions qui surviennent au montage sonore. Écueils malheureux certes — inévitables sans doute — mais qui ne devraient être jugés qu'en fonction de l'essentiel : les procédés narratifs utilisés par le témoin permettent-ils à son public de bien saisir l'essentiel de l'information et d'en comprendre la signification ? Si tel est le cas, il a bien rempli sa mission.

Et le quatrième pouvoir, dans tout ça ?

La mission des journalistes se restreint-elle à témoigner des faits ? N'entend-on pas souvent parler d'eux en tant que représentants d'un « quatrième pouvoir » qui échapperait à tout contrôle démocratique ?

Cette notion mérite d'être replacée dans son contexte, soit celui des trois autres pouvoirs garantis par la Constitution : le pouvoir exécutif (le gouvernement, chargé de la gestion courante de l'État), le pouvoir législatif (le Parlement, responsable de l'adoption des lois et de l'approbation des règlements préparés par l'exécutif) et le pouvoir judiciaire (les tribunaux). On comprendra facilement l'importance de l'autonomie du pouvoir judiciaire par rapport aux deux premiers. En effet, si les tribunaux étaient soumis au gouvernement, les citoyens perdraient tout recours contre les décisions arbitraires. L'État, déjà habilité à changer les lois (pouvoir législatif) et à en surveiller l'application (pouvoir exécutif), serait juge et partie dans toute contestation subséquente. La marge d'autonomie du pouvoir judiciaire constitue, en fait, le meilleur barème de la démocratie d'un pays.

C'est dans ce contexte que s'est développée peu à peu l'idée que la presse devrait être considérée comme un quatrième pouvoir, dont il importerait de défendre l'autonomie avec la même ferveur. Le principe est simple : dans une démocratie libérale, le pouvoir du citoyen repose sur son droit de choisir le gouvernement, de nommer son représentant à l'assemblée législative et de bénéficier de l'arbitrage indépendant des tribunaux, en cas de contestation. Or, le citoyen ne peut exercer pleinement ces droits que s'il est informé. Il lui faut connaître les programmes politiques de ceux qui s'offrent pour le représenter, être informé de leurs actions publiques, être au courant de la portée des lois, mesurer l'étendue des droits individuels et collectifs à l'intérieur du cadre législatif en vigueur, etc. C'est précisément le rôle qui est dévolu à la presse. Mais comment peut-elle remplir adéquatement cette fonction si elle ne jouit pas, comme les tribunaux, d'une autonomie complète par rapport au gouvernement ? D'où cette notion de « quatrième pouvoir ».

L'expression renvoie donc à cette nécessaire autonomie de la presse face aux autres pouvoirs de l'État et non à quelque puissance occulte attribuée aux journalistes ou aux entreprises de presse. Dans les faits, les journalistes ne jouissent ni de la protection du secret professionnel ni de l'immunité judiciaire. Quant à leur influence sur la vie démocratique, elle n'est toujours qu'indirecte, et d'autant moins importante que les médias de masse ont tendance à se modeler sur les opinions dominantes : ils considéreront souvent comme non significatif tout ce qui ne fait pas l'objet d'un large consensus. Et s'il y a place pour une presse plus engagée, son influence demeure elle aussi modeste : dans un régime de concurrence ouverte entre les médias, les prises de position diffusées sont souvent contradictoires. Or, comme on l'a vu, les gens choisissent, parmi ce qui est diffusé, quels journaux ils liront, quelles voix ils écouteront, quels mots ils retiendront. L'influence réelle de la presse s'en trouve modérée.

Lorsqu'on aborde le métier de journaliste, il faut donc savoir demeurer modeste. Comme la place du marché, le journal (ou le bulletin télévisé) ne tient pas lieu de débat public. Il en est tout au plus le théâtre. Tout juste alimente-t-il la discussion, quand le milieu est déjà fécond. Il n'est, bien souvent, que le reflet du « on » collectif.

Bref, ce n'est pas comme acteur social, comme détenteur d'un pouvoir absolu — arbitraire selon certains — que le journaliste est important. C'est en tant que témoin privilégié de l'action sociale : il doit voir, choisir, rapporter, faire vivre et surtout faire comprendre. C'est un rôle modeste mais fort noble. Un rôle essentiel, dans toute société démocratique.

2

De l'idéal à la réalité : les travers de l'information et les contraintes imposées aux journalistes

À la fois témoin de la vie publique et analyste de l'information, le journaliste reçoit donc un mandat de mise en relation, de compréhension, de recul par rapport à un flux constant de faits qui lui arrivent en vrac. Mais se donne-t-il toujours la peine de prendre ce recul essentiel? Et lui en donne-t-on les moyens? Deux types de contraintes le guettent alors. D'abord, les conditions réelles de pratique de son métier (un délai trop court avant la publication, l'impossibilité de joindre les experts pertinents, un espace limité dans le journal, etc.) limiteront souvent sa capacité de traiter adéquatement l'information brute qu'il reçoit. Ensuite, la définition même de la nouvelle est rarement neutre. Elle est tributaire de ceux qui, dans les faits, contrôlent l'information dans notre société et orientent ainsi le contenu des médias.

Les contraintes internes, liées aux conditions d'exercice du journalisme
Tout faire trop vite

La première difficulté qu'éprouve le journaliste dans l'exercice de sa mission, c'est **la contrainte de temps**. Elle est liée aux exigences techniques des médias : le reporter qui, à peine arrivé sur le lieu d'un événement, doit livrer un « direct » à la télévision ; le bulletin radiophonique qu'il faut réviser toutes les heures ; le journal dont les pages « ferment » à 22 heures pour que les presses puissent finir l'impression assez tôt pour les rondes de distribution de nuit... Cette contrainte se trouve amplifiée par la concurrence entre les médias et le « syndrome du scoop » : il faut diffuser tout ce que les autres diffuseront, mais de préférence avant eux !

Comment alors peut-on couvrir une conférence de presse à 14 heures, rentrer au bureau à 15 h 30, fouiller la documentation complémentaire et livrer un texte qui va droit à l'essentiel... pour un bulletin de nouvelles de 16 heures ? Ou même rédiger un texte éclairant, dans une langue vivante, pour le journal du lendemain, quand un éditeur soucieux de contrôler le temps payé en supplément décourage le travail après 18 heures ? Et que penser du journaliste de sport qui couvre un match prenant fin vers 22 h 15 et doit se précipiter dans le vestiaire pour recueillir les commentaires à chaud, courir dans la salle de presse, rédiger à la hâte quelques paragraphes et livrer son texte au journal, par lien Internet, avant la tombée de 22 h 30 ou 23 heures ! Cela tient du miracle quotidien. Résultat : dans bien des cas, les journalistes n'ont pas le temps de traiter la nouvelle. Ils se contentent de rapporter les propos et les faits en vrac, quitte à les vérifier et à les remettre en contexte le jour suivant. Mais le lendemain, il y aura d'autres nouvelles, d'autres urgences, d'autres courses...

L'ironie, c'est que plus les médias perfectionnent leurs outils techniques, plus grande est cette contrainte du temps. Avant l'arrivée des réseaux mondiaux de télécommunications, on acceptait que les nouvelles d'outre-mer nous arrivent avec un ou quelques jours de retard. Puis, nous avons été habitués à recevoir de partout l'information de dernière heure transmise par la radio et les agences de presse. L'avènement des satellites et des caméras légères a ensuite ouvert l'ère de la télévision en direct. Le réseau américain CNN a innové, en 1991, en dépêchant un correspondant à Bagdad pour rapporter en direct les bombardements, pendant la guerre du Golfe. Les autres télévisions ont dû suivre. Si les journalistes de la télé n'avaient jadis que quelques heures pour réagir et peaufiner leur travail avant le bulletin de 18 heures, ceux qui travaillent au Réseau de l'information de Radio-Canada ou au Canal Nouvelles de TVA n'ont plus que quelques minutes avant le prochain bulletin.

Alors si un agent d'information ou un relationniste habile, au service d'une institution (gouvernement, entreprise, association syndicale ou professionnelle, etc.) a pu consacrer quelques semaines à colliger la documentation et rédiger un article de base attrayant et efficace, il y aura de bonnes chances que le journaliste coincé dans le temps s'en inspire. Qui contrôle alors vraiment l'information diffusée?

Une minute ou une page pour tout dire !

Le second problème, tout aussi évident, c'est **la contrainte d'espace**. On peut rarement dégager tous les éléments intéressants d'une nouvelle et expliciter son contexte de signification à l'intérieur d'un seul feuillet[1]. Quoique les contraintes de format

---

1 Le mot *feuillet*, dans le jargon journalistique, désigne une page dactylographiée à double interligne, soit environ 25 lignes de 70 frappes; 250 à 300 mots, donc.

varient d'un média à l'autre, la norme consiste de plus en plus en un texte bref de 30 à 90 secondes pour la radio ou la télé, et de un à quatre feuillets pour la presse écrite quotidienne. Et même dans les magazines ou les émissions d'affaires publiques, la tendance récente est aux reportages courts de six à huit feuillets, ou d'une durée de six à douze minutes. Pour analyser une problématique de fond, c'est rarement suffisant.

Une presse au service du profit

Viennent ensuite toute une série de contraintes liées à l'encadrement de l'exercice professionnel. Au premier chapitre, nous avons considéré les journalistes comme des personnes au service de leur public. C'est une vision un peu naïve qui occulte un intermédiaire, et de taille : l'entreprise de presse.

Avec elle viennent **les contraintes budgétaires.** Parce que son équipe compte moins d'une trentaine de journalistes, un journal comme *Le Devoir* ne peut libérer en même temps plusieurs journalistes pour qu'ils approfondissent leurs propres recherches, sans risquer de laisser filer des pans essentiels de l'actualité quotidienne. Et même les médias en apparence plus riches disposent d'une marge de manœuvre très limitée.

Mais l'argument budgétaire est souvent invoqué pour masquer des choix d'une autre nature. Ainsi, de nombreuses stations de radio, au demeurant très rentables, ont cessé de diffuser des bulletins de nouvelles. Et celles qui maintiennent cette tradition n'ont que deux ou trois journalistes dans leur salle des nouvelles : les priorités d'investissement sont ailleurs. De même, on a souvent attribué à des questions budgétaires la piètre qualité de l'information internationale dans les médias du Québec. Il est vrai que le maintien d'un réseau actif de correspondants à l'étranger est fort coûteux pour des médias desservant une population plutôt restreinte, mais ces mêmes entreprises trouvent le moyen d'envoyer des chroniqueurs sportifs suivre les tournées des équipes professionnelles de hockey et de baseball partout aux États-Unis ou d'envoyer une équipe de correspondants aux Jeux olympiques. En fait, les contraintes budgétaires masquent souvent une réalité plus dramatique : bien des entreprises de presse n'ont pas fait de l'information leur priorité. Voilà pourquoi elles ont peu de journalistes et peu de fonds pour les déplacements.

Ces questions de « gros sous » nous ramènent dès lors aux **contraintes liées aux politiques rédactionnelles des médias.** Si certains aspects de ces politiques sont explicites, la plus grande partie demeure informelle. On invoque le désintérêt du public pour telle ou telle question, le manque d'objectivité de tel ou tel point de vue, le nécessaire équilibre entre opinions divergentes, mais ces arguments cachent toujours des choix implicites de l'entreprise de presse ou de ses représentants : rédacteurs en chef, directeurs d'information, etc. Même dans la presse de masse, celle qui se prétend neutre, certains sujets d'importance majeure sont tabous parce qu'on ne veut offenser personne. D'autres sujets sont toujours présentés en retrait parce que les rédacteurs en chef refusent de reconnaître qu'ils sont significatifs, alors que de l'information sans grande portée est parfois montée en épingle, du fait qu'elle correspond à la vision du personnel de direction de la salle des nouvelles.

Sur le plan individuel, les journalistes finissent par accepter plus ou moins consciemment les orientations du média pour lequel ils travaillent. Dans les grandes salles de rédaction, où les journalistes pourraient jouir d'un certain pouvoir, rares sont ceux et celles qui vont se battre bien longtemps pour couvrir un événement que la direction juge marginal. Quant aux médias spécialisés, le pouvoir réel des journalistes — qui sont bien souvent des pigistes ou des contractuels — y est encore plus restreint. Les contraintes imposées par le rédacteur en chef sont souvent perçues comme étant liées à la mission du magazine (ou de l'émission). Par exemple, une journaliste qui travaille pour le journal *Les Affaires* sait bien que les lecteurs auxquels elle s'adresse viennent du milieu des affaires, et sont plus enclins à s'intéresser aux stratégies d'un entrepreneur qu'aux problèmes de mobilisation des syndicats.

Une presse qui reflète les valeurs dominantes

Il faut dire aussi que les journalistes font souvent partie du même milieu que leurs employeurs. Lors d'un congrès de la Fédération professionnelle des journalistes du Québec, il y a plusieurs années, un participant a dénoncé un certain glissement des priorités dans nos médias : « Dans les années 1965-70, alors que nous [les journalistes] étions surtout des locataires, nos pages débordaient d'articles sur les propriétaires sans scrupules et la défense des locataires devant la Régie du logement. Maintenant que nous sommes devenus propriétaires, les problèmes des locataires ne font plus la nouvelle. Nous sommes bien plus préoccupés par le rendement de nos titres boursiers. » Si elle n'était que caricature, la remarque serait drôle. Hélas, elle n'est que trop vraie. La presse, dans son ensemble, s'adresse en priorité à la classe moyenne ou supérieure, à laquelle appartient la majorité des lecteurs de journaux ou des auditeurs d'information télévisée. Les journalistes vivent en milieu plutôt bourgeois, les patrons de presse aussi, et cela colore le contenu des médias.

Cette distorsion plus ou moins explicite des priorités de l'information serait moins lourde de conséquences si les entreprises de presse représentaient, chez nous, l'éventail complet des acteurs sociaux et des groupes d'intérêt. Il existe en France, par exemple, une large diversité dans les orientations des journaux quotidiens (quoique celle-ci se soit amoindrie depuis quelques années). Mais la presse d'ici, comme son modèle américain, est une presse « de centre », qui fonctionne pour l'essentiel dans un système de type capitaliste et adopte d'emblée les grilles d'analyse propres au libéralisme économique. Un exemple? La majeure partie de la couverture syndicale porte sur des grèves ou des négociations difficiles (lorsqu'il y a perturbation du système économique) alors que les patrons ont au contraire droit aux gros titres, surtout lorsqu'ils annoncent des investissements, des contrats internationaux, des profits. Pas étonnant que les entrepreneurs soient perçus comme des agents de développement collectif, et les leaders syndicaux comme des nuisances!

On pourrait généraliser à partir de cet exemple en affirmant que la presse libérale tend à accorder d'autant plus de poids aux « acteurs sociaux » qu'ils sont investis de puissance économique ou politique. Une conférence de presse du Conseil du patronat ou de l'Association canadienne de l'industrie du médicament sera beaucoup mieux couverte qu'une conférence de presse du Regroupement pour la défense des personnes assistées sociales ou du Mouvement action-jeunesse. Et plus les groupes sans voix officielle reconnue tiennent un discours qui remet en cause les valeurs dominantes, plus ils deviennent suspects aux yeux de la presse, qui les tient alors pour insignifiants[2].

---

2 Il y a parfois des exceptions à cette règle, quand des groupes marginaux réussissent des coups d'éclat, comme ce fut le cas de la marche des femmes contre la pauvreté, en 1995 : une porte-parole efficace avec les médias, une organisation hors pair, et l'événement a fait les manchettes. Mais c'est l'exception. L'espace médiatique reste encore dominé par les détenteurs du pouvoir économique et politique, ne serait-ce que parce que leurs décisions risquent, *a priori*, d'avoir de plus grandes conséquences. Et quand on couvre les « actions citoyennes », c'est souvent parce qu'il y a de la casse, comme lors des manifestations en marge des grands sommets économiques du G20, par exemple. Car les discours qui s'y tiennent ne sont pas perçus comme significatifs.

Cette **tendance de la presse à refléter les valeurs dominantes** ne joue pas que dans la sélection des idées et des causes
qu'elle défend. Elle détermine aussi les images qu'elle véhicule.
Quand un journaliste écrit, il doit souvent se représenter men-
talement le lecteur type à qui il s'adresse. Au Québec, il s'agira
le plus souvent d'un individu d'âge moyen, un Québécois « de
souche » de race blanche, hétérosexuel, plus ou moins sco-
larisé selon les médias. C'est par rapport à ce stéréotype que
seront définis les personnages que l'information mettra en
scène, et on ne précisera l'origine ethnique, la race ou les préférences sexuelles des acteurs que si elles se distinguent de ce
portrait type. En se conformant à ce stéréotype, les journalistes
font qu'une partie de la population ne se reconnaît pas dans les
médias. Comme ces étrangers, ces minoritaires, ces marginaux
ou ces gens des classes les plus démunies qui étaient, hier, fort
mal reçus sur la place du marché !

De nombreux groupes ont porté plainte devant le Conseil de
presse parce que les journalistes, en agissant de la sorte dans leur
couverture des faits divers de nature criminelle, contribuaient à
renforcer les stéréotypes racistes dans notre société. De plus en
plus de journalistes sont conscients de ce danger. N'empêche
qu'il est parfois difficile, dans une société blanche, de ne pas
considérer comme significatif le fait qu'un acte (bon ou mauvais) ait été fait par un Noir. Ou, dans une société mâle, qu'un
vol de banque ait été perpétré par une femme ou, d'un point de
vue contraire, qu'une p.-d.g. soit une fort jolie femme.

Des journalistes incompétents... ou trop spécialisés

Viennent ensuite les problèmes liés à **la compétence propre des
journalistes,** à qui l'on demande de traiter de sujets qui sont,
à l'origine, tout aussi inédits pour eux que pour leurs lecteurs

éventuels. Certes, on n'exige pas d'eux qu'ils soient spécialistes de toutes les questions. On s'attend plutôt à ce qu'ils possèdent une bonne culture générale, assez d'intelligence pour comprendre rapidement les enjeux qu'on leur présente, et surtout l'habileté de chercher aux bons endroits l'information pertinente.

Mais encore faut-il que la documentation soit accessible dans le temps imparti pour rédiger l'article. Le déploiement du réseau Internet a grandement facilité leur tâche, car beaucoup de données de type documentaire sont désormais accessibles en ligne. Mais tout n'est pas encore sur Internet. Et bien des données accessibles (corrélations statistiques, rapports de recherche, actes juridiques, registres fonciers, etc.) ne peuvent être comprises sans une solide compétence. Aussi, même quand ils auront pu trouver sur Internet une bonne partie des données complémentaires requises, les journalistes devront encore compter sur des personnes-ressources extérieures, ne serait-ce que pour comprendre le sens de l'information et juger de sa validité. Mais à qui devront-ils s'adresser? S'agira-t-il de sources crédibles? Ceux et celles qui veulent accéder très rapidement à l'information « de *background* » et aux personnes-ressources les plus fiables doivent développer leurs « réseaux de contacts ». Ils finissent ainsi, un jour ou l'autre, par se spécialiser.

Mais la spécialisation pose à son tour un problème : celui du **cloisonnement de l'information.** Tel chroniqueur syndical connaît toutes les ficelles du monde du travail, mais ignore comment lire un rapport financier d'entreprise. Telle chroniqueuse des pages économiques, parce qu'elle entretient des relations régulières avec les gens d'affaires, en vient à colorer inconsciemment ses textes d'une perspective « entrepreneuriale », sans réaliser que « ce qui est bon pour General Motors n'est pas nécessairement bon pour les USA », pour parodier une célèbre citation.

Dans certains cas, ce cloisonnement peut avoir des effets

dramatiques. Dans les années 1970, un entrepreneur québécois a lancé un service privé de soins d'urgence à domicile, le service Télé-Médic. Les chroniqueurs couvrant le secteur de la santé ou des affaires sociales ont rapidement pu apprécier l'efficacité du service et les bienfaits qu'il apportait aux malades les plus démunis. Mais Télé-Médic, qui avait d'importants problèmes de financement, a réclamé de l'État une contribution majeure. Un jour, en se plaignant des tracasseries étatiques, l'entrepreneur a annoncé une vaste campagne de souscription populaire pour sauver le service. La presse québécoise en entier a couvert la bataille de ce « héros » contre la machine bureaucratique gouvernementale, jusqu'au jour où un chroniqueur de la section économique de *La Presse*, Michel Girard, a commencé à fouiller dans les bilans financiers des autres entreprises du promoteur et y a découvert une situation beaucoup moins claire. L'homme s'était largement enrichi dans l'aventure Télé-Médic !

Après la publication de cette enquête, le projet de souscription publique a été abandonné et le service, cédé au secteur public, a été intégré dans Urgences-santé. Mais pourquoi ces faits troublants avaient-ils échappé à la dizaine de journalistes affectés au dossier ? Simplement parce que les journalistes du secteur des affaires sociales ne sont pas habitués à analyser les bilans financiers d'entreprises privées. Cela ne relève pas de leur spécialité !

La spécialisation des journalistes va souvent de pair avec **une sélection implicite des publics**. Le journal *Les Affaires* ne traitera pas une hausse du prix des métaux (donc un meilleur rendement pour les entreprises du secteur) sous le même angle qu'un magazine comme *Protégez-vous* (qui y verra plutôt l'annonce d'une hausse du prix des produits à la consommation). Cela est vrai aussi à l'intérieur d'un même média : la page économique (ou le reporter à l'économie, aux nouvelles télé) ne privilégiera pas les mêmes aspects d'une information que la page (ou le journaliste) qui traite des syndicats ou de la consommation. On voit donc l'information de masse (et avec elle, le public des médias) se scinder progressivement en volets spécialisés, comme autant d'univers étanches. On trouve de plus en plus rarement des tableaux intégrés où pourraient être confrontées ces analyses contradictoires.

Si la direction de la salle veut donner une orientation particulière à une nouvelle, elle n'a plus à intervenir dans le contenu des textes : elle n'a qu'à bien choisir à quel journaliste elle confiera la couverture !

Notons enfin que même dans les médias de masse, il existe une sélection des publics, qui peut conduire à des visions fort divergentes. Lorsque les journalistes du quotidien *The Gazette* traitent de la question linguistique, ils se demandent au départ quel impact cette mesure aura sur leur lecteur. Ceux du *Devoir* font de même. Mais la réponse n'est pas identique parce que, justement, les lecteurs ne sont pas les mêmes. Résultat : les angles de traitement et les éléments jugés significatifs différeront sans qu'on puisse accuser l'un ou l'autre de ces journaux d'avoir trompé son public. On pourrait faire le même constat en comparant le traitement de l'information politique dans les quotidiens de Montréal et de Toronto ou plus simplement en comparant les priorités de couverture d'un journal « populaire » comme le *Journal de Montréal* et d'un journal « intellectuel » comme *Le Devoir*.

Pour consommateurs avertis

La sélection des publics pose un autre problème : c'est celui **des connaissances de base qu'on doit tenir pour connues.** Le chroniqueur financier ne peut pas, chaque fois qu'il traite des soubresauts du marché boursier, expliquer ce qu'est une action, comment fonctionne le marché secondaire ou quel est le rôle du parquet comme lieu d'échanges. Et le chroniqueur sportif n'a pas à expliquer les règles du hockey chaque fois qu'il décrit le match de la veille. On doit donc supposer que si quelqu'un s'intéresse au sujet traité, c'est qu'il possède au moins des rudiments pour en comprendre les développements. Et plus on travaille dans un secteur spécialisé, plus ces références « minimales » seront élevées.

En dehors des secteurs spécialisés, la même contrainte se pose lorsqu'il s'agit de suivre un événement qui connaît des développements d'une journée à l'autre. Doit-on chaque fois reprendre toute l'histoire, comme si le lecteur ou l'auditeur ne savait rien des nouvelles de la veille ? Ou peut-on tabler sur une connaissance acquise au fil des jours ? Bien sûr, lorsque l'espace le permet, les rappels sont toujours pertinents. Mais on ne pourra jamais tout reprendre.

La réalité, c'est que les journaux et bulletins de nouvelles finissent par s'adresser en priorité à ceux qui suivent régulièrement les nouvelles... au risque de perdre les autres !

Être sensass... ou ne pas être

Viennent enfin les contraintes liées à **la concurrence entre les nouvelles ou, dans les médias électroniques, entre les émissions d'information et les autres émissions diffusées à la même heure.** Cette concurrence force les journalistes à « vendre » leur nouvelle. À leur éditeur d'abord ; à leur public ensuite. D'où cette nécessité absolue d'étonner, de séduire, de capter l'attention, de convaincre, de « donner tout le jus » dans les premiers paragraphes... ou de n'être pas diffusé, de n'être pas lu ou écouté. L'information souffre souvent de cette contrainte de marketing. C'est le syndrome du sensationnalisme, omniprésent dans la presse dite «jaune[3]», mais à peine plus feutré dans la presse «sérieuse».

Dans la presse écrite, il existe des refuges qui échappent encore aux abus du marketing. Des magazines spécialisés risquent encore des analyses fouillées. Des quotidiens ouvrent parfois leurs pages à des dossiers de fond. Mais dans la presse électronique, en télévision surtout, le public risque de changer de canal à la moindre chute de l'intérêt. Résultat : on privilégie les «capsules», vite consommées, vite absorbées, vite oubliées, plutôt que les documents approfondis qui nécessitent trop d'attention de la part du public. «Sinon, le public ne suivra pas», disent les producteurs de télévision! On simplifie donc les messages, comme dans la publicité[4].

Puis, il y a la contrainte des images : il faudra mettre en évidence d'abord ce qui frappe, ce qui étonne, ce qui va chercher les émotions. Poussée à la limite, cette tendance fait passer le spectacle avant le contenu.

---

3 Les journaux de format tabloïd du groupe Hearst, aux États-Unis, furent les premiers à publier une bande dessinée quotidienne, *The Yellow Kid*; c'est de là que leur vint le surnom de *Yellow Papers*, généralisé depuis à toute la presse à sensation (*Yellow Press*).

4 Il existe heureusement des contre-exemples, du côté des télévisions de service public surtout. PBS aux États-Unis ou CBC/Radio-Canada et Télé-Québec chez nous diffusent bon nombre de documentaires de fond et d'émissions d'affaires publiques comme *Découverte*, *Enquête* ou *Une heure sur Terre*, qui ne donnent pas dans l'information superficielle. Reste que, dans l'ensemble de l'offre télévisuelle, les émissions de ce genre demeurent l'exception.

Les contraintes externes, liées à la nature de l'information

Les contraintes évoquées jusqu'ici dépendent des conditions concrètes de l'exercice du métier. Elles sont internes. Mais il faut composer aussi avec des contraintes externes, plus fondamentales sans doute, liées au rôle des journalistes dans la société, à la mission qu'on leur confie : celle de sélectionner non seulement les faits qui paraissent significatifs, mais tous ceux qui alimenteront les conversations du lendemain.

La « dictature » de l'événement

Un ministre doit faire une importante déclaration sur la politique canadienne en matière d'immigration. Demain, la déclaration sera reprise à tous les bulletins de nouvelles. Il faut donc que le journal couvre cette conférence parce que les lecteurs en entendront parler ailleurs, parce qu'ils voudront savoir ce qu'a dit le ministre, parce qu'ils chercheront à comprendre le contexte de cette déclaration. Bien sûr, on pourrait rappeler que ce ministre a déjà fait mille et une déclarations sur le même sujet, mais qu'importe ! Le contexte a changé, et la mémoire des lecteurs est courte, de toute façon. Il faudra donc affecter un journaliste à cette conférence.

Rien de bien dramatique dans cette décision… Malheureusement, ce même jour, trois ou quatre ministres font des déclarations, deux ou trois entreprises convoquent des conférences de presse, deux ou trois groupes syndicaux… Et puis il y a les matches de hockey, l'actualité culturelle, les manifestations, les crimes et les procès, les guerres à l'étranger, etc. Avant même que n'ouvrent les portes du journal, le matin, le programme de couverture est déjà surchargé. De plus en plus, les pouvoirs en place contrôlent le déferlement de l'information. Et si, à l'occasion, des groupes marginaux arrivent à s'y insérer, c'est à coups d'attentats terroristes ou de manifestations. C'est le règne de l'événement, parfois fortuit, le plus souvent planifié, face auquel les médias n'ont guère de marge de manœuvre.

De 1973 à 1976, le quotidien *Le Jour* a cherché à présenter à ses lecteurs une couverture de l'actualité privilégiant certains domaines négligés par les autres médias : la vie communautaire et régionale, la consommation et la protection du patrimoine, par exemple. Pour y parvenir, il a fallu souvent écarter des déclarations ministérielles ou des événements jugés trop officiels. Résultats : les lecteurs du *Jour* étaient les premiers à s'en plaindre ; nous faisions, disaient-ils, un journal tout à fait à côté des événements, un journal « pour Martiens ».

Bien sûr, entre l'originalité absolue et la servilité totale face à tous les créateurs professionnels d'événements qui mobilisent l'attention des médias et finissent par en contrôler indirectement le contenu, il y a place pour des compromis judicieux. Mais encore faut-il avoir la conviction que ce qu'on choisit de couvrir est, réellement, plus significatif que ce qu'on choisit d'écarter. Plus urgent aussi. Or, il est souvent difficile de deviner à l'avance quelle « nouvelle » sortira d'un événement annoncé. En général, les médias joueront la prudence.

Le règne du court terme

Tout événement présente un caractère d'urgence. Il se déroule à un moment donné, dans un lieu donné. S'il est spectaculaire ou s'il met en scène des personnes connues, il entre aussitôt dans le domaine des faits dont il sera question le lendemain sur la « place publique ». Il appelle donc des explications immédiates. Bien sûr, deux ou trois jours après, il sera peut-être oublié. D'autres événements auront pris la relève, qu'il faudra alors expliquer à leur tour. Mais qui peut dire, au jour le jour, quel événement mérite d'être suivi, et quel autre, oublié?

En fait, dans la presse périodique et dans les émissions d'affaires publiques moins directement liées aux actualités du jour, il arrive que des journalistes puissent écarter l'événement et choisir de présenter un sujet d'un autre point de vue. Qu'ils puissent suivre par exemples quelques familles d'immigrés dans leurs efforts quotidiens d'intégration, plutôt que de rapporter les déclarations souvent redondantes des agents gouvernementaux ou des représentants de minorités ethniques. Qu'ils puissent déborder le fait politique et regarder vivre. Cela demande plus de temps de réflexion, et un regard plus attentif aux « tendances lourdes » de la société. Mais les responsables des émissions d'affaires publiques sont eux aussi influencés par ce qui se trame au quotidien. Ils cherchent à inscrire leur travail dans ce qui fait la manchette, profitant ainsi de l'intérêt des gens ; ils ne se donnent pas toujours le temps de travailler sur du long terme.

Ainsi, tous les médias finissent par traiter des mêmes choses, plus ou moins en même temps. D'autant plus que les responsables de rédaction ou les « affectateurs » lisent les autres journaux, écoutent les nouvelles à la radio et à la télévision, s'assurant quotidiennement que rien ne leur aura échappé.

Comme un miroir grossissant

On peut y voir un vice profond dans le contenu de nos médias ou le symptôme d'une certaine paresse des journalistes dans leur recherche de nouvelles pistes d'information. Mais rappelons ce qui a été dit au chapitre 1 : les gens lisent les journaux pour apprendre du nouveau, parfois, mais ils recherchent bien plus l'information qui porte sur ce qu'ils savent déjà, celle qui complète ce qu'ils ont vécu ou ce dont ils ont entendu parler. Ainsi, la couverture d'un événement par la télévision incitera les lecteurs de journaux à lire sur ce sujet et, à l'inverse, la publication d'une nouvelle dans un journal favorisera l'écoute des informations radio ou télé qui en assureront le suivi. Bref, les différents types de médias se renforcent plus qu'ils ne se font concurrence. À la limite, la couverture exceptionnelle d'un événement, loin de provoquer une saturation, incite au contraire les gens à rechercher de plus en plus d'information sur le sujet[5].

La tendance des médias à privilégier en conséquence les mêmes sujets-vedettes engendre un effet pervers : certaines nouvelles, peut-être significatives, retiennent peu l'attention des médias parce qu'elles portent sur des phénomènes perçus comme marginaux. « On n'en parle pas parce que les gens ne sont pas intéressés », diront les éditeurs. Ce faisant, ils contribuent à maintenir ces faits dans l'ombre. Mais il suffira qu'un jour un événement propulse à la « une » ce sujet marginal pour que tous les médias se bousculent aux portes.

La presse devient ainsi un miroir déformant : elle grossit ce qui est au centre des conversations du village et rétrécit par le fait même ce qui n'est encore qu'en périphérie. On peut ainsi ignorer pendant des années la situation pénible des réfugiés demandant

---

5 J'ai été pendant plusieurs années rédacteur en chef de l'émission *Découverte*, à la télévision de Radio-Canada. Plusieurs fois, nous avons choisi de traiter les aspects scientifiques de dossiers qui avaient dominé l'actualité : la crise du verglas qui a frappé le Québec en 1998, l'effondrement des tours de World Trade Center en 2001, le tsunami qui a dévasté la Thaïlande et beaucoup de pays côtiers de l'océan Indien en 2004, l'ouragan Katrina qui a inondé La Nouvelle-Orléans en 2005, la pertinence de la vaccination contre le H1N1… Chaque fois, nous arrivions avec quelques semaines de retard en nous demandant si les gens auraient encore envie de nous écouter après que ces événements eurent fait la manchette pendant tout ce temps. Or, ces reportages nous ont toujours valu nos meilleures cotes d'écoute.

l'asile politique au Canada et les incohérences de notre politique d'immigration ; mais qu'une quinzaine de réfugiés de la mer échouent à Terre-Neuve et qu'ils soient pris en flagrant délit de mensonge, voilà que tous les médias y dépêchent leurs équipes volantes ! L'immigration devient alors le sujet de l'heure, jusqu'à ce qu'un autre événement éclate pour le déloger.

   Un autre exemple ? Bien des gens savaient depuis plusieurs années que les BPC de Saint-Basile-le-Grand étaient laissés plus ou moins à l'abandon, dans un entrepôt en mauvais état ; quelques médias avaient même publié des articles là-dessus, placés discrètement en pages intérieures. Il a fallu l'incendie dramatique de l'été 1988 pour que soudainement les BPC deviennent un enjeu politique et un produit-vedette des médias ! Pourtant, bien des produits plus dangereux continuent d'être utilisés dans l'industrie sans qu'on en parle (mentionnons notamment l'ammoniac utilisé en réfrigération... en plein cœur de Montréal).

Le mirage de la neutralité

J'ai évoqué plus haut les partis pris idéologiques des propriétaires des entreprises de presse et les priorités rédactionnelles que ces entreprises établissent en fonction du public qu'elles visent. Ces partis pris semblent de prime abord plus évidents dans le cas de la presse dite « engagée » que dans celui de la presse de masse, parce que la première affirme ses choix plus clairement que la seconde. Ce qui n'empêche pas la presse de masse de laisser une grille d'analyse implicite conditionner à la fois l'information retenue et les significations dégagées.

   Si cette sélection idéologique de l'information est moins évidente dans le cas des grands médias, c'est parce que leurs objectifs commerciaux les forcent à viser un public le plus large possible ;

ils éviteront donc les grilles d'analyse perçues comme radicales ou marginales. Et pour les sujets controversés, les éditeurs s'efforceront de donner la parole de manière équitable aux tenants des positions contraires. Comme si l'équilibre des opinions pouvait remplacer une véritable analyse en profondeur!

Cette recherche du « plus grand dénominateur commun » n'est pourtant pas une police d'assurance vérité. Dans une société empêtrée dans des préjugés, le choix de refléter les consensus peut avoir pour effet de renforcer les idées reçues. Les médias (et les journalistes qui y travaillent) sont aussi vulnérables face à ces idées reçues que face aux lobbies les mieux structurés, qui parviennent le mieux à faire entendre leur message sur la place publique.

De tels *a priori* idéologiques sont encore plus fréquents quand les médias se donnent des objectifs d'éducation, de sensibilisation à des problèmes sociaux ou politiques, voire de formation idéologique. Prenons l'exemple de l'économie. Au début des années 1980, les médias ont pris conscience de la faible participation des Québécois dans l'entreprise privée. Ils se sont donc donné pour mission de sensibiliser leurs lecteurs aux réalités de l'entreprise et du marché boursier et de leur présenter des modèles de gens d'affaires dynamiques. Ce fut les belles années du « Québec Inc. », avec ses vedettes, les Bernard Lamarre, Jean Coutu, Pierre Péladeau, Laurent Beaudoin et quelques autres.

Quelques années plus tard, les journalistes en économie ont pris conscience d'une conséquence inquiétante de la mondialisation des marchés financiers : l'économie des pays endettés risquait de ne pas survivre devant la concurrence internationale. On s'est donc donné un nouvel objectif idéologique : replacer le déficit et la dette (un sujet qui n'intéressait pas grand monde jusqu'alors) au rang des priorités. Ce faisant, c'est une « lecture sociale » particulière qui était proposée, une idéologie qu'on privilégiait.

Des exemples de ce genre, on en rencontre dans tous les

secteurs de l'information. Dans le domaine des sciences, par exemple, plusieurs analystes soutiennent que la relance technologique et industrielle du Canada passe par une meilleure compréhension des enjeux scientifiques et techniques ; bien des journalistes scientifiques voient leur travail comme une forme d'engagement social envers le développement de cette culture scientifique. En matière d'environnement, de plus en plus d'institutions et de groupes de pression croient que ce n'est que par une volonté systématique des médias de mettre en relation les questions d'économie, de consommation et de développement durable que pourra se résorber l'actuelle crise écologique ; là encore, les chroniqueurs à l'environnement acceptent en bloc d'appuyer cette vision[6]. De même, les mouvements antiracistes croient que les journalistes ont la responsabilité de combattre les préjugés raciaux en manifestant une ouverture particulière face à la richesse culturelle et sociale qu'apporte l'immigration. Et puis, il faut être attentif à démasquer les stéréotypes sexistes, promouvoir la défense de la langue, soutenir nos créateurs, et quoi encore !

La question n'est pas de savoir si ces causes sont justes, ni

---

6   Depuis la fin des années 1990, les médias de masse ont diffusé une pléthore de nouvelles ou de reportages sur les effets du réchauffement climatique et la menace que ce phénomène fait peser sur l'humanité si nous ne diminuons pas nos émissions de gaz carbonique dans l'atmosphère. De fait, la tendance récente au réchauffement est clairement démontrée et les modèles mathématiques à la base des prédictions des climatologues se sont révélés fort précis sur un horizon de quelques années. Mais plusieurs scientifiques remettent en question la valeur à long terme de ces modèles parce qu'ils ne tiennent pas compte de nombreux facteurs (les nuages, l'absorption du carbone par les océans, les grands courants marins, etc.). Il y a encore des débats sur les scénarios futurs, mais la presse dans son ensemble a très peu couvert cette controverse parce que, comme dans le cas de bien d'autres questions, la plupart des journalistes se sont rangés dans le clan du plus large consensus. Ce n'est qu'avec le recul qu'on verra s'ils avaient raison, ou s'ils auraient dû faire preuve de plus d'esprit critique.

de remettre en question le fait que les journalistes doivent les traiter. Il s'agit là d'importants débats sociaux, dont la portée est considérable. Ils doivent donc trouver écho sur la « place du marché » de notre village médiatique. Mais il faut être conscient qu'en épousant de telles causes, la presse de masse n'est pas neutre. Parce qu'elle se nourrit des consensus apparents, elle en vient à refléter les valeurs de la société qu'elle met en scène ou, plus particulièrement, celles de ses élites.

Il suffit pour s'en convaincre de relire les quotidiens québécois d'il y a cinquante ou soixante-quinze ans : la société qu'on y présente est une société monolithique, chrétienne et conservatrice, attachée aux valeurs rurales et souvent méfiante face à ce qui vient de l'étranger. Ces valeurs implicites coloraient toute l'information. Avec le recul, les biais de l'époque apparaissent flagrants. Ceux d'aujourd'hui paraîtront peut-être tout aussi évidents aux lecteurs de demain !

* * *

Ces déformations dans l'information que véhiculent les médias et l'existence de contraintes réelles dans l'exercice quotidien du métier d'informateur ne doivent pas, bien sûr, justifier de mauvaises pratiques journalistiques. Elles peuvent toutefois expliquer qu'entre une pratique définie comme idéale et la réalité quotidienne des médias, une distance existera toujours, distance que les meilleurs journalistes s'efforceront de combler.

Les outils présentés dans ce livre constituent un moyen d'améliorer la qualité du travail journalistique. **Mais certains problèmes ne pourront être réglés qu'en apportant des changements aux conditions de travail des journalistes ou aux politiques d'information des entreprises de presse.**

Dans cette perspective, la reconnaissance des obstacles qui entravent une pratique compétente du journalisme doit être perçue non pas comme un appel à l'indulgence, mais comme un premier pas pour modifier notre façon de couvrir et de rapporter ce qui se passe au quotidien.

Comment accomplir ces réformes essentielles? En misant en partie sur l'excellence, sans doute. Il y a encore, dans les médias, des journalistes qui, malgré toutes les contraintes, parviennent à fouiller un dossier au-delà des messages préfabriqués des agents d'information, à en dégager des significations inédites, à convaincre leurs patrons de la justesse de leur analyse et à faire diffuser leur travail. Le milieu n'est pas encore assez cynique pour rejeter l'information approfondie.

Mais l'excellence individuelle ne suffira pas. Tant que les salles de presse, engoncées dans leurs contraintes budgétaires, chercheront à couvrir tout ce que les organisateurs d'événements mettent à leur programme et à publier le jour même sur tous ces sujets, on ne sortira guère du cul-de-sac. Aussi est-il essentiel que les journalistes et les entreprises de presse prennent conscience de ce qui entrave l'exercice intégral de leur mission et s'efforcent de réformer conséquemment les politiques d'information.

Mais ne soyons pas trop pessimistes. La situation précaire actuelle des médias de masse, due à la multiplication des sources d'information gratuite, pourrait favoriser paradoxalement l'émergence d'un journalisme de meilleure qualité. Certains propriétaires de presse pensent en effet que, si les grands médias veulent demeurer pertinents, il leur faut désormais se distinguer par un contenu exclusif, qu'on ne retrouvera ni sur les sites web ni dans les quotidiens gratuits offerts aux usagers du métro. L'originalité de traitement et l'approfondissement pourraient devenir les premiers critères de survie.

Du reste, au moment où je révise le contenu de ce livre, je

constate une certaine effervescence dans le journalisme d'enquête, au Québec comme ailleurs au pays. L'apparition de sites web consacrés à la diffusion de documents secrets (de type WikiLeaks, par exemple) a offert aux médias de masse du monde entier de nouvelles pistes pour des enquêtes approfondies. Bref, l'information dans les médias de masse est souvent plus originale et plus approfondie aujourd'hui qu'elle ne l'était lorsque j'ai rédigé la première édition de ce livre il y a vingt ans[7]. Espérons que cela durera.

---

7 L'éditorialiste de *La Presse*, André Pratte, partage mon optimisme. Il a publié en 2000 sous le titre *Les oiseaux de malheur* un livre très critique sur le travail des journalistes. Dix ans plus tard, dans une interview accordée au magazine *Le Trente*, il reconnaissait que si les travers qu'il reprochait alors aux journalistes étaient encore présents, la qualité de leur travail s'était néanmoins beaucoup améliorée entre-temps.

DEUXIÈME PARTIE

Le traitement de la nouvelle et l'écriture journalistique

3

La nouvelle : matière première du journalisme

Quand les journalistes reviennent du lieu de leur affectation, il leur arrive d'annoncer au responsable de l'information qu'ils ont en main une « bonne » nouvelle ou, au contraire, que le fruit de leur effort sera pauvre : « Il n'y a pas de nouvelle, là-dedans ! » diront-ils. Dans leur langage, une nouvelle, c'est ce qui, dans l'événement, mérite d'être rapporté. En d'autres mots, c'est **l'élément nouveau qui crée ou modifie une situation d'intérêt public.** C'est le point de départ du texte à rédiger ou à livrer en ondes.

Mais le terme *nouvelle* désigne aussi, dans la presse écrite quotidienne, l'aboutissement de cette démarche, c'est-à-dire **le texte qui, à partir d'un événement donné, met en scène, le plus efficacement possible, l'essentiel des faits nouveaux, significatifs ou intéressants, en insérant ces faits dans leur contexte de signification.** Définition double, en somme, décrivant à la fois le contenu de l'information et le produit qui en découle (notons qu'en presse parlée québécoise on parle plutôt d'un *topo* pour désigner ce texte de nouvelle).

Bien sûr, on ne saurait réduire le travail des journalistes à la publication de ces nouvelles. On leur confie aussi un travail d'analyse à partir de faits connus (qui ne sont donc pas « nouveaux »), on leur demande des commentaires, des interviews, des reportages à caractère humain, des chroniques humoristiques, des critiques, etc. Mais toutes ces productions ont en commun une certaine forme d'écriture, héritée du traitement de la nouvelle : l'amorce met immédiatement en évidence les faits jugés les plus significatifs ; le récit s'organise ensuite en fonction des éléments les plus importants ; le style est efficace et alerte ; tout élément nouveau appelle une explication immédiate ; etc.

La nouvelle constitue en fait la matière de base du travail d'information, celle qui fait appel le plus directement aux compétences du journaliste. N'importe qui peut avoir une opinion et l'exprimer dans un commentaire. Mais il n'est pas facile de couvrir un événement dans un secteur qui n'est pas notre propre champ de spécialité, d'en découvrir malgré tout les enjeux, de poser aussitôt les bonnes questions, de mettre sur papier des notes utiles et d'en tirer un rapport exact, vivant et intelligible pour des lecteurs qui n'ont peut-être jamais entendu parler du sujet. Mission en apparence impossible, que les journalistes des grands médias remplissent pourtant quotidiennement.

En fait, tout journaliste qui maîtrise l'art de comprendre un événement, d'en dégager ce qui est nouveau et d'en transmettre la signification, peut ensuite aborder sans trop de problèmes les autres genres journalistiques. L'inverse n'est pas vrai. Les journalistes qui n'ont pas été formés à cette « discipline de l'événement » font en général de piètres analystes, des commentateurs confus, bref, de mauvais communicateurs. Voilà pourquoi on considérait jadis que la meilleure école de journalisme, c'étaient les faits divers (les « chiens écrasés », comme on désignait avec un certain mépris cette rubrique de petite actualité à portée limitée). Voilà pourquoi toutes les écoles de journalisme enseignent d'abord à leurs étudiants la maîtrise de ce genre.

Les caractéristiques essentielles de la nouvelle
La vérité

Le journalisme traite de faits réels, pas de fiction. C'est la caractéristique fondamentale du genre. Sinon, on parle de littérature, pas de journalisme !

Certes, on peut parfois utiliser la fiction comme outil d'évocation, quand on a recours, par exemple, à un cas type fictif clairement désigné comme tel. Mais il faut se méfier de ce procédé. Bien qu'il puisse parfois être utile à la mise en forme du texte ou d'un scénario de reportage, le recours à la fiction est souvent une solution de facilité utilisée par un journaliste qui n'arrive pas à dénicher un fait réel illustrant son propos. Cela peut s'expliquer par un travail de recherche insuffisant ou simplement parce que la situation évoquée n'est pas aussi typique qu'on l'aurait cru... auquel cas il serait peut-être utile de réviser ses hypothèses[1] !

1   À la fin des années 1980, la journaliste Janet Cook, du *Washington Post,* avait remporté le prestigieux prix Pulitzer pour un article sur un jeune de huit ans, adepte de l'héroïne après y avoir été entraîné par ses propres parents drogués. Bien que Mme Cook affirme toujours que son histoire était basée sur des faits réels, elle a dû avouer, après enquête, que le cas rapporté était fictif. L'affaire fit scandale et on lui retira son prix... et son emploi. À l'été 1998, nouveau scandale, touchant cette fois une vedette montante de la presse périodique américaine, Robert Glass, dont presque tous les reportages étaient entièrement inventés. Cela entraîna une sérieuse remise en question des pratiques journalistiques et d'autres journalistes-vedettes furent suspendus après avoir avoué que certains témoignages de leurs textes avaient été inventés, ou du moins recomposés à

De toute façon, l'anecdote réelle, le témoignage vécu sont toujours plus éloquents, plus « sentis », que l'artifice de reconstitution du journaliste; surtout à la radio et à la télévision, où le jeu des comédiens arrive mal à reproduire l'authenticité du témoignage. Le recours à la fiction enlève toujours de la crédibilité au texte journalistique.

La nouveauté

Il ne suffit pas qu'un fait soit vrai pour qu'il trouve sa place dans les médias; encore faut-il qu'il soit nouveau. Ou du moins qu'il y ait une information nouvelle dans le fait rapporté.

La notion de nouveauté est toutefois élastique. Des développements mineurs peuvent échapper au flot quotidien de l'information et demeurer relativement nouveaux pendant quelques jours ou quelques mois. Il arrive même qu'un quotidien fasse la manchette avec une nouvelle qu'un concurrent avait publiée plusieurs semaines auparavant, mais que personne n'avait relevée entre-temps.

De même, dans de nombreux secteurs de l'activité humaine, l'information évolue à un rythme beaucoup plus lent que celui des médias. Une nouvelle théorie sur le cancer peut être présentée à la communauté médicale à l'occasion de quatre ou cinq congrès différents, à plusieurs mois d'intervalle, et l'information sera reprise chaque fois par les médias. Il m'est ainsi arrivé de lire dans *La Presse* un article sur les travaux d'un chercheur qui venait de mettre en évidence le mode d'action de la caféine dans le cerveau... deux ans après que j'en eus fait le sujet d'une

---

partir de plusieurs témoignages. Si l'on admet ce genre de procédés, demande-t-on, comment le lecteur saura-t-il où commence le réel et où s'arrête la fiction? Un principe, donc: si un journaliste a recours à un cas fictif (ou à une simulation, dans un reportage télé), il doit l'indiquer clairement.

chronique « santé » publiée par *L'actualité*! Dans un cas de ce genre, le phénomène évoqué n'était donc pas nouveau, mais il avait fait l'objet d'une nouvelle présentation publique. Il en va de même de nombreux faits de société sur lesquels des personnes en vue font sans cesse de nouvelles déclarations. Ce sont alors ces déclarations, plus que leur contenu, qui constituent des « faits de nouvelle ».

N'empêche qu'en général, compte tenu de la rareté de l'espace rédactionnel, les journaux auront tendance à publier de préférence des faits inédits, des articles portant sur des événements nouveaux ou sur des développements survenus depuis la date de publication précédente. En outre, pour demeurer le plus possible à la pointe de l'actualité, les journaux privilégieront, au début de chaque texte, les aspects les plus nouveaux, repoussant les faits antérieurs (présumés connus) dans les paragraphes suivants.

La signification

Pour qu'un fait se retrouve dans un journal, il faut également qu'il ait une certaine importance, qu'il soit porteur de conséquences non seulement pour les acteurs directs de l'événement, mais pour l'ensemble de la société. C'est la notion clé de l'intérêt public.

Ce critère de la signification est la caractéristique la plus fondamentale de la nouvelle. N'a-t-on pas vu au premier chapitre que la fonction du journaliste est de sélectionner et de rapporter les faits, mais surtout d'en faire comprendre la signification en les replaçant dans un contexte intelligible ?

C'est par l'exercice de son jugement journalistique, tel que nous l'avons vu précédemment, que le témoin professionnel décidera ce qui, dans les faits observés, est porteur d'avenir et

relève de l'intérêt général. S'il existe des critères objectifs de signification, ceux-ci ne peuvent toutefois être jaugés qu'en fonction
du public cible du journal. Ainsi, une information transmise par
deux médias sera traitée différemment si leurs publics cibles sont
distincts. Par exemple, la hausse des tarifs autorisés (et donc des
revenus) de Bell Canada n'aura pas la même signification pour
les lecteurs d'un journal s'adressant à des investisseurs comme
Les Affaires que pour ceux du magazine de consommation
Protégez-vous.

   Il faut tout de même admettre qu'il y a une grande part de
subjectivité et d'intuition dans l'évaluation de la signification
d'un événement. Qu'est-ce qui fait par exemple qu'une journaliste propose un jour à un magazine un reportage sur un phénomène social marginal qui, six mois plus tard, fera la « une » de
tous les journaux? Comment expliquer que cette journaliste ait
senti l'émergence d'une crise qui échappait encore à ses collègues? Et que dire de l'intuition avec laquelle un journaliste choisit souvent de mettre en valeur un aspect de l'information plutôt
qu'un autre?

   Prenons un exemple réel. Jean-Claude Malépart, le député
libéral de Sainte-Marie décédé en 1989, organisa un jour une
manifestation de personnes âgées à Ottawa pour protester contre
l'intention du gouvernement conservateur de réduire les pres-
tations de rentes. Il espérait voir arriver quarante autobus; il en
vint trois. Un échec! À la sortie du Conseil des ministres, le premier ministre d'alors, Brian Mulroney, accepta pourtant de rencontrer ce petit groupe de manifestants. Une dame lui cria : « Tu
nous as fait voter pour toi, et après tu nous as menti. Goodbye
Charlie Brown! On va s'en rappeler! » La phrase fut reprise par
tous les grands médias et fit rapidement le tour du pays, donnant un impact excessif, selon certains, à une manifestation par
ailleurs ratée. Mais en fait, les journalistes avaient vu juste. La
remarque de cette dame, Solange Denis, avait aussi touché Brian

Mulroney, qui retira son projet deux semaines plus tard. Cette phrase eut plus de signification que le nombre de manifestants présents, que l'enthousiasme ou la déception des organisateurs.

Il arrive souvent que des journalistes, proches du milieu qu'ils couvrent, y perçoivent certaines tendances avant qu'elles ne se manifestent au grand jour, et choisissent de mettre en relief des aspects en apparence marginaux se révélant ensuite significatifs. Mais on verra aussi, reconnaissons-le, des journalistes se presser en rangs serrés pour recueillir des propos « tant attendus » dont nul ne se souviendra dans cinq ans, alors que des faits bien plus significatifs leur échapperont. Accaparés par les scandales quotidiens, les crises, les événements et les vedettes, les journalistes n'ont pas toujours le temps de s'asseoir pour penser et regarder du côté que n'éclairent pas encore les projecteurs.

L'intérêt

En plus de porter sur des faits réels, nouveaux et porteurs de conséquences, les nouvelles doivent être… intéressantes. Ce dernier critère est moins facilement définissable, puisqu'il dépend entièrement de choix subjectifs, et varie donc d'un public à l'autre.

On peut toutefois définir quelques paramètres. Est intéressant ce qui pique la curiosité, ce qui étonne. Même sans signification particulière, une information inusitée (la naissance d'un mouton à cinq pattes ou un facteur qui mord un chien) peut devenir matière à conversation et donc matière à publication dans un journal. La même remarque vaut pour les anecdotes divertissantes, les faits qui font sourire.

Est intéressant, aussi, ce qui touche les gens de près, ce qui les concerne ou concerne leurs proches, même s'il s'agit d'une nouvelle sans conséquence. Un journal local parlera ainsi des faits et gestes des personnes en vue dans le patelin; et les grands médias traiteront des personnalités susceptibles d'être connues d'une large partie de leur clientèle. La chanteuse Céline Dion, le coureur automobile Jacques Villeneuve ou les acteurs Brad Pitt et Angelina Jolie font partie de notre environnement culturel, de notre « famille » élargie, à l'instar des vedettes de la télévision ou des personnages des téléromans!

Cette notion de proximité réelle ou émotive joue tout autant dans le cas des faits significatifs: ils seront jugés d'autant plus importants en tant que nouvelle qu'ils se seront déroulés ici ou qu'ils toucheront des gens d'ici. Certains auteurs parlent de la « loi kilométrique de la mort »: plus la distance entre un accident et le média est grande, plus le nombre de morts doit être élevé pour que l'information trouve sa place dans ce média. En fait, on peut dire que l'importance de toute information varie en fonction inverse de la distance, géographique ou affective.

Comme la signification, l'intérêt d'une nouvelle varie aussi en fonction du public cible de chaque média. Un journal s'adressant aux amateurs de sports publiera des renseignements privilégiés (*inside*) sans grand intérêt pour un lecteur de journal financier, et vice versa. De même, certains journaux misent sur un goût particulier d'un segment du public, tel le goût du morbide chez les lecteurs de la presse à sensation. Il faut évoquer ici la recette mise de l'avant il y a près d'un siècle par les *Yellow Papers* américains, et qui est à la base de leur succès commercial: l'accent placé sur les trois S — le *sensationnalisme*, le *sexe* et le *sport.*

Une remarque en guise de conclusion: le critère d'intérêt, tel que défini ici, relève davantage du marketing que du jugement journalistique. En effet, il ne faut pas confondre l'intérêt du public à lire une information avec la notion... d'intérêt public! La presse à sensation franchit souvent cette frontière entre ce qui n'a qu'un intérêt anecdotique et ce qui est significatif.

Les étapes de la rédaction d'une nouvelle

Nous venons de survoler les caractéristiques de base de toute nouvelle, ce qui en justifiera la publication. Ce sont aussi les critères de base de la sélection journalistique. Devant toute information, il faut donc se demander : « **Est-ce vrai ? Est-ce nouveau ? Est-ce important (ou significatif) et pourquoi ? Est-ce intéressant (fascinant, passionnant, distrayant) pour mon public ?** » Conservons ces questions à l'esprit, et essayons de retracer comment elles vont moduler le travail des journalistes. Imaginons, à titre d'illustration, le cas d'une journaliste employée par un quotidien.

Étape 1 : la sélection des événements à couvrir (ou des sources d'information)

Cette première étape est souvent sous la responsabilité du directeur de la publication ou du chef de l'information, voire du chef de section dans le cas des grands médias fragmentés en « pupitres » spécialisés. (Nous reviendrons sur ces différentes structures au moment d'examiner le fonctionnement d'une salle de rédaction, au chapitre 7.)

Il arrivera donc que notre journaliste soit tout simplement affectée à la couverture d'un événement. Bien souvent toutefois, elle devra elle-même suivre les développements dans le secteur qu'on lui assigne, et aviser la direction de l'information des événements qui s'y déroulent. Le choix de ce qu'il faut couvrir lui incombe alors en grande partie. C'est par exemple le cas des journalistes spécialisés que les « acteurs sociaux » connaissent et appellent directement, ou de ceux qui œuvrent dans des bureaux extérieurs (bureaux régionaux, bureaux à l'étranger, tribune de presse des parlements, palais de justice, etc.). En fait, une fois sur deux, notre journaliste proposera elle-même à son chef de section ses affectations quotidiennes.

Mais quelle que soit la personne qui assigne les tâches, les critères de sélection demeurent les mêmes : la nouveauté du fait d'information (ou plutôt son actualité), sa signification et son intérêt pour le public cible du média ou de la section spécialisée où travaille la journaliste.

Étape 2 : le choix d'un angle de traitement

La seconde étape, le choix d'un angle, sera souvent repoussée plus tard dans la démarche si, par exemple, la journaliste doit couvrir un événement où elle aura été convoquée à la dernière minute, sans avoir eu le temps d'en approfondir à l'avance le contexte. Dans ce cas, elle devra espérer qu'une fois sur place, le sens de l'événement se dégagera de lui-même.

Par contre, de telles affectations ne constituent pas l'essentiel du travail des journalistes. Une étude menée au milieu des années 1970 par Jean de Bonville, du département de journalisme de l'Université Laval, révélait que les reporters des journaux quotidiens québécois consacraient près de la moitié de leur temps à des articles échappant aux pressions de l'actualité quotidienne, avec des délais de production de plusieurs jours, sinon de plusieurs semaines. Dans la majorité des cas, ces journalistes avaient eux-mêmes pris l'initiative de leur recherche d'information, et avaient ensuite proposé le sujet aux responsables de leur affectation. La situation n'a guère changé depuis. C'est même plus fréquent encore dans les magazines télévisés ou dans les périodiques, où les articles sollicités constituent rarement la majorité du matériel publié.

Quand la journaliste propose elle-même son sujet à son chef

de section, il lui faudra le plus souvent préciser dès le départ l'angle de traitement particulier qu'elle entend adopter, où doit la mener sa recherche, en somme. Le développement d'Internet au Québec, par exemple, ne constitue pas un sujet de texte acceptable : le domaine d'observation est trop vaste. En choisissant de traiter plutôt de l'état du marché publicitaire sur les sites web québécois, la journaliste se restreint au domaine commercial. Elle aurait pu choisir aussi de parler de la concurrence entre les sites d'information, de présenter les sites éducatifs s'adressant aux enfants, de s'intéresser aux communautés virtuelles qu'Internet a fait naître ou au langage particulier des jeunes adeptes des médias « sociaux », ou d'aborder une foule d'autres sujets à l'intérieur du même thème. Encore faudra-t-il que, chaque fois, l'angle choisi et les éléments d'information mis en relief apparaissent nouveaux, significatifs et intéressants.

Le choix précis de l'angle de traitement précède alors la recherche détaillée de l'information. Mais même avec un sujet bien délimité (l'intégration des handicapés physiques en milieu de travail, par exemple), on doit parfois réduire encore l'angle de couverture retenu et l'approche choisie (témoignage des handicapés et de leurs collègues de travail ; aspects économiques ; points de vue des institutions ; politiques patronales et syndicales…). Ces choix influenceront en effet la sélection des personnes-ressources à interviewer et la documentation à consulter. Enfin, il sera souvent pertinent de cibler l'individu à qui s'adressera le texte, ce qui permettra de délimiter au départ le degré de spécialisation de la recherche préalable.

Étape 3 : la collecte de l'information

Notre journaliste a donc déterminé son sujet de façon précise. Elle peut maintenant partir à la recherche des faits et des données qui alimenteront son travail.

Dans le cas d'un événement à couvrir, il suffit parfois de se rendre sur place. Mais il est souvent nécessaire de consulter au préalable plusieurs sources — au centre de documentation de l'entreprise, sur le réseau Internet, par téléphone — pour acquérir une vision d'ensemble de la problématique en cause et se familiariser avec certaines données brutes qu'il sera utile de connaître avant d'interroger les témoins ou les experts, compte tenu de l'angle d'approche retenu : relevé des statistiques pertinentes, survol des déclarations publiques récentes, compilation d'anecdotes historiques ou d'autres témoignages publiés, consultation de rapports de recherche, étude du contexte réglementaire et des autres aspects légaux, etc.

Au cours de cette recherche préalable et pendant la couverture de l'événement, il faut recueillir plus d'éléments que nécessaire, quitte à émonder par la suite. D'abord parce qu'il est toujours plus facile de ne pas livrer tout ce que l'on sait que de témoigner de ce qu'on ignore. Mais surtout parce que le seul moyen, pour une journaliste, d'être assurée de la pertinence de ce qu'elle affirme, c'est d'avoir une perspective beaucoup plus large du domaine couvert. Alors seulement, les liens essentiels transparaissent, les enjeux deviennent évidents. Combien de journalistes sont passés à côté de l'essentiel parce qu'ils n'avaient pas pris le temps d'acquérir cette vue d'ensemble ?

Dans la recherche de faits, il faut être méthodique. On doit relever toutes les données factuelles : *qui* a fait *quoi? Où* cela a-t-il eu lieu? *Quand? Comment* les choses se sont-elles déroulées (l'anecdote)? *Pourquoi* cet événement, et surtout *pour quoi* (notez bien la différence entre les deux questions : le premier

« pourquoi » renvoie à une cause ; le second, « pour quoi », à un but) ? Ces questions de base, les manuels américains de journalisme les désignent comme les *five Ws (Who? What? Where? When? Why?)* dont on dit qu'ils devraient trouver réponse dès le premier paragraphe de tout texte de nouvelle. Sur place, notez aussi avec soin les chiffres et les noms exacts ; une fois de retour à votre table de travail, il peut être difficile de retracer ces renseignements oubliés par négligence.

Mais il est aussi très important, à ce stade, d'aller « voir », « sentir » et « toucher » (« goûter », même, pourquoi pas ?) le sujet dont vous voulez faire le compte rendu. Rappelez-vous : le journaliste est un témoin au service de ses lecteurs et auditeurs éventuels ; ceux-ci voudront se faire raconter les choses comme s'ils avaient eux-mêmes été présents. Méfiez-vous des articles qui sentent la brochure documentaire ou le relevé statistique. Le journaliste doit partir à la recherche de la parole, du geste, du regard, de l'atmosphère. Son témoignage doit sentir un peu la transpiration des gens qu'il prétend montrer en action !

Étape 4 : le choix d'un angle d'attaque (le *lead*)

Complément nécessaire ou retour sur la seconde étape, la tâche de notre journaliste est maintenant de voir, pièces d'information en main, si l'angle de traitement choisi au départ tient toujours. Il peut arriver que la recherche de faits ait entraîné des surprises et qu'il faille ajuster en cours de route les perspectives de traitement.

Puis, il lui faut choisir l'angle d'attaque du texte (ou du reportage, dans la presse électronique) : par quel bout commencer ? Un point essentiel en effet : un article est toujours en concurrence avec les autres articles du journal ; un reportage, en compétition avec les émissions des autres chaînes ou les mille et une distractions de la vie courante. Si on veut rejoindre son public, il faut faire l'impossible pour le captiver dès les premiers mots et le tenir en haleine tout au long du texte ou de l'émission.

On peut recourir à plusieurs techniques pour amorcer son texte : l'anecdote (apprendre à raconter une histoire), l'approche fondée sur le besoin présumé du consommateur (« Vous cherchez à réduire vos taxes ? »), la mise en évidence immédiate des conséquences qui le toucheront le plus directement (« Vos taxes pourraient doubler si le nouveau budget... »), l'étonnement... Nous y reviendrons au prochain chapitre, consacré spécifiquement à l'écriture. Mentionnons ici que, dans le cas de textes de nouvelles, l'amorce la plus classique est celle qui communique, dans le moins de mots possible, l'essentiel de l'information. En somme, le ou les premiers paragraphes résument tout le contenu ; ils constituent par le fait même un élément de mise en valeur suffisant pour que la personne intéressée à en savoir plus soit encline à lire la suite. Dans la nouvelle, le *lead* repose ainsi bien souvent sur la règle des six questions de base : *Qui* a fait *quoi, quand* et *où,* la suite du texte livrant le *comment* et le *pourquoi.*

Dans des textes courts comme ceux de la presse quotidienne (de un à quatre feuillets) ou plus encore dans le cas des nouvelles radio ou télé (de 30 à 120 secondes), le choix de l'attaque constitue souvent plus de 50 % du travail de rédaction du journaliste. Une fois son texte « lancé », en effet, tout le reste en découle presque naturellement. En outre, le choix du *lead* colore toute la lecture de l'information retenue. Le même événement, traité sous deux angles d'attaque différents, peut donner lieu à des interprétations opposées, même si les faits et gestes rapportés sont les mêmes.

Dans le cas d'un reportage qui n'est pas directement orienté vers la nouvelle, l'entrée en matière est plus libre. On aura souvent recours à l'anecdote, à la mise en scène des acteurs, des décors... À la télévision, cette mise en situation est d'autant plus importante qu'il faut laisser au spectateur un certain temps avant qu'il n'entre dans le reportage, qu'il ne soit prêt à en retenir le message. Mais là encore, il convient de sélectionner dès l'amorce du texte l'élément que l'on veut mettre en évidence. Quelle que soit la mise en situation retenue, elle devra conduire rapidement le lecteur ou le spectateur à découvrir l'essentiel du propos. Il faut à tout prix éviter ces mises en situation globales, ces rappels historiques, ces généralités qui font qu'après quatre ou cinq paragraphes (ou deux minutes, à la télé), on ne sait pas encore très bien quel est l'angle de traitement particulier du reportage, sa spécificité par rapport à ce qui s'est déjà dit ou écrit ailleurs.

Notons donc ce qui distingue ici l'écriture journalistique des autres formes d'écriture : alors que le texte littéraire ménage tout pour le punch final, que le texte juridique ou technique assoit d'abord l'argumentation sur les bases les plus largement admises pour raffiner ensuite progressivement l'analyse, le texte journalistique va au contraire droit à l'essentiel, quitte à expliquer un peu mieux par la suite, à coups de rappels utiles.

Étape 5 : la sélection des éléments d'information à retenir

Une fois le *lead* décidé, rédigé même, la journaliste devra tenir compte de la longueur du texte demandé ainsi que du public cible, de ses préoccupations, de ses besoins d'information, mais aussi de ce qu'il est présumé savoir déjà. C'est ce qui lui permettra de décider quels faits recueillis doivent à tout prix être transmis, quels éléments sont moins essentiels, et enfin lesquels il faudra sacrifier sans fausser le message. S'exerce ici, une fois de plus, un jugement journalistique : distinguer ce qui est nouveau de ce qui ne l'est pas, ce qui est significatif pour le public de ce qui ne portera guère de conséquences, ce qui est attrayant, étonnant, etc. C'est le moment de relire ses notes en diagonale, en encerclant les meilleurs passages, les données importantes, les images fortes. L'exercice ne demande que quelques minutes et épargnera des heures de travail.

Étape 6 : la construction du texte

Il peut arriver, dans le journalisme quotidien, qu'une fois le *lead* bien cerné, la simplicité du sujet autorise l'écriture immédiate du texte. Ce cas est toutefois exceptionnel. Dès qu'un sujet présente une certaine complexité, dès que plusieurs aspects doivent être confrontés et pondérés, il faut absolument faire un plan.

Certains journalistes expérimentés peuvent élaborer ce plan dans leur tête, pendant le trajet qu'ils parcourent en taxi en direction de la salle de rédaction ; ils semblent alors pondre leur texte d'un seul jet, sans esquisse préalable. Le résultat peut être bon, mais il ne l'est pas toujours. Le drame, c'est que les jeunes journalistes s'imaginent souvent pouvoir eux aussi faire l'économie de cette préécriture — avec un résultat presque toujours catastrophique. En vingt ans d'enseignement du journalisme, j'en suis arrivé à la conviction que le principal défaut des journalistes débutants, c'est de penser que l'organisation des idées peut naître tout naturellement des enchaînements de l'écriture.

Précisons d'abord de quoi il est question. Un plan journalistique, ce n'est pas seulement une liste de thèmes, comme la table des matières d'un livre. C'est un squelette détaillé du texte : quels sont les os qu'on veut utiliser, et comment ils s'articuleront les uns aux autres. C'est donc une liste de tous les éléments que contiendra le texte et des enchaînements logiques qui permettront au lecteur de passer de l'un à l'autre sans perdre le fil.

Idéalement, chaque paragraphe du texte devrait s'y trouver, pas seulement les grands titres.

Cet exercice permet de voir à l'avance, par exemple, si on peut passer facilement de la citation du ministre sur l'état de l'agriculture aux récentes données consultées qui semblent le contredire, puis au commentaire de l'expert qui vient pondérer ces deux visions, de nouveau à la repartie du ministre sur les perspectives d'avenir des cultures marginales, puis à la description imagée de ces cultures, etc. Chaque ligne du plan devrait correspondre, plus ou moins, à une idée du texte, à un paragraphe. En relisant son plan, on peut déjà se demander quels liens découlent logiquement de certains éléments, quelles ruptures appellent au contraire des renseignements additionnels, quels passages risquent d'être trop chargés, où s'insèrent le plus élégamment les rappels, etc. Ensuite, il ne reste plus qu'à mettre la chair sur les os.

En télévision, l'exercice équivalent s'appelle un « plan de montage ». Sauf pour les éléments les plus courts, de l'ordre de la minute, par exemple, l'étape du plan de montage est incontournable pour le journaliste ou le réalisateur s'ils ne veulent pas perdre des heures à chercher leur matériel en salle de montage. Ô combien s'améliorerait la clarté de nos journaux si le même effort était imposé aux artisans de la presse écrite !

Il peut certes arriver, au moment de l'écriture finale (ou en salle de montage, dans le cas de la télévision), que certains enchaînements se révèlent moins élégants qu'on le prévoyait à l'étape du plan ou que, au contraire, l'élan de l'écriture amène à arrimer deux concepts qui semblaient au départ devoir être dissociés. Le fait d'avoir un plan sous les yeux devient alors la meilleure garantie que, dans ce jeu d'improvisation artistique, on ne perdra pas le fil. Que le sixième élément soit développé avant le troisième, qu'importe, si on maîtrise assez la structure de son texte pour s'y retrouver, en s'assurant en fin de parcours qu'on n'a rien omis d'essentiel.

Étape 7 : la collecte de données additionnelles

En principe, la journaliste devrait déjà avoir recueilli à l'étape 3 tous les éléments d'information nécessaires et avoir choisi à l'étape 5 ceux qu'elle comptait conserver dans son texte. Mais il arrive souvent qu'en essayant de faire le plan d'un texte ou d'un reportage, on découvre que certaines données additionnelles seraient précieuses. Mais attention, le temps fuit ! Il faut bien connaître les sites web de référence dans les domaines qu'on couvre (sites gouvernementaux, sites de données statistiques, sites de référence spécialisés, etc.), ou avoir sous la main l'adresse d'une bonne bibliothèque ou d'un centre de documentation où l'on pourra consulter des documents de référence. Ou encore, disposer d'un bon fichier de personnes-ressources. Nous y reviendrons dans la troisième partie de ce livre, consacrée aux sources d'information.

Alors seulement commence la dernière étape de ce processus : l'écriture.

Les structures types des textes journalistiques
Le texte de nouvelle en presse écrite

Pour les textes de nouvelle, en presse écrite, on utilise le plus souvent **la structure pyramidale,** aussi appelée « pyramide renversée » parce qu'elle s'oppose aux structures qu'on enseigne dans les autres champs de l'écriture. Au lieu de construire d'abord, pour son argumentation, une solide base sur laquelle pourront ensuite s'appuyer les faits de plus en plus précis et les conclusions qui en découlent, comme on le fait dans l'analyse littéraire ou dans la démonstration juridique, par exemple, le journaliste procède à l'inverse : il livre l'essentiel de son message dès les premières lignes, quitte à expliquer ensuite. Il part donc du fait nouveau pour en rappeler l'histoire ; il passe du fait particulier au contexte général, du cas concret parfois anecdotique à son contexte de signification immédiat pour en élargir peu à peu la perspective. Tout le texte journalistique repose ainsi sur sa pointe la plus fine !

Dans le cas d'une nouvelle de presse écrite, cette structure se justifie d'abord par le fait qu'on ne peut jamais être certain de l'espace exact qui sera alloué à chaque texte dans l'édition finale du journal. Il faut donc prévoir la possibilité de réduire le texte par la fin. Notons au passage que cette structure caractérise presque tous les textes d'agences de presse : comme celles-ci ne connaissent jamais d'avance l'espace qui sera disponible dans les médias clients, leurs textes doivent ainsi être compréhensibles quelles que soient les coupures qu'on y apportera. Mais la structure en pyramide renversée se justifie aussi parce que le lecteur peut, lui aussi, interrompre sa lecture en n'importe quel endroit. Si des faits importants sont donnés trop tard, ils risquent de ne pas être lus !

Un premier critère préside donc à la rédaction du texte : l'importance relative de chaque élément d'information. **Avant de commencer votre texte, demandez-vous ce que vous écririez si vous n'aviez droit qu'à un paragraphe… et écrivez alors ce seul paragraphe.** Ensuite, demandez-vous ce que vous ajouteriez si on vous accordait un seul autre paragraphe. Puis un troisième. Et ainsi de suite.

Le premier paragraphe du texte de nouvelle résume donc, en

une seule phrase bien souvent, l'essentiel de la nouvelle. C'est ce que vous diriez à votre collègue de bureau, s'il vous demandait de lui résumer en quelques mots ce qui s'est passé. Les faits (qui, quoi, quand, où). Par exemple : « Les travailleurs du Casino de Montréal ont entrepris leur grève ce matin, en établissant leurs lignes de piquetage devant l'édifice de l'île Notre-Dame. » Voilà ! L'essentiel est dit.

Le second paragraphe développe le « comment » si l'importance de l'événement repose dans son déroulement (dans notre exemple : ce qui s'est passé dans les premières heures), le « pourquoi » si la signification provient des causes de cet événement (« Cette grève fait suite à trois mois de tensions... ») ou encore le « pour quoi » si l'objectif visé par les acteurs de l'événement vous paraît primordial (« Les grévistes espèrent obtenir une réduction de leur semaine de travail à 35 heures, sans perte de revenus... »). En fait, ces deux seuls paragraphes suffisent à un lecteur pressé. Ce sont ceux qui se retrouveront dans les pages d'accueil des sites de nouvelles sur Internet, dans les pages de brèves des quotidiens ou dans les journaux gratuits comme *Métro* ou *24 Heures*.

Ensuite seulement, si l'espace le permet, le texte remonte plus loin dans la genèse de l'événement, analyse sa portée, ou revient avec plus de détails sur les faits et gestes dont la journaliste a été le témoin. On complète au besoin le panorama en fouillant dans la documentation pour faire tous les rappels utiles, pour situer le tout dans un contexte plus large. En cas de nécessité, l'éditeur pourra couper par la fin, sans rien enlever d'essentiel.

La structure pyramidale

Dans les manuels américains de journalisme, la structure pyramidale est souvent représentée par un triangle renversé : en haut, on trouve les faits les plus importants ; en bas, les faits mineurs. En réalité, les faits importants doivent toujours être étroitement circonscrits, leur description tenant en quelques lignes. Au contraire, la description du contexte de signification et les rappels de faits antérieurs nécessitent souvent une ouverture de plus en plus large. C'est pourquoi on peut tout aussi bien représenter le texte sous forme d'une pyramide simple. Voici, l'une sous l'autre, ces deux représentations.

Structure du texte

L'essentiel de la nouvelle
(Quoi ? Qui ?)

Son contexte immédiat
(Où ? Quand ? Comment ?)

Le contexte de signification
(Pourquoi ? Pour quoi ?)

Le contexte élargi et
les rappels pertinents

D'autres rappels
plus lointains
(si l'espace
le permet)

Importance des éléments

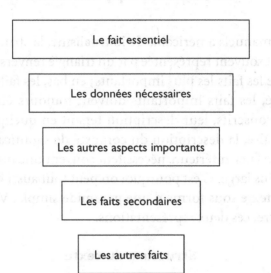

Voici un exemple de ce genre d'article « à rallonges » (un plan passe-partout) :

• Si on dispose de quatre lignes (ou de 15 secondes) pour tout dire :

« Ottawa augmentera le prix des timbres à deux cents, à compter du 1er janvier prochain. C'est ce qu'a annoncé hier le ministre responsable de Postes Canada, M... »

• Si la même information doit être rapportée dans un texte d'une vingtaine de lignes :

Même *lead,* suivi du « pourquoi » (la raison invoquée par le ministre, par exemple) et d'un rappel sur le nombre de hausses des dernières années. Si possible, une ou deux réactions. Ce sont les faits secondaires.

• Si la même information doit être rapportée sur deux feuillets (une cinquantaine de lignes) :

Même *lead,* même suite, à laquelle on ajoute ensuite des détails sur les revenus et dépenses de Postes Canada, des comparaisons avec le prix des timbres dans d'autres pays. On ajoute d'autres réactions, de plus en plus spécialisées. Ce sont les faits jugés de moindre importance.

Il existe plusieurs variantes de cette structure pyramidale. Dans **la structure en « tuyau de poêle »**, le *lead* constitue une sorte de « chapeau », une vitrine où peuvent être présentés plusieurs faits jugés importants ; le texte se déroule ensuite par sections, où sont repris chacun de ces faits. On utilise souvent cette structure dans le cas d'une information à volets multiples, quand les divers éléments sont d'importance comparable (un discours du budget ; le bilan d'un congrès politique ; le rapport d'une commission d'enquête ; etc.). Notons qu'après le *lead*-vitrine, la structure interne de chaque section sera souvent pyramidale.

En prenant le même exemple, cela pourrait donner :

« La Société canadienne des postes a annoncé hier une augmentation de deux cents du prix des timbres, à compter du 1er janvier prochain. Elle a aussi annoncé la conclusion d'une entente avec plusieurs sites de commerce électronique, qui utiliseront désormais Postes Canada comme distributeur prioritaire pour leurs produits vendus en ligne. Enfin, elle entend inaugurer, dès le mois prochain, un nouveau service d'expédition de colis fragiles. Tels sont les faits saillants de la conférence de presse donnée hier par le président de l'entreprise, M... »

Lorsque le texte de nouvelle repose avant tout sur le propos d'un ou de quelques individus (un discours, un débat ou une table ronde), la journaliste cherchera encore à mettre en amorce de son texte l'idée ou la déclaration la plus forte, la plus singulière. Mais on ne peut pas toujours organiser la suite du texte selon le seul critère d'importance sans risquer de sauter constamment du coq à l'âne! **La structure discursive** va donc reposer sur une organisation par sous-thèmes, en respectant un ordre décroissant d'importance, mais en complétant chacun des sous-thèmes de façon à former une trame cohérente. Les transitions de la journaliste servent alors de liens entre les citations, ainsi que de pivot pour le passage d'un thème à l'autre.

La structure par citations
(ou discursive)

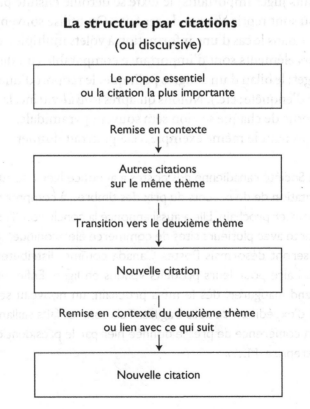

Lorsque la nouvelle rapporte une action, on pourra choisir une autre variante de la pyramide, **la structure narrative simple**. Ici encore, le texte commence par un *lead* qui résume, en quelques mots, l'essentiel de la nouvelle. Mais la suite du texte emprunte le ton et la structure du récit, pour redonner aux événements leur rythme, leur trame dramatique.

Le texte de nouvelle dans la presse parlée

Dans le cas de la presse parlée, **la structure narrative** est d'ailleurs recommandée. Contrairement au texte écrit, où le lecteur a la possibilité de s'attarder à certains passages, de revenir sur les paragraphes précédents, bref, d'explorer la page à sa guise, le message oral doit être compris immédiatement. Pour cela, il faut souvent donner au texte une structure plus logique, c'est-à-dire y raconter une histoire où les causes précèdent les conséquences, où chaque paragraphe appelle nécessairement celui qui suit.

De même, alors que le texte écrit peut explorer successivement plusieurs pistes, par ordre d'importance décroissante, le texte lu devient confus s'il ouvre trop de pistes divergentes. Le rédacteur aura alors intérêt à ne retenir que les éléments qui se greffent naturellement à la structure narrative centrale du commentaire, à son idée maîtresse. On y perdra certes en quantité d'information et en nuances, mais c'est le prix à payer pour assurer l'efficacité de la communication orale.

Comme variante de la structure narrative simple, certains auteurs recommandent **la structure d'unité dramatique**. Elle comporte trois éléments : l'amorce, la cause et l'effet. L'amorce, comme pour le texte de presse écrite, donne l'essentiel de la nouvelle (qui, quoi, quand, où). Les paragraphes suivants (la cause) racontent comment la situation décrite s'est nouée. Ils rappellent le déroulement des événements, introduisent les faits bruts et rapportent les déclarations pertinentes. Les derniers paragraphes (l'effet) évoquent les conséquences et leur signification.

Dans un bulletin de nouvelles radiodiffusé ou télévisé, le *lead* (l'essentiel de la nouvelle, livré en quelques mots) sera souvent confié au présentateur du bulletin, qui l'utilisera comme amorce avant de passer la parole au journaliste. Cela pourrait donner, par exemple :

> « Le gouvernement fédéral a présenté à la Chambre des communes ce matin une loi spéciale visant à mettre fin à la grève qui paralyse depuis trois semaines l'ensemble des ports canadiens. La présentation de ce projet de loi a donné lieu à des réactions très vives de l'opposition et des leaders syndicaux. Michel Durand raconte. »

La suite du texte adopte alors la structure traditionnelle du récit, linéaire, chronologique bien souvent :

> « Le ministre X… venait à peine de présenter son projet de loi spéciale pour forcer le retour au travail des employés portuaires que le leader de l'opposition s'est levé… »

* * *

Lorsqu'il ne s'agit pas d'une nouvelle, les textes journalistiques s'éloigneront de la structure pyramidale : au lieu de donner d'abord l'essentiel, le *lead* d'un reportage reposera souvent sur une anecdote, la mise en scène du décor, une phrase-choc ou tout autre élément de mise en valeur qui préparera le lecteur, l'auditeur ou le spectateur à « entrer dans l'histoire ».

Mais rappelons ce qui a été dit plus haut : il ne faut pas partir de trop loin. L'élément de mise en valeur ne sera efficace que s'il centre l'attention du lecteur, de l'auditeur ou du téléspectateur sur le message principal du reportage, sur son idée maîtresse. Si, après quelques paragraphes ou une minute de reportage, la personne à qui on s'adresse ne sait toujours pas en quoi ce reportage est différent de ce qu'elle a déjà vu ou lu ailleurs, si elle ne saisit pas l'angle de traitement particulier que vous avez choisi, la mise en situation aura été inefficace.

En outre, toutes les structures utilisées partagent la hiérarchie de la structure pyramidale, laquelle caractérise en fait toute approche journalistique : on donne les faits avant de présenter les réflexions qu'ils suscitent ; l'histoire passe de l'individuel au collectif, de l'anecdote à sa généralisation ; elle introduit le témoignage avant l'analyse de l'expert ; elle met en valeur ce qui est le plus proche des gens. En ce sens, on trouve là aussi une certaine pyramide qui va du plus étroit au plus large. Maintenant, avant d'explorer au chapitre 6 les structures types des reportages d'actualité et la scénarisation des reportages de type documentaire pour la radio et la télévision, je propose de regarder d'abord les caractéristiques de l'écriture journalistique.

4

L'écriture journalistique

L'écriture journalistique présente des traits distinctifs. Si elle emprunte au style littéraire sa richesse d'évocation, en y alliant au besoin un peu d'émotion et de fantaisie, jamais le journaliste ne doit oublier que la langue est avant tout un outil de communication. Jamais les préoccupations formelles ne doivent primer sur l'efficacité du message. Si ce type d'écriture n'exclut pas quelques effets de style, le mot clé demeure la **simplicité**. Les phrases doivent être courtes, univoques, les images évidentes, les enjeux ou les concepts expliqués dès qu'ils sont introduits. La structure du texte, plutôt rigide, comme celle d'un tunnel, offre le moins possible d'embranchements où l'attention pourrait se perdre. Les plans linéaires sont en général plus efficaces que les constructions subtiles de l'écriture littéraire ou cinématographique.

L'écriture journalistique se distingue de façon encore plus nette de l'écriture technique. Alors que cette dernière se veut objective, impersonnelle, l'écriture journalistique, même dans la plus pure tradition de non-engagement du reporter, cherche à mettre en évidence les acteurs, leur vie, leurs opinions et leurs passions. C'est **une écriture narrative : elle raconte, au lieu d'énoncer.** En outre, alors que l'exposé technique doit reposer sur une base large et solide, la « pyramide » du journaliste (décrite au chapitre précédent) prend appui sur l'événement ponctuel, l'anecdote ou le fait isolé dont on ne reconstruit le sens qu'après coup, en élargissant progressivement la perspective.

Certes, il n'y a pas de style journalistique unique. Mais il existe une série de principes qui peuvent guider le journaliste. Ils ont tous comme moteurs les deux mêmes concepts : rechercher la simplicité (dans le mot, dans la phrase, dans la structure de chaque paragraphe, dans l'enchaînement des idées) et raconter la vie, l'action (par un choix adéquat des verbes et du rythme des phrases, par le recours aux citations directes, par l'évocation des décors et l'usage d'anecdotes).

On peut donc dégager quelques éléments de base qui rendront un texte (ou un reportage) plus vivant et plus efficace, qui feront la différence entre un texte remarquable et un autre, tout juste correct.

I. La proximité. Il est important de bien choisir les mots, les images, le ton, le style, pour que la personne à qui l'on s'adresse se reconnaisse dans le texte ou le reportage, qu'elle y retrouve son quotidien, qu'elle ait l'impression d'y rencontrer des gens auxquels elle peut s'identifier. Son univers, en somme. Un style chaleureux, simple et intimiste est en général plus efficace qu'un style grandiloquent. Rappelez-vous que les médias sont un lieu de dialogue virtuel entre les témoins et leur public, une nouvelle place du marché. Demandez-vous comment vous raconteriez les choses à votre mère ou à votre marchand de légumes. Mais attention : une langue simple n'est pas synonyme d'une langue relâchée.

2. L'image. Le témoin d'un événement doit pouvoir faire voir cet événement aux personnes pour qui il témoigne. Il doit les plonger dans les décors de l'action et les mettre en présence des acteurs. Trop souvent, dans les quotidiens ou dans les émissions d'actualité «à chaud», les journalistes sont amenés à rapporter des déclarations, des concepts ou des chiffres. Ils travaillent à partir de discours, de communiqués et de rapports. Ils traitent, par exemple, des problèmes économiques des producteurs de bovins ou des jeunes décrocheurs comme s'il ne s'agissait que d'entités abstraites dans le discours social ou syndical. Pourtant, les situations évoquées sont bien plus faciles à comprendre quand on a la chance d'en rencontrer les protagonistes, de vivre quelques heures avec eux. Chaque fois que le temps le lui permet, le journaliste devrait aller voir sur place et raconter ce qu'il a vu. Il n'y a pas qu'à la télévision qu'on peut écrire en images!

3. La vie. Quand il présentera les personnes qui sont au centre de l'événement, le journaliste cherchera à les mettre en scène, à les montrer en action. Il y a là plus qu'un effet de style, car c'est souvent dans l'action, au moment de l'effort, du succès, de l'échec ou du dépassement, que les gens vont exprimer les émotions les plus intenses, révéler le plus ce qu'ils sont et ce qui les motive. Le journaliste qui sait être présent à ces moments privilégiés a plus de chances de cerner l'essentiel et de le transmettre efficacement. Un conseil: s'il est parfois nécessaire de rencontrer ses personnes-ressources dans le calme d'un bureau, les interviews menées sur leur lieu de travail, dans le feu de l'action, sont souvent beaucoup plus révélatrices de ce qu'elles vivent au quotidien, de la réalité de leurs luttes.

4. Le rythme. Un reportage imagé, vivant, gagne à être « nerveux », à surprendre. Le lecteur, l'auditeur ou le téléspectateur ne doit jamais décrocher. Il faut pour cela savoir distiller habilement les données techniques, alléger la forme, moduler le rythme, aérer le reportage.

5. L'inédit. Ce n'est pas parce qu'on a traité cent fois d'un problème dans la presse quotidienne qu'il perd son importance. Mais le texte que vous rédigerez sur la question risque de laisser les lecteurs indifférents si vous n'arrivez pas à les étonner, à leur faire découvrir un angle nouveau, un pan de la réalité qu'ils ignorent. Le journaliste gagne donc à rechercher des approches inédites, à rendre son reportage, par le fait même, « inoubliable ».

6. L'efficacité. Parce que le public des médias est sans cesse sollicité par de nombreux messages concurrents, son attention est difficile à retenir. Évitez donc les textes qui piétinent ou qui pataugent dans des considérations trop générales. Allez droit à l'essentiel.

Certes, on ne peut établir d'emblée une longueur idéale. Certains reportages d'une heure, à la télé, peuvent paraître trop courts, alors que d'autres, de dix minutes à peine, semblent avoir été inutilement étirés. Le principe est simple toutefois : bien cerner le propos qu'on veut tenir, l'idée maîtresse du texte, puis, dès l'étape de la construction du plan, ne choisir que les éléments qui s'inscrivent bien dans ce propos. Enlever tout le reste. Les détails secondaires risquent d'alourdir le contenu, de distraire l'attention et d'embrouiller le message. N'ayez pas peur de la réaction que pourraient avoir vos collègues ou des spécialistes consultés face à l'omission de certains détails. Ce n'est pas pour ces spécialistes ou ces collègues que vous travaillez. De toute façon, la mémoire du lecteur, et encore plus celle de l'auditeur, ne retiendra à moyen terme que les grandes lignes de votre propos. En outre, il les retiendra d'autant mieux que vous les aurez clairement dégagées de la trame touffue des faits épars, tout au long de votre texte.

7. L'intelligibilité. Plus un texte est structuré de façon efficace, plus il a de chances d'être intelligible. Il y a toutefois une limite à la «réduction» du propos. L'intelligibilité (ou la clarté) vous impose de faire tous les liens requis, tous les rappels utiles, bref, de fournir à l'ensemble de vos lecteurs tous les éléments d'information essentiels à la bonne compréhension. Il ne faut jamais introduire de concept nouveau qui ne soit aussitôt explicité.

8. Le suivi. Pour tout reportage, une construction rigoureuse s'impose. Il faut que vous preniez votre public par la main et l'emmeniez sans effort dans les différents «espaces» d'information que vous explorez avec lui. S'il perd le fil, ne serait-ce qu'une seule fois, il n'est pas certain qu'il puisse vous rattraper par la suite (dans la presse électronique surtout, où l'auditeur n'a pas le loisir de recommencer la lecture). De même, d'un reportage à l'autre, il faut rappeler tous les détails qui permettront à chacun de vous «prendre en route», de comprendre les propos et les enjeux même s'il n'a pas suivi les reportages précédents.

Quelques considérations de style

De nombreux auteurs de manuels de journalisme y sont allés de leurs conseils précis quant au style proprement dit. Essayons ici de faire une synthèse de ces recommandations, selon une succession logique partant d'une seule et même prémisse : le journaliste est « à la solde » de son public.

• **Toujours se mettre à la place de son public. Il faut écrire (ou parler) pour être compris, non pas pour se faire plaisir à soi-même.** Certes, il est parfois agréable, pour un écrivain, de jouer avec les sons, les ellipses, les ambiguïtés, les constructions grammaticales inusitées. Mais lorsque de telles prouesses font perdre le fil du propos, c'est qu'on passe à côté de son objectif : communiquer. Il en va de même pour l'accumulation de termes savants ; cela peut, à la rigueur, plaire à vos sources et témoigner de votre érudition, cependant, vous n'êtes pas là pour faire étalage de votre culture, mais pour raconter et faire comprendre.

• **Dans cet esprit, donc, utiliser si possible des mots courants ; préférer le mot usuel au terme savant ou au jargon des spécialistes.** Ce n'est pas toujours facile. À force de fréquenter des « intervenants », qui parlent d'« apprenants » pour désigner ce que tout être normal appelle des étudiants, ou de « malentendants » pour désigner les personnes sourdes ou dures d'oreille, ou qui emploient combien d'autres termes d'un lexique réinventé chaque fois qu'on change de contexte politique ou social, les journalistes finissent par s'habituer à ces expressions et par les utiliser sans s'en rendre compte. Toujours se demander, alors, si les mots choisis sont bien ceux que comprennent les gens à qui l'on s'adresse.

Mais attention ! Employer les mots qu'ils comprennent ne signifie pas qu'on doive avoir recours à des termes impropres. Sur le plan du vocabulaire, la simplicité n'est pas synonyme de pauvreté. Au contraire, on enrichit souvent son texte en utilisant un mot concret plutôt qu'un terme abstrait, un mot qui fait image plutôt que celui qui fait « dissertation ». Un truc utile, si vous disposez d'une « oreille compréhensive » : faites l'effort de lui raconter votre texte oralement, sans le lire mot à mot. Chaque fois que votre présentation spontanée s'écarte du texte écrit, dites-vous que celui-ci gagnerait peut-être à être simplifié.

• **Éviter les accumulations de substantifs dans une même phrase.** Par exemple, il vaut mieux dire « Les gens veulent un nouvel hôpital » plutôt que « Les gens expriment un consensus concernant l'établissement prioritaire d'un centre hospitalier » ! Malheureusement, des phrases de ce genre, inutilement abstraites, polluent les textes scientifiques et les rapports administratifs qui servent souvent de référence aux journalistes ; il faut être vigilant pour prendre ses distances par rapport à ces formulations. Toujours se relire en se demandant si chaque idée du texte ne peut pas être reformulée en moins de mots, dans une langue plus directe.

• **Composer des phrases courtes et simples.** Éviter les phrases « à tiroirs », où abondent les « dont », « lui qui », « à laquelle », « et ce », « parce que », etc., de même que les périphrases alambiquées, les inversions, les parenthèses, les subjonctives. Se demander, à la relecture, si chaque phrase un peu longue ne pourrait pas être scindée en deux phrases courtes. On y gagne alors en clarté et en rythme.

• **Utiliser de préférence la forme active,** sauf si vous voulez créer une impression de lourdeur. La langue française supporte plutôt mal l'accumulation de verbes au passif, qu'on hérite trop souvent de l'anglais.

En fait, la langue narrative, celle qu'on utilise pour raconter, est une langue concrète : des personnes (sujets) posent des gestes (verbes en mode actif). Elles agissent. La forme passive, au contraire, tend à affaiblir le rôle du sujet, jusqu'à l'exclure du récit. C'est la langue des techniciens ou des scientifiques qui, dans les rapports qu'ils rédigent, cherchent à demeurer à l'extérieur du contexte observé. On écrira : « La situation a été étudiée en fonction de plusieurs variables… » au lieu d'écrire : « Nous avons observé… ». Le résultat est abstrait, impersonnel, désincarné. Très souvent aussi, le texte technique part de l'observation d'un phénomène, pour remonter à ses causes (« … sont provoquées par l'accumulation de… »). Mais les « raconteurs de village » que sont les journalistes sont là pour décrire l'action qui se déroule, telle qu'elle se vit. Une cause crée un effet. La forme active permet de diriger tous les feux sur l'auteur d'une action ou d'une déclaration, et sur l'action elle-même.

• Dans la presse écrite, le lecteur prend connaissance d'événements qui ont eu lieu la veille. **Utiliser alors le passé composé beaucoup plus sobre et familier que le passé simple** (« … a annoncé hier la ministre des Transports » plutôt que « … annonça la ministre »). Réserver l'imparfait pour décrire les éléments de contexte dans lequel se sont inscrits ces événements (« Pendant que les jeunes manifestaient, un groupe de policiers a chargé la foule… » ; ou, plus simplement : « Les policiers ont chargé les jeunes qui manifestaient… »). Mais le texte gagnera encore en proximité et en dynamisme si on a recours au « présent narratif » pour rappeler le déroulement précis des événements. D'ailleurs, pour les textes de nouvelle radio et télé, qui sont diffusés le jour même, on privilégiera le présent (« … annonce aujourd'hui la ministre des Transports »).

• **Épurer ; éliminer les mots inutiles.** Lorsqu'on a le choix, il faut privilégier les tournures les plus sobres. Éviter par exemple les effets de renforcement (ou d'enflure, devrais-je écrire) comme les expressions « de dire M. X… » lorsque « dit… » aurait suffi, ou l'expression « et ce » aussi emphatique qu'inutile (comme dans : « il dirige la compagnie, et ce, depuis 5 ans »). Et que dire de ces horreurs qui encombrent les textes de nos journaux, les «pas moins de...», les «vous n'êtes pas sans savoir» ou les pléonasmes comme «voire même», «s'avérer vrai», «défrayer les coûts»!

Mais on touche ici un autre problème : celui des journalistes qui connaissent mal leur langue. Retenons simplement cette règle, pour l'instant : entre deux formules équivalentes, entre deux termes synonymes, les mots les plus courts sont souvent les meilleurs. Ces conseils sont utiles pour l'écrit, mais plus vitaux encore pour l'oral, où la phrase courte est plus facile à comprendre lors d'une première écoute... et où chaque seconde compte!

• **Éviter si possible les adverbes en «ment»**, qui souvent n'apportent rien et ne font qu'encombrer le texte. Quand l'utilisation d'un adverbe est requise, on préférera les formes plus sobres : *très,* au lieu d'*extrêmement*; *bien plus,* au lieu de *considérablement plus*; etc.

• **Faire un usage parcimonieux des adjectifs.** Le rôle du journaliste est de décrire les faits, les gestes, les paroles, et d'en expliquer le contexte pour permettre à son public de tirer ses conclusions. Il n'est pas là pour juger de ces faits et gestes, pour les qualifier : «un discours franc... des gestes spectaculaires... une déclaration osée...»; éviter le plus possible ce genre de jugement.

• **Écarter les clichés, les expressions à la mode, les proverbes et les dictons.** Tous les lecteurs ne comprendront pas le sens de «tirer les marrons du feu», de «rester Gros-Jean comme devant» ou de «faire long feu». Encore moins «la ville des vents» ou «la ville aux mille clochers». Bien souvent, il s'agit d'expressions tellement éculées qu'elles n'apportent même plus au texte la touche d'originalité qu'on souhaiterait y mettre.

• **Prendre garde à l'utilisation abusive de sigles ou d'acronymes.** À l'exception des entreprises qui ont adopté ces acronymes comme nom officiel (IBM, AT&T, ABC, CBS...) ou de certains organismes tellement connus que leur acronyme est devenu familier (l'ONU, l'OTAN, la CIA, la CSN...), il faut toujours écrire d'abord le nom au complet, quitte à placer l'acronyme entre parenthèses si on doit y recourir dans la suite du texte.

• **Écrire pour informer; toute phrase nouvelle doit faire progresser l'information en ajoutant des éléments nouveaux. Sinon, l'éliminer.** Se demander à chaque phrase, à chaque paragraphe : « Qu'est-ce que ce passage a ajouté de vraiment nouveau? Est-ce bien utile de savoir ça? » Et ne pas hésiter à éliminer tout ce qui est superflu, ou qui détourne l'information vers des voies secondaires.

• **Recourir à des transitions directes; éviter l'utilisation de charnières laborieuses qui ne livrent aucun contenu** (du genre « Ainsi, après avoir présenté les enjeux, voyons maintenant ce qu'en pensent les spécialistes... » ou « Pour en savoir plus long, nous sommes allés interroger Mme X... ». Si vous rapportez les propos de quelqu'un, les gens sauront bien que vous êtes allés l'interroger!). Certes, il est parfois utile de recourir à des phrases pivots, pour souligner le passage d'un aspect à un autre. Mais en général, les phrases très courtes, rythmées, celles qui font image, sont les plus efficaces. Par exemple, après avoir présenté un projet d'investissement, et avant d'introduire les réactions, on pourrait utiliser un court pivot qui résume le ton : « Pour les résidents du quartier, c'est le pactole. » (ou, au contraire : « Pour les résidents du quartier, c'est la catastrophe. »). On pourra aussi utiliser une question courte, puis une citation-choc (par exemple : « ... Pourquoi? — Parce que ce sont des incompétents, répond Mme Chose. »). Ou alors, dans le cas d'un texte écrit, pourquoi ne pas recourir simplement à l'intertitre?

• Dans les textes écrits, on conseille de **changer de paragraphe chaque fois que l'on développe une nouvelle idée.** Cela donne en général des paragraphes courts. À l'oral, de la même

manière, les « blocs de narration » ont avantage à être courts et à
ne porter que sur une idée à la fois. Entre ces blocs, prévoir des
pauses pour laisser le public assimiler chaque étape d'un développement.

• **Éviter de laisser en suspens des questions sans réponse.**
À chaque information nouvelle, se demander si le lecteur peut
suivre, s'il a en main toutes les pièces pour comprendre. S'il lui
en manque, les lui donner tout de suite. En conséquence, on ne
peut jamais introduire plus d'un concept nouveau à la fois. Le
texte journalistique est comme un corridor où le lecteur doit
pénétrer et progresser sans jamais avoir l'impression que des
embranchements lui échappent en cours de route.

S'il est impossible de structurer de la sorte toute l'information, on pourra, dans l'écrit, avoir recours à la technique de
l'encadré. Mais l'équivalent de l'encadré, comme parenthèse
à lecture libre, n'existe pas dans l'oral (sauf dans le domaine
encore peu exploité de la télévision interactive). En radio ou en
télévision traditionnelle, donc, cet « effet de corridor » est une
absolue nécessité. À chaque paragraphe ou à chaque bloc de narration, il faut déposer son crayon, se relire, se demander quelles
questions se posera celui à qui on s'adresse. Le paragraphe
suivant doit répondre à ces questions[1].

---

1 Dans le domaine de l'information dite « en ligne », dans les magazines web
par exemple, les textes peuvent suivre une autre logique : celle des hyperliens.
Chaque mot nouveau ou chaque concept ajouté peut être explicité dans un autre
texte, appelé par une simple pression du doigt. Ces « encadrés » explicatifs peuvent eux-mêmes contenir des mots ou des concepts renvoyant à d'autres « encadrés », et ainsi de suite, à l'infini. La logique linéaire des textes journalistiques ne
s'y applique donc pas. Mais attention : si votre lecteur doit sans cesse sauter
d'une page à l'autre pour comprendre ce qu'il lit, il risque de ne jamais se rendre
au bout de l'idée que vous vouliez lui transmettre. Bref, même avec ce possible
recours aux hyperliens, il est utile de concevoir chaque « page écran » de telle
sorte qu'elle puisse se lire de façon autonome, comme dans le texte journalistique traditionnel.

• Parce que le texte journalistique raconte une histoire, on y utilise le style du récit et non celui du rapport. **Penser alors aux effets de scénario, de suspense,** afin que le lecteur ou l'auditeur ait envie de connaître la suite à chaque paragraphe du texte. Penser aussi aux effets de rythme : de temps en temps, utiliser des phrases courtes, des mots-chocs, des effets de surprise qui font rebondir l'intérêt. **Introduire directement les acteurs de l'événement.** Qu'on les voie ! Qu'on les sente !

• Même dans le cas d'un texte de presse écrite, **écrire en images,** en insérant dans son texte les décors, les mouvements, la moue des personnages. Et, si possible, écrire aussi pour les autres sens : pour l'oreille ; pour le nez. Un texte sur l'enlèvement des ordures doit, d'une certaine manière, sentir mauvais. Un texte sur le travail en usine doit faire entendre le bruit des machines, faire sentir la chaleur ambiante.

• **Utiliser beaucoup la citation.** Si les journalistes le font, ce n'est pas parce qu'ils refusent de prendre parti. C'est parce que le contact direct avec les acteurs permet au lecteur ou à l'auditeur de mieux jauger leur crédibilité (ou, à l'inverse, la limite de cette crédibilité) et d'évaluer en conséquence l'information rapportée. Rappelez-vous : en tant que journaliste, vous avez fait une démarche de recherche au profit de votre « client ». Vous n'avez pas la science infuse. L'information que vous transmettez doit provenir de sources identifiables, notamment les témoins et les experts que vous avez consultés. Pourquoi priver votre public d'au moins un contact furtif avec ces personnes clés ?

Nous reviendrons sur cet aspect essentiel au chapitre 8. Précisons tout de même que du strict point de vue de l'écriture ou du montage en presse électronique, la citation permet des variations de ton, de rythme et de niveau de langage qui enrichissent le reportage.

• Un texte se termine par un point, quant toute l'information nécessaire a été dite, et toute l'information superflue, retranchée. **Ne pas se sentir obligé d'ajouter une «morale» ou une conclusion vide,** du genre « Seul l'avenir nous dira si… ». Certes, on trouvera souvent, dans le reportage de magazine qui prétend traiter en profondeur d'une question donnée, un effort de l'auteur pour conclure par une anecdote, une touche d'humour ou simplement une synthèse rapide de l'information explorée dans le texte (un *wrap-up*, comme disent les journalistes). Mais trop souvent l'obsession de la « conclusion qui interroge » conduit les journalistes (surtout les plus jeunes, d'ailleurs) à pontifier, sans rien ajouter au texte. Avec en prime l'impression laissée au lecteur ou à l'auditeur qu'on ne le croit pas assez intelligent pour qu'il tire lui-même ses propres conclusions.

• **Toujours se relire, deux fois: la première fois pour corriger les fautes; la seconde, pour revoir la construction du texte, les enchaînements, la compréhension.** Se demander à chaque phrase s'il ne vaudrait pas mieux éliminer les « qui », les « que », les « dont », en scindant les phrases longues, en reformulant… Utiliser le dictionnaire à chaque incertitude. « Vingt fois sur le métier, remettez votre ouvrage », écrivait Boileau. Aucun journaliste n'échappe à la règle.

Les textes qui ont l'air d'avoir été rédigés péniblement sont souvent ceux qu'on a dû écrire à la hâte, sous la pression de l'heure de tombée. Au contraire, les textes plus légers, ces « petits bijoux d'écriture » qui semblent couler tout naturellement d'une plume alerte, sont souvent ceux qui ont été retravaillés, corrigés, ciselés, allégés, polis… Quiconque n'aime pas ce travail d'affinement de l'écriture ne sera jamais un bon journaliste (à moins de travailler en équipe et de confier la rédaction à quelqu'un d'autre).

L'écriture de presse parlée

Les conseils qui précèdent valent autant pour le texte radiophonique ou le texte d'accompagnement d'un reportage télévisé que pour la rédaction d'un reportage de presse écrite. La simplicité du vocabulaire, la concision des phrases et l'effort pour éviter les formes passives, les propositions circonstancielles en cascade ou l'accumulation d'adverbes sont des exigences plus pressantes encore dans la presse parlée parce que l'auditeur ne peut pas ralentir le rythme de lecture, s'arrêter à son gré ou revenir sur un passage obscur. Il en va de même pour le recours à des structures narratives simples, le plus souvent linéaires, où tout nouvel élément doit aussitôt être expliqué.

Le reportage oral impose toutefois des contraintes additionnelles.

• **Le texte de presse électronique doit être facile à lire à haute voix, avec le ton le plus naturel possible.** Outre le recours à une langue « parlée » (ce qui, encore une fois, ne signifie pas relâchée), l'oral impose aussi d'éviter les « groupes sémantiques » trop longs. Formé d'un nom ou d'un verbe pivot, avec l'ensemble des termes qui le déterminent, chacun de ces groupes doit en général être lu d'un seul souffle. S'il est trop long, le lecteur risque de s'essouffler. La lecture devient moins efficace.

• De même, on s'efforcera d'**éviter les allitérations, les assonances ou les rimes involontaires,** qui viennent distraire l'attention de l'auditeur. La lecture de son texte à voix haute permet en général de repérer les passages dont la prononciation est difficile, ou ceux qui présentent des sonorités répétitives.

• Comme en presse écrite, la citation est essentielle en presse parlée parce qu'elle donne à l'auditeur l'occasion de « rencontrer » directement les acteurs ou les témoins de la nouvelle. Elle permet aussi un changement de rythme et de ton qui attire l'attention de l'auditeur et dynamise le récit. **Éviter les citations trop longues ou trop complexes, celles qui comprennent trop de termes techniques ou de jargon (langue de bois).** S'il s'agit de courts extraits, le texte du journaliste devra souvent en introduire le contenu. Dans cette présentation, **éviter de résumer ou de paraphraser le message de votre interviewé,** ce qui donne l'impression d'une répétition.

• Les reportages radio et télé peuvent aussi **utiliser en « plein son » des extraits qui ne sont pas des citations, mais de l'ambiance :** cris de manifestants, vents violents lors d'une tempête, bruit assourdissant dans une usine, etc. Ces éléments contribuent aussi à rendre les récits plus vivants et plus efficaces. Ils permettent d'attirer et de retenir l'attention de votre auditeur.

• En télévision, la sollicitation simultanée de l'œil et de l'oreille impose une certaine coordination des messages. **Le texte ne doit pas distraire de l'image, ni l'image du texte ; les deux messages doivent s'appuyer, non se brouiller.** Mais cela dépasse la stricte question de l'écriture et porte, en fait, sur la facture même du reportage télé. Nous y reviendrons.

Variations sur les amorces (*leads*)

L'amorce d'un texte, c'est aussi sa vitrine, ce qui fait que l'on aura envie ou non d'en poursuivre la lecture. Aussi est-ce important d'y consacrer une attention particulière. Or, même pour le texte de nouvelle le plus simple, on peut varier le style du *lead*. À la présentation synthèse, qui constitue l'amorce la plus classique, certains préféreront des formules plus vivantes : une citation, une interrogation, une anecdote…

Voici quelques exemples de variations autour d'une même nouvelle. J'ai choisi celle-ci parmi ce qu'il y a de plus banal au départ afin d'illustrer à quel point le choix de l'amorce peut transfigurer un texte.

L'amorce synthèse (classique)

Il y aura des élections fédérales le 15 novembre prochain. C'est ce qu'on a appris hier, à l'occasion d'une conférence de presse extraordinaire du premier ministre, sur la colline parlementaire.

Voilà, l'essentiel est dit. Le reste du texte en découle : il fournira les détails pertinents, les réactions des autres leaders de partis, etc. Mais, à la limite, le lecteur pressé aura appris l'essentiel dès ce premier paragraphe. Quoi? (les élections le 15 novembre); qui? (le premier ministre); quand? (hier); où? (lors d'une conférence de presse sur la colline parlementaire). Notez aussi la hiérarchie des éléments. Le plus important, soit la tenue d'élections et la date, précède les autres détails, plus circonstanciels.

L'amorce par citation directe

«Nous allons au front, et que le meilleur gagne!» C'est par ce cri de ralliement que le premier ministre a mis fin hier au suspense qui durait depuis quelques jours sur la colline parlementaire, et annoncé la tenue du scrutin fédéral, le 15 novembre prochain.

Lorsqu'on dispose d'une déclaration-choc, lorsqu'une remarque lancée par un des acteurs ou par un témoin de l'événement rapporté résume bien l'émotion qui s'en dégageait, ou lorsqu'on croit utile de privilégier le point de vue d'une de ses sources en la citant directement, le recours à une citation donne souvent au texte un rythme de départ intéressant.

Dans notre exemple, la citation ne contenait guère d'information ; elle jouait plutôt le rôle d'un *teaser*, une amorce destinée à attirer l'attention. Il a donc fallu présenter aussitôt l'essentiel de la nouvelle. Mais il peut arriver aussi que cette information soit comprise dans la citation d'un des acteurs, comme si, dans l'exemple ci-dessus, on avait choisi d'annoncer la date des élections par un extrait de la conférence de presse du premier ministre. L'amorce par citation directe devient alors une simple variante de l'amorce synthèse.

L'amorce par citation indirecte

> Le premier ministre a annoncé hier qu'il ferait appel au peuple le 15 novembre prochain afin d'obtenir de la part des Canadiens un mandat clair pour entreprendre la réforme des politiques sociales.

Tout comme pour la citation directe, cette amorce privilégie le point de vue d'un des acteurs (ou un des spectateurs) de l'événement. On a recours à ce genre de citation paraphrasée surtout lorsqu'il n'est pas possible d'aller droit à l'essentiel en citant intégralement les propos recueillis.

L'amorce synthèse à volets multiples

> Il y aura des élections fédérales le 15 novembre prochain.

> Le gouvernement présentera d'ici là un budget spécial à la Chambre.
>
> Le premier ministre entend en outre accélérer l'adoption avant les élections de deux projets de loi qu'il juge prioritaires : la réforme de la loi électorale et la nouvelle loi sur la citoyenneté.
>
> Tels sont les trois points essentiels de la conférence de presse donnée hier par le premier ministre, sur la colline parlementaire.

Ce type d'amorce convient lorsque plusieurs éléments d'information semblent d'importance plus ou moins égale (ce qui n'est pas tout à fait le cas dans l'exemple ci-dessus, notons-le) et qu'on veut les mettre tous en valeur. Le texte peut, par la suite, les aborder l'un après l'autre, en les annonçant si possible avec des intertitres (c'est la structure « en tuyau de poêle » décrite au chapitre précédent).

L'amorce interrogative

> Le premier ministre pense-t-il pouvoir conjurer le sort qui s'acharne depuis plus d'un an contre son gouvernement ? En tout cas, il a décidé de risquer le tout pour le tout, en annonçant hier la tenue d'élections le 15 novembre prochain.

Dans certains cas, ce genre de *lead* peut sentir la recette, le ton faussement accrocheur. Mais lorsqu'on doit traiter une nouvelle assez technique, dont la signification peut ne pas paraître évidente au lecteur ou à l'auditeur pressé, l'usage d'une interrogation, que le texte viendra documenter par la suite, est une bonne façon de mettre en évidence les conséquences attendues d'un événement ou son contexte de signification.

L'amorce prospective (par anticipation des conséquences)

> Les libéraux pourraient bien reprendre le pouvoir, le 15 novembre prochain. C'est en effet la date choisie par le premier ministre pour appeler les Canadiens aux urnes. La nouvelle a été annoncée hier par le premier ministre, en conférence de presse.

Cette amorce répond un peu aux mêmes besoins que la précédente. Elle est efficace surtout quand on veut faire ressortir, en *lead,* une conséquence qui touchera le lecteur, dans le cas d'une information qui serait, autrement, plus abstraite. L'annonce d'une nouvelle réglementation routière pourra être introduite en évoquant ce qu'il en coûtera désormais de brûler un feu rouge. Celle d'une entente entre les propriétaires d'un stade et une équipe de baseball, par l'évocation d'une hausse probable du prix des billets. Celle d'une réforme administrative, par le fait que les citoyens n'auront plus à subir des attentes aussi longues, etc.

L'amorce anecdotique (ou descriptive)

> Les journalistes se pressaient hier sur la colline parlementaire. La rumeur était persistante depuis la veille. Mais il a fallu attendre la fin de l'après-midi pour que le premier ministre convoque enfin la presse et vienne confirmer ce qui n'était déjà plus une nouvelle: les élections auront lieu le 15 novembre prochain.

Ce sont sans doute les chroniqueurs sportifs qui font le plus souvent usage de telles amorces descriptives. Au lieu de mettre platement en *lead* le score final d'un match, on y décrit le jeu décisif, celui qui a scellé l'issue de la rencontre. Ou l'on décrit le climat du vestiaire, après la défaite. Mais pourquoi l'écriture sportive devrait-elle avoir le monopole de l'écriture vivante? Ce recours aux techniques du récit permet au témoin de partager ce qu'il a vécu avec ceux qui le liront ou l'écouteront.

L'amorce « mise en scène »

Le visage solennel, debout devant une lourde tenture bleue, résistant mal aux flashes des caméras, le premier ministre a confirmé hier après midi à Ottawa la rumeur qui courait déjà dans les salles de presse depuis quelques heures : il y aura des élections le 15 novembre prochain.

La différence avec l'exemple précédent n'est pas évidente ici. Disons qu'alors que l'amorce anecdotique raconte l'action, la mise en scène présente le décor. La première fait vivre ; la seconde fait voir ou sentir, elle recrée un climat. Mais de fait, les deux approches sont voisines et jouent un peu le même rôle.

L'amorce « suspendue » (ou suspense)

En quittant le 24 Sussex Drive, M. Harper a mis trois sucres dans son café. Tant pis pour le régime! La journée allait être trop importante pour lésiner sur les calories.

À son arrivée sur la colline parlementaire, c'est un véritable essaim de journalistes qui l'y attendait. Depuis la veille en effet, la rumeur avait couru à la tribune de la presse et dans les couloirs du parlement.

Dans la grande salle aux tentures rouges où l'on avait convoqué les ministres, l'atmosphère était trop solennelle pour qu'on puisse croire à un caucus ordinaire.

Trois heures d'attente, pourtant, avant que la nouvelle ne soit enfin officielle: un communiqué de presse succinct, dix lignes à peine, émanant du bureau du gouverneur général, en début d'après-midi: il y aura des élections le 15 novembre prochain.

Il s'agit bien sûr ici d'une autre forme de mise en scène. Mais en valorisant intentionnellement des détails sans importance, en évoquant sans cesse une signification à venir («Depuis la veille, la rumeur avait couru»... Mais quelle rumeur, au fait?), l'auteur de ce texte crée un véritable effet dramatique de suspense. Dans le meilleur des cas, on peut faire durer l'effet fort longtemps, sans perdre un seul lecteur... à condition d'être un écrivain hors pair. Mais attention: tenter pareille prouesse, c'est jouer avec le feu.

En fait, on aura recours à l'effet de suspense surtout dans le cas de nouvelles sans grande portée, un fait divers, par exemple, sur lequel le journaliste s'amusera à faire des effets de style, sachant bien qu'autrement l'information, qui tiendrait en deux paragraphes, n'aurait guère d'attrait. Ainsi, une nouvelle telle que: «Il aura fallu près de quatre heures à la Sûreté du Québec pour retrouver un bambin de six ans, disparu hier soir du terrain de camping de Rosemère» aurait gagné à être rédigée de telle sorte que le lecteur vive l'angoisse des parents, assiste à la battue en forêt, découvre peu à peu la piste, avant d'apprendre qu'on avait enfin retrouvé l'enfant.

Mais on peut aussi jouer sur un effet de «faux suspense»

dans le cas d'une nouvelle tellement importante que la plupart des lecteurs risquent d'en avoir déjà été informés (c'est le cas, proposé ici, de l'annonce d'une élection). Dès lors, la lecture du texte nourrit l'intérêt pour les éléments d'atmosphère, les éléments de « coulisses » que le journaliste parviendra à distiller d'autant plus efficacement que la trame de son texte jouera sur l'effet de suspense.

L'amorce « punch »

> Ça y est, l'heure de vérité a sonné. Pour les cinq partis fédéraux, la guerre se terminera le 15 novembre prochain.

Une phrase-choc, pour un effet de provocation. L'amorce « *punch* », c'est un peu l'inverse de la précédente : on y livre l'essentiel, en vrac, sans fioritures.

L'exemple proposé ci-dessus, avec ses diverses amorces, est en fait un texte de nouvelle : l'annonce d'une élection fédérale. Dans ce genre de texte, les premiers types d'amorce proposés (amorce synthèse ou par citation, notamment) sont utilisés beaucoup plus fréquemment, sans doute parce qu'ils sont plus simples à maîtriser et qu'ils collent plus directement à la structure pyramidale du journalisme de nouvelle. Dans le cas de reportages de fond — enquêtes, portraits ou reportages à caractère humain, par exemple —, on retrouvera plus souvent des effets de mise en scène. Le choix dépendra à la fois du ton qu'on veut donner au texte et de la structure choisie pour organiser l'information.

Dans l'écriture radiophonique, on trouve aussi, très souvent, des amorces de type classique, mais un extrait sonore préalable peut souvent servir de *teaser*. N'est-ce pas, après tout, la force du média?

Beaucoup de reportages de télévision misent aussi, pour «accrocher» le téléspectateur, sur des extraits d'interview surprenants ou sur des images saisissantes. Cela conduit souvent à privilégier les amorces anecdotiques, à partir de quoi le journaliste élargira ensuite le propos. Notons en outre qu'en télévision, il faut souvent quelques secondes avant que le spectateur s'adapte au ton du reportage, qu'il apprivoise le lieu où on l'entraîne. Aussi, les reportages qui présentent trop rapidement l'information essentielle risquent d'y perdre en efficacité. Les amorces plus anecdotiques ont souvent plus d'effet.

On notera enfin que, dans les différentes amorces que nous venons de proposer, nous n'avons pas inclus les approches de type «panorama encyclopédique», qu'on retrouve pourtant bien souvent dans les textes de magazine (par exemple: «Depuis vingt ans, les questions relatives à la pollution des océans préoccupent de plus en plus de scientifiques et de défenseurs de l'environnement. Il y a quelques années, on a même décidé aux États-Unis...»). La raison est simple; comme on l'a mentionné au chapitre précédent, ce genre d'entrée en matière très large, caractéristique de l'écriture juridique, technique ou scientifique, est étranger au mode journalistique de transmission de l'information, où l'idée maîtresse qu'on veut développer doit être très bien ciblée, dès son introduction. À proscrire, donc!

Présentation de la copie

Terminons rapidement ce chapitre avec quelques conseils pratiques quant à la présentation matérielle du texte.

• Le texte se présente sous forme dactylographiée, à double interligne. Un feuillet standard comprend 25 lignes, à raison de 60 à 80 frappes par ligne.

• Laisser environ 4 cm à gauche, pour faciliter l'annotation, au moment de l'édition.

• Séparer clairement les paragraphes par un double retour de ligne. Cela facilitera les corrections, les ajouts, l'insertion d'intertitres, etc.

• N'écrire que sur le recto de chaque feuillet.

• Lorsqu'un texte doit être lu à haute voix (écriture radiophonique ou narration à la télévision), éviter de commencer un paragraphe au bas d'un feuillet; le lecteur préfère toujours avoir sous les yeux l'ensemble d'un bloc narratif, ce qui lui évitera de manipuler ses feuilles en cours de lecture.

• Numéroter les feuillets et les identifier par un mot repère, le même sur chaque feuillet.

• Suggérer des intertitres (si c'est conforme à la politique rédactionnelle du média). Dans la presse quotidienne, on proposera environ un intertitre par feuillet. Les intertitres peuvent servir à annoncer le contenu de ce qui suit (repères logiques) ou n'être que des *teasers* (repères « accroche-l'œil »).

• Faire une ou deux suggestions de titre. Mais attention! Ne faire ces suggestions qu'après avoir terminé la rédaction du texte. Sinon, vous risquez, en rédigeant votre article, de tenir compte du titre présumé; or, ce titre risque d'être « charcuté » en phase d'édition, et ne doit donc pas être pris en compte lors de la rédaction.

• Dans la presse parlée (radio ou télé), le texte des narrations sera entrecoupé d'extraits d'interviews ou de séquences en « plein son ». Indiquer clairement ces passages, en donnant leur référence précise (à quel minutage on les retrouvera, sur le support vidéo ou sonore, ainsi que la durée de l'extrait), et en transcrivant les propos complets s'il s'agit d'un extrait d'interview.

C'est ce qui servira de « feuille de route » pour le technicien responsable de l'enregistrement et du montage.

• Dans les magazines, on vous demandera souvent de donner en annexe les coordonnées des personnes que vous avez interviewées, afin que le photographe ou le réviseur de copie puisse au besoin les retracer. Vous pouvez aussi suggérer des illustrations.

• Toujours garder une copie de son texte.

Notons que ces conseils demeurent valables même si les éditeurs préfèrent recevoir les articles sous forme de fichier transmis par courrier électronique. À la réception, ils en tireront bien souvent une copie papier, sur laquelle ils effectueront leurs premières corrections. Une mise en page claire rend toujours plus facile le travail sur le texte.

5

Les différents genres journalistiques

La nouvelle, rappelons-le, est la matière première du journalisme. Le texte de nouvelle constitue ainsi le « genre » de base ; nous l'utiliserons pour définir les autres formes d'écriture, les autres types de textes ou de reportages que diffusent les médias. Commençons donc par un rappel de ce qui a été dit jusqu'ici.

La nouvelle

La nouvelle est un texte qui, à partir d'un événement, met en scène le plus efficacement possible l'essentiel des faits nouveaux, significatifs ou intéressants, en replaçant ces faits dans leur contexte de signification. Viennent ensuite tous les éléments qui paraissent nécessaires à la compréhension de ce contexte (rappels historiques, géographiques, politiques, anecdotiques, etc.) et, au besoin, les réactions que suscite l'événement. Si l'espace le permet, on élargit les perspectives, on fait des rapprochements, on revient sur des détails.

On notera dans cette définition le recours à la notion d'événement. Il faut l'entendre dans son sens le plus large. Une forte proportion des événements couverts par la presse sont en fait des déclarations ou des publications (rapports, communiqués, statistiques, etc.). Que ce soient des faits, des publications ou des déclarations, peu importe : ils existent indépendamment du journaliste. Quelque chose se passe, que le journaliste couvre.

Il arrive par contre qu'un journaliste ne suive pas un événement donné, mais explore de lui-même une question, afin d'en extraire une information significative. Un secteur de la ville lui paraît être à l'abandon ; il s'informe sur le climat social, économique, politique, sur l'histoire ; il fouille les statistiques, les transactions immobilières ; il se lance dans un vaste portrait de la vie dans ce quartier. Ou bien imaginons qu'une journaliste ayant lu un profil des programmes gouvernementaux d'aide à l'industrie, décide d'aller voir par elle-même qui sont les industriels qui en ont profité et ce qu'ils en ont vraiment tiré. Ou qu'un citoyen appelle au journal pour se plaindre d'un entrepreneur qui lui aurait livré une maison neuve dans un état lamentable, et qu'en fouillant le dossier, la journaliste à qui on a refilé « le tuyau » découvre qu'une trentaine d'acheteurs sont aussi insatisfaits du travail de ce constructeur.

Dans tous ces exemples, on quitte le domaine de la nouvelle au sens strict pour parler plutôt d'un *reportage* sur la vie urbaine, d'un *dossier* sur l'aide à l'industrie, d'une *enquête* sur un constructeur de maisons. Voyons comment ces genres se distinguent de la nouvelle, et en quoi ils lui ressemblent, aussi.

L'enquête

L'enquête se distingue de la nouvelle par la démarche plus que par l'écriture. En fait, le texte d'enquête est bien souvent un texte de nouvelle tel qu'il a été défini ci-dessus. **Mais, au lieu de porter sur un événement ou un fait d'ordre public, le texte d'enquête prend racine dans une démarche dont le journaliste est l'initiateur.** C'est lui qui crée la nouvelle, en somme, en fouillant une problématique obscure, complexe ou secrète, avec ou sans prétexte dans l'actualité du jour.

Précisons les termes. Une problématique peut être *obscure* parce que les acteurs principaux ont avantage à brouiller les pistes. Des exemples, en vrac: le travail au noir, la vente par correspondance, le commerce international des armes, les transactions internes entre les filiales d'une entreprise...

Dans d'autres cas, c'est la *complexité* d'un secteur qui en rend impossible la compréhension sans un travail d'enquête minutieux. Pensons à un dossier comme les opérations internationales sur le marché des changes ou les règlements et contrôles en matière de transport de produits toxiques.

Mais dans certains cas, les choses sont plus qu'obscures ou complexes; elles sont parfaitement *secrètes,* parce qu'illégales (la drogue, la prostitution, etc.) ou protégées par quelque raison d'État. Une question peut aussi être demeurée secrète parce qu'elle paraissait d'abord relever de la sphère privée... jusqu'à ce qu'un journaliste n'en révèle toutes les dimensions. C'est ainsi que les séjours que l'entrepreneur québécois Antonio Accurso avait offerts sur son yacht de luxe, le *Touch,* à plusieurs de ses amis du monde municipal ou du monde syndical pouvaient au départ paraître relever de sa vie privée. Ils sont devenus d'intérêt public quand les journalistes ont commencé à s'interroger, en 2009, sur la pertinence pour la Ville de Montréal d'accorder à un consortium (dont faisait partie cet entrepreneur) un contrat d'installation de compteurs d'eau beaucoup plus cher que ce qu'avait payé Toronto. Or, on a découvert que les fonctionnaires municipaux responsables de ce choix avaient été invités sur ce yacht.

Comme pour la nouvelle, le texte d'enquête présente les faits essentiels, en les replaçant dans un contexte qui permet de mesurer leur signification. Cette mise en contexte ne porte plus sur un événement ponctuel, mais sur un ensemble de faits jusque-là inconnus ou embrouillés. Même si la question a un rapport direct avec l'actualité, le travail du journaliste d'enquête portera sur certains éléments « périphériques » en général occultés par les nouvelles, sur ce qui se cache à l'arrière-plan. Le journaliste donnera alors à un dossier d'actualité une signification d'un tout autre ordre que celle proposée par les journalistes affectés aux nouvelles courantes.

Quand il implique une recherche d'information cachée, le journalisme d'enquête doit parfois faire appel à des pratiques et des outils bien particuliers, plus proches de la démarche de l'investigateur (détective) que de celle du journaliste ordinaire. On parle alors de *journalisme d'enquête* (en anglais : *investigative journalism*), défini comme un genre spécifique quand le journaliste doit, par exemple, négocier la complicité d'informateurs qui risquent gros en dévoilant certains textes confidentiels, « infiltrer » patiemment certains milieux, pénétrer discrètement dans des endroits où sa présence n'est pas désirée, fouiller avec patience des milliers de pages d'archives ou des rapports rédigés dans un langage abscons, y compris des documents confidentiels qu'il aura copiés illégalement, etc. Cela ne se fait pas toujours sans danger ! Nous reviendrons sur cette pratique du journalisme d'enquête au chapitre 15.

L'analyse

On pourrait décrire l'analyse comme une nouvelle... sans nouvelle! — description un peu cavalière, j'en conviens. Allons-y plus méthodiquement.

À partir de faits déjà connus (rappelés brièvement, de préférence), le journaliste trace un bilan de leur signification et établit entre eux les relations essentielles négligées dans le traitement qu'ils ont reçu au fil des événements. En fait, toute nouvelle, dès lors qu'elle repose sur la mise en contexte d'un événement, doit être analytique. Mais en évacuant du texte les contraintes événementielles, l'analyste peut approfondir les relations à établir. En d'autres termes, si on se reporte à la pyramide classique de la nouvelle, l'analyse met l'accent non plus sur l'essentiel d'un événement, mais sur la l'insertion d'un ou de plusieurs événements récents dans un contexte commun. C'est ce contexte de signification qui devient le *lead* ou, du moins, l'idée maîtresse du texte.

Donnons ici quelques exemples. Un accident d'avion survient : la nouvelle rapporte ce fait (où, quand, comment, combien de victimes, etc.) ; l'analyse, qui peut être diffusée le jour même ou dans les jours suivants, mettra cet événement en relation avec d'autres accidents, le replaçant dans le contexte plus global de la sécurité aérienne. Un scandale politique éclate : la nouvelle dévoile le nom des protagonistes, les faits qu'on leur reproche, les circonstances, les réactions ; l'analyse comparera ce scandale à d'autres ayant déjà frappé le même gouvernement ou les précédents, ou encore établira des liens moins évidents entre ce comportement réprouvé et certaines pratiques tolérées dans les milieux politiques, afin de permettre au lecteur de mieux juger de l'importance de l'événement. Comme on le voit, c'est une information qu'on aurait pu trouver dès le premier texte de nouvelle, dans le volet de mise en contexte. Mais en publiant un texte séparé, centré sur la signification d'un fait, et non sur son déroulement, le journaliste se donne le temps de l'approfondir — et l'espace nécessaire pour le faire.

Les lecteurs — et les journalistes eux-mêmes, avouons-le — ne font pas toujours une distinction claire entre une analyse et une opinion. C'est que toute mise en contexte impose nécessairement une grille d'analyse ; elle implique qu'on privilégie tel ou tel aspect d'une situation, qu'on choisisse la direction où jeter le regard. Comme tout acte journalistique, elle repose sur un jugement subjectif. Cependant, quand il signe un texte d'opinion, le journaliste affirme ses convictions, alors que dans l'analyse, il cherche à mettre en évidence des liens fondés sur une solide documentation. C'est un travail journalistique de type « factuel » et non éditorial. Nous y reviendrons.

Le reportage (ou *feature*)

Les journalistes de la presse électronique utilisent le mot *reportage* pour désigner tout élément d'information qui implique le déplacement d'une équipe technique, quelle qu'en soit l'importance. On parle ainsi d'un « reportage de nouvelle », d'un « reportage d'enquête », etc.

Dans la presse écrite, toutefois, **le terme *reportage* désigne un genre journalistique bien particulier où l'accent est placé non pas sur l'événement (comme dans la *nouvelle*), ni même sur sa signification (comme dans l'*analyse*), mais sur le contexte social et humain de la situation décrite ou de l'événement rapporté, ou parfois même sur la démarche journalistique (la quête du journaliste pour explorer une question complexe). En télévision, on parlera alors d'un « reportage à** caractère humain », d'un « reportage en situation », d'un « reportage de fond » ou d'un *feature,* terme plus général qui désigne les grands reportages d'information, dont certains s'inspirent même du documentaire.

Pour clarifier ce dont nous parlons, donnons un exemple. Prenons comme point de départ l'écrasement d'un avion. Si l'accident a eu lieu quelque part en Asie, il est probable que le texte prenne la forme classique d'une nouvelle : « Un Boeing de la compagnie X… s'est écrasé hier à Karachi, avec à son bord 257 passagers et 6 membres d'équipage. Selon les premiers témoignages, l'accident n'aurait laissé aucun survivant. C'est la pire tragédie aérienne depuis l'écrasement de… »

Supposons maintenant que cet accident ait eu lieu au Québec. Aucun journal ni aucune station ne se contenterait d'une telle information minimale. Le lecteur ou le spectateur d'ici s'attendra en effet à « voir », à « entendre », à revivre l'événement qui s'est déroulé si près de chez lui qu'il en a presque perçu l'écho ! Le reporter, sur place, donnera donc la parole aux témoins du drame, il mettra en scène les débris de métal tordu, suivra les sauveteurs dans leurs recherches de survivants, racontera, heure par heure, le déroulement des moindres événements, les déclarations, les réactions… Bref, ce n'est plus la nouvelle qui fera la manchette, mais son contexte, son impact émotif.

Dans cet exemple, le reportage est basé sur un fait de nouvelle. Il s'agit donc d'un choix de traitement. Un « affectateur » peut décider, par exemple, de faire couvrir un procès sur le ton de la nouvelle (l'essentiel, le fait saillant de la journée, puis la pyramide…) ou d'y déléguer un reporter avec la mission d'en faire un compte rendu plus vivant, avec un accent sur les émotions, les circonstances, les anecdotes et les témoignages.

On privilégiera aussi le reportage à caractère humain dans le cas de sujets qui ne découlent pas d'un événement précis, mais portent sur des situations qu'on estime significatives. On pense par exemple à des articles sur l'engorgement des salles d'urgence, sur le climat de violence dans les écoles, sur les bars gais de Montréal, sur le dynamisme des jeunes troupes de théâtre, sur les organisations bénévoles de hockey mineur, sur la vie dans une communauté forestière isolée, sur le recul de la langue française en Alberta, etc. Le genre permet alors de mettre en évidence des faits de société dont l'émergence échappe au flot quotidien des nouvelles, ou de décrire des situations sociales en dehors des moments de crise qui font l'événement (les grèves, les manifestations, les règlements de compte, les déclarations publiques).

Dans la presse électronique, le « grand reportage » (ou *feature*) est le genre privilégié des émissions d'actualité ou d'affaires publiques, par opposition aux bulletins de nouvelles, plus centrés sur l'événement. Dans la presse écrite, on le rencontre souvent dans les quotidiens, mais c'est dans le magazine périodique qu'il trouve le plus naturellement sa place.

Dans ce genre de reportage qui ne part pas d'un événement mais d'une situation d'actualité qu'on veut explorer de manière approfondie, la construction du texte est beaucoup plus libre. Elle ne suit pas la logique type du texte de nouvelle, avec les éléments d'information enchaînés par ordre d'importance décroissante ; elle s'attache plutôt à la démarche journalistique, à la « quête » entreprise pour explorer la question et en comprendre toutes les ramifications. C'est vrai autant pour un reportage mené « en situation » (la vie quotidienne dans un quartier où sévissent les gangs de rue, par exemple) que pour un sujet plus analytique (les nouveaux traitements personnalisés de lutte contre le cancer ou un guide d'achat de lave-vaisselle).

Sur le plan de l'écriture, le *lead* ne livre donc pas l'essentiel de la nouvelle, mais cherche à piquer la curiosité, à amorcer une réflexion qui donnera au lecteur l'envie d'approfondir ou à créer un climat d'ensemble. Mais les mêmes règles d'efficacité prévalent. Si au bout de trois ou quatre paragraphes (ou quelques minutes de télévision), votre lecteur/auditeur ne sait toujours pas où vous voulez en venir, quel est votre propos exact (votre *focus*, dirait-on en franglais journalistique), il aura l'impression de ne rien apprendre, de piétiner... et il vous lâchera. Nous aborderons cette question de la structure des reportages au chapitre suivant.

Mentionnons enfin que, dans certains cas, la description du contexte humain d'un événement peut englober la mise en scène du travail du journaliste, les faits entourant sa recherche, les émotions ressenties. Cette approche subjective, qui se démarque de la convention de non-implication du témoin, permet parfois d'ajouter des dimensions qui échappent à une écriture « extérieure ». Un journaliste blanc qui explore les rues de Harlem pour un reportage sur ce quartier noir de New York peut difficilement le faire sans parler aussi des émotions qu'il éprouve en tant qu'intrus dans ce ghetto. Une journaliste qui esquisse un portrait de la situation précaire des serveuses de bars et de restaurants aura une meilleure perception de leur quotidien si elle occupe un emploi de ce genre, ne serait-ce que pour quelques jours. Un autre journaliste choisira de se mêler aux clochards et autres sans-abri de Montréal pour décrire leur quotidien. Dans de tels cas (tout comme dans certaines enquêtes, du reste), le récit subjectif de l'expérience peut fournir la matière première du reportage. Mais il faut prendre garde toutefois de tomber dans le piège du narcissisme ; avant d'opter pour le « je » et d'étaler ses états d'âme, on doit toujours se demander si le lecteur y apprendra quelque chose, si son expérience est assez significative pour mériter d'être ainsi mise en évidence. Trop de jeunes journalistes, se prenant pour des Pierre Foglia ou des Nathalie Petrowski, croient devoir élever leurs humeurs au rang d'affaires publiques ! Je reviendrai, au chapitre 16, sur cette écriture subjective propre au « nouveau journalisme ».

L'interview

L'interview[1] est d'abord un outil de collecte de l'information, essentiel à toute démarche journalistique. Il arrive toutefois qu'on demande à un journaliste de préparer un texte, une émission ou un segment d'émission, sous forme d'interview. Cela peut suivre deux modèles généraux : la diffusion de l'interview sur le mode question-réponse, ou la production d'un texte suivi (ou d'un reportage, en presse électronique) dont les réponses de la personne interviewée forment la trame unique. Si le premier choix permet en théorie un contact plus direct avec la personne, la seconde option permet au journaliste de recourir à certains raccourcis, de mieux mettre en évidence les extraits qu'il juge significatifs et d'introduire les explications requises chaque fois que les propos font référence à des faits externes.

En radio ou en télévision, l'interview constitue la matière première de toutes les émissions qui se déroulent en studio. Dans le cas des émissions à caractère mixte (studio et reportage), le choix est bien souvent imposé par le temps disponible : sauf pour certaines interviews serrées ou pour des commentaires à chaud sur l'actualité où l'intervieweur cherchera des éléments d'information bien précis, le mode question-réponse requiert en général un temps de développement plus long que le reportage, qui résume l'essentiel du propos en quelques minutes et quelques extraits.

---

1   Dans la première édition de ce livre, j'utilisais le terme *entrevue*, d'origine et de consonance plus françaises. En fait, le terme *interview* désigne spécifiquement l'entretien avec une personne dans un processus de cueillette d'information (en journalisme ou dans les enquêtes d'opinion, précise le *Larousse*) par opposition à une « entrevue » d'embauche, un « interrogatoire » policier ou un « quiz », qui ne s'insèrent pas dans le processus de diffusion de l'information. Mais le *Multidictionnaire* constate que, dans la presse d'ici, on utilise de plus en plus les termes *entrevue* ou *entretien*.

Dans la presse écrite, par contre, le mode narratif est utilisé beaucoup plus fréquemment parce qu'il donne des textes plus complets, plus accessibles et plus efficaces que ne le fait l'autre formule. Il est également plus facile d'utilisation, car on peut toujours donner du relief à des propos sans grande originalité en ajoutant des éléments d'information de nature contextuelle. En mode question-réponse, au contraire, il sera très difficile de cacher les faiblesses de son interview si on a omis de poser certaines questions clés ou si on n'a pas poussé son interlocuteur à approfondir ses réponses. Certaines publications privilégient malgré tout cette formule. D'autres l'utiliseront de manière occasionnelle sous forme d'encadré complétant un article, dans certaines rubriques désignées comme telles (l'entrevue de la semaine, l'entretien du mois...) ou pour confronter divers points de vue (la publication d'interviews parallèles avec les chefs des partis politiques, en campagne électorale, par exemple).

La question de la fidélité des citations ne se pose guère en presse électronique, quoique les coupures nécessaires au moment du montage puissent déformer le sens de certains propos. Dans l'écrit, par contre, c'est un problème constant. L'expression orale s'accompagne toujours d'une certaine part d'imprécision, d'hésitation, de tournures grammaticales incorrectes ou d'ambiguïtés que le geste, le regard ou le contexte suffisent à dissiper. La transcription trop servile d'un texte enregistré le dépouille de ces éléments essentiels à sa signification. Des phrases chargées de parenthèses, qu'on comprend malgré tout grâce aux intonations de la voix, deviennent obscures quand on les transpose telles quelles.

Un principe s'impose alors : **la fidélité à la pensée exprimée par la personne interviewée prime sur l'exactitude des mots et des tournures que cette personne a employés.** On simplifiera donc les phrases hésitantes, boiteuses ou alambiquées. On écourtera certains développements laborieux. On ira droit à l'essentiel pour chaque idée exprimée. De toute façon, il est peu probable que la personne interviewée ait conservé un enregistrement de cet entretien. Si ce que vous lui faites dire est conforme à ce qu'elle pense avoir dit, elle ne saura pas retracer votre intervention dans le texte, sauf exception (si, par exemple, vous lui faites utiliser un terme rare dont elle ignore le sens!). Elle s'y reconnaîtra, au contraire, même dans des citations révisées. Et si, dans quelque situation exceptionnelle, vous craignez de trop vous éloigner de l'expression originale, il vous reste toujours le loisir de lui soumettre votre texte avant sa publication.

Enfin, rappelons qu'un texte d'interview demeure un texte journalistique. Il doit respecter un plan qui met en évidence les points les plus significatifs, et élaguer tout ce qui semble banal ou redondant. On devra donc reconstruire l'ordre des questions et des réponses, ce qui amène souvent à reformuler les questions pour donner ensuite au texte une nouvelle logique d'enchaînement. Bref, même dans une interview diffusée en mode question-réponse, il est nécessaire de retravailler le texte, parfois même de façon radicale.

Le portrait

On confond souvent le portrait (ou profil) et l'interview. En fait, alors que cette dernière repose par définition sur un seul entretien ou une série d'entretiens avec une seule personne, **le portrait cherche à mettre en scène un sujet (une personne, un groupe, une entreprise, etc.) au moyen d'anecdotes et d'interviews multiples.**

Comme dans l'interview en mode narratif, le texte peut reposer en bonne partie sur un entretien avec la personne que l'on veut faire connaître, mais le portraitiste ira plus loin: il interrogera les amis, les voisins, les témoins, voire les adversaires; il fouillera les dossiers d'archives; il cherchera à découvrir, à comprendre, à témoigner; il mettra en contexte. En somme, bien qu'il puisse utiliser l'interview comme matière première, le portrait implique, comme le texte de nouvelle, l'interprétation d'éléments d'information de sources diversifiées. Sa structure correspond à celle du reportage plus qu'à celle de l'interview.

Le dossier

Le dossier est un texte ou un reportage (ou une série de textes et de reportages) qui cherche à projeter une vue d'ensemble d'un problème ou d'une situation; il vise à mettre les éléments en relation les uns avec les autres. Le traitement choisi peut se faire selon plusieurs approches, en parallèle : des éléments de reportage, des éléments d'analyse, des interviews, le portrait de certains personnages clés ou de certains groupes actifs dans le domaine, avec parfois même quelques éléments de nouvelle ou d'enquête.

On peut prendre comme exemple les « grands dossiers » publiés régulièrement dans les quotidiens sous la forme d'une série d'articles. Un dossier sur l'état de la langue française à l'école pourrait ainsi comprendre des interviews avec divers éducateurs, politiciens et administrateurs scolaires, des éléments de reportage *in situ* dans les écoles, des témoignages, des recherches dans les statistiques du ministère de l'Éducation, des éléments de comparaison avec la situation dans d'autres pays, etc. Tous les genres journalistiques se marient alors.

Notons toutefois que certains médias qualifient de dossier **tout reportage qui cherche à aller au fond des choses, à partir d'éléments d'analyse méthodique.** Par exemple, on parlera d'un dossier de *Protégez-vous* sur les appareils de climatisation, leur prix, leur rendement, le service après-vente; d'un dossier de *Rénovation Bricolage* sur les subventions à la rénovation domiciliaire; d'un dossier de *Québec Science* sur les traitements palliatifs...

Le potin

Ce n'est pas par ironie que nous accolons ici le dossier, genre le plus ambitieux de l'écriture journalistique, au potin, qui en est l'expression la plus limitée, la plus méprisée sans doute. C'est que les genres abordés jusqu'ici composent l'éventail des textes journalistiques dits « factuels », par opposition aux textes d'opinion, que nous aborderons ensuite.

Le potin, c'est un fait d'information, rapporté tel qu'il a été vu ou entendu, c'est-à-dire sans toutes les vérifications et mises en contexte qui caractérisent le traitement ordinaire de la nouvelle. Cela peut aller du simple placotage (« Manon X..., du chic bar Y..., prendra ses vacances en Floride cet hiver, au condo de Jean-Pierre Z... ») au fait non vérifiable mais significatif (« Dans les corridors du parlement, la rumeur court à l'effet que le premier ministre aurait... »).

Les potins du premier type méritent à peine de figurer dans ce répertoire des textes journalistiques; lorsqu'ils mettent en scène des personnages connus, ils répondent certes à un besoin du public d'entrer dans la vie privée de *ses* vedettes, mais leur signification s'arrête là; lorsqu'ils concernent des personnages peu connus, leur publication ne sert qu'aux services de publicité et d'abonnements des médias, qui peuvent ensuite solliciter ces personnes, fières d'avoir pu lire leur nom dans le journal, ou d'avoir entendu parler d'elles à la radio. Ce n'est plus de l'information mais du marketing.

Les potins du second type (publication de faits potentiellement significatifs, mais impossibles à vérifier, ou de rumeurs rapportées comme on les a apprises) jouent par contre un rôle important dans la transmission d'une information complète, et on aurait tort d'en sous-estimer la pertinence.

Une journaliste couvre un congrès politique. Au loin, au bout d'un corridor, elle entend un politicien tempêter et surprend son regard courroucé. Elle s'approche. Aussitôt l'homme politique redevient souriant. L'image d'abord! Pourtant, la journaliste sait que quelque chose s'est passé. Elle interroge des témoins, recueille des bribes d'information contradictoires. Quelque chose de plausible se dégage, mais, bien sûr, personne ne veut le confirmer. « Mais non, madame; tout se déroule parfaitement. » Je pense qu'en pareil cas, le devoir du témoin, c'est de rapporter non seulement le message officiel, mais aussi le fait saisi sur le vif et les éléments de rumeur qui pourraient l'expliquer. Ne pas rapporter ces éléments épars, sous prétexte d'une rigueur absolue, c'est priver le lecteur ou l'auditeur d'éléments d'information, incertains certes, mais qu'il aurait pu percevoir s'il était allé sur place. Et puis, après tout, c'est souvent grâce à de tels fragments de réalité qu'un ou une journaliste d'expérience finit par évaluer la justesse de ce qu'on lui présente, distinguer ce qui est vrai de ce qui ne l'est pas.

Le guide de déontologie de la Fédération professionnelle des journalistes du Québec n'interdit donc pas la publication d'une information non confirmée. Il oblige les journalistes à vérifier autant que possible l'authenticité de l'information qu'ils publient et à s'assurer de la crédibilité de leurs sources, mais il autorise la publication de faits incertains à condition qu'ils soient désignés comme tels. C'est grâce à l'honnêteté du témoin à ne rapporter que ce qu'il croit vrai et significatif, et dans cette mention claire de la limite de crédibilité de ce qu'on publie, que le potin peut devenir un genre journalistique à part entière et contribuer à une meilleure qualité de l'information.

Le commentaire d'opinion

Dans la presse libérale de type nord-américain, on a tendance à prôner l'établissement d'une frontière claire entre les textes présentant des faits et ceux où le journaliste exprime plutôt ses opinions. Cette frontière n'est pas toujours aussi nette dans la presse de tradition partisane à l'européenne ou dans la presse engagée.

Dans la presse écrite, lorsque cette distinction existe, les textes d'opinion sont regroupés sous l'étiquette de « commentaires », ce qui comprend les éditoriaux, les billets, les critiques ou certaines chroniques. Dans la presse électronique, le terme *commentaire* renvoie parfois à tout texte lu par un journaliste, quelle qu'en soit la nature. On parlera de « commentaire de nouvelle », d'un « commentaire d'analyse » ou du « commentaire d'un reportage ». On spécifiera alors s'il s'agit d'un « commentaire d'opinion », d'où le titre utilisé ci-dessus.

Allons-y pour une définition succincte : **le commentaire d'opinion, c'est l'expression d'une opinion, avec ou sans son contexte d'analyse.** En fait, nous l'avons déjà écrit, tout texte de nouvelle, d'analyse ou de reportage implique des choix, des jugements journalistiques, des mises en perspective, qui ne peuvent se faire sans référence plus ou moins consciente aux opinions du journaliste. La frontière est donc floue entre l'information et l'opinion. Disons simplement que, dans la nouvelle ou l'analyse, ce sont les faits qui dictent au journaliste sa démarche ; c'est la nécessité d'expliciter ces faits, de faire comprendre leur signification, qui force le témoin à établir certains liens; la logique du texte repose toujours sur les faits mis en perspective. Dans le commentaire d'opinion, au contraire, c'est le point de vue personnel du commentateur qui prime. Ainsi, le texte pourrait se limiter à une opinion, livrée en vrac («Monsieur le premier ministre, nous refusons de vous croire lorsque vous affirmez que...»). En général, le commentateur qui cherche à faire partager son opinion par le plus grand nombre ne se contentera pas d'énoncer un tel verdict: il·y greffera une analyse, qui servira en quelque sorte de démonstration de son opinion, de preuve par les faits. C'est ce renversement de perspective qui distingue le journalisme d'opinion du journalisme de faits.

L'éditorial

L'éditorial n'est pas un genre particulier. C'est simplement **l'opinion de l'éditeur d'une publication.** Dans la tradition européenne, seul l'éditeur (ou à la rigueur son rédacteur en chef) peut signer un éditorial.

La presse américaine a toutefois introduit la notion d'*équipe éditoriale*: il s'agit d'un groupe de «penseurs» ou d'observateurs privilégiés de la scène publique que l'éditeur embauche pour alimenter sa propre réflexion et pouvoir se prononcer sur un éventail plus large de questions. En général, ces éditoriaux ne sont pas signés puisqu'ils représentent toujours l'opinion de l'éditeur, quelle que soit la composition du collectif qui l'alimente. En pratique, toutefois, les individus qui forment une équipe éditoriale finissent par jouir d'une certaine autonomie dans leurs domaines de responsabilité propres.

Cela a abouti, dans les journaux québécois, à cette absurdité: les éditoriaux sont signés, et les opinions qu'ils expriment (celles de l'éditeur, par définition) ne sont pas toujours partagées… par l'éditeur lui-même! Pendant la campagne référendaire de 1980, l'éditeur du *Soleil* de Québec avait laissé aux membres de son équipe un espace égal sous la rubrique éditoriale pour défendre les deux options du «Oui» et du «Non». Quel magnifique exemple de dédoublement de personnalité! Quelques années plus tard, un «éditorial» de Jean-Claude Leclerc, du *Devoir*, sur la moralité douteuse des ingénieurs québécois était désavoué le lendemain par la rédactrice en chef Lise Bissonnette et l'éditeur Jean-Louis Roy!

De telles aberrations seraient évitées si nos journaux redonnaient au terme *éditorial* son sens véritable et rebaptisaient *commentaire* ou *opinion* tout ce qui n'est pas l'expression de l'opinion de l'éditeur. C'est le choix qu'a toujours privilégié le *Journal de Montréal* (ou le *Journal de Québec*), en confiant les rubriques quotidiennes d'opinions à des *columnists* (des économistes, des politiciens…) qui y expriment leurs propres opinions.

La chronique

La chronique constitue le genre journalistique le plus libre, le plus diversifié. **C'est un texte-amalgame où peuvent se retrouver de la nouvelle, de l'analyse, du commentaire ou même du reportage, au fil d'une lecture personnelle qu'en fait le ou la journaliste (en anglais, on parlera de *columnist*).** La chronique repose non pas sur la transmission de l'essentiel (la nouvelle) ni sa mise en contexte (l'analyse), mais sur la personnalité de celui à qui on la confie. C'est *sa* lecture de l'actualité, et *sa* façon de la raconter.

C'est d'abord dans les sections culturelles et sportives, là où la scène sous observation paraissait former un monde clos, sans effets sociaux majeurs (par opposition à l'économie ou à la politique, par exemple), qu'a fleuri cette tradition des chroniqueurs. Les journalistes couvrant une équipe sportive professionnelle ou un secteur artistique donné finissaient par y connaître intimement toutes les vedettes, faire partie du milieu. Délaissant progressivement le récit factuel des événements, les journalistes sportifs ou culturels ont produit des textes ou des reportages de plus en plus personnalisés, où commentaires, rumeurs et échos de l'intérieur se mélangeaient à l'information plus officielle, celle des communiqués.

Les responsables de l'information ont alors compris l'importance, pour les lecteurs, de retrouver périodiquement dans leur journal de telles chroniques subjectives, fortement personnalisées. Ce sont elles qui permettent au spectateur d'un match, d'une pièce de théâtre ou d'un film, de confronter ses opinions avec celles de son quotidien. La radio et la télévision ont emboîté le pas, et les chroniqueurs-vedettes des journaux se sont retrouvés au petit écran. Progressivement, on a confié à un nombre de plus en plus grand de chroniqueurs la mission de suivre la vie municipale, la vie politique, la vie sociale, l'éducation, la science, l'économie, etc., sans oublier les chroniques d'«humeur» confiées à des journalistes à forte personnalité, à qui on donne carte blanche pour aborder n'importe quel sujet. Le marketing des quotidiens de masse, depuis quelques décennies, mise beaucoup sur la réputation de ces *columnists*.

Rappelons simplement que, parce que le genre repose sur une vision subjective de la réalité, sur une lecture fortement personnelle, la qualité d'une chronique dépend de la profondeur et du talent du journaliste qui en a la responsabilité, de sa régularité et de la fidélité qu'il créera chez ses lecteurs.

La critique

La tradition du journalisme culturel (arts, lettres, variétés, cinéma, théâtre, etc.) veut également que les journalistes n'y rapportent pas seulement les nouvelles et les événements en les situant dans un contexte accessible au public, mais qu'ils jouent aussi le rôle d'observateurs privilégiés, responsables de commenter les performances et d'évaluer la qualité des produits culturels offerts. C'est le domaine par excellence du journalisme d'opinion, où la subjectivité du critique peut être totale. Les artistes s'en plaignent d'ailleurs. On a même vu certains d'entre eux organiser une véritable guérilla contre des critiques jugés méprisants ou injustes. Mais les lecteurs — comme l'industrie, semble-t-il — y trouvent en général leur compte.

Nous reviendrons, au chapitre 14, sur la pratique spécifique du journalisme culturel et sur la place qu'y tient la critique. Mentionnons simplement que la convention de subjectivité qui régit ce genre fait en sorte que la personnalité de l'auteur devient là aussi, comme dans la chronique, un élément clé dans la lecture et l'interprétation de ses textes. Les habitués de tel ou telle critique savent que celui-ci est vitriolique, que celle-là manifeste un préjugé favorable à tout ce qui vient du Québec, que l'un est fanatique des courants culturels postmodernes, que l'autre préfère les produits sérieux aux produits frivoles, etc. Ce n'est qu'en fonction de cette connaissance préalable que le public pourra interpréter correctement ce que le critique aime ou rejette.

En ce sens, la critique est un genre journalistique qui tient à la fois de l'opinion et de la chronique (dont elle ne se distingue pas toujours d'ailleurs : de nombreux critiques ont aussi le statut de chroniqueurs dans les journaux ou les postes de radio et de télévision).

Le billet

Le billet est, en journalisme d'opinion, ce que le potin est pour le journalisme de faits. On désigne ainsi **une petite chronique ou un commentaire court qui n'a pas la prétention de fournir une argumentation complète, mais qui souligne succinctement un aspect particulier de l'actualité, souvent sur un ton humoristique ou sarcastique.**

6

Structure et scénarisation des reportages et des documentaires d'information

Dans le chapitre portant sur la nouvelle, j'ai beaucoup insisté sur l'importance de sélectionner d'abord ses éléments essentiels, de choisir en conséquence son angle d'attaque et de faire un plan. Dans les faits, les règles strictes de construction d'une nouvelle font que le texte est souvent construit de manière quasi automatique : on choisit le *lead* (avec la règle des cinq W), on clarifie aussitôt les éléments clés de ce premier paragraphe, on développe ensuite les éléments par ordre d'importance décroissante, avec les clarifications requises au fur et à mesure, on insère au bon endroit des citations utiles.

Il en va tout autrement du texte de reportage (ou *feature*). On l'a vu au chapitre précédent, ce genre journalistique peut être lié à un événement, mais il traite plus souvent un enjeu ou une thématique d'actualité qui ne repose pas toujours sur un élément de nouvelle. Dès lors, on renonce au modèle de la structure pyramidale pour explorer d'autres avenues.

Les structures types des textes de reportage

Dans **la structure analytique**, le texte pose (de façon dramatique, si possible, puisqu'il faut bien attirer le lecteur) un problème qui demande une lecture approfondie. Ainsi amorcé par un « hameçon » efficace, l'article ou le reportage peut ensuite suivre une démarche plus méthodique : on présente les enjeux, puis l'analyse des données de la problématique (éléments statistiques, techniques, financiers, etc.), avant de survoler les diverses solutions proposées et les obstacles à celles-ci, pour finir sur les perspectives d'avenir ou autres conclusions générales.

Prenons l'exemple d'un texte sur les nouveaux traitements personnalisés contre le cancer. Dans son approche la plus classique, le texte pourrait s'ouvrir sur le cas d'un malade incurable à qui les médecins ne prédisaient que quelques semaines de sursis. Après une chimiothérapie expérimentale avec un médicament ciblé sur le profil génétique des cellules de son cancer, le voici en rémission quasi totale. C'est l'anecdote de départ du reportage. Elle mise sur l'émotion du lecteur et sur le fait qu'il pourra s'identifier à ce malade « miraculé ». Comme dans tout bon texte journalistique, l'anecdote permet de passer du particulier au général, du cas concret aux explications plus théoriques. Le texte enchaînerait ensuite sur le mode d'action de ce traitement expérimental et aborderait le potentiel de tous les traitements de ce type, ciblés sur le cas de chaque malade. On citerait ensuite quelques chercheurs du domaine pour esquisser les avenues prometteuses et introduire les problèmes éprouvés.

Ce qui amènerait alors à présenter d'autres malades sauvés par cette approche, et d'autres pour qui ça n'a pas marché. On terminerait par une évocation par les chercheurs et les médecins traitants des défis et des pistes d'avenir de la recherche... quitte à revenir en fin de reportage sur le malade présenté au début, question de refermer le récit.

C'est la structure type des articles de *Protégez-vous*, de *Québec Science* ou, plus généralement, de tous les magazines qui se veulent des outils de référence méthodiques. On la retrouve aussi dans certains articles longs publiés par les quotidiens ou dans certains dossiers de la télévision.

La structure impressionniste, au contraire, offre au lecteur (ou à l'auditeur) de se laisser porter par un fil que l'auteur semble avoir déroulé au hasard des déclarations qui se complètent et s'entrechoquent, des lieux visités qui renvoient l'un à l'autre, des événements qui se sont bousculés... La trame sera parfois la démarche même du journaliste nous invitant à le suivre dans ses efforts pour comprendre une situation complexe, parfois les impressions qui auront jalonné cette quête, comme ces mosaïques d'impressions fugaces qui caractérisent parfois les reportages en pays étranger.

Moins méthodique que la structure analytique, l'écriture impressionniste privilégie le rythme, les effets de mise en scène, les oppositions entre les acteurs en présence, le choc de leurs idées... C'est un style qu'on rencontre souvent dans les articles des grands magazines généralistes, tels *L'actualité*, le *Time Magazine* ou *Le Nouvel Observateur*, pour ne donner que quelques exemples.

Le déroulement chronologique des événements n'offre pas toujours une trame idéale, mais il arrive qu'on puisse de la sorte créer un effet de suspense qui permettra de disperser habilement l'information significative, à l'intérieur d'un texte qui se présentera alors comme un récit passionnant. Pour parler des progrès de la chirurgie cardiaque d'urgence, par exemple, on suit l'histoire d'une patiente et de son chirurgien le jour d'une opération majeure. On peut alors expliquer, au fil des heures, les différentes procédures entamées, rappeler leur caractère novateur et mentionner les progrès qu'elles ont rendus possibles. Mais le lecteur ne saura qu'à la fin si la patiente sera sauvée, ce qui crée un effet de suspense.

Prenons un autre exemple : pour décrire les tensions ethniques dans un pays plongé dans la guerre civile, un journaliste a déjà raconté en détail un très court déplacement dans un autobus bondé, en plein cœur de la zone de combats. Le voyage prenait moins d'une heure, mais tous les passagers avaient de bonnes raisons de craindre pour leur vie si jamais l'autobus tombait aux mains des révolutionnaires. En esquissant brièvement l'histoire de chacun, le journaliste traçait un portrait très concret des tensions politiques du pays. Et en évoquant les moments d'angoisse vécus dans l'autobus au fil des kilomètres, il créait là encore un formidable effet de suspense.

Bref, il peut arriver que le récit chronologique d'un événement permette de construire une tension dramatique tout en distillant efficacement, au fil du récit, l'information et l'émotion.

De manière analogue, on pourra aussi avoir recours à **un fil conducteur anecdotique** auquel se greffent des éléments d'information. Pour un texte sur les rêves, une journaliste de *Québec Science* a déjà choisi, par exemple, de passer une nuit comme « cobaye » dans un centre de recherche sur le sommeil. À trois ou quatre reprises dans son article, elle revenait sur le récit de son expérience, utilisant ces passages anecdotiques comme pivots pour relancer le texte dans une autre direction.

De même, on peut utiliser **une interview ou un témoignage comme épine dorsale d'un texte,** en y insérant les autres éléments d'information, comme autant de parenthèses éclairantes.

Enfin, certains journalistes s'inspirent avec bonheur des techniques de scénarisation enseignées dans les écoles de cinéma et utilisent, comme trame de leur texte, la quête d'un personnage central (le héros), qui devient le moteur de l'action. C'est **la structure du récit dramatique.** Le journaliste raconte les succès et les échecs de son héros, les opposants qu'il a dû affronter, les appuis qu'il a obtenus, jusqu'à la victoire finale (ou l'échec, dans certains cas). À travers ce récit dynamique, il insère toute l'information pertinente et explicite tous les enjeux. Cette approche est née au cinéma et a d'abord servi dans la construction de reportages télévisuels. Je la décrirai plus longuement dans la section consacrée aux reportages dans la presse parlée. Qu'il suffise ici de mentionner que cette approche est aussi très efficace dans les reportages de presse écrite.

Quelle que soit la structure choisie, le plan du texte journalistique devra tenir compte de certaines contraintes : ne jamais donner trop d'éléments inédits dans le même paragraphe (ou dans le même bloc narratif, dans la presse électronique) ; disperser habilement les chiffres pour éviter qu'ils ne s'embrouillent les uns les autres ; chaque fois qu'une donnée soulève une interrogation, l'expliquer immédiatement ; etc.

L'anecdote

On l'a vu dans les quelques exemples donnés jusqu'ici : le texte de reportage commence souvent par une anecdote, un récit individuel, un cas particulier qui permettra ensuite au journaliste de remonter à la question qu'il entend aborder, ou qui servira même de trame dramatique du reportage, trame dans laquelle le journaliste insérera l'information pertinente.

Conçue comme la mise en scène d'un fait spectaculaire, inusité, ou au contraire comme l'illustration d'une situation typique, l'anecdote est en fait une histoire autonome, simplifiée peut-être mais complète, avec son introduction, son développement et son aboutissement. Elle sert à illustrer une situation et à en faire ressortir l'essentiel à travers le jeu des événements, des personnages et de leurs interactions.

L'anecdote s'insère bien dans un texte ou un reportage radio ou télé. Elle peut éclairer une problématique qui serait trop abstraite si on la formulait en termes généraux. Elle sert à donner un rythme au texte, en scindant la masse des faits et des interprétations par des retours à une illustration concrète. Elle ajoute un cachet humain qui permet aux lecteurs ou aux auditeurs de s'identifier aux personnages et à ce qu'ils vivent. Elle donne un aperçu de la personnalité des gens qu'on veut mettre en scène. Certains critiques du journalisme ont déploré cette tendance à privilégier le traitement de l'information par l'anecdote plutôt que le traitement plus distancié. Certains magazines ont même une politique éditoriale « anti-anecdote ». Pourtant, l'insertion d'éléments anecdotiques fait souvent la différence entre un article passionnant et un autre que personne ne lira.

Utilisée comme amorce, l'anecdote, dès les premiers mots, dès les premières images, situe le lecteur ou le spectateur dans le vif du sujet et oriente directement son attention vers le problème que le journaliste entend mettre en scène. Donnons un exemple : une journaliste veut traiter de l'impact de la monoculture sur l'économie d'un État du tiers-monde. Le propos, abordé sous l'angle des statistiques économiques, pourrait être abstrait. L'histoire particulière d'un paysan ruiné, qui doit abandonner son village natal pour migrer vers un bidonville parce que le prix du cacao vient de s'effondrer, constitue une introduction beaucoup plus efficace. La journaliste pourra ensuite généraliser plus facilement.

L'anecdote peut aussi servir de conclusion. Dans ce cas, elle vient confirmer la thèse présentée ou clore le reportage sur une dimension qu'on veut ainsi mettre en perspective. Ailleurs, on l'utilisera comme trame principale du texte; l'information se glisse alors au fil de l'histoire, en une suite de parenthèses qui permettent de généraliser le propos, de distancier l'analyse. Enfin, utilisée comme introduction et conclusion du texte, l'anecdote sert d'élément de renforcement et vient en quelque sorte « refermer la boucle » du reportage.

Il faut toutefois éviter que l'article ou le reportage ne soit qu'une longue anecdote : ce qu'on gagne en « vécu », on le perd en portée. En d'autres mots, tel cas particulier n'intéresse votre lecteur ou votre auditeur que dans la mesure où il est représentatif d'une situation plus générale. Si l'anecdote, au lieu d'illustrer un fait d'information ou de soutenir un contenu solide, devient l'objet même du reportage, sa seule finalité, on tombe dans le « potin ».

Quelle relation doit exister entre l'anecdote, utilisée comme procédé d'écriture, et les faits tels qu'ils se sont vraiment déroulés? Le récit du journaliste doit-il être le miroir fidèle de la réalité? Voilà une question fondamentale en journalisme, où le lecteur croit a priori à la véracité de ce qu'on lui raconte. Reconnaissons pourtant que, parce qu'elle doit illustrer de manière immédiate l'essence d'un événement vécu, l'anecdote sera bien souvent une adaptation « simplifiée » du fait rapporté : les citations y seront réduites à leur trame de base; les éléments dramatiques ou humoristiques seront soulignés par des artifices; le journaliste aura parfois recours à des évocations littéraires pour recréer une atmosphère, un décor, un climat... Pour mettre en scène le désespoir du paysan forcé de quitter son village, dans l'exemple déjà cité, notre journaliste pourrait situer la scène sous une pluie torrentielle, ou au contraire sous un soleil de plomb. L'effet recherché : faire vivre par le lecteur la détresse d'un homme!

L'usage de tels effets de style est toutefois dangereux, car il existe une frontière à ne pas franchir entre la réalité et la fiction. Si on peut changer quelques éléments de l'histoire, le fond doit demeurer fidèle à la réalité. Et le recours à des personnages fictifs que le journaliste construit en amalgamant divers témoignages est une solution de facilité ; c'est souvent faute d'avoir mis la main sur un cas vraiment éloquent que l'auteur du texte se sent obligé d'inventer. Mais n'est-ce pas alors une preuve que la situation évoquée n'est pas aussi courante qu'on le croyait ? De toute façon, le lecteur d'un texte écrit est rarement dupe s'agissant d'une anecdote inventée du tout au tout. Et en journalisme télévisé, la reconstitution dramatique est rarement aussi efficace que la réalité. Quoi qu'il en soit, il existe une règle d'or si l'on doit recourir à une anecdote fictive : il faut le dire clairement dans le texte.

Pour éviter ce problème du recours à la fiction, il est important que le journaliste, en phase de cueillette des données, recherche les anecdotes dont il pourrait avoir besoin au moment de la rédaction. Il les repérera sur les lieux mêmes de l'événement (le commentaire en aparté d'un des acteurs, la remarque savoureuse d'un témoin, qu'on fait l'effort d'approfondir) ou au fil des lectures et des interviews. Nous y reviendrons dans la troisième partie de ce livre, quand il sera question de la cueillette de l'information et des techniques d'interview.

La scénarisation du reportage de radio ou de télévision

La notion d'idée maîtresse

Les textes de reportage, dans la presse parlée, doivent souvent suivre une structure plus linéaire que dans l'écrit, parce que l'auditeur ne peut pas relire le passage dont le sens lui a échappé ni consulter à son gré des tableaux ou des encadrés. Il est prisonnier du rythme d'écoulement de l'information décidé par le réalisateur. Il risque aussi de ne pas retenir tous les détails de l'histoire aussi efficacement que s'il les avait lus à son rythme.

De façon analogue, il est souvent nécessaire d'épurer la masse d'information pour faire en sorte que l'essentiel du message soit retenu. Bien sûr, il ne faut pas non plus simplifier à un point tel qu'on finit par déformer le réel. Mais à l'oral, bien des nuances passent mal ou finissent par « encombrer le tableau » au point où l'auditeur ne tirera aucune information claire d'un dossier trop chargé. En somme, il ne faut pas céder à la tentation de mettre en ondes tout son dossier de recherche.

Il est alors utile, en fin de recherche mais avant d'aborder la scénarisation et la production du reportage (enregistrement des interviews et tournage), de convenir de l'idée maîtresse que l'on veut transmettre dans son reportage. **L'idée maîtresse, c'est une proposition claire, simple, que le reportage entend démontrer (ou infirmer). Elle prend la forme d'une déclaration.** C'est en fonction de cette idée que l'on choisira ensuite quels éléments de la recherche doivent être retenus et quels éléments peuvent être écartés. Une idée maîtresse peut être « engagée », dans la mesure où on ne la précise qu'après la recherche, et que le journaliste est alors en position d'avancer des hypothèses fondées. Cela n'empêche pas la démonstration qui suivra de devoir être rigoureuse.

Voici quelques exemples d'idées maitresses, tirés de reportages que j'ai approuvés au fil des ans dans mes émissions à la télévision :

• La crise de la vache folle a été dramatique pour les éleveurs, mais pour certains, elle a été au contraire un stimulant à l'initiative et leur a permis d'en ressortir plus forts (reportage pour *La Semaine verte*).

• Quand on vit sur un territoire agricole, on jouit en principe du « droit de produire », mais quand cette terre agricole est au cœur de Laval, maintenir un troupeau laitier devient une lutte de tous les jours (reportage pour *La Semaine verte*).

• La musicothérapie fait des miracles auprès des victimes de la maladie d'Alzheimer. On ignore pourquoi, mais cela pourrait être dû au fait que le cerveau réagit à la musique et au verbal par des voies différentes (reportage pour *Découverte*).

• La navigation dans le Saint-Laurent est difficile. Mais les pilotes peuvent maintenant apprendre « concrètement » grâce à un simulateur extrêmement réaliste (reportage pour *Découverte*).

• Nous avons soumis les sushis offerts en épicerie à des tests. S'ils passent presque tous avec succès le test de la fraîcheur, par contre, les espèces annoncées sur l'emballage ne sont pas toujours les bonnes (reportage pour *L'Épicerie*).

• Au Canada, les familles de la classe moyenne se sentent de plus en plus pauvres et étouffées ; pourtant, les statistiques du revenu familial réel ne confirment pas cet appauvrissement. En fait, ce sentiment général s'explique par de nouvelles habitudes de consommation sans retenue et un niveau d'endettement sans précédent (reportage pour *Dossiers*).

• Quelques groupes de chétiens évangéliques ont entrepris une vaste opération de lobbying auprès du gouvernement Harper, et leur action explique l'adoption de plusieurs politiques controversées (reportage pour *Enquête*).

• Les soldats canadiens de retour du front (Bosnie, Afghanistan) sont nombreux à souffrir du syndrome de stress post-traumatique ; un des effets indirect : une forte hausse des cas de violence conjugale. Mais l'armée sous-estime volontairement ce problème et ne fournit pas aux conjointes et aux familles le soutien qui serait requis (reportage pour *Enquête*).

Les éléments d'un récit efficace

Il se donne, à Hollywood, des cours de scénarisation où l'on enseigne des techniques pour générer des récits efficaces. On y retrouve des éléments comme le choix d'un héros qui soit à la fois porteur d'émotion et moteur de l'action ; le déclenchement d'une quête (un défi à accomplir) ; la succession d'obstacles qu'il doit affronter et dont il doit sortir transformé (les épreuves) ; la gamme de personnages secondaires qui vont soit l'aider dans sa quête (les « chevaliers blancs »), soit l'empêcher de réussir (les « chevaliers noirs »), soit agir comme censeurs ou témoins. On construit ensuite l'histoire à partir de certains temps forts de l'action, en s'efforçant d'observer une progression de l'intensité dramatique. Plus les épreuves sont difficiles, plus le héros vit dans l'angoisse, plus l'émotion sera grande au moment du point culminant, le moment où l'on comprend enfin qu'il va réussir... ou échouer pour de bon (le point de non-retour).

Les gens de la télévision ont vite compris que les reportages et documentaires les plus efficaces, ceux qui ont le plus d'impact, présentaient souvent les mêmes éléments. Une fois qu'on a terminé sa recherche et précisé son idée maîtresse, on peut donc chercher comment construire une histoire qui permette de démontrer son hypothèse à travers un récit structuré de la sorte.

Premier élément : **le héros**. Quel serait le « personnage » idéal pour porter cette démonstration ? Idéalement, le « héros »

de l'histoire est un personnage qui vit la crise, le drame, l'aventure, le défi, de l'intérieur. De préférence, il s'agit de quelqu'un
qui s'exprime bien et auquel le téléspectateur pourra s'identifier;
plutôt un agent actif, c'est-à-dire quelqu'un qui fait des efforts,
cherche des solutions, rencontre des obstacles, rebondit, se questionne et agit, plutôt que quelqu'un qui se contente de subir.

Quel serait par exemple le meilleur personnage (agent actif
qui fait face au problème) pour nous faire comprendre le drame
de la pénurie de travailleurs forestiers? Pour traiter de ce sujet,
un réalisateur m'a déjà proposé de suivre des étudiants à leur
sortir des écoles de foresterie. Mais ces jeunes ne traverseront
guère d'épreuves. Ils ne sont pas des agents actifs pour décrire le
problème et chercher une solution. Un entrepreneur qui peine
à trouver et à garder des employés compétents et doit développer de nouvelles approches pour sauver son entreprise sera sans
doute un « héros » beaucoup plus actif. De même, presque tous
les reportages médicaux mettent les malades au premier plan.
Leur état attire la sympathie; les gens se sentent proches de leur
drame. Mais sont-ils les meilleurs acteurs pour nous faire comprendre la recherche sur le cancer ou la maladie de Parkinson?
Le médecin qui lutte pour mettre au point un nouveau traitement et le faire reconnaître par une communauté médicale
sceptique serait sans doute un meilleur « héros » pour soutenir
le récit.

Il peut arriver que le « héros » d'une histoire soit un groupe,
un village, un animal même (le saumoneau qui veut atteindre la
mer), voire un concept. Mais attention : si le « héros » n'agit pas
et si le téléspectateur ne s'identifie pas à lui, son efficacité dramatique est moins grande.

Dans certains cas, une histoire implique plusieurs « héros »
qui se passent le flambeau : le policier qui a découvert un corps;
l'équipe médico-légale qui a étudié le cadavre; le juge d'instruction qui a soumis une hypothèse et traqué le coupable présumé;

les policiers qui ont tendu le piège dans lequel le coupable s'est en fin de compte fait prendre. Les histoires vraies, celles que couvrent les journalistes, ont souvent plus d'un héros.

Deuxième élément : **la quête.** Le héros choisi doit avoir un défi à relever : une invention à développer, une entreprise à sauver de la faillite, un patient à guérir, un projet à mettre en place. Le reportage fait le récit de son aventure. Cela facilite une structure avec une amorce (on pose le problème, on situe le personnage), un déroulement (les obstacles, les espoirs, les échecs) et un dénouement (le héros réussit ou échoue).

Notons que dans un reportage d'enquête, il arrive que ce soit la recherche de la vérité qui constitue la quête. Dans l'enquête de l'émission *L'Épicerie* sur les sushis vendus en épicerie, par exemple, c'est l'équipe de l'émission qui jouait en quelque sorte le rôle moteur de l'action *(« Nous avons voulu savoir si... Nous avons soumis 60 échantillons à des tests... »).* Nous avons fait à *Découverte* une enquête sur la décision de la société pharmaceutique Merck de retirer du marché le médicament antidouleur Vioxx. « Par simple précaution », disait l'entreprise. Mais avait-elle plus d'information qu'elle ne l'avouait sur les dangers du produit ? Connaissait-elle ces dangers potentiels même *avant* de commercialiser le produit ? Dans ce cas, le « héros » aurait pu être l'équipe de réalisation *(« Découverte a voulu savoir pourquoi... »)* ou l'enquêteur qui s'est consacré à cette recherche de vérité.

Troisième élément : **les épreuves qu'il traverse.** Ce qui rend le reportage dynamique, c'est que le personnage principal rencontre des obstacles. Il se bat. Parfois il échoue, parfois il réussit. Les obstacles (les revers financiers, les attaques à sa réputation, les adversaires de sa théorie, etc.) sont autant d'éléments dynamiques qui permettent au téléspectateur non seulement de comprendre les enjeux d'un dossier, mais de voir les difficultés et de les « vivre » concrètement.

Quatrième élément : **les personnes qui l'appuient et ses adversaires.** On choisit de raconter une histoire parce qu'on veut faire comprendre un problème, cerner un enjeu. En général, le journaliste devra faire appel à des personnages secondaires pour expliquer certains aspects du problème (un juriste qui parle des règles, un politicien décrivant l'état du débat, un témoin qui rapporte certains faits s'étant déroulés en l'absence du personnage principal, etc.). Ces personnes seront plus utiles à la construction du récit si elles ont elles-mêmes participé à la quête du héros, plutôt que de n'être que des experts extérieurs.

Dans un bon reportage, il est important aussi d'accorder une place aux opposants. Pas uniquement au nom de l'équilibre journalistique (donner absolument la parole à tous), mais parce que la quête du héros sera d'autant plus concrète et ressentie que la hargne ou le scepticisme de ses opposants est palpable. Dans un conte de fées comme *La Belle au bois dormant*, c'est la férocité du dragon qui donne sa grandeur au combat du prince charmant.

La structure dramatique

Quand on a choisi le héros et les personnages secondaires, ainsi que tous les éléments qui nous permettront de raconter la quête de façon dynamique, on doit alors se demander si ce récit mettra en scène tous les enjeux essentiels, et quels rappels sont nécessaires pour que les téléspectateurs puissent comprendre ces enjeux. Mais ces données analytiques devraient, si possible, être greffées au récit principal sans en entraver le déroulement. Il faut donc apprendre à travailler avec une structure de type « dramatique » plutôt qu'« analytique ».

Or, plusieurs journalistes ont tendance à travailler avec une approche analytique. On le voit notamment dans leur façon de présenter leurs scénarios en chapitres, séparés par des titres qui visent à faire comprendre au lecteur la structure logique de leur reportage : introduction ; présentation du problème ; la solution technologique ; le prix ; les obstacles à l'implantation ; le rôle des consultants ; les ajustements requis ; les perspectives de profit ; conclusion.

Dans une structure dramatique, la trame du reportage s'organise autour d'une action (un projet, un défi, une démarche, une lutte) ; on fait en sorte que le récit soit ponctué de temps forts (suspense, échecs, succès, surprises) ; on décide d'un point de non-retour ; on termine sur un point culminant.

Les scénaristes suggèrent souvent une structure qui évoque le profil d'une baleine. Dans cette structure, le reportage s'amorce sur un temps fort, afin de retenir rapidement l'attention du téléspectateur. Une fois son attention captée, on pourra prendre ensuite un peu de temps pour asseoir les acteurs, les enjeux, le contexte. Mais il faut pour le reste prévoir une progression de l'action. Que chaque nouveau volet fasse avancer la quête (et, en même temps, la compréhension du dossier par le téléspectateur), tout en ménageant au besoin des surprises. Survient ensuite l'épreuve ultime, le point de non-retour où le téléspectateur comprend que le héros va réussir ou échouer. Cela débouche sur le dénouement, qui doit constituer un nouveau temps fort dans le récit, puisque c'est le souvenir qui restera gravé dans la mémoire du téléspectateur.

Notons que les films de James Bond suivent tous ce genre de structure en baleine : une amorce spectaculaire qui n'a souvent rien à voir avec le scénario principal ; une pause plus tranquille pour présenter la quête, les acteurs clés et les gadgets ; puis une montée dramatique jusqu'à la finale en feu d'artifice. Les films d'Indiana Jones possèdent la même structure.

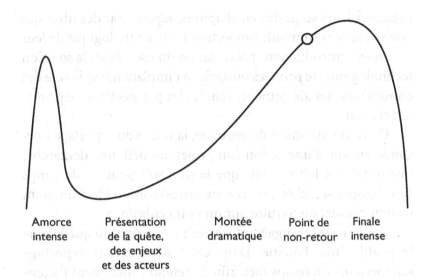

| Amorce intense | Présentation de la quête, des enjeux et des acteurs | Montée dramatique | Point de non-retour | Finale intense |

Trop souvent, les journalistes et les réalisateurs ont tendance à conserver, dans leurs reportages, des éléments d'information qui leur paraissent importants, même si, dans le cas précis que l'on raconte, ils ne sont pas pertinents. Cela risque d'alourdir inutilement le récit et de le rendre plus confus. Toujours se demander si chaque nouvel ajout, chaque parenthèse, est vraiment essentiel à sa compréhension. Se rappeler que le téléspectateur oubliera l'ensemble des détails du reportage ou de l'analyse pour ne se souvenir que du message central, de l'idée maîtresse. Mieux vaut alors ne garder que les éléments qui sont essentiels pour faire comprendre cette idée. Pour le reste, élaguer sans crainte.

De même, il faut éviter de garder dans le reportage final des scènes inutiles simplement parce qu'elles sont sympathiques ou amusantes. Si elles ne font pas progresser l'action ou la compréhension du dossier, elles nuisent à l'efficacité du message. Elles sont comme ces beaux petits chiots aperçus à la boutique animalière et qu'on ramène à la maison parce qu'ils nous ont attendris... et dont on ne sait plus comment se débarrasser ensuite!

L'approche de scénarisation qui vient d'être décrite n'est bien sûr pas la seule structure possible pour les reportages télé, mais elle fonctionne très bien. Elle permet de construire des reportages à fort impact émotif et efficaces pour faire comprendre des enjeux. Plusieurs journalistes de la presse écrite ont commencé à s'en inspirer dans le choix des personnes qu'ils vont rencontrer et la construction de reportages. Et il faut reconnaître que les reportages de presse écrite structurés autour d'un tel « récit dramatique » fondé sur un héros, une quête et une progression en baleine sont aussi d'une grande efficacité.

L'écriture du reportage télé

Les reportages télévisés sont souvent, hélas, des textes de presse écrite ponctués de témoignages (des « clips ») et revêtus d'un visuel plus ou moins pertinent. C'est le cas de bien des « topos » produits aux nouvelles : le journaliste a enregistré des propos et colligé de l'information écrite ; il rédige sa nouvelle puis l'illustre avec le visuel de l'événement, de la conférence de presse, ou de quelques plans génériques tirés des archives. On parle de bananes, on vous montre une banane ; on parle de recherches en labo, on vous montre une technicienne avec une pipette... Au mieux, le visuel est insignifiant ; au pire, il dérange, et il vaut mieux parfois fermer les yeux pour suivre le propos. Pas de la très bonne télé.

Idéalement, un reportage devrait toujours se construire sur un récit visuel. Que le téléspectateur qui aurait fermé le son de sa télé puisse quand même avoir une bonne idée du sujet et de son déroulement.

Ce n'est pas toujours possible, certes. Mais qu'au moins, on ne vienne pas ajouter à la confusion en ne respectant pas la cohérence visuelle. Quand on quitte un lieu, ne pas utiliser d'éléments visuels de ce lieu comme plans de coupe ailleurs dans le reportage. Quand son reportage suit le rythme des saisons, ne pas intervertir les plans d'automne et d'été, etc.

Puis, quand on rédige le texte final d'un reportage télé, il est toujours bon de savoir sur quelles images précises les mots vont se placer. D'abord parce que cela permet des subtilités d'écriture qui enrichissent la narration. Ensuite, parce que cela fait réaliser que souvent des choses qu'on prévoyait dire ne sont plus nécessaires, tant le visuel est explicite. On peut alors laisser l'image parler. Le temps de silence est un moment essentiel pour que le spectateur enregistre consciemment ce qu'il vient d'entendre. Il peut alors s'intéresser à l'image et faire un nouveau type d'apprentissage. Enfin, parce que l'écriture sur image permet d'éviter que le texte dise une chose alors que l'image véhicule un autre contenu, une autre émotion.

On peut y parvenir en planifiant à l'avance de façon précise le visuel, de telle sorte que le journaliste puisse écrire en sachant très bien sur quelles images il écrit. Mais on peut aussi le faire en prévoyant, à une phase relativement avancée du montage, une révision du texte écrit et un nouvel enregistrement, modifié en fonction du visuel finalement retenu.

Mentionnons enfin que l'écriture d'un reportage a avantage à être simplifiée. Il faut éviter les phrases longues, les adverbes lourds, les adjectifs, les emphases. Plus le texte est succinct, plus il laisse du temps au développement visuel.

Un dernier point, avant de clore ce chapitre : dans la presse parlée, le reportage d'actualité est presque toujours présenté brièvement par le lecteur du bulletin ou l'animateur de l'émission. Il faut donc éviter que ce texte de présentation livre en amorce ce que le reportage reprendra dès les premières séquences. Le journaliste devra donc proposer une présentation qui amène différemment le sujet de son reportage, en le liant à un événement d'actualité ou à une préoccupation des auditeurs, par exemple. Cette amorce doit avant tout attirer l'attention et donner à l'auditeur le désir d'en savoir plus. La deuxième partie de la présentation pourra ensuite introduire le journaliste (et le réalisateur, si c'est un travail à deux) ainsi que l'angle de traitement privilégié.

TROISIÈME PARTIE

Outils et techniques
de collecte de l'information

7

Les sources d'information
directes et indirectes

C'était en 1975, un peu avant que l'informatique ne vienne étouffer le bruit des frappes de métal des téléscripteurs qui rythmaient autrefois le quotidien des grandes salles. Il est dix heures, dans une salle de rédaction encore calme. Une sonnerie se fait entendre, comme chaque fois que l'agence émettrice estime qu'une nouvelle doit être traitée avec urgence. Deux ou trois journalistes jettent un coup d'œil sur la bande de papier où s'imprime un premier texte. Un attentat terroriste en Israël a fait une quarantaine de morts, des enfants surtout. Deux Palestiniens ont fait sauter un autobus scolaire à la grenade.

Midi. Toutes les grandes agences de presse couvrent l'affaire. AFP, Reuters, UPI et Associated Press y sont allés de plusieurs textes : des nouvelles, des analyses, des réactions de Jérusalem, de Washington, de Paris, d'Ottawa. Même le « fil » de transmission de photos s'active : gros plans du métal tordu ; gros plans d'enfants mutilés. Quinze heures. D'autres informations s'ajoutent en lien avec l'attentat. Nouveaux bilans. Nouvelles analyses. Mises les unes par-dessus les autres, les dépêches d'agences font trois centimètres! De quoi remplir une dizaine de pages, si on le voulait. L'attentat se retrouvera à la « une » de tous les quotidiens et en manchette du téléjournal, le soir. Tous les grands réseaux ont leur correspondant, ou du moins un informateur privilégié à Tel-Aviv.

Le lendemain, vers la fin de l'après-midi (là-bas, il fait nuit), un communiqué du gouvernement israélien, diffusé brièvement par les agences, annonce qu'en guise de représailles l'armée israélienne a attaqué un camp terroriste palestinien, dans le village de Zaatar. Aucune photo, et pour cause : il fait nuit, et il n'y a de toute façon pas de photographe en territoire palestinien, pas de correspondant à Zaatar. Personne qui puisse montrer les enfants morts ou le métal tordu. Pourtant, le premier geste, horrible certes, était le fait de deux terroristes isolés. Des individus désespérés en somme, même si des organisations leur ont fourni un appui logistique. La contre-attaque fut plus horrible encore : un village entier a été ce jour-là rayé de la carte; plus de 250 morts, a-t-on appris par la suite, dont des femmes et des enfants, là encore. Or, cet acte a été commandé par l'État, organisé par l'armée. Un calcul froid. Un calcul juste, diront les partisans de la riposte sanglante contre le terrorisme! Peut-être. Un geste en tout cas bien plus lourd de conséquences que l'attentat à la grenade.

Je travaillais au quotidien Le Jour, à cette époque. Nous avions souvent affiché un préjugé favorable à la cause palestinienne. Nous aurions voulu traiter les deux faits avec, au moins, une importance égale. Mais nous n'avons guère reçu de photo du village de Zaatar, et que deux ou trois dépêches au total. C'est là que s'arrêtait notre liberté de presse : nous n'avions pas les moyens de parcourir nous-mêmes le Moyen-Orient!

Fallait-il y voir un complot des grandes agences contre les Palestiniens ? Pas de façon spécifique. Mais les agences choisissent où vont loger leurs photographes, où seront installés leurs bureaux. Le reste vient de manière automatique. On parle souvent d'Israël dans nos journaux. Pas souvent du Malawi, du Bénin, du Qatar ou de l'Angola !

Cette situation décrite caractérise la limite la plus flagrante de la liberté réelle de notre presse : l'accès à l'information. Tant que les choses se passent chez nous, que les communiqués abondent, que les organisateurs d'événements sollicitent les journalistes, l'information circule assez bien. Mais dès que c'est un peu loin, qu'il faut sortir des sentiers battus par quelque agent de relations publiques, qu'il faut chercher, investir du temps et de l'argent, le panorama de la presse s'appauvrit.

Si le conflit israélo-palestinien n'a pas beaucoup évolué, hélas, depuis cette anecdote de 1975, l'impuissance des médias d'ici est, par contre, beaucoup moins marquée. Les grandes agences de presse d'hier sont économiquement beaucoup plus fragiles, mais les journalistes ont désormais accès en direct, sur Internet, à des journaux et à des stations de radio de presque tous les pays (à condition, bien sûr, d'en comprendre la langue). Dans le cas du Moyen-Orient, le réseau Al Jazira diffuse désormais l'information en anglais, et il est accessible sur le câble ou par satellite, autant au Canada qu'aux États-Unis[1]. Et si un journaliste doit rapidement se familiariser avec l'histoire et la

---

1   Le réseau Al Jazira a d'abord été traité avec beaucoup de défiance par les grands médias occidentaux. Sous la présidence de George W. Bush, on l'appelait même « le réseau Al Qaida ». Mais, avec le temps, il a prouvé qu'il pouvait traiter l'information avec autant de rigueur que les chaînes européennes ou américaines. Pour beaucoup d'observateurs, c'est lors du « printemps de jasmin », quand des mouvements populaires ont renversé ou ébranlé plusieurs dictatures au Maghreb et au Moyen-Orient, en 2011, qu'Al Jazira s'est vraiment affirmé comme « incontournable ».

politique d'un pays où les événements se bousculent, il trouvera à portée de clavier des dizaines de milliers de pages de documentation... et sans doute des extraits vidéo, filmés à la hâte par des témoins sur leur téléphone cellulaire et distribués sur des sites de partage comme YouTube.

Cela ne suffit pas à faire de chaque journaliste un expert et à garantir un traitement impeccable de toutes les situations. Disons simplement que la multiplication des sources d'information accessibles est la condition de base pour permettre une couverture plus complète et mieux pondérée.

La diversité des sources d'information

Avant d'étudier, dans les chapitres qui suivent, les différents outils et techniques utilisés par les journalistes pour obtenir l'information et en dégager le sens, il faut donc regarder d'où provient cette information, comment elle atteint la salle de rédaction, qui choisit de la retenir, comment un journaliste reçoit la mission d'en assurer la couverture. Au-delà des critères de sélection déjà mentionnés, il y a une réalité concrète : certaines informations importantes ne parviennent jamais à filtrer dans les médias ; d'autres y tiennent une place démesurée.

Les sources indirectes

L'information, avant d'être reprise à son compte par le journal, doit d'abord lui parvenir. Les canaux d'accès sont multiples. Au premier chef : **les dépêches des grandes agences de presse internationales ou de la Presse Canadienne.** Les téléscripteurs de ces agences livraient jadis chaque jour des centaines de mètres de papier, qui se retrouvaient ensuite sur le bureau des journalistes. La distribution est désormais électronique. Chaque journaliste a un accès direct, sur son ordinateur, aux « fils d'agence » *(newswires)* et peut recevoir par courriel des « alertes » quand des nouvelles sont considérées comme urgentes ou quand elles concernent des dossiers qu'il a choisi de suivre. Et celui qui travaille en presse électronique peut recevoir de la même manière des extraits d'interviews et des séquences filmées provenant de Londres, d'Ottawa, de Paris ou de Yaoundé. Tout ce qu'il lui faudra pour construire sur place un reportage sur ces événements lointains.

Mais un journaliste qui travaille ainsi, de Montréal ou de Québec, sur des événements qui se déroulent aux antipodes, ne peut prétendre avoir été témoin de l'activité couverte. On dira alors qu'il travaille à partir de sources indirectes, c'est-à-dire d'une information déjà traitée par un journaliste qui se trouve là-bas, sur le lieu de l'événement, et qui sera ensuite filtrée par une rédaction internationale avant d'être distribuée sur le fil de presse.

Bien sûr, le journaliste qui rédige la nouvelle conserve toujours, face à ces sources indirectes, une certaine marge de manœuvre. D'une part, les grandes salles de rédaction sont abonnées à plus d'une agence de presse; plusieurs dépêches peuvent lui parvenir à propos d'un même événement, ce qui lui permet de dégager une vision d'ensemble et d'en faire la synthèse. En outre, il est désormais possible de capter en direct sur le web plusieurs stations de radio ou de télévision étrangères susceptibles de traiter des événements qui se déroulent là-bas.

Plus rapidement encore, les journalistes peuvent consulter certains outils de réseautage Internet (Twitter, Facebook ou You-Tube, notamment) à la recherche d'information en provenance de témoins directs[2]. Pendant la période de troubles sociaux qui a suivi les élections présidentielles iraniennes de juin 2009, les autorités ont fortement limité la liberté de manœuvre de la presse étrangère et chassé du pays plusieurs médias. C'est sur Internet que les dissidents iraniens ont fait circuler l'information, notamment cette vidéo d'une jeune femme tuée par balle, Neda Agha-Soltan, devenue le symbole de la violence de la répression. Pendant plusieurs semaines, on pouvait trouver sur YouTube d'innombrables séquences vidéo filmées par des Iraniens, souvent avec la caméra de leur téléphone cellulaire. C'est aussi sur YouTube qu'on a pu voir les premières images du tremblement de terre de janvier 2010 en Haïti, puis les séquences montrant les tirs aveugles des milices du colonel Kadhafi contre les citoyens de Libye, lors des émeutes de l'hiver 2011, alors que le pays était encore inaccessible aux journalistes.

À partir de cette information provenant de l'étranger, le journaliste pourra consulter, ici même, des personnes-ressources capables d'élargir ses perspectives sur chaque événement. Il trouvera aussi sur Internet une documentation de fond sur le pays concerné et pourra ainsi mettre les événements en contexte de manière plus approfondie que ne peut le faire le journaliste en poste à l'étranger, pris dans le feu de l'action. Dans les grandes salles de rédaction, ce travail sur les sources indirectes est en

---

2   Au moment où je rédige cette troisième édition, le réseau Twitter semble s'être imposé auprès de nombreux journalistes comme outil d'« alerte » et de cueillette rapide de témoignages ou d'opinions sur les événements courants. Les messages y sont limités à 140 caractères, ce qui ne laisse pas beaucoup de place aux nuances, mais les usagers de Twitter l'utilisent pour signaler rapidement ce qu'ils viennent de voir (de l'information brute) ou pour suggérer des liens vers des textes plus approfondis. On peut facilement y faire des recherches par mots clés. Mais le succès de Twitter est aussi son point faible : l'information pertinente y est souvent engloutie sous des milliers de messages insipides. Comme l'univers d'Internet évolue rapidement, il est difficile de savoir si Twitter sera encore le réseau d'« alerte » privilégié dans quatre ou cinq ans.

général confié à des journalistes dits « sédentaires ». En France, on parle de « secrétaires de rédaction » ; aux États Unis, de « *desk editors*», ce que nous avons bien maladroitement traduit, au Québec, par « journalistes au pupitre » !

Mais les dépêches des agences de presse, lorsque l'événement se déroule dans un territoire couvert par un média, peuvent aussi ne servir que d'amorce à une recherche journalistique plus directe. Un accident majeur est rapporté sur le « fil » de la Presse Canadienne. L'« affectateur » s'empresse de dépêcher un journaliste et un photographe ou une équipe de film sur les lieux, alors qu'un autre journaliste, dans la salle de rédaction, s'attelle à la recherche d'information par téléphone. Dès lors, la source indirecte fait place, dans le bulletin ou le journal, à une couverture maison.

Nous avons parlé ici des grandes agences de presse internationales et de la Presse Canadienne. Il existe d'autres agences à travers le monde ; elles sont en principe accessibles chez nous. Prensa Latina, par exemple, a déjà alimenté un quotidien québécois ; International Press Service, quelques médias canadiens. On trouve aussi des informations provenant de **services de presse spécialisés,** comme le Dow Jones, pour les informations boursières. Le *New York Times,* le *Christian Science Monitor,* le *Daily Telegraph* et divers autres grands quotidiens offrent par ailleurs des reportages à tout un réseau de médias clients. Nos journaux francophones sont très rarement abonnés à ces services dont il leur faudrait traduire les articles. Mais on peut lire ceux-ci dans les quotidiens nationaux anglophones comme le *Globe and Mail* ou le *National Post.* Enfin, il y a des services locaux d'information spécialisée comme l'Agence Science-Presse, qui diffuse de l'information scientifique à l'intention de la presse et des stations de radio en région.

Les agences de presse ne constituent pas la seule source indirecte d'information qui alimente les salles de presse. Dès le matin, les journalistes se mettent souvent à la lecture des journaux, à l'écoute des bulletins de radio et de télé. C'est ainsi que **les médias s'alimentent les uns les autres,** ce qui a souvent pour effet indirect que leur couverture des événements emprunte les mêmes angles.

Outre les bulletins et les journaux quotidiens, les journalistes lisent aussi **des magazines et des revues plus ou moins spécialisées.** Tel reportage de *Time* sur la montée des organisations criminelles asiatiques dans les grandes villes américaines incitera une journaliste québécoise à se demander si le phénomène n'existe pas aussi à Montréal, et dans quelle mesure. Tel article d'une revue médicale sur une nouvelle approche thérapeutique déclenchera une recherche journalistique sur ceux qui utilisent la même approche plus près de nous. Notons que de plus en plus de journalistes explorent systématiquement le contenu de sites Internet (sites de nouvelles ou sites d'information spécialisée) pour y trouver des pistes d'information, parce que ces sites diffusent leurs nouvelles plus rapidement que les magazines.

Enfin, il y a **les communiqués.** Ils contiennent une information préparée à l'intention des journalistes par les agents d'information, à l'occasion d'une publication (un rapport annuel, par exemple), d'un congrès, d'une annonce publique, d'une conférence de presse, etc. Documentation à caractère officiel, le communiqué de presse devrait, au mieux, servir d'outil aux journalistes dans la préparation de leurs interviews ou d'aide-mémoire dans la rédaction ultérieure de leurs textes.

Mais les auteurs de ces communiqués connaissent bien les techniques journalistiques. Ce sont même très souvent d'anciens journalistes! Leurs textes ont parfois une facture très conforme aux articles des médias de masse. En outre, alors que le journaliste a deux ou trois heures à peine pour approfondir une information, la mettre en contexte, en déduire les aboutissements possibles, les attachés de presse et autres agents d'information peuvent consacrer plusieurs semaines à la préparation des documents de fond accompagnant leur annonce. Ils ont prédigéré toute l'information. Résultat : les pistes qu'ils ouvrent sont souvent celles-là mêmes que le journaliste aurait pu développer s'il en avait eu le temps. Dans bien des cas, les responsables de page n'ont guère de scrupules à utiliser tels quels des communiqués, ou à ne les transformer que de manière superficielle.

Cette tendance est certes inquiétante. Une partie importante de l'information diffusée par les médias échappe progressivement au contrôle des journalistes, pour passer aux mains d'agents d'information, compétents sans doute, mais payés par les organismes diffuseurs, et sûrement pas neutres. Mais en même temps, l'alternative se pose souvent en ces termes : faute d'avoir le personnel et le temps nécessaires pour approfondir un dossier, le média doit choisir entre la diffusion d'un communiqué maquillé à la hâte (quitte à en désigner clairement la source) ou ne rien diffuser du tout.

Résumons donc. **On parle d'information de sources indirectes (ou secondaires) quand le journaliste a accès à une information déjà traitée par un intermédiaire :** dépêche d'agence de presse ; information véhiculée par un autre média ; article de magazine ou de revue spécialisée ; site de nouvelles sur le réseau Internet, communiqué de presse ou texte émanant d'un service de relations publiques.

Les sources directes

Par opposition aux sources indirectes décrites ci-dessus, on parlera **d'information de sources directes (ou primaires) lorsque le journaliste a accès lui même aux personnes qu'il cite, aux événements qu'il décrit, aux rapports qu'il présente.** C'est seulement dans de tels cas qu'il peut prétendre jouer vraiment son rôle de témoin. Comme il s'agit en fait du travail de base du journaliste, nous reviendrons, dans les chapitres suivants, sur les habiletés requises et les trucs utiles pour chacune des trois situations : l'interview (chapitre 9), la couverture d'un événement (chapitre 10), la consultation des sources techniques et scientifiques et de rapports financiers (chapitres 12 et 13).

Mentionnons tout de même que si la couverture de certains événements s'impose d'elle-même (un énorme accident, un congrès à la direction d'un parti politique, une élection, une conférence internationale, etc.), d'autres événements ont un profil plus discret. Les choix de couverture peuvent alors dépendre en bonne partie de l'efficacité d'agents d'information à « dresser l'ordre du jour » des journalistes, à les convaincre de l'importance de l'événement dont ils font la promotion. Nous y reviendrons au chapitre suivant.

Les sources documentaires

Aux sources secondaires et primaires, ajoutons enfin, sans leur accorder pour l'instant toute l'attention qu'elles mériteraient, les sources complémentaires (ou documentaires). Elles jouent un rôle important à la phase initiale de la démarche d'information parce qu'elles permettent au journaliste de prendre rapidement connaissance du contexte d'une nouvelle et de mieux préparer sa couverture. Elles seront de nouveau utiles au retour de sa couverture, quand le journaliste cherchera à compléter l'information reçue et à replacer l'événement dans un contexte plus large. Ce sont les ouvrages ou les sites web de référence (encyclopédies, répertoires sectoriels, sites spécialisés), les rapports et documents à diffusion publique (par exemple, les rapports annuels d'entreprises) ou restreinte (les rapports d'instituts privés ou les analyses spécialisées accessibles par abonnement), les dossiers de presse et autres répertoires d'événements, les entrevues de documentation (de *background*) avec des spécialistes du domaine dont devra traiter le journaliste, les banques de données, les livres et les revues scientifiques, etc.

Il arrive à l'occasion que certains journalistes décident de « fouiller » dans certaines banques de données en début de démarche, à la recherche de pistes significatives. C'est ce que les Américains appellent le « *data mining* » : une recherche souvent laborieuse dans des pages et des pages de contrats, de rapports d'activité ou de registres de transactions, à la recherche de faits inédits qui pourraient justifier des textes de nouvelles. Mais ce n'est pas pratique courante en dehors du journalisme d'enquête (sur lequel nous reviendrons au chapitre 15). Et même dans ce cas, il vaut mieux savoir ce qu'on cherche, souvent sur la foi d'une information privilégiée, avant de se lancer dans une telle « fouille » qui peut prendre des semaines de travail… sans garantie de résultat.

L'étendue des sources documentaires accessibles aux journalistes était autrefois liée directement à la richesse du média pour lequel ils travaillaient. Le réseau Internet a rendu une bonne partie de cette information facilement accessible à tous, au point où les jeunes journalistes se demandent aujourd'hui comment il était possible d'écrire des articles bien documentés lorsqu'Internet n'existait pas. Il reste que certaines sources documentaires spécialisées demeurent payantes ou d'accès restreint, et qu'il est parfois nécessaire de fouiller dans la section de référence d'une bibliothèque pour avoir accès à des documents inaccessibles autrement. Nous nous pencherons plus tard (au chapitre 11) sur ces outils de documentation.

Le cheminement de l'information dans une salle de nouvelles

Portrait type d'une salle de rédaction

Il y a, dans les petites stations de radio et dans certains médias à faibles moyens, des salles de rédaction fort rudimentaires, formées d'un seul ou de quelques journalistes polyvalents, dirigés par un chef des informations, à la fois « affectateur » et rédacteur en chef. À l'autre extrême, il y a de grandes salles, très compartimentées, où chaque section spécialisée (sports, économie, culture, local et régional, international, famille, etc.) a son propre « affectateur », son chef de pupitre, ses reporters et ses rédacteurs sédentaires. Prenons ces dernières en exemple, en retenant que, pour les salles moins bien nanties, les mêmes personnes peuvent cumuler plusieurs fonctions. La grande salle de rédaction est, bien sûr, sous la responsabilité ultime de l'**éditeur,** qui choisit le personnel d'encadrement et approuve toutes les embauches, supervise le fonctionnement d'ensemble du journal (publicité, distribution, promotion, gestion, rédaction) et oriente les grandes politiques rédactionnelles et éditoriales. Mais parce que l'éditeur agit comme gestionnaire de l'ensemble des opérations, il confiera le contenu rédactionnel de son journal à un **rédacteur en chef,** responsable de faire appliquer les grandes orientations du journal, et de qui relèvera directement l'équipe éditoriale. Sous la responsabilité du rédacteur en chef, le **directeur de l'information** supervise plus directement le fonctionnement de la salle des nouvelles (l'équipe des journalistes). Notons que dans bien des cas, ces deux fonctions peuvent être confiées à une seule et même personne.

Sous la responsabilité du directeur de l'information, deux personnes (des cadres, en général) vont devoir prendre les décisions concrètes, heure par heure : le chef des nouvelles (« l'affectateur») et le chef de pupitre. Le **chef des nouvelles** approuve les projets de reportage des journalistes, affecte les reporters et les photographes à la couverture des événements du jour, discute avec eux des angles de traitement, etc. C'est le chef d'orchestre, celui qui organise le travail de chacun et s'assure que tout ce qui est important soit bien couvert.

Dans les grandes salles de presse, cette responsabilité est partagée entre plusieurs **chefs de section** qui distribuent les tâches entre les membres de leurs équipes respectives, laissant au chef des nouvelles la supervision d'ensemble et l'affectation de quelques grands reporters (les *front page reporters*), celle des chroniqueurs, ou d'un petit groupe de généralistes. Notons toutefois que, dans les médias électroniques du Québec, aucune salle de rédaction n'est assez importante pour posséder une structure aussi compartimentée.

Dans la presse écrite quotidienne, le travail du chef des nouvelles s'effectue de jour. Le journal ne sera toutefois «fermé» qu'en soirée. Il y a donc, en fin d'après-midi, un transfert des responsabilités au **chef de pupitre.** Celui-ci reçoit du chef des nouvelles l'information sur tout ce qui a été assigné ce jour-là, les angles d'approche retenus, les nouvelles à surveiller sur les fils de presse, bref, l'état du journal planifié. Mais c'est le chef de pupitre qui supervisera, en soirée, le travail des journalistes sédentaires (ceux qui traitent principalement les dépêches d'agences) et qui assumera en fin de compte les décisions ultimes quant au contenu du journal : que met-on en manchette? Où doit-on couper, s'il faut vraiment couper? etc.

Les salles de presse électronique ont aussi adopté cette double structure de responsabilité : un ou plusieurs «affectateurs» encadrent dès le matin le travail de l'ensemble des journalistes de la salle, mais chaque bulletin a son propre chef de pupitre qui fixe en fin de parcours l'ordre, la longueur et l'angle de présentation des reportages, en fonction du public cible et du temps disponible à l'antenne. La répartition de leur temps de travail entre le jour et le soir n'est toutefois pas aussi claire que dans la presse écrite puisque des bulletins peuvent être mis en ondes à toute heure du jour.

Mentionnons enfin que les grands médias ont presque tous une présence sur Internet. Le site peut relever du même rédacteur en chef et du même chef des nouvelles (bien que ça ne soit pas le cas le plus fréquent au Québec), mais il aura presque toujours au moins un « affectateur » en propre pour encadrer l'équipe de journalistes Internet (les « web-reporters ») et un (ou plusieurs) chef de pupitre pour gérer le flot de l'information en ligne, qui nécessite d'être constamment rafraîchi.

Le cheminement d'une nouvelle

Une fois établi ce tableau d'ensemble, essayons de retracer le cheminement d'une nouvelle, de son entrée dans la salle, jusqu'à sa publication éventuelle.

1. La nouvelle arrive au média:

— Par téléphone, par courriel ou par la poste.

Un particulier appelle le journal pour parler d'un problème. Un préposé au téléphone l'écoute avec plus ou moins d'intérêt, prend quelques notes, en parle au chef des nouvelles. Ça va rarement plus loin: le programme de la journée est bien trop chargé pour qu'on s'occupe des petits problèmes de monsieur ou madame Tout-le-monde! Mais il arrive que la plainte touche une oreille sensible, que le chef des nouvelles ait l'intuition qu'il y a là une bonne histoire (peut-être est-ce simplement que le chef des nouvelles, ou un de ses proches, a justement éprouvé le même problème. Un coup de chance, quoi!). Ou bien, le média en question a peut-être pour politique d'écouter systématiquement ces demandes du public, afin d'en tirer matière à reportage (pensons entre autres à des médias spécialisés dans la défense des consommateurs, à des émissions comme *J.E.* ou *La Facture,* ou à une section d'enquête dont beaucoup de recherches sont basées sur le témoignage spontané de citoyens dénonciateurs, ceux qu'on appelle les *whistleblowers*).

N'empêche qu'en général on multiplie ses chances de percer la barrière de la concurrence entre les nouvelles si on représente un organisme ou un groupe de pression perçu comme important, ou si on a multiplié les points d'entrée de l'information dans la machine en adressant une lettre, un courriel ou un communiqué à plus d'un journaliste, avec copie à leurs chefs de section, et si on a appelé et parlé au responsable du dossier... Bref, si on est organisé.

— Par une convocation (courriel, fax, téléphone) pour une conférence de presse (ou pour tout autre événement). C'est la procédure la plus courante. Notons aussi la présence d'agences de communiqués comme CNW-Telbec, qui centralisent et rediffusent vers les salles de presse les communiqués de leurs clients (ministères, universités, grandes entreprises, etc.). CNW diffuse aussi quotidiennement des informations de service comme la météo, ainsi qu'un ordre du jour de nombreux événements à couvrir. Tous les journalistes ont accès à cet ordre du jour, mais c'est surtout le chef des nouvelles qui l'utilisera pour dresser la tableau quotidien des affectations.

— Par le fil des nouvelles des agences de presse, accessible par abonnement. Notons qu'en plus des grandes agences internationales comme Reuters, Associated Press (AP) et l'Agence France Presse (AFP), les médias canadiens se sont donné une agence «nationale» bilingue, la Presse Canadienne (PC), avec ses propres correspondants, mais diffusant aussi du contenu en provenance des médias participants. Cette agence, de type coopératif, diffusait aussi sous le sigle NTR des nouvelles en format télé ou radio. Sa survie a toutefois été fragilisée par la création de nouveaux services partagés à l'intérieur des grands groupes de presse, notamment pour les journaux du groupe Canwest au Canada (une entreprise vendue à Postmedia Network en 2010), puis pour les publications du groupe Quebecor Media (QMI).

— **Par la lecture des autres journaux, l'écoute des bulletins radio et télé.**

— **Par l'écoute systématique des ondes radio des services policiers, ambulanciers et des autres fréquences de la bande réservée aux services publics.** La plupart des grandes entreprises de presse ont une «salle d'écoute» où les ondes policières sont balayées en permanence. Certains médias misant sur le fait divers ont en outre une flotte de voitures qui parcourent la ville. Dès que survient un accident majeur, un vol spectaculaire, un incendie, le préposé à l'écoute lance un message à toutes les voitures, à la manière d'un centre répartiteur de taxis. Résultat: les journalistes et les photographes de presse arrivent souvent sur les lieux avant les policiers!

— **Par les bureaux extérieurs du journal.** Les journalistes de la tribune parlementaire (à Ottawa comme à Québec) sont soumis à un programme d'activités toujours très chargé: sessions à la Chambre, commissions parlemen-

taires, conférences de presse des ministres ou de l'opposition, sommets, etc. Il est difficile pour le chef des nouvelles
d'évaluer à distance l'importance relative de chaque activité. Ce sont donc presque toujours les journalistes qui vont
devoir, sur place, informer le journal de leur horaire de la
journée. Il en va de même pour ceux qui travaillent au Palais
de justice: ils doivent consulter quotidiennement le rôle de
la cour criminelle afin de connaître les causes à couvrir. C'est
aussi le cas à l'étranger, où les correspondants sont beaucoup mieux placés que leur chef des nouvelles pour évaluer
ce qui se passe sous leurs yeux. Ces journalistes remplissent
un peu la fonction d'antennes extérieures pour leur salle de
presse.

— **Par les sources personnelles des journalistes.**
Un journaliste qui couvre un secteur d'activité donné finit
par en connaître les principaux acteurs. De temps en temps,
il rappellera d'anciennes sources pour mettre à jour son
information, assurer le suivi de ses dossiers. Parfois, ces personnes rappelleront d'elles-mêmes le journaliste pour l'informer de nouveaux développements. Ou alors, un renseignement glané par hasard, au fil d'une conversation, devient le
prétexte à une recherche et aboutit à un article. L'avantage,
dans de tels cas, c'est que l'information ainsi obtenue dépend
de la perspicacité du journaliste et de l'étendue de ses relations, et qu'elle a moins de chances de se retrouver le jour
même dans tous les médias.

— **Par des lectures (publications spécialisées,
rapports, périodiques, etc.) ou par simple intuition d'un journaliste ou de son «affectateur».** Ce
type d'information provenant des journalistes eux-mêmes,
soit à la suite de conversations fortuites, soit à la suite de lec-

tures ou d'une simple intuition («Tiens, un bon sujet, ça!»), compte pour une forte proportion du contenu des bulletins d'information et des journaux. C'est sans doute grâce à cet *input* non contrôlé que les différents médias, malgré des grilles d'analyse de plus en plus ressemblantes, diffèrent pourtant les uns des autres dans leurs éditions quotidiennes.

2. On affecte un journaliste à la couverture de l'événement. S'il s'agit d'un événement qui mérite d'être couvert, le chef des nouvelles ou le responsable de section affectera un ou plusieurs journalistes (selon l'importance de l'événement) et un photographe (ou une équipe technique, à la télévision). Si l'événement ne mérite pas le déplacement, il est possible qu'on choisisse à ce stade de l'écarter ou qu'on confie à un journaliste dans la salle d'en vérifier l'importance, de se faire acheminer la documentation ou de faire, au besoin, une couverture par téléphone. Dans certains cas, on pourra même choisir de conserver le communiqué pour une éventuelle diffusion intégrale ou abrégée, selon l'espace ou le temps disponible.

3. Le journaliste recueille les données pertinentes et rédige son texte d'information. Lorsqu'il est affecté à une couverture, le journaliste se rend sur place. Si le déplacement est impossible, ou si l'événement a déjà eu lieu, il tentera de prendre contact avec les acteurs ou les témoins des premières loges. Mais il aura souvent à consulter, avant de «partir en chasse», ses dossiers personnels ou ceux de son centre de documentation (les coupures de journaux antérieurs sur le même sujet, par exemple), ainsi que tout ce qui est disponible sur Internet, pour préparer ses rencontres avec les acteurs, les porte-parole et les personnes-ressources éventuelles.

Au retour, lorsqu'il croit avoir recueilli toutes les informations et les témoignages pertinents, le journaliste va devoir s'interroger, en collaboration avec le chef des nouvelles ou le responsable de son secteur, sur les éléments significatifs à retenir, les pistes à approfondir, les recherches complémentaires à entreprendre. C'est la phase la plus créatrice de son travail, puisque le journaliste dépasse alors son rôle de « rapporteur » pour devenir en quelque sorte un « créateur d'information », ou plus exactement un « révélateur de sens ». Les pistes retenues lui imposeront presque toujours de nouvelles recherches documentaires, d'autres appels à des personnes-ressources, pour mieux comprendre les enjeux, les tenants et aboutissants ou les perspectives historiques qu'il aura choisi de mettre en évidence.

Il y aura enfin une autre discussion avec son chef de section, pour décider, en bout de ligne, de l'angle de traitement retenu et de la longueur du texte ou du topo, des illustrations, etc. C'est à cette phase que le journal (ou le bulletin de nouvelles) prend forme.

4. Le journaliste suit le dossier. Après une première publication, le journaliste va en général suivre le dossier, au moins pour quelques jours. La lecture des autres journaux ou l'écoute des autres chaînes de télé ou de radio lui permettra de comparer son angle de traitement avec celui de ses collègues et de s'assurer qu'aucune dimension importante ne lui a échappé en première analyse. En outre, en collaboration avec les responsables de l'information de son secteur, il déterminera quel suivi serait le plus original et le plus pertinent : découverte de significations nouvelles, parallèles avec d'autres événements débouchant sur les mêmes enjeux, suivi des réactions, etc. Il y parviendra en demeurant

en contact avec les acteurs ou les analystes. En imaginant les
conséquences possibles. En cherchant à prévoir les développements probables.

Les distorsions dans le cheminement de l'information

Le processus de cheminement de l'information décrit ci-dessus
peut engendrer un certain nombre de distorsions dont le journaliste doit être conscient.

Le problème du contrôle (relatif) de l'espace médiatique par ceux qui savent en maîtriser les canaux

On parle beaucoup plus des groupes organisés, des politiciens
ou des grandes entreprises que des groupes communautaires ou
des individus non organisés. Cela tient en partie de la volonté
des médias de traiter de ce qui est significatif, mais c'est aussi lié
à l'habileté des professionnels de la communication et des relations publiques de ces institutions à insérer leurs priorités dans
le menu quotidien des journalistes, à imposer leurs événements
comme des couvertures essentielles.

Or, les institutions — qu'il s'agisse des gouvernements, des
partis, des entreprises, des syndicats ou des groupements professionnels et associations diverses — produisent de l'information
ou organisent des événements en fonction de ce qui les sert.
Le journaliste ne doit pas être dupe à ce chapitre. Tout attaché
de presse de ministre présentera à ses « collègues » de la presse
les moindres déclarations de *son* ministre comme des faits
politiques de première importance. Représentants syndicaux,

porte-parole de groupes professionnels ou d'associations culti-
vent de bonnes relations avec les journalistes parce que, tôt ou
tard, ils auront besoin d'une presse complaisante. Et combien
d'agents d'information, empressés d'organiser des déjeuners de
presse lorsque l'entreprise pour laquelle ils travaillent lance une
nouvelle gamme de produits ou annonce un investissement,
pratiquent la politique des portes closes dès que les affaires commencent à mal tourner! Il n'est pas étonnant que la presse financière publie tant de *success stories*... et si peu de récits d'échecs!

Attention, toutefois. Il ne faut pas noircir inutilement le
tableau. Le développement de la profession de relationniste,
depuis la fin des années 1970 surtout, s'est aussi accompagné
d'un accès accru à certaines sources. Des chefs d'entreprises
qui refusaient hier tout contact avec les médias acceptent
aujourd'hui de répondre aux questions parce que des conseillers
en communications leur ont fait valoir les bienfaits de l'ouverture. Des organismes qui travaillaient autrefois dans l'ombre
s'ouvrent maintenant au regard scrutateur des médias. Le
monde de la recherche et de l'enseignement universitaire ne
correspond plus autant au cliché de la « tour d'ivoire » qu'on lui
accolait jadis. Bref, les institutions sont beaucoup plus ouvertes
à la communication et, en ce sens, la présence d'un service de
presse capable de répondre aux questions des journalistes, de
leur fournir une documentation d'appoint ou de faciliter les
contacts entre les gens de presse et les personnes compétentes,
favorise l'information plutôt qu'elle ne lui nuit.

Par contre, du fait même que ces agents d'information et
attachés de presse n'entravent pas tous le travail des journalistes
et que leur apport est souvent précieux, la tentation est forte de
leur faire confiance. Parce qu'ils nous donnent accès au « Saint
des Saints », qu'ils nous communiquent parfois des informations
privilégiées, qu'ils nous mettent en contact avec les personnes
importantes, qu'ils deviennent nos « amis », nos « complices », et

font même volontiers une partie de notre travail, cela accentue l'attrait des sources d'information institutionnelle par rapport aux autres, celles qui proviennent de groupes moins bien organisés ou d'individus isolés. En d'autres mots, plus l'accès aux institutions est facile, plus l'information y est abondante, moins les journalistes disposent de temps pour chercher ou d'espace pour diffuser ce qui pourrait venir d'ailleurs.

Les services de presse des institutions ne sont certes pas les seuls responsables de cet état de fait. L'organisation des médias y est pour beaucoup. Dans le fonctionnement de la presse au quotidien, les journalistes doivent souvent couvrir un domaine trop vaste ou des dossiers qu'ils connaissent à peine. Bousculés de conférence de presse en conférence de presse, forcés de lire rapidement les communiqués qui s'empilent sur leur bureau et de répondre à l'armée de relationnistes qui est à leurs trousses, ils n'ont pas le temps d'approfondir leur démarche journalistique. Comment résister alors à la séduction des explications « prédigérées » que leur fournissent les professionnels de l'information? On peut certes parler de paresse, mais le mode d'organisation des médias et le type de concurrence qu'ils se livrent en cherchant tous à couvrir les mêmes nouvelles et à diffuser les premiers les moindres bribes d'information ne facilitent pas le travail en profondeur.

La spécialisation des journalistes est souvent proposée comme solution au problème de la manipulation du contenu des médias par les professionnels de la communication institutionnelle. Il est vrai que le journaliste spécialisé parvient mieux à distinguer les vessies des lanternes, car il peut compter sur des informateurs privilégiés au sein du milieu qu'il couvre. Mais cela risque aussi de jouer dans le sens inverse : une journaliste qui aura créé tout un réseau de personnes-ressources au sein des organismes qu'elle connaît bien verra bientôt ces contacts l'alimenter sans cesse en nouvelles intéressantes. Et si cela suffit à remplir quotidiennement l'espace qui lui est dévolu, pourquoi alors se donnerait-elle la peine de fouiller hors des sentiers battus?

C'est ainsi que certaines entreprises, certains organismes ou certains sous-groupes sociaux en viennent à jouir d'une couverture disproportionnée par rapport à celle dont jouissent d'autres organisations, parce qu'ils bénéficient de ce copinage particulier entre les journalistes et leurs sources. Nous reviendrons sur ce problème de la promiscuité entre les journalistes et leurs sources au chapitre 14, qui porte sur la spécialisation des journalistes et les divers domaines de couverture.

Le choix des mêmes sujets par les médias

Cette situation est attribuable en partie, on l'a vu, à la recherche des plus larges consensus par les médias de masse. Pas étonnant qu'ils adoptent alors des grilles d'analyse très voisines quant à l'importance et à la signification des événements. Mais cela tient aussi de la capacité des porte-parole des institutions à mobiliser l'ensemble des journalistes.

Cette uniformité découle aussi de facteurs plus pernicieux encore. Le téléjournal du soir influence directement les quotidiens qui doivent « fermer » leurs pages à peu près à la même heure. À l'inverse, le lendemain, c'est dans les journaux que les stations de radio et de télé puisent l'essentiel de leurs premiers bulletins de nouvelles. Heureusement qu'il y a de nouveaux événements pour alimenter sans cesse la machine! Mais là encore, les journalistes se bousculent aux mêmes événements en partie parce qu'ils savent que leurs concurrents y seront : il faut bien en parler parce que tous les autres vont en parler! Et que diraient nos lecteurs, nos auditeurs, si on ne leur soufflait pas un mot de ce qui fait la « une » de tous les autres médias?

Une fois sur place, les journalistes — qui se connaissent bien — s'influencent les uns les autres, posent les mêmes questions, font les mêmes analyses. Un exemple parmi tant d'autres me vient à l'esprit : au printemps 1999, *La Presse* publiait un *scoop* voulant que la Sûreté du Québec tenterait, le matin même, d'arrêter trois membres de la secte des Apôtres de l'amour infini, à leur domaine des Laurentides. Tous les postes de radio et de télé, ayant lu le journal (dont les premières copies sont disponibles dès minuit), ont délégué leurs reporters au domaine en question. Les bulletins télévisés des trois grands réseaux québécois ont choisi de jouer cette « descente de police » comme première nouvelle. On y voyait les mêmes plans aériens du domaine (fournis par la Sûreté du Québec, sans doute), les mêmes extraits du policier responsable de l'opération, le même commentaire du responsable du service de la protection de la jeunesse dépêché sur les lieux pour prendre en charge les enfants enrôlés dans la secte... Mais le plus cocasse, c'est que les trois journalistes ont eu le même réflexe, et sont partis recueillir le témoignage de résidents du voisinage. Or, pressés par le temps, ils ont tous les trois interrogé la même personne, la première à être passée par là !

Le résultat n'est pas tragique en soi ; n'empêche que nos journaux et bulletins de nouvelles, en principe concurrents, se ressemblent étrangement. Et s'ils arrivent assez bien à couvrir l'essentiel de l'information institutionnelle, de grands pans de l'activité collective leur échappent, simplement parce que, se dit-on, « personne ne va couvrir ça » !

Avec le développement des chaînes de nouvelles en continu et des sites constamment rafraîchis de nouvelles sur Internet, et devant la montée des quotidiens gratuits, ce problème tend toutefois à s'atténuer dans les grands médias, qui doivent miser de plus en plus sur leurs articles « exclusifs »... qu'ils affichent volontiers comme tels en manchette. Mais on abuse aussi, bien souvent, de cette expression. Un bulletin de nouvelles reprendra souvent le travail d'un concurrent, en ajoutant un élément qu'il qualifiera aussitôt d'« exclusif ». Un grand quotidien a même reçu un blâme du Conseil de presse du Québec, en 2009, pour avoir présenté comme « exclusive » une nouvelle fondée sur des documents accessibles sur Internet et que plusieurs journaux publiaient aussi le même jour. Et les propos de l'ancien ministre de la Justice Marc Bellemare dénonçant au printemps 2010 l'ingérence des financiers du Parti libéral dans la nomination des juges ont d'abord été présentés comme « exclusifs » à Radio-Canada (qui diffusait un entretien téléphonique), pour être ensuite rapportés à TVA, moins d'une demi-heure plus tard, accompagnés là aussi du bandeau « exclusif à TVA », parce que l'ex-ministre y livrait « sa toute première entrevue devant la caméra » !

Le manque de diversité de l'information internationale

Depuis des décennies, l'essentiel de l'information internationale publiée au Québec et au Canada provient de quatre grandes agences internationales qui partagent toutes la même vision occidentale et nordique de l'information. Cette oligarchie de l'information internationale a été dénoncée jadis par l'UNESCO, car elle devenait la source d'un véritable colonialisme de l'information aux dépens des pays pauvres (voir le rapport McBride sur le « nouvel ordre mondial de l'information ») ; mais elle est tout aussi alarmante chez nous, où très peu de médias ont leurs propres correspondants à l'étranger ou envoient leurs journalistes parcourir le monde.

J'ai ouvert le présent chapitre sur une anecdote illustrant l'effet pernicieux des agences de presse sur la couverture de l'information internationale : parce que les agences sont nombreuses à Jérusalem ou à Tel-Aviv, et quasi absentes des

territoires palestiniens, nous recevons ici une information iné-
quitable sur les tensions entre ces peuples. On pourrait citer de
nombreux autres exemples.

Ainsi, la CSN a publié en mai 1985 un dossier où l'on com-
parait la situation de deux pays aux prises avec des mouvements
de défense des libertés : le Salvador et la Pologne. Les critères
utilisés : le nombre d'assassinats politiques, le recours à la torture, les arrestations ou détentions arbitraires, les conditions de
travail, le niveau des salaires, la sécurité sociale et autres droits
sociaux, etc. Le tableau était éloquent : la situation au Salvador
ressortait comme nettement plus catastrophique que celle de
la Pologne, en liberté surveillée, certes, mais somme toute respectueuse de droits civiques minimaux. Or, la presse d'ici a été
inondée de dépêches, d'analyses et de grands reportages sur
les événements entourant l'éveil du mouvement Solidarité en
Pologne, et sur les moindres démêlés judiciaires de ses dirigeants
avec le régime communiste, alors que la couverture du Salvador
a été pour le moins sporadique.

On peut trouver à ce traitement différent une raison objective. Dans une perspective historique, l'éveil des mouvements de
liberté civile à l'est du rideau de fer était peut-être plus significatif à court ou moyen terme que les cycles permanents de guérilla
et de répression qui caractérisent les États d'Amérique latine.
Encore que cela ne soit vrai que dans une vision du monde largement centrée sur l'Europe et les pays développés, où l'importance des pays de l'hémisphère Sud est tenue pour négligeable.

En tout cas, ce silence complice des grandes agences et des
médias occidentaux devant les atteintes aux libertés civiles en
Amérique latine a contribué pendant des décennies à faire durer
une situation qui aurait été jugée inacceptable si elle avait eu lieu
en Europe. Il est difficile de ne pas y voir aussi un choix idéologique des « gérants » de l'information internationale : étaient
jugés comme porteurs d'avenir, et donc dignes d'une couver-

ture sympathique, les faits qui confirmaient la vision libérale de la société, alors que les mouvements d'allégeance socialiste (ou simplement antiaméricains) étaient perçus comme des « adversaires[3] ». Certes, l'arrivée au pouvoir de plusieurs gouvernements de gauche dans les pays latino-américains au tournant du siècle a un peu ébranlé cette vision essentiellement « états-unienne ». Le choix des faits rapportés ainsi que les analyses dans nos pages internationales sont pourtant encore largement influencés par cette culture que partagent les grandes agences et les grands réseaux américains de télévision, dont les correspondants étrangers demeurent encore la première source de nos médias[4].

Cette dépendance est plus marquée dans le cas de la télévision, où l'essentiel des segments visuels nous provient encore par l'intermédiaire des grandes agences internationales, qui font le choix des segments qu'elles distribuent. Or, le matériel visuel disponible conditionne toujours quelles nouvelles seront retenues et quels aspects seront privilégiés dans les récits qu'on

---

3   On lira à ce sujet le livre incendiaire, mais fort bien documenté, d'Edward S. Herman et Noam Chomsky, *La Fabrication du consentement* (Marseille, Agone, 2008).

4   Il faudrait sans doute nuancer cette critique des agences internationales en soulignant que leur incapacité à couvrir de manière équitable les deux camps, lors d'un conflit, ne provient pas toujours de leur parti pris idéologique : plusieurs États limitent la libre circulation des correspondants étrangers et, en temps de guerre, de vastes régions sont inaccessibles parce qu'elles présentent des dangers réels pour la vie des journalistes. En 1999, pendant la guerre du Kosovo, bien peu de journalistes occidentaux ont pu circuler librement en Serbie ; par contre, l'accès aux camps des réfugiés kosovars d'origine albanaise, à la frontière de la Macédoine, était facile. Comme ces gens étaient de prime abord les plus grandes victimes de la guerre, tous les grands réseaux de télévision et toutes les agences y ont envoyé leurs correspondants. Pas étonnant que, dans le concert des médias, on ait entendu beaucoup plus de dénonciations des abus des militaires serbes que de remises en question des bombardements de l'OTAN ou des actes terroristes des groupes armés de libération du Kosovo contre les Serbes.

présentera. Ce problème a moins d'importance à la radio ou à l'écrit, où les journalistes ont accès, grâce à Internet, à des sources d'information beaucoup plus diversifiées.

Mais la prolifération des téléphones capables de transmettre des photos ou des séquences filmées (et même à haute résolution, dans le cas de certains modèles) devrait permettre aux journalistes télé de recevoir désormais du visuel de sources de plus en plus diversifiées... quitte à devoir faire preuve de prudence, quand on ne connaît pas la source. On a pu constater l'importance de ces nouveaux « outils » dans le cas d'événements tragiques survenus dans des pays relativement fermés à la presse : en Iran, lors des manifestations ayant suivi la réélection douteuse du président Ahmadinejad en 2009, ou lors du soulèvement populaire contre le président Kadhafi en Libye en 2011. Parfois, ce sont des téléphones cellulaires qui fournissent les premières images provenant de sites de catastrophes naturelles (tremblements de terre en Haïti et en Chine, inondations, tueries, etc.).

8

Les réseaux d'informateurs, les sources autorisées et l'art de la citation

Une partie considérable de l'information journalistique est faite d'événements-paroles : « X… déclare, prévoit, confirme, annonce, révèle… » Et même lorsqu'il s'agit d'événements-actions — un accident, un exploit, une manifestation, un fait cocasse —, ce sont encore les témoins, ou plus rarement les acteurs, qui racontent.

Pourquoi cette insistance sur la parole ? D'abord parce que la presse d'inspiration nord-américaine se veut une presse d'information et non pas d'opinion ; elle s'efforce de projeter l'image d'une place publique ouverte à tous les points de vue. La citation des acteurs sociaux et des « porteurs d'opinion » constitue un élément essentiel de ce forum démocratique.

En second lieu, le journaliste a accès de par sa profession à des lieux et à des personnes inaccessibles à la grande majorité des citoyens. S'il se contentait d'y recueillir l'information pour

en livrer ensuite la synthèse dans ses textes, le public serait inca-
pable d'en mesurer la crédibilité et d'apprécier la qualité de sa
démarche, ni de juger de la pertinence des sources consultées.
En mettant les lecteurs (ou les auditeurs) en contact direct avec
ses sources, le journaliste leur fait partager un peu sa démarche.
Il dévoile qui il a rencontré, quand, où. Par personne interposée,
ses lecteurs ont ainsi la chance de rencontrer des gens importants, des contestataires, des héros, des « chanceux » (le gagnant
de la loterie, par exemple), etc.

Enfin, en mettant de l'avant la parole de « ceux qui ont de
l'importance » plutôt que la sienne propre, le journaliste évite
de prendre position quant aux faits qu'il rapporte et garde sa
crédibilité. Cette « ascèse du désengagement » l'amènera souvent
à chercher des sources qui consentiront à endosser les interprétations qu'il croit pertinent de transmettre, plutôt que de les
avancer en son propre nom. Il pratique donc une forme systématique d'effacement au profit des personnages publics, considérés comme les vrais acteurs des débats sociaux.

Dans la presse électronique (en télévision notamment),
ce recours au témoignage joue un rôle plus important encore.
Le gros plan d'un visage qui pleure est beaucoup plus efficace
pour transmettre une émotion que la description qu'un journaliste pourrait en faire. Le témoignage devient ainsi un moment
dramatique du journalisme télévisé et un élément qui permet
au spectateur de s'identifier au personnage mis en scène, de se
sentir concerné par l'information ainsi illustrée.

Réponse à un voyeurisme latent du téléspectateur et important facteur d'identification du public à ce qu'on lui présente, le
recours à des témoignages permet aussi la juxtaposition, dans un
même reportage, de plusieurs niveaux d'analyse : on passera par
exemple des émotions du témoin aux savantes interprétations
d'un expert, avec la narration du journaliste comme discours
intermédiaire. Cette pratique permet une variation de rythme

et de ton dans le déroulement de l'histoire, variation importante à la radio surtout, où la monotonie d'une seule voix entraîne rapidement une baisse d'attention. **La citation est donc un élément essentiel de l'écriture journalistique.** On ne le dira jamais assez. L'absence de citations, la tentation de tout assumer soi-même, est sans doute le défaut le plus commun chez les aspirants journalistes. Forts de leur recherche et convaincus que la richesse de leurs sources leur confère l'autorité morale pour éduquer les masses, les journalistes inexpérimentés adoptent le ton magistral de l'encyclopédie pour livrer au lecteur tout ce qu'il lui faut savoir. Et ils s'étonnent qu'aucun média n'accepte leur texte, pourtant si bien documenté, si clair... En réalité, il manque de vie, de cette « preuve du terrain » qui lui donnerait son authenticité.

Les sources légitimes

Première question : à quelles sources privilégiées les journalistes donnent-ils la parole ? Un simple regard sur la presse quotidienne nous montre que ce sont, hélas, presque toujours les mêmes personnes. C'est que la presse libérale vend de l'information à ses lecteurs, mais elle vend aussi des lecteurs à ses annonceurs. Presse commerciale, elle cherche à rejoindre la clientèle la plus large possible, en reflétant les préoccupations les plus partagées. Cela amène la presse à considérer comme inexistants (ou du moins comme peu significatifs) les mouvements perçus comme marginaux et à ne leur accorder qu'une place congrue dans l'information, ce qui amplifie leur caractère marginal.

Cette volonté des médias commerciaux d'épouser le plus étroitement possible les points de vue de leur public les conduit à privilégier certains porte-parole considérés comme *légitimes*, parce que représentatifs d'institutions, de groupes, de mouvements d'idées, de faits ou de tendances porteurs d'avenir. Mentionnons, par ordre décroissant de représentativité :

1. Les élus de tous les secteurs : gouvernements, associations, syndicats, etc.

2. Les autorités non élues : juges, évêques, policiers, militaires… et éditorialistes ! En général, la légitimité de ces personnes ne vient pas tant de leur pouvoir personnel que de la force des institutions qu'elles représentent.

3. Les porte-parole officiels d'associations ou de groupements d'intérêt jugés socialement pertinents (par exemple, groupements de locataires, de patrons). Dans bien des cas, il ne s'agit pas d'élus, mais de personnes nommées par le groupe qu'elles représentent ou qui se sont promues elles-mêmes au poste qu'elles occupent. Personne n'a élu Ralph Nader au rang de représentant des consommateurs américains ; mais l'importance du mouvement qu'il a créé, à la fin des années 1960, et les moyens d'action qu'il a pu mobiliser en ont fait pendant plusieurs décennies un personnage significatif, un porte-parole légitime des consommateurs.

4. Les responsables (ou les porte-parole) des institutions, des organisations ou des autres groupes mis en cause dans une nouvelle (y compris leurs agents d'information). Ici, leur légitimité vient du poste qu'ils occupent au sein de l'organisme qui parle par leur voix.

5. Les experts ou les « penseurs ». Des premiers, on vient solliciter la compétence technique, le savoir ; ce sont les chercheurs, les économistes, les ingénieurs, les médecins, etc. Chacun d'eux est crédible dans son champ de spécialité. Des seconds, on vient chercher la « sagesse » ; ce sont les philosophes et les essayistes, les romanciers et les poètes mêmes, dont on accepte plus volontiers qu'ils se prononcent sur des domaines plus vastes.

6. Les « héros » (des arts, des sports, des affaires) et autres personnes renommées. Quand ils commentent l'actualité dans leur domaine d'expertise, artistes, sportifs ou gens d'affaires peuvent être considérés comme des « experts ». Mais il arrive très souvent qu'ils s'expriment sur des questions sociales, politiques ou environnementales beaucoup plus larges. Leur légitimité, dès lors, ne vient pas de leur expertise, mais uniquement de leur célébrité. Au Québec, les grandes batailles environnementales (pour la défense de la forêt boréale, pour la protection des parcs, contre l'exploitation hydroélectrique des petites rivières, contre l'exploitation des gaz de schistes, pour la survie des villages, etc.) ont ainsi été animées par des artistes.

L'ironie, dans ce cas, c'est que ce sont bien souvent les médias eux-mêmes qui donnent à ces héros populaires leur statut de porte-parole crédible. Les sportifs ou les gens d'affaires qui « ne passent pas la rampe », comme on dit dans le monde du spectacle, parce qu'ils sont trop discrets, trop ternes ou qu'ils s'expriment trop mal en français, sont rapidement écartés. C'est plus rare dans le cas des comédiens et chanteurs, dont le métier repose sur leur don de communicateurs. Au final, ceux qui s'expriment bien, avec beaucoup d'émotion, et donnent un meilleur « spectacle », vont rapidement devenir la coqueluche des médias. Ce phénomène est amplifié par la tendance — déjà mentionnée aux chapitres 2

et 7 — qu'ont les médias à s'inspirer les uns des autres.
Quand l'engagement social d'une personne fait l'objet d'un
reportage dans un journal, les recherchistes des émissions
de radio ou de télé la considèrent aussitôt comme une invi-
tée potentielle. Si elle donne de bonnes interviews, d'autres
émissions la solliciteront bientôt, puis d'autres journaux et
magazines s'intéresseront à elle. La boucle est amorcée et
cette personne apparaît bientôt sur toutes les tribunes. Les
groupes de pression l'ont compris, et ils sollicitent désormais
l'appui de ces «vedettes», sachant que c'est leur meilleure
porte d'entrée dans les médias.

**7. Les gens ordinaires, acteurs ou témoins
directs d'événements hors du commun.** Dans ce
groupe, il y a à la fois les victimes (d'un vol, d'un accident,
d'une maladie grave), les chanceux (une gagnante à la loterie
ou les parents du premier bébé de l'année) ou de simples
témoins capables de transmettre l'émotion ressentie lors
d'un événement, d'un spectacle. Leur légitimité, c'est d'avoir
été au bon endroit (ou au mauvais!) au bon moment. Leur
efficacité : l'émotion qu'ils expriment et le fait que le lecteur/
auditeur puisse s'identifier à eux («Cela aurait pu m'arriver!... J'aurais pu y être, moi aussi!»).

**8. Les gens ordinaires, choisis comme prototype
d'un groupe social :** le syndiqué de la base, la ménagère,
l'usager du métro, etc.

Mentionnons là-dessus que l'arrivée du «web 2.0», c'est-
à-dire le développement à grande échelle de l'interactivité sur
Internet, avec la possibilité qu'il offre à chacun de commenter
les nouvelles, d'ajouter de l'information et même d'envoyer des
témoignages, des photos ou des séquences vidéo, a incité les

médias à accorder dans leurs pages ou leurs émissions (et à plus forte raison sur leurs sites web) une grande place aux réactions des internautes. S'agit-il d'une mode passagère ou d'une tendance lourde? Reste que cette innovation a contribué à élargir récemment l'éventail des sources citées dans les médias, même si dans bien des cas la fiabilité de ces sources demeure difficile à évaluer.

L'art de la citation

Seconde question : comment citer? Le recours à la citation comporte au moins trois règles de base :

I. Toujours bien indiquer la source d'une citation. Cette indication est essentielle si l'on veut permettre au lecteur de juger de la crédibilité de celui qui lui parle ou, au contraire, de juger des limites de cette crédibilité. Ainsi, la ministre de la Santé constitue une source valable pour une vue d'ensemble des services hospitaliers, mais, lorsqu'elle commente la performance de son gouvernement, elle n'a pas la crédibilité d'une analyste externe. Seule la désignation claire des personnes citées permettra au public de juger de la nature de votre démarche journalistique[1].

---

1   Dans le cas du journalisme d'enquête, il arrive qu'on doive citer des sources dont on ne peut révéler l'identité à cause des risques qu'engendrerait un témoignage à découvert. Pour que le lecteur ou l'auditeur puisse quand même juger de la crédibilité de cette source, il est important de préciser le rôle que celle-ci a pu jouer dans votre histoire (autant qu'il est possible de le faire sans trahir son identité), ainsi que les raisons qui justifient la protection de son anonymat. Nous y reviendrons dans le chapitre 15, portant sur le journalisme d'enquête.

2. Dans la presse écrite, on peut si nécessaire modifier la tournure des phrases et retrancher certaines parenthèses, à condition de ne jamais altérer la signification des propos. Pourquoi alors utiliser les guillemets si le texte n'est pas une citation intégrale? D'abord parce que, dans la majorité des cas, les journalistes n'enregistrent pas leurs conversations (nous y reviendrons au prochain chapitre, consacré aux techniques d'interview); les citations retenues sont donc le plus souvent issues de transcriptions cursives honnêtes, mais approximatives. En second lieu, le langage parlé donne lieu à des raccourcis, à des constructions grammaticales impropres, à des hésitations, à des redites et parfois même à des contresens qui rendent la plupart des transcriptions intégrales incompréhensibles. Les gestes, les intonations et le jeu des approximations subséquentes finissent malgré tout par rendre clair le sens des propos. Dans ce cas, la reproduction intégrale du texte risque même d'en déformer le sens, au point de devenir malhonnête pour la source. Enfin, mentionnons que de nombreuses sources s'adressent aux journalistes en anglais, et que les citations rapportées sont donc des traductions. Pourquoi aurait-on le droit de placer entre guillemets la citation traduite d'un anglophone, sans pouvoir «traduire» les propos de quelqu'un qui, dans le flot du langage parlé, aurait commis quelques erreurs de français? La seule règle à suivre, donc: l'honnêteté absolue envers le message qu'on cherche à reproduire[2]. Notons que les mêmes règles s'appliquent

---

2   En 1997, quand je dirigeais la revue *Commerce*, j'ai publié un article sur une des plus grandes entreprises québécoises, comprenant une interview exclusive avec son président, obtenue de peine et de misère, après plusieurs semaines de sollicitation. La journaliste nous a fait écouter la bande: en trente minutes d'échanges, il n'y avait pas une seule phrase grammaticalement complète, pas une seule idée développée jusqu'au bout! On comprenait certes le message, mais

dans la presse électronique, quand on réduit au montage la durée d'une citation en y retranchant les hésitations ou les parenthèses inutiles.

3. Lorsque des sujets prêtent à controverse, il faut doser les interventions pour donner la parole aux représentants des différents points de vue en présence. Attention, toutefois : la neutralité n'est pas un critère aussi fondamental que la capacité de juger de la pertinence et de la signification de chaque opinion. Sauf peut-être en période électorale, aucun média n'érigera en principe l'équilibre mathématique entre les parties dans un débat. Si l'analyse du journaliste le porte à croire que la personne interviewée donne des informations justes, intéressantes et significatives, rien ne l'oblige à chercher à tout prix une contrepartie. Ce n'est pas parce qu'une syndicaliste prend la parole qu'il faudra aussitôt donner un espace équivalent à la partie patronale ! Et ce n'est pas parce que certaines personnes contestent la théorie de Darwin sur l'évolution des espèces qu'il faut donner la parole aux créationnistes chaque fois qu'il est question de biologie. Mais il arrive très souvent que les paroles rapportées doivent être prises avec circonspection, parce que la personne citée adopte un point de vue partial. Dans certains cas, ses affirmations sont clairement douteuses, mais comme elles ont été faites en public et qu'elles risquent d'engendrer des conséquences, elles doivent être rapportées. Le journaliste sentira alors le besoin de nuancer son texte et d'équilibrer

aucune phrase n'était utilisable telle quelle. Plusieurs de nos chefs d'entreprise partagent hélas cette pauvreté d'expression… et ils doivent remercier les journalistes de polir leurs déclarations. Les chroniqueurs sportifs vous diront la même chose concernant les athlètes professionnels, qu'on ne pourrait jamais citer si on devait le faire mot à mot.

les opinions en allant quérir d'autres points de vue, question d'offrir au lecteur une perspective plus « distanciée ».

L'importance des citations

Revoyons donc, de manière plus systématique, pourquoi on fait autant de place aux citations dans les textes ou dans les reportages de radio et de télévision.

• **Les citations (ou les extraits d'entrevues, dans la presse électronique) permettent de varier le rythme et le ton, de mettre de la vie dans un texte ou un topo.**

• **Elles placent le lecteur ou l'auditeur en contact direct avec les acteurs de l'événement.** Rappelez-vous que le journaliste est l'œil et l'oreille délégués de ceux et celles à qui il s'adresse. Au lieu de leur présenter une synthèse déjà faite, il doit permettre à ses lecteurs de le suivre dans sa démarche. Il faut qu'ils aient l'impression d'accompagner le journaliste quand il ouvre les portes, de rencontrer les experts, les témoins, les sources. C'est à la fois plus agréable, plus vivant… et plus convaincant.

• **Elles permettent aux lecteurs ou aux auditeurs d'évaluer la nature de la recherche, la qualité des personnes-ressources.** Cela donne de la crédibilité au reportage ; l'information n'a plus l'air de sortir de nulle part, de n'être que du « jus de crâne ». Elle vient en droite ligne du terrain que l'on a exploré.

• À l'inverse, **les citations limitent paradoxalement la crédibilité des propos à celle des sources.** Au lieu de présenter les informations comme si elles étaient autant de vérités encyclopédiques, incontestables, le journaliste les fait porter par des êtres de chair et de sang. Le lecteur choisit qui il croit, mais aussi qui il rejette. Ainsi, le journaliste n'a pas à assumer toutes les opinions, parfois contestables ; il demeure à l'écart ; sa crédibilité est sauve.

Quand citer ?

Des paragraphes qui précèdent on peut tirer quelques principes quant aux endroits de votre texte ou reportage où une citation s'impose.

Une citation sera pertinente **chaque fois que l'information que l'on rapporte est plus crédible lorsqu'elle est transmise par l'acteur lui-même.** C'est le cas de tout ce qui relève de l'avis d'expert, que vous n'avez pas à assumer (surtout quand de tels avis sont sujets à controverse). Mais c'est aussi le cas des émotions vécues, des témoignages sur le vif. Je me rappelle avoir lu, dans un média québécois, un reportage sur les greffes d'organe où une journaliste racontait, dans ses propres mots, combien une transplantation du foie était compliquée, combien les chirurgiens qui la pratiquaient sortaient « vidés » de la salle d'opération ; après quoi, elle cédait la parole à un de ces chirurgiens qui expliquait d'où venait la difficulté, soit de la complexité anatomique du foie. Il aurait mieux valu qu'elle fît l'inverse : laisser le chirurgien raconter les difficultés de l'opération, la fatigue, les risques... et assumer elle-même l'information plus impersonnelle, plus encyclopédique, portant sur l'organe lui-même.

En second lieu, on utilisera la citation **chaque fois que l'information rapportée relève en fait d'une opinion susceptible d'être contestée, à propos de laquelle il n'est pas pertinent que le journaliste s'engage personnellement.** Un exemple : une journaliste fait un reportage sur un problème environnemental. Ses lectures la portent à croire que, bien que la situation soit préoccupante à long terme, elle ne présente pas de danger majeur pour la population exposée (on pourrait donner ici l'exemple de l'entreposage sécuritaire des BPC). Mais en est-elle certaine ? Si c'est, de fait, l'opinion la plus répandue chez les experts et qu'elle croit essentiel de le faire savoir à son public, pourquoi alors ne pas demander à l'un de ces experts de le dire ?

On utilisera aussi la citation **quand les phrases ont du punch,** qu'elles sont cocasses, étonnantes, chargées d'une signification particulière.

Enfin, on pourra utiliser la citation **pour mettre en scène un personnage, un acteur, un témoin, créer un contact direct entre lui et le public.** Dans certains cas, la citation peut alors ne servir que de présentation sommaire. C'est ainsi que, dans les reportages de nouvelles à la télévision, où le temps alloué est toujours serré, on va parfois donner la parole à une personne pour quelques secondes à peine, juste pour qu'on la voie et qu'on l'entende, après quoi la narration couvrira la voix pour permettre au journaliste de reformuler plus efficacement son message.

Les règles éthiques qui régissent les conversations avec les journalistes

Quand, au fil d'un événement, une personne rencontre un journaliste et lui parle longuement, la question qu'elle se pose souvent porte sur les éléments qui seront retenus dans le reportage final : « Est-ce que tout ce que j'ai dit risque de faire la manchette ? Quel contrôle puis-je exercer sur le message qui sera divulgué ? Puis-je avoir accès au texte avant publication, pour m'assurer que ma pensée est bien reflétée ? »

La réponse offerte généralement dans les manuels de journalisme ou de relations publiques, c'est que **tout ce qu'on dit à un journaliste fait aussitôt partie du domaine public.** Lui seul peut juger de la pertinence de publier ou non cette information et choisir ce qu'il retiendra en fonction de la quête d'information qu'il a entreprise. Ce qui lui a été dit lui appartient désormais, **à moins d'une entente explicite préalable pour en restreindre la**

diffusion (un « embargo » qui interdit la publication avant telle date ou telle heure, par exemple).

Une nuance s'impose toutefois : quand un journaliste rencontre un politicien, un porte-parole d'organisme ou un agent de relations publiques, il peut présumer que son interlocuteur connaît cette règle de conversation ; mais ce même journaliste rencontre aussi, dans sa vie privée, des beaux-frères, des amis, d'anciens collègues de cégep... Ces gens-là lui feront parfois des confidences sur leur milieu de travail, sur des gens connus ou sur tout autre sujet susceptible de donner lieu à une histoire juteuse. La tentation est forte de se dire : « Tant pis pour eux ! Ils savent que je suis journaliste. Ils n'avaient qu'à se taire. » Mais si ces gens savent que nous sommes journalistes, ils ne connaissent pas nos conventions professionnelles et il ne leur vient pas à l'esprit que tout ce qu'ils nous ont dit peut se retrouver demain dans notre canard.

Le simple respect veut que, si l'on sent une nouvelle poindre dans des propos tenus en privé, on demande à la personne l'autorisation de les utiliser, quitte à négocier alors la part de ce qui est public et le mode d'attribution des informations. En plus de quarante ans de métier, très peu de mes informateurs involontaires ont refusé de me donner des éclairages additionnels — quitte à modérer certains de leurs commentaires — lorsqu'il est devenu clair pour eux que j'avais repris mon chapeau de journaliste.

Les sources qu'on ne peut divulguer

Les sources dont il a été question au début du présent chapitre sont non seulement légitimes, mais aussi officielles, publiques. Elles sont citées et indiquées. Mais il arrive souvent que le journaliste rencontre des sources qui refusent d'être vues, entendues ou identifiées. Fort utiles au commentateur ou à l'éditorialiste qui cherche à se faire une idée mais qui assumera ensuite la responsabilité de son propos, ces informateurs sont bien moins utiles pour le reporter. L'information qu'il en tirera devra être confirmée par une autre source qui acceptera, elle, d'en porter la responsabilité publique; ou bien le journaliste devra l'assumer en se repliant derrière des formules consacrées: « Nous avons appris de bonne source... », « De source généralement bien informée... », à moins d'avoir recours au « on », aussi imprécis qu'inélégant (« Dans l'entourage du premier ministre, on affirme que... »). Ces artifices ne changent rien au fait qu'en pareil cas, le journaliste engage sa responsabilité personnelle et celle de son média dans la transmission de l'information. D'ailleurs, les concurrents n'hésitent pas, lorsqu'ils repiquent la nouvelle, à en attribuer la paternité au journal qui l'a diffusée le premier: « Le média X... révèle que... »

Pour cette raison, le journaliste doit ne recourir qu'avec prudence aux sources qu'il ne peut divulguer. Mais il est difficile (et non souhaitable) de les éviter totalement: elles sont souvent la seule voie d'accès à une information de première importance.

Dans certains cas, du reste, on n'a guère le choix: une enveloppe cachetée arrive par courrier, remplie de documents marqués « confidentiel »; un mystérieux informateur, qui refuse de s'identifier, téléphone à la journaliste qui a reçu l'envoi pour lui expliquer dans quel contexte les documents fournis doivent être replacés. Des révélations bouleversantes! Mais l'informateur peut être un farfelu ou un employé subalterne, vaguement paranoïaque, qui perçoit dans son entourage des scandales inexistants. Comment savoir?

De tels **informateurs anonymes** sont souvent à l'origine d'enquêtes qui n'aboutiront que quelques semaines ou quelques mois plus tard. Faute de pouvoir au départ juger de la crédibilité de sa source, notre journaliste devra choisir d'approfondir ou de laisser tomber la piste sur la seule foi de l'information reçue. S'agirait-il, si c'était vrai, d'une matière suffisamment importante pour y consacrer les efforts requis? Les documents reçus sont-ils assez clairs et assez probants pour susciter une publication même en l'absence d'autre confirmation? Sinon, est-il possible, par quelques appels téléphoniques discrets ou en consultant quelques documents, de confirmer au moins certains éléments d'information? Il est évident que, sans une confirmation ultérieure, l'information reçue d'une source anonyme ne peut que très rarement donner lieu à une publication.

Il en va tout autrement quand il s'agit d'**un informateur connu de la journaliste, mais désireux de conserver l'anonymat** (pour des raisons professionnelles, par exemple, si son employeur ne l'autorise pas à rencontrer les journalistes). Dans ce cas, sa crédibilité peut au moins être mesurée. Les renseignements obtenus peuvent alors être jugés dignes de foi et publiés sans que la journaliste n'ait à révéler publiquement l'identité de sa source. Dans certains cas, lorsque la matière n'est pas strictement confidentielle et qu'elle aurait pu aussi bien être obtenue d'autres sources, l'usage d'une formule impersonnelle (« de bonne source ») pourra suffire.

Mais la publication de renseignements obtenus sous entente de « non-attribution » présente un risque de manipulation. Certains informateurs utilisent systématiquement ce procédé pour faire circuler de l'information sans avoir à en assumer la responsabilité. C'est une pratique fréquente en politique : afin de tester la popularité d'une mesure législative, le gouvernement confiera à un député d'arrière-banc le mandat de faire circuler l'information auprès des journalistes sous le couvert de l'anonymat ; si la réaction publique est négative, on nie tout. Certains hauts fonctionnaires utilisent aussi ce stratagème pour forcer la main à un ministre réticent à mettre de l'avant une mesure législative qu'ils favorisent. Les journalistes sont alors conscients d'être utilisés comme courroie de transmission ou de jouer le jeu de leur source anonyme. Mais si la nouvelle est importante, pourquoi se priveraient-ils de la primeur? Après tout, ne sont-ils pas en situation de concurrence, eux aussi[3]?

Mais il y a risque d'abus. En 1987, les dirigeants de la Sûreté du Québec ont pu, sans se mouiller officiellement, impliquer le président de la CSN, M. Gérald Larose, dans une série d'attentats à la bombe contre l'hôtelier Raymond Malenfant. C'était une information fausse, que des journalistes se sont empressés de publier sous le couvert de « sources généralement bien informées », jouant ainsi le jeu de la police, en guerre contre le leader syndical. Les forces policières n'ont pas le monopole de ces techniques de désinformation : dans les courses à la direction des partis politiques, j'ai souvent vu l'entourage d'un des candidats faire circuler, sous couvert de l'anonymat, de l'information peu flatteuse pour l'adversaire; des entrepreneurs m'ont déjà livré des informations désobligeantes sur leurs concurrents en me demandant simplement de ne pas être nommés.

Un conseil pratique : quand un informateur vous demande de taire son nom, demandez-vous quel est son véritable motif et quel serait le risque pour sa carrière (ou sa sécurité) s'il était nommé; n'acceptez l'entente que si la demande vous semble raisonnable, et le danger de manipulation, sans conséquence grave.

---

3   Dans sa thèse de doctorat en sciences politiques, à l'Université Laval, le journaliste Marc-François Bernier a analysé le recours aux informateurs anonymes dans les textes des chroniqueurs parlementaires de trois quotidiens du Québec. Entre 1994 et 1995, 30 % des textes publiés contenaient de tels éléments (ce qui se rapproche du 35 % relevé pour le *New York Times* et le *Washington Post*). Mais l'auteur constate que moins de 20 % de l'information ainsi livrée sous le couvert de l'anonymat servait à dénoncer des situations inacceptables ou scandaleuses. Dans la majorité des cas, il s'agissait d'information neutre et le procédé permettait seulement au journal de profiter d'une exclusivité.

Les déclarations *off the record*

Dans certaines situations, même une divulgation faite sous le couvert de l'anonymat risque de déclencher une enquête à l'intérieur de l'organisme visé. L'informateur pourrait alors être embêté, voire congédié ou poursuivi, s'il était démasqué comme auteur de la fuite. Parfois, ce danger ne l'empêchera pas de parler à un journaliste, malgré le risque encouru ; mais il réclamera alors une protection encore plus totale : la « non-publication » de toute information livrée à moins qu'elle ne soit obtenue d'une autre source, et par un processus d'enquête où il ne sera jamais mis en cause. C'est ce qu'on appelle l'*off the record*.

Dans ce cas, la demande de non-publication porte non pas sur l'identité de l'informateur, mais sur l'information elle-même. Étrange pratique, direz-vous, que de se confier à un journaliste en lui demandant de ne rien publier ! On comprendra que c'est une demande fort paradoxale à laquelle un journaliste ne devrait jamais acquiescer à la légère.

Cette entente de non-publication est pourtant très souvent acceptée sans réflexion ! Un dirigeant d'entreprise raconte sa vie et ses exploits financiers à une journaliste. Au fil de la conversation, il glisse une anecdote peu flatteuse sur un concurrent ou un technocrate, en s'empressant d'ajouter : « Au fait, ça, c'est *off the record*, bien sûr. » Entendu ! La journaliste oublie donc aussitôt cette confidence. On passe à autre chose. L'information, inutilisable comme telle, lui servira tout de même à se faire une idée de la personnalité de son interlocuteur quand viendra le temps d'esquisser son portrait. Des confidences de ce genre — aussitôt dites, aussitôt retirées —, on en rencontre dans tous les secteurs du métier.

Mais à force d'accepter tacitement cette convention lorsqu'elle s'applique à de petites anecdotes sans importance, relevant bien souvent du domaine privé, trop de journalistes en viennent à l'accepter avec la même nonchalance quand il s'agit d'informations clés. D'autant plus, se disent-ils, que cet engagement ne tient qu'envers la personne qui a réclamé cette exclusion. Si la journaliste se fait raconter la même chose par quelqu'un d'autre, elle n'est plus liée par sa promesse initiale de discrétion. Dès lors, n'est-il par préférable de recueillir toute l'information que l'on peut obtenir, quitte à devoir la confirmer ailleurs, plutôt que de ne rien apprendre du tout? Pas nécessairement! Certaines sources peuvent en effet vous dire n'importe quoi, si elles se savent protégées par la convention du secret. Par exemple, un ministre est pris en faute dans un dossier; son attaché de presse, pour redorer le blason de son employeur, prend le ton de la confidence et vous raconte, *off the record* bien sûr, comment les choses se sont « vraiment » passées; il peut alors colorer le réel (et salir au passage quelques adversaires politiques) avec d'autant plus de liberté qu'il sait que personne ne va publier ça. À manier avec réserve, donc. N'accepter cette convention du silence que lorsqu'elle paraît pleinement justifiée, et traiter ce qu'on s'y fait dire avec beaucoup de scepticisme[4].

Cela dit, il ne faudrait pas nier l'importance de ces confidences non publiables dans une recherche journalistique.

---

4   En 1998, le journaliste André Pratte s'est trouvé dans une situation embêtante pour avoir accepté un peu à la légère de ne pas publier les confidences que lui ferait Brian Mulroney pour l'aider à préparer une biographie de Jean Charest, le nouveau chef du Parti libéral du Québec. Or, l'ex-premier ministre Mulroney a donné au journaliste, dans cette conversation privée, une information qui contredisait ce qu'il avait toujours affirmé publiquement… et qu'André Pratte lui-même avait déjà publiée. En respectant son engagement de confidentialité, le journaliste aurait entretenu une version des faits qu'il savait désormais mensongère. Il a préféré violer sa promesse, ce qui lui a été vertement reproché parmi les journalistes, qui voient le *off the record* comme un engagement absolu. Avec le recul, André Pratte a dit ne pas regretter son geste, mais a reconnu qu'il aurait dû en aviser Brian Mulroney avant la publication. Je suis d'accord, mais je m'interroge aussi sur la pertinence d'avoir accepté un interdit de publication aussi général, dès le départ. Ce genre d'entente est presque toujours négociable.

Lorsqu'une personne-ressource que vous considérez comme fiable vous décrit le déroulement d'événements qui vous seraient autrement inaccessibles, en vous enjoignant de n'en rien divulguer, cela peut quand même vous éclairer grandement sur le comportement des acteurs, sur leurs motivations et sur la trame véritable des faits que vous cherchez à mettre en perspective. Si une ministre vous révèle, *off the record,* comment chacun de ses collègues a voté, dans une réunion privée du Cabinet, ce n'est peut-être pas de sa part faire preuve de grande solidarité envers eux, mais cela peut vous aider, dans l'avenir, à mieux décoder les jeux d'alliances au sein du gouvernement. Si un directeur d'une grande entreprise vous transmet des statistiques financières internes en vous demandant de ne pas les divulguer parce qu'il est le seul à posséder cette information confidentielle, cela peut au moins vous permettre de mesurer la santé de l'entreprise et de mieux interpréter les gestes de la direction.

Si l'information obtenue sous convention de non-publication mérite malgré tout d'être divulguée, la journaliste devra alors mettre en place une stratégie qui lui permettra d'obtenir cette information d'une autre source, sans jamais mettre en cause, directement ou indirectement, son informateur initial. Cela nécessite, de la part de la journaliste, une extrême prudence au cours des interviews subséquentes, pour ne pas laisser paraître l'étendue de ce qu'elle connaît. Elle devra même, dans certains cas, éliminer toute référence à cet informateur dans ses propres notes de recherche au cas où l'enquête donnerait lieu à une saisie policière. En effet, les journalistes ne sont pas à l'abri de telles saisies et ne jouissent ni du secret professionnel ni de l'immunité judiciaire ; c'est pour ça qu'on a vu des journalistes utiliser dans leurs cahiers de note des pseudonymes comme « ma chouette » ou « le râleur ».

Cette situation est rare, heureusement. Nous y reviendrons dans le chapitre portant sur le journalisme d'enquête.

Les informations émanant de sources diffuses

Il arrive aussi aux journalistes de recueillir des informations à partir de sources diffuses, difficiles à identifier comme telles. Une rumeur court dans un milieu donné. Certains informateurs fiables confirment en avoir entendu parler. Ils croient la rumeur fondée, sans en avoir la preuve. Les personnes concernées refusent de commenter, mais leurs réactions vous paraissent révélatrices. Vous faites les recoupements et finissez par acquérir la quasi-certitude que votre information est exacte. Dans la plupart des cas, une telle information, sans source précise ni confirmation formelle, peut malgré tout être publiable, pourvu qu'on la désigne comme une rumeur.

La prudence s'impose toutefois. En janvier 1989, une rumeur persistante a fait du leader d'Alliance Québec, Royal Orr, le principal suspect dans l'incendie criminel des locaux de son groupe. L'information, largement diffusée, ne reposait sur rien. En 1995, la police recherchait, pour délit de fuite, un homme qui avait causé la mort d'un jeune cycliste en le heurtant avec sa Mercedes noire. Une rumeur a circulé, dévoilant les initiales du suspect : RC. Très vite, le nom de Ronald Corey, le président des Canadiens de Montréal, s'est retrouvé dans les médias, au point où la police a dû organiser une conférence de presse pour démentir cette information.

Avec le déploiement du réseau Internet, de telles rumeurs se répandent désormais beaucoup plus vite, et certaines informations fausses peuvent faire le tour de la planète en quelques jours. Il suffit de se rappeler le délire qui a entouré l'enquête du procureur américain Kenneth Starr sur le président Clinton en 1998, en particulier quant à ses relations avec l'ancienne stagiaire de la Maison-Blanche, Monica Lewinski. Beaucoup d'analystes ont déploré alors, avec raison, que les journalistes aient négligé un des principes de base de leur métier : la vérification systématique des faits, avant publication.

Les déformations liées à la pratique du journalisme par citations

Le recours à la citation, comme source privilégiée de l'information dans le journalisme contemporain, contribue à **théâtraliser l'actualité.** Les sources deviennent des personnages, l'action est simplifiée, et la narration est centrée sur les conflits et les idées qui s'opposent. D'autres facteurs jouent d'ailleurs dans le même sens : d'abord, le parti pris fondamental du journalisme en faveur de l'événement-crise, aux dépens du fonctionnement au jour le jour des institutions, favorise une vision dramatisée de la scène publique ; en second lieu, la cacophonie des messages force les médias à attirer l'attention avec des mises en scène plus dramatiques ; enfin, l'arrivée de la télévision — un média basé sur l'image, l'action, l'émotion, et non sur les enjeux de fond — a contribué à une vision plus superficielle de la dynamique sociale (comme en témoigne la valorisation de l'image et des slogans publicitaires, dans les campagnes électorales contemporaines).

Cette approche théâtrale de l'information a des conséquences sur la qualité (et la profondeur) de l'information diffusée :

1. Elle met en scène des acteurs-vedettes aux dépens des faits. Notons que cela peut parfois être un mal pour un bien : l'information sera, dans l'ensemble, plus superficielle, mais si le public s'identifie plus concrètement aux acteurs, l'essentiel sera retenu plus efficacement. L'effet inverse se produit malheureusement tout autant : les acteurs passent comme les modes, et les faits qui, seuls, auraient pu servir d'assises à une vision approfondie des choses, sont oubliés avec eux.

2. Elle traite les dossiers sous l'angle des polémiques et des conflits, et non plus en fonction des enjeux qui sont en cause. Les journalistes ont ainsi de plus en plus souvent une conception « stratégique », voire purement « tactique », de la vie publique : comment tel ministre va-t-il réussir à se mettre en valeur ? Comment l'opposition va-t-elle profiter d'un scandale ? Quel sera le prochain mouvement de tel clan ?... Mais les idéologies dominantes, qui expliquent pourtant toute l'action politique, ne font plus partie de leur analyse (font-elles même encore partie de la vision des politiciens ?).

3. Les journalistes tendent à négliger les sources documentaires, les recherches approfondies, pour ne mettre en scène que ce qu'en disent les acteurs. Un exemple, cité par Jean de Bonville, professeur à l'Université Laval : lors d'une conférence de presse, un ministre canadien affirme que l'élection du PQ a eu pour effet de modifier le commerce interprovincial aux dépens du Québec ; au lieu de confronter cette affirmation aux statistiques (une tâche ardue, parce que trop technique), le journaliste se contente de citer le ministre et, pour assurer l'équilibre de l'information, il s'empresse d'ajouter un paragraphe sur la réaction d'un ministre québécois dénonçant la déclaration fédérale. « Le cycle des affirmations gratuites mais réelles peut s'amplifier (avec de nombreuses autres réactions), poursuit de Bonville, mais dans cette spirale d'affirmations, qui dira où loge la vérité [...] à propos du commerce interprovincial canadien ? »

L'importance accordée aux citations a aussi des conséquences quant à la diversité de l'information diffusée :

1. Le choix des mêmes nouvelles par les médias.
On l'a vu plus haut : cela vient surtout de la volonté des
médias de refléter les préoccupations d'un public de plus
en plus large, et de leur tendance à s'abreuver les uns aux
autres. Mais le phénomène est aggravé par le fait que tous
les médias puisent aux mêmes sources «légitimes» et leur
accordent souvent le même ordre d'importance. Tout le
monde couvre donc à peu près les mêmes événements,
donne la parole aux mêmes acteurs (ceux qui sont les plus
crédibles ou qui s'expriment le mieux) et se retrouve donc
avec les mêmes angles de traitement.

**2. La sélection des sources en fonction de cri-
tères techniques.** À la radio et à la télévision, on choisit
de préférence des sources qui «passent bien», celles qui
savent faire des déclarations-chocs, même si elles sont moins
rigoureuses. Et on n'entend jamais les bègues ! Ce travers
risque moins, en principe, d'affecter la presse écrite, mais
comme c'est souvent la télévision qui impose les acteurs-
vedettes, l'efficacité en ondes devient essentielle à tout personnage public qui veut être l'objet d'une couverture.

**3. La dépendance de la presse à l'égard des gens
qui acceptent de parler.** Les gens discrets, pour leur
part, restent dans l'ombre. Or, ceux qui acceptent de parler
aux journalistes ne sont pas nécessairement les sources les
plus crédibles, ni les acteurs les plus puissants.

**4. La toute-puissance des professionnels de la
communication.** Ceux qui ont le verbe facile ou qui

peuvent se payer de bons relationnistes ont une plus grande présence. Les groupes moins organisés et les gens moins scolarisés jouent perdants dans ce théâtre des médias.

5. Les concessions des médias en faveur de leurs sources (ou de leurs invités-vedettes). Les journalistes à la recherche d'une bonne déclaration doivent parfois pratiquer le donnant donnant ou le copinage excessif avec le milieu qu'ils couvrent. On le voit par exemple dans l'information policière, où les reporters mettent en valeur le travail des «fins limiers» qui leur donnent en échange un accès à des primeurs. On le voit aussi dans la quête aux confidences par les journalistes sportifs, ou ceux qui couvrent la scène culturelle. On sera beaucoup moins critique envers la performance d'un acteur avec qui on entretient par ailleurs des relations privilégiées.

Les réseaux d'informateurs et de personnes-ressources

Une étude publiée en 1975 par le ministère québécois de l'Environnement faisait état d'un niveau très élevé de pollution par le mercure dans les lacs et rivières d'Abitibi, et recommandait aux populations locales de ne plus en consommer le poisson. Le jour même de la diffusion de ces données, des groupes autochtones tenaient une conférence de presse pour dénoncer l'industrie papetière, responsable, selon eux, de cette pollution.

Quelques heures plus tard, la société papetière mise en cause rappelait que le procédé utilisé pour la production de chlore (essentiel à la destruction de la lignine et au blanchiment du papier) requiert bien du mercure, mais qu'il s'agissait de mercure sous forme métallique, et non de composés organiques. Or, disait-on dans le communiqué, la pollution mise en évidence par le rapport gouvernemental concernait les organo-mercures. L'entreprise déclinait donc toute responsabilité dans l'affaire et désignait un autre coupable possible : la création de vastes bassins hydrauliques avait inondé des forêts entières, et les composés de mercure organique pouvaient être des sous-produits de la pourriture des arbres.

Le journaliste qui devait, dans le bulletin de nouvelles du soir, traiter de cette affaire, n'avait que quelques heures pour faire la distinction entre ces affirmations contradictoires. La solution de facilité : aligner les deux argumentations, quitte à ce que, pour le public, le résultat ne soit guère éclairant.

Des situations de ce genre, les journalistes en vivent toutes les semaines. Ils ont rarement le temps de fouiller dans les livres de chimie organique, dans les dossiers techniques, dans les rapports économiques ou statistiques, pour discerner le vrai du faux. Il ne leur reste qu'un espoir : trouver, à l'extérieur des groupes qui s'affrontent, une personne assez experte en la matière pour porter un jugement sur la valeur relative des arguments en jeu, et qui soit prête à partager son expertise avec les journalistes.

Dans le cas du mercure, un professeur de chimie organique de l'Université de Montréal m'avait alors expliqué que la boue du fond des rivières contient de nombreux micro-organismes capables de transformer le mercure métallique en mercure organique. La compagnie avait peut-être raison d'attribuer une partie de la pollution à la décomposition des arbres immergés, mais rien ne permettait d'exclure les rejets directs de l'usine comme cause principale de cette pollution. Ce professeur m'a alors parlé d'une autre affaire de ce genre, survenue à Minamata, au Japon, plusieurs années auparavant. En dix minutes de conversation, j'avais en main assez d'éléments pour fouiller cette histoire et rédiger une bonne nouvelle.

Ce sont des personnes-ressources de ce genre qui rendent possible un journalisme intelligent. Et c'est la capacité d'avoir rapidement accès à une telle expertise qui distingue les meilleurs journalistes… qui ne peuvent en fait être qu'à la hauteur de leurs sources!

Quand on commence dans ce métier, comment peut-on établir rapidement un réseau de personnes-ressources? Voici quelques conseils utiles:

I. Lire beaucoup. Être informé sur à peu près tout, du moins dans les domaines qu'on a choisi de couvrir. Savoir constamment ce qui s'y passe, qui sont les acteurs à suivre, qui joindre en cas de besoin.

2. Repérer sur Internet les principaux sites de référence pour les journalistes, ainsi que les sites-répertoires, ceux qui donnent accès à l'ensemble des sites pertinents dans chaque secteur d'intérêt. Repérer aussi les sites ouverts aux questions des journalistes, ainsi que les forums spécialisés où le journaliste pourra entrer en contact avec les experts des domaines qu'il couvre. Au moment de commencer une recherche sur une question donnée, un survol de ces sites peut permettre de sauver des heures et de trouver rapidement les personnes-ressources et les institutions les plus pertinentes (nous reviendrons sur l'utilisation du réseau Internet, au chapitre 11).

3. Établir sa propre documentation complémentaire. Pour certaines recherches de pointe, il existe des bibliothèques et des centres de documentation spécialisés. Pour le reste, l'essentiel de la documentation récente est accessible sur Internet. Mais lorsqu'il faut se retourner rapidement, savoir où chercher et qui interroger, rien ne remplace les coupures de presse récentes qu'on aura rassemblées dans une chemise, accompagnées des noms et numéros de téléphone de leurs principaux acteurs : biologistes, fiscalistes, criminologues, psychologues, sous-ministres, agents d'information, analystes... Un article de magazine, même s'il n'est lu qu'en diagonale, pourra demain servir à cerner rapidement ce qui s'est écrit sur la question ainsi que les personnes qui ont donné des interviews, un bon point de départ pour trouver rapidement des sources éventuelles. Ne pas être trop sélectif au début : n'épurer que lorsque le temps est venu de remettre à jour un dossier encombré. Seul investissement requis : un classeur.

4. Répertorier toutes les personnes-ressources éventuelles. Même des textes rébarbatifs peuvent permettre de retracer les experts d'un domaine spécialisé qu'il faudra couvrir éventuellement. Savoir colliger cette information : nom de la personne-ressource, lieu de travail, domaine d'expertise, titre et date de la publication, etc. En cas de besoin, un appel suffira. C'est fou ce que l'auteur d'un rapport technique oublié sur une tablette peut devenir coopérant, lorsqu'il découvre qu'un journaliste a lu ce rapport, que son travail oublié peut encore servir à quelqu'un !

5. Profiter des congrès, colloques et autres événements pour entrer en contact avec les acteurs moins visibles, dans chaque secteur de couverture. On ne peut couvrir adéquatement le secteur de l'éducation en parlant uniquement aux porte-parole des commissions scolaires, aux chercheurs universitaires ou au personnel des cabinets politiques. Il faut aussi rencontrer des enseignants. Tout comme il faut rencontrer des infirmières ou des préposés aux patients quand on s'intéresse à ce qui se vit dans les hôpitaux. Or, il n'est pas toujours facile de rencontrer ces personnes sur leurs lieux de travail, pour les faire parler de leur quotidien. Les congrès et colloques sont des moments privilégiés pour ce genre de contact qu'il faudra ensuite savoir cultiver (nous y reviendrons au chapitre 10, sur la couverture des événements).

6. Assurer le suivi des dossiers, en gardant le contact avec les personnes que vous avez interviewées, même si le sujet n'est plus dans l'actualité chaude. Avoir recours au bon vieux système de l'empilement des articles, au jour le jour : après deux, trois ou six mois, on retourne la pile et on reprend les articles, un à un. En reprenant contact avec ses sources, ne serait-ce que pour leur demander ce qui s'est passé depuis la publication du reportage, le journaliste risque de devancer la nouvelle. Et même s'il n'y a rien de neuf au moment de l'appel, le journaliste établit avec ses informateurs une relation suivie. Désormais, il fera partie de leur décor, et ces sources penseront à lui dès qu'elles auront une information à transmettre.

7. Maintenir un réseau actif de personnes-ressources. Il peut s'agir de confrères ou de consœurs, de connaissances ou de personnes interviewées au cours de reportages antérieurs, auprès de qui le journaliste aura établi sa crédibilité, et qu'il sera dès lors possible de consulter aussi souvent que requis. Maintenir une relation de confiance et d'amitié avec ces ressources précieuses. Elles deviendront à leur tour d'excellents ambassadeurs ou ambassadrices, lorsqu'il faudra prendre contact avec d'autres sources. En effet, s'ils n'ont pas de réponse aux interrogations du journaliste qui les sollicite, les experts d'un domaine peuvent souvent suggérer le nom d'autres personnes fiables parmi leurs collègues. Il est toujours plus facile pour le journaliste de prendre contact avec ces gens et d'établir avec eux un rapport de confiance s'il peut faire référence au collègue ou à l'ami qui a suggéré leur nom. Peu à peu, le réseau de connaissances s'étendra.

8. Chercher à diversifier les axes de son réseau de personnes-ressources. Un réseau trop restreint peut donner prise à un «journalisme de chapelle». Un journaliste qui couvre le monde syndical, par exemple, et dont l'essentiel des réseaux de personnes-ressources vient de ces milieux, n'aura qu'une vision partielle des enjeux sociaux… tout comme le journaliste qui couvre le secteur des affaires et ne parle qu'à des entrepreneurs. Il est essentiel d'élargir ses horizons.

9

Les techniques d'interview

Pour obtenir de l'information, il ne suffit pas de colliger çà et là des faits, des chiffres et des déclarations, pour les restituer en désordre dans son texte du lendemain. Il faut mettre en branle un processus de réflexion et de recherche par lequel ces faits, ces chiffres et ces déclarations sont recueillis, organisés, comparés et équilibrés pour former un portrait cohérent. Or, c'est bien souvent dans des délais plutôt courts que les journalistes doivent dégager les perspectives donnant un sens à l'information rassemblée.

S'il est souhaitable qu'ils aient accès aux sources techniques, aux rapports d'étude, aux relevés statistiques et aux autres ressources documentaires, les journalistes devront compter sur des experts pour interpréter correctement ces données et en faire ressortir le sens. En d'autres mots, qu'il s'agisse de la « prérecherche » (quand ils explorent un champ de couverture qu'on vient de leur assigner), de la cueillette des faits proprement dite ou de la phase ultérieure du dégagement de sens et de la

226 OUTILS ET TECHNIQUES DE COLLECTE DE L'INFORMATION

recherche de données complémentaires, c'est presque toujours par le biais d'entrevues que les journalistes iront chercher ou vérifier leur interprétation du réel.

Voilà pourquoi on dit du journalisme que c'est d'abord une profession à caractère social. L'aptitude à recueillir des informations, à dénicher des faits nouveaux ou à dégager des significations repose en bonne partie sur l'habileté à parler avec les acteurs d'un événement ou avec les autres informateurs. Il faut savoir poser les bonnes questions en gardant à l'esprit les faits que l'on veut mettre en lumière, mais il faut aussi pouvoir écouter les réflexions des gens, percevoir leurs points de vue, être ouvert à l'imprévu. Il sera souvent nécessaire de mettre en confiance les gens que l'on rencontre — pour qui l'intrusion des médias n'est pas toujours agréable, surtout lorsqu'on arrive avec un magnétophone ou, pire, avec toute une équipe de vidéo! On devra les aider parfois à exprimer clairement des idées qu'ils n'arrivent pas à formuler, sans leur mettre dans la bouche des affirmations qui leur seraient étrangères. Et on ne dispose que de 10, 20 ou 60 minutes pour comprendre l'essentiel des enjeux auxquels ces gens ont peut-être consacré la moitié de leur vie.

Le présent chapitre entend décrire quelques techniques de base utiles à qui veut réussir de bonnes interviews. Mais attention, le terme *interview* désigne en fait bien des choses, allant de l'entretien plutôt informel qu'on a avec une personne rencontrée lors d'un colloque spécialisé, et qui ne donnera peut-être jamais lieu à une publication, au véritable « interrogatoire » auquel sont soumis les politiciens à leur sortie de la Chambre des communes, lorsqu'une meute de journalistes veulent leur arracher quelques déclarations-chocs (une pratique qu'on appelle le *scrum,* en franglais).

L'entrevue de documentation (ou *briefing*)

À la toute première phase d'une recherche ou d'un reportage, les journalistes ont souvent besoin de rencontrer un expert ou un témoin privilégié de la situation prise comme cible, sans autre objectif que de mieux connaître le domaine. C'est l'entrevue dite « de *background* » dans le franglais usuel, que l'on peut traduire par « entrevue de documentation ».

Elle peut être utile pour préparer une couverture. Prenons le cas d'un journaliste devant couvrir un congrès international sur le contrôle des opérations en devises et qui, dans les jours qui précèdent, demande à un professeur de HEC Montréal de lui faire un portrait des grands défis et des questions dans ce domaine.

Ce type de préentrevue peut avoir lieu encore plus tôt dans le processus, avant même que la décision de faire un reportage n'ait été prise. Une journaliste rencontre par exemple un urbaniste au cours d'un événement quelconque. La conversation glisse sur le cas de Montréal. Aucune question précise encore ; il s'agit d'abord pour elle d'écouter, d'être à l'affût des pistes de recherche sur lesquelles ce spécialiste peut la lancer. Peu à peu, au fil des propos échangés, surgira peut-être un projet de reportage.

Enfin, dans d'autres cas, ce genre d'entrevue de fond peut suivre une nouvelle qu'il faut replacer dans un contexte plus global. Un exemple : une agence de presse rapporte que des Thaïlandais demandent l'asile politique au Canada. Le rédacteur international, qui doit rendre cette nouvelle intelligible, cherche d'urgence quelqu'un qui puisse lui parler de l'état des droits de la personne en Thaïlande.

Dans tous ces exemples, l'entretien tiendra plus de la conversation libre que de l'interview proprement dite : aucun cheminement prévisible, pas de questions préparées à l'avance ni d'informations précises à dégager. La personne-ressource risque même de n'être jamais citée; c'est d'ailleurs souvent la convention qui existe alors entre le journaliste et sa source. Mieux vaut quand même le faire de manière explicite : **lorsque vous demandez à une personne-ressource de vous accorder un tel entretien dans le cadre d'une «prérecherche», dans le seul but de mieux comprendre une situation, sans savoir si les éléments recueillis donneront lieu à un texte ou à un reportage, précisez-le clairement à cet interlocuteur.** Il n'y a rien de pire, pour quelqu'un qui vous accorde de son temps en croyant retrouver ses propos dans votre reportage, que de découvrir ensuite que c'était... du temps perdu! Une explication très claire de l'état de votre recherche et du but de votre démarche évitera les malentendus et les déceptions.

Cette convention de non-publication étant inhérente à bien des entrevues de documentation, on pourrait aussi placer dans cette catégorie les entretiens accordés sous la consigne de la confidentialité absolue *(off the record)*, notamment lorsqu'il s'agit d'un témoin ou d'un acteur tenu au silence, mais qui accepte de livrer au journaliste des pistes pour ses recherches à venir. Nous avons déjà évoqué, au chapitre précédent, les réserves qu'il faut conserver face à ce genre d'entretien — où la source utilise parfois la protection de l'anonymat pour transmettre des informations douteuses — mais aussi son importance stratégique, dans certaines enquêtes.

L'interview factuelle de presse écrite (ou l'interview de recherche, dans la presse électronique)

Lorsqu'ils couvrent un événement, qu'ils assistent à une conférence de presse ou qu'ils font des recherches en vue d'un reportage, les journalistes rencontrent de nombreuses personnes, avec cette fois en tête une meilleure idée des informations qu'ils recherchent. **Pour des renseignements précis (des noms, des dates, des statistiques) ou des questions pointues, le téléphone est le meilleur instrument. Mais pour connaître les émotions, les opinions de fond, les réflexions, l'ambiance, il faut voir!** Et le contact s'établit beaucoup mieux en personne. Rappelez-vous : vos informateurs d'aujourd'hui peuvent devenir vos personnes-ressources de demain. Les sourires, les regards échangés, les moments de conversation libre avant et après l'interview font aussi partie de cette habileté sociale nécessaire aux journalistes.

Parce que la relation que vous entretenez avec votre interlocuteur détermine souvent le résultat de l'interview, parce qu'il est préférable de converser au lieu d'interroger, parce que cela exige une certaine liberté de manœuvre, **l'usage du magnétophone est fortement déconseillé pour l'interview de presse écrite.** Nous y reviendrons plus loin dans ce chapitre[1].

Bien sûr, si vous travaillez pour la radio ou la télévision, il vous faudra tôt ou tard procéder à l'enregistrement des propos de vos interlocuteurs. Mais il est souvent nécessaire, avant

---

1 Ce conseil ne tient pas si l'interview porte sur un sujet délicat, où il y a risque de poursuite, et que vous estimez en conséquence nécessaire de conserver une preuve tangible de tous les propos échangés. Dans le journalisme d'enquête, par exemple, même les premiers contacts téléphoniques seront systématiquement enregistrés.

même de choisir les personnes à interviewer, de les rencontrer afin d'explorer avec elles l'ensemble du domaine à couvrir. Ces premières interviews, souvent confiées à des recherchistes dans les médias électroniques, s'apparentent en fait aux interviews de presse écrite; il est d'ailleurs recommandé d'y prendre des notes comme si on devait en tirer un article.

Une remarque toutefois: en télévision surtout, il est dangereux de mener une préinterview trop détaillée juste avant d'entrer en studio ou de faire tourner la caméra. L'invité qui vous a déjà «livré sa matière» aura alors l'impression de se répéter, il perdra toute spontanéité, il omettra certains éléments d'information parce qu'il croira les avoir déjà donnés, il fera peut-être allusion à des propos tenus hors caméra. Aussi convient-il, lorsque c'est possible, d'établir le premier contact et de mener les interviews préparatoires quelques jours avant le tournage. Si c'est impossible (dans le cas d'un expert qui ne serait que de passage, et dont il faut recueillir les propos sur-le-champ), il est préférable alors de se contenter d'une préinterview très sommaire. J'y reviendrai lorsque j'aborderai l'interview pour la radio ou pour la télévision.

■ Conseils utiles pour l'interview de presse écrite

Le premier contact

• **Le téléphone est le meilleur outil dont disposent les journalistes.** Il permet de joindre des gens qui, à cause d'un agenda trop chargé par exemple, pourraient être réticents à accorder une interview. Il permet de joindre, avec une facilité surprenante souvent, des personnes que vous pourriez croire inaccessibles. Il m'est arrivé d'apprendre un matin, par une dépêche d'agence, qu'une découverte importante avait été annoncée en conférence de presse par une université américaine et, vingt minutes plus tard, de converser avec le chercheur responsable; ou encore de joindre du premier coup le porte-parole californien d'une entreprise multinationale.

Certes, l'échange téléphonique n'est pas le mode d'interaction le plus chaleureux, mais quand vos questions sont précises, cela permet d'épargner du temps. J'ai souvent l'impression que la différence entre les bons journalistes (les bons *news getters*, comme on les désigne dans nos salles de presse) et les autres tient surtout à leur maîtrise du combiné téléphonique!

• **Lorsqu'on recherche plutôt des opinions nuancées, des émotions, des éléments anecdotiques qui enrichiront le texte, un contact interpersonnel plus chaleureux s'impose.** Écrivez ou téléphonez alors à la personne que vous souhaitez interviewer. Dites-lui qui vous êtes, ce que vous souhaitez obtenir et dans quel contexte s'inscrit votre démarche. Ne cachez pas vos intentions (sauf dans le journalisme d'enquête; mais attention, c'est un genre bien particulier, qui exige une technique appropriée. Nous y reviendrons au chapitre 15).

Si, après cette clarification des objectifs de l'interview, la personne sollicitée se désiste parce qu'elle ne croit pas avoir réponse à vos questions, il est parfois nécessaire d'insister si son témoignage vous semble important malgré tout. Mais dans la plupart des cas, elle pourra vous recommander d'autres acteurs capables de mieux couvrir le domaine ciblé. En suivant ses conseils, vous épargnerez beaucoup de temps, vous éviterez des interviews inutiles, et vous élargirez ainsi votre réseau de personnes-ressources.

• Lorsqu'une personne jointe au départ recommande un ou une collègue que vous ne connaissez pas, demandez-lui quelques informations de base sur cette autre personne: il est toujours plus facile d'aborder quelqu'un dont on connaît, au moins sommairement, les fonctions et les compétences. Par la suite, **lors du premier contact avec cet interlocuteur peu familier, n'hésitez**

pas à mentionner par qui il a été recommandé. Il est toujours plus facile de gagner la confiance de quelqu'un si on donne l'impression de connaître son réseau.

• Si, en plus d'une vision d'ensemble du domaine à couvrir, vous espérez recueillir auprès de la personne interviewée des données précises qui pourraient exiger de sa part quelques recherches préalables, il est prudent de le lui mentionner dès ce premier contact, pour qu'elle se prépare en conséquence.

La préparation

• De votre côté aussi, la préparation est importante. **Lisez sur le sujet — si possible, ce que l'interviewé lui-même a écrit ou dit là-dessus.** Il est toujours plus rassurant, pour la personne qui fait face à un journaliste qu'elle ne connaît pas, de voir que cet étranger a au moins « fait ses devoirs », qu'il ne faudra pas tout reprendre à zéro.

• En second lieu, **préparez vos questions en fonction de ce que vous comptez obtenir (on doit avoir des objectifs clairs), mais sans vous imposer trop de limites. Les meilleures interviews sont celles qui conservent une certaine liberté.** Combien de journalistes passent à côté d'émotions importantes, d'anecdotes juteuses ou même de données exclusives, simplement parce qu'ils ont suivi à la lettre un plan d'interview trop rigide... Toujours se rappeler que l'interview est un dialogue, pas un interrogatoire!

Le magnétophone

Dans la presse écrite, les journalistes débutants ont souvent tendance à se munir d'un magnétophone pour recueillir intégralement les propos des gens qu'ils rencontrent. Ils invoquent alors le stress de la prise de notes qui les empêcherait d'accorder aux propos toute l'attention qu'ils requièrent. Ils veulent être certains de ne rien manquer et de pouvoir retrouver, en phase de rédaction, le texte intégral des citations. **Mais l'usage du magnétophone se révèle pourtant, à l'expérience, une béquille dont il faut se défaire au plus tôt,** pour les raisons suivantes :

1. Le plus souvent, **cet appareil installe entre les interlocuteurs une distance néfaste qui limite la spontanéité.** Celle de l'interviewé, bien sûr : on a toujours tendance à surveiller doublement ses paroles quand on sait qu'elles sont enregistrées. Mais la vôtre aussi, dans bien des cas. En entrevue, le contact humain s'établit souvent à travers les anecdotes qu'on prend le temps de raconter, les confidences qu'on s'échange, les conversations qui glissent parfois hors du sujet. On ne peut le faire avec autant de naturel quand on est sans cesse conscient du temps qui passe, des limites de la mémoire de l'appareil... et des heures de propos qu'il faudra ensuite réécouter au bureau, à la recherche de deux ou trois bonnes citations.

Il m'est arrivé plusieurs fois de faire des interviews très chaleureuses avec des personnes dont des confrères m'avaient dit qu'elles étaient impossibles à interviewer. L'usage du magnétophone expliquait en bonne partie cette différence. J'avais abordé l'entretien comme s'il s'agissait d'une conversation libre, d'un échange détendu, alors qu'eux étaient arrivés avec le magnéto et une série de questions précises !

2. Si vous utilisez le magnétophone afin de ne pas prendre de notes et d'être, en théorie, plus disponible pour écouter

votre interlocuteur et échanger avec lui, sachez que cet «avantage» est factice, car **le fait de ne pas prendre de notes vous empêche souvent de prendre conscience sur-le-champ de ce que vous ne comprenez pas; une fois revenu chez vous, il sera trop tard!** Il arrive souvent en effet, en interview, que certaines nuances nous échappent, que certains concepts nous soient étrangers. Sur le coup, on veut demander des précisions, mais l'entretien glisse sur autre chose d'aussi intéressant, et on oublie d'y revenir. Si, au contraire, tout doit être pris en note, cela impose une activité de synthèse en direct. Les passages obscurs et les points d'interrogation constituent de véritables obstacles. Il faut alors interrompre son interlocuteur: «Attendez! Vous avez dit là quelque chose que je n'ai pas saisi…» Résultat: à la fin de l'entretien, tout sera clair!

3. Dans le même ordre d'idées, **le magnétophone procure souvent une fausse sécurité, notamment face aux termes ou aux explications techniques.** Au départ, c'est en évoquant le caractère technique de certaines interviews que les journalistes justifient le plus souvent l'usage de cet outil, quand la rigueur leur paraît à ce point essentielle qu'ils ne font plus confiance à leurs méthodes courantes de prise de notes, jugées trop approximatives. Pourtant, le fait de devoir noter impose de comprendre les propos, de tout vérifier sur place. C'est la meilleure garantie contre les contresens.

4. **Le recours au magnétophone dévore du temps.** Quand on révise l'enregistrement d'une interview d'une heure, pour prendre des notes détaillées cette fois, cela requiert une autre heure, sinon davantage. C'est alors

seulement que la synthèse sera complétée… avec le risque que l'on ne découvre qu'à ce moment tous les aspects qui auraient mérité d'être clarifiés sur place.

5. Enfin, **le magnétophone emprisonne souvent le journaliste dans la contrainte des citations intégrales. Il renonce alors au plus grand avantage de l'écrit sur l'audiovisuel : la liberté de respecter le sens des propos, en jouant au besoin sur les formules.** Bien sûr, l'obstacle n'est pas insurmontable. Même en partant d'un enregistrement, on peut toujours modifier les tournures de phrases mal formulées, clarifier les propos si nécessaire. Mais quel drame de conscience lorsqu'on est ainsi forcé de s'écarter délibérément de la chose dite ! Dans la prise de notes cursive, cet écart survient au moment même de l'entretien ; on peut alors vérifier sur-le-champ les reformulations qui s'imposent. Si on s'entend avec son interlocuteur quant à l'essentiel, ce problème ne se pose plus en phase de rédaction finale.

Certains journalistes, peu habitués aux techniques de prise de notes en direct, hésiteront malgré tout à réaliser leurs interviews sans magnétophone. Un conseil, alors : si vous tenez à vous munir de cette bouée, essayez quand même de prendre des notes comme si vous naviguiez sans protection aucune. Votre travail de synthèse s'en trouvera facilité ; cela vous sera fort utile en cas de panne de l'appareil ou de fausse manœuvre ; et puis cela vous permettra de découvrir progressivement que vous n'en avez plus vraiment besoin[2].

Le déroulement de l'interview

• Lors de l'interview proprement dite, **éliminez autant que possible les questions qui portent sur des données trop générales ou accessibles ailleurs.** Le spécialiste des maladies du cœur n'a pas à vous expliquer comment fonctionne cet organe; l'encyclopédie le fait déjà très bien. Ce que vous recherchez, c'est ce qu'*une* personne bien particulière peut vous apprendre ou ce dont elle peut témoigner sur une question qui la concerne. Ses opinions, ses perceptions, ce qu'elle a vécu, ce en quoi elle est unique. Il faut viser juste!

• **Conservez toujours sous les yeux un plan d'interview, mais un plan souple: à quelles questions cherchez-vous réponse, quels domaines prévoyez-vous aborder?** Une liste d'épicerie, en somme. Mais il n'est pas nécessaire d'aborder ces questions en suivant un ordre précis. Laissez-vous guider au besoin par votre interlocuteur et prêtez attention à tout élément imprévu. De toute façon, vous gardez sous les yeux le plan origi-

---

2   Je dois admettre que mon insistance à déconseiller l'enregistrement des interviews me classe dans une catégorie minoritaire parmi les journalistes. La plupart de mes collègues insistent au contraire sur l'enregistrement de toutes les conversations. Quand il s'agit de propos délicats (en journalisme d'enquête, par exemple), il est vrai que l'existence d'un enregistrement qui pourra servir de preuve devant les tribunaux est nécessaire. Mais la plupart des interviews ne se font pas dans un tel contexte. Et je persiste à croire, après plus de quarante ans d'expérience, que dans la grande majorité des cas, les conversations que j'ai eues avec mes sources ont été plus fertiles parce qu'elles ont été menées de manière moins formelle, sans que j'aie à me préoccuper du fonctionnement d'un dispositif d'enregistrement.

nal, et il est facile d'y revenir chaque fois qu'il le faudra. De cette façon, vous restez maître de la situation.

• **N'abordez qu'une seule question à la fois. Avant d'enchaîner sur un autre sujet, assurez-vous que vous êtes allé au bout de la voie ouverte par la question précédente.** Si la personne interviewée s'engage trop tôt sur un nouveau sujet, n'hésitez pas à la ramener au thème précédent, si vous estimez que certains points demeurent obscurs... pour revenir ensuite sur l'«ouverture» qu'elle vous a ménagée. En fait, vous seul avez en tête le cheminement d'ensemble de l'interview; votre interlocuteur n'a pas à s'en préoccuper. Et il se sentira plus en sécurité s'il réalise que vous contrôlez bien l'interview.

• En tant que journaliste, vous êtes souvent à la recherche d'une «histoire», c'est-à-dire le récit d'une démarche ou le déroulement d'un événement, avec tout ce que ça comporte d'anecdotes, d'espoirs et de déceptions. Au lieu de demander à votre interlocuteur de décrire une situation, d'analyser un problème, d'en résumer les enjeux, **demandez-lui plutôt de raconter**: «Pouvez-vous me raconter comment vous vous êtes intéressé au problème du...?» Dès le départ, cela place l'interviewé en mode narratif. Et ne vous inquiétez pas : à travers son récit, il trouvera bien moyen de donner toute l'information requise pour comprendre les enjeux. Vous obtiendrez ainsi en prime les anecdotes et les émotions qui alimenteront la trame de votre reportage.

• **N'ayez pas peur de poser des questions qui exigent que la personne réfléchisse. Et surtout, laissez-lui le temps de réfléchir!** Il ne faut donc pas avoir peur des silences, des pauses, qui permettent à votre interlocuteur d'approfondir sa pensée. Quand on cherche à recueillir une analyse particulière de la réalité et des opinions qui impliquent souvent des nuances, ces temps de réflexion sont essentiels. Comme vous êtes en quête d'émotions, il vous faut être très attentif aux attitudes, aux réactions, au non-dit qui permet de déceler les voies à approfondir au besoin.

• **Faites preuve de cordialité, échangez librement avec la personne interviewée,** sur ses loisirs, sur sa situation familiale, sur les sujets professionnels qui la préoccupent… même si ce n'est pas le thème de cette interview particulière. Les gens se méfient des « journalistes-pressés-cinq-questions-en-vingt-minutes-s'il-vous-plaît-merci ». Une interview, c'est une rencontre entre deux humains. Pas un bombardier qui pilonne un mur de béton !

Bien sûr, il peut arriver que votre temps ou celui de votre interlocuteur soit compté. Mais quelques minutes sacrifiées à établir un contact plus chaleureux, à jeter des ponts au-delà du rapport trop sec des questions-réponses, ne sont jamais du temps perdu. L'interview qui suivra sera d'autant plus riche. Et à plus long terme, le rapport humain que vous aurez établi avec cette source vous permettra d'entretenir avec elle un rapport de confiance durable. Sans oublier que vous y découvrirez parfois de nouveaux sujets pour des reportages futurs !

• **Questionnez sans gêne.** N'hésitez pas à interrompre si quelques détails ne sont pas clairs, si un terme vous est inconnu, si vous n'êtes pas certain d'avoir bien compris. **Posez deux fois la même question, si la personne n'y répond que partiellement (ou pas du tout).** Trois fois, même, s'il le faut.

• **Faites sans cesse le point : à chaque détour de l'interview, que la personne interviewée sache précisément ce qui n'a pas été compris, ce qui n'est pas encore clair. Ou au contraire qu'elle soit rassurée.** C'est ce qu'on appelle « l'effet miroir » : « En somme, si je comprends bien, vous me dites que… » Il peut arriver que vous ayez compris les choses de travers et que votre interlocuteur réagisse fortement. Mais il préférera avoir, au départ, l'impression que vous êtes peut-être un peu lent, pour découvrir petit à petit que vous vérifiez tout et que vous finissez par tout comprendre, plutôt que d'éprouver la sensation d'être devant un sphinx, un être muet face auquel il se demandera ensuite avec angoisse : « Mais a-t-il compris ce que je lui ai raconté ? Et que va-t-il me faire dire ? »

La prise de notes

• **Pour la prise des notes, pas besoin de savoir la sténo. Quelques mots clés vous permettront de vous souvenir du déroulement de l'interview et de reconstituer de mémoire ses principaux éléments. Seules les données précises (les noms, les dates, les faits, les chiffres…) doivent être notées sans faute.** En somme, le squelette des propos vous suffira en général, si vous savez être attentif à la personne qui est devant vous, aux explications qu'elle vous aura données, aux émotions qu'elle aura exprimées ou que vous aurez perçues.

Il arrive même qu'un journaliste ait un entretien libre avec quelqu'un sans prendre la moindre note (lors d'un dîner, dans un hall d'hôtel, ou lors d'un événement) puis qu'il reproduise cet entretien de mémoire lors de la rédaction de l'article. Ce n'est pas si difficile, il suffit que le journaliste pratique une écoute active et qu'il s'assure de comprendre vraiment les propos de la personne qu'il rencontre.

• Il est toutefois préférable de noter les citations clés, celles dont vous aurez besoin en phase de rédaction : expressions imagées, propos d'une concision et d'une clarté remarquables, tournures de phrases révélatrices de la personnalité de votre interlocuteur… **Chaque fois qu'une phrase vous frappe, cherchez à en reproduire le plus fidèlement possible le ton (à défaut du mot à mot).** Ce sont ces quelques phrases glanées au vol qui constitueront la trame de vie de votre texte.

Sur place, dans le feu de l'action, vous sentirez bien quels sont ces temps forts de l'entretien, ceux qu'il convient de noter intégralement. N'hésitez pas à interrompre alors votre interlocuteur, le temps de transcrire ces passages cruciaux. Je n'ai jamais rencontré d'interlocuteur à qui ces pauses ont déplu ou dont elles aient étouffé l'inspiration. Au contraire, elles fournissent des temps d'arrêt qui favorisent une réflexion approfondie.

Quant à ceux qui craignent que le fait de devoir écrire tout le temps nuise à la spontanéité du contact, qu'ils se rassurent : Il y a effectivement de longs passages d'une interview où vous converserez avec votre interlocuteur sans prendre d'autres notes qu'un mot clé de temps en temps. Mais il n'est pas certain que cette attitude soit plus rassurante pour la personne interviewée, qui s'inquiétera alors de ce que vous allez retenir et de la fidélité de ce que vous rapporterez. La prise de notes a souvent pour effet de réconforter la personne interrogée. C'est une façon de lui montrer que vous trouvez importantes les choses qu'elle vous apprend. Il m'arrive même parfois, je m'en confesse, de griffonner au hasard quelques mots sur mon calepin de notes, en cours d'interview, simplement pour rassurer mon interlocuteur et l'encourager à poursuivre ses propos.

Il existe plusieurs techniques pour la prise de notes. Certaines sont mieux adaptées à l'interview, d'autres plus pertinentes quand un journaliste couvre un événement, quand il doit mettre en ordre les propos touffus d'une table ronde, ou qu'il fait l'analyse d'un rapport écrit. Nous préciserons ces techniques dans le prochain chapitre qui porte sur la couverture des événements.

Le suivi

• **Avant la rédaction d'un texte, vérifiez toujours les points qui vous paraissent douteux.** Les déclarations orales peuvent contenir involontairement des aberrations ou donner lieu à des malentendus. Vous n'êtes pas à l'abri des erreurs ; vos interlocuteurs non plus. Ici encore, le téléphone devient un outil précieux.

Si les journalistes refusent en général de soumettre leurs textes à leurs sources, c'est autant pour des raisons de temps que par souci d'intégrité professionnelle : il est rare en effet que les perspectives mises de l'avant dans un texte émanent d'une seule source, et il n'apparaît alors pas pertinent de confier à une des personnes interrogées le rôle de censeur de la synthèse proposée. Cet argument ne s'applique pas quand il s'agit des propos ou d'une opinion que vous attribuez à quelqu'un ; l'interviewé a au moins le droit de regard sur ce que vous lui faites dire ou penser[3]. Au moindre doute, une conversation téléphonique suffira pour éclaircir tout malentendu. Et ce sera toujours un investissement profitable : une personne traitée avec respect par un journaliste acceptera d'autant plus facilement de lui consacrer à nouveau du temps, à l'avenir.

• **Demeurez en contact avec vos sources après publication de l'article.** C'est la meilleure façon de cultiver un réseau de personnes-ressources.

---

3 Ce sujet suscite la controverse parmi les journalistes. Certains tiennent pour un principe fondamental le droit de ne pas soumettre leurs textes à leurs sources (le guide de déontologie de la FPJQ a même érigé ce droit en norme éthique). D'autres, au contraire, soumettent leur texte à l'interviewé de manière systématique. Et certaines publications (américaines, surtout) ont des *fact checkers* qui rappellent systématiquement toutes les personnes citées pour vérifier l'exactitude des propos qu'on leur attribue. Je suis de ceux qui pensent qu'on devrait vérifier avec les gens l'exactitude de ce qu'on leur fait dire, dès qu'on touche à des questions délicates. Sauf, bien sûr, dans le cas d'une interview serrée où l'on a arraché de force à son interlocuteur des propos controversés… qu'on sait qu'il aimerait retirer.

L'interview factuelle pour la radio
ou pour la télévision

Dans la presse écrite, le journaliste conserve une grande marge de manœuvre quant à l'utilisation de son matériel d'interview. Il pourra corriger les citations pour amoindrir les faiblesses de l'expression orale (les fautes, les hésitations, les constructions boiteuses). Il pourra traduire des propos recueillis dans une langue étrangère. Il pourra tracer, hors de ces citations entre guillemets, une synthèse efficace de certaines idées de l'interlocuteur. Et non seulement puisera-t-il dans le matériel de l'interview formelle, mais aussi dans les propos exprimés à bâtons rompus, avant ou après l'interview proprement dite.

En radio, la marge de manœuvre est déjà un peu moins grande. Si le montage sonore peut effacer certaines hésitations ou éliminer quelques constructions boiteuses sans trop affecter le sens des paroles, il y a une limite au temps qu'un journaliste peut passer à raffiner le montage sonore et aux possibilités de l'électronique : des bruits de fond, des toussotements ou simplement une expression trop laborieuse peuvent rendre inutilisables de larges extraits de l'interview. Et ce qui n'a pas été formellement enregistré est, bien entendu, inutilisable.

Certes, tout comme dans l'écrit, le journaliste peut, par ses transitions au micro, évoquer d'autres propos de l'invité et compléter l'information. Mais le subterfuge est trop évident pour qu'on puisse se permettre, comme dans l'écrit, un aller-retour constant entre les extraits sonores et les paraphrases du journaliste. Il faut donc être plus vigilant, au moment de l'interview, non seulement quant au sens des propos recueillis, mais aussi quant à leur forme, leur clarté, leur concision, leur efficacité.

En télévision, les limites sont plus importantes encore. Comme pour la radio, les seuls propos utilisables sont ceux qui ont été enregistrés. Mais la technologie vidéo est plus lourde et plus intimidante pour les personnes interviewées. Les interviews sont en général plus courtes et moins spontanées. La proportion du matériel intéressant y est plus faible. En second lieu, le montage ne porte pas seulement sur une bande sonore, mais aussi sur une trame vidéo. On n'efface pas un toussotement, une hésitation, une faute quelconque, sans provoquer un saut d'image. On peut certes masquer de telles césures si elles sont peu nombreuses, en utilisant des artifices visuels (des « plans de coupe », comme un gros plan sur le mouvement des mains de la personne interviewée, ou l'image du journaliste en train d'écouter ses propos). Mais au-delà d'un certain seuil, les corrections de ce genre deviennent périlleuses.

En outre, aux problèmes liés à la mauvaise qualité des propos (phrases trop longues, fautives ou ambiguës) s'ajoutent ceux qui sont liés à une mauvaise image : un interviewé qui se gratte de manière peu élégante au moment où il dit pourtant des choses intéressantes, une coupure qui devra être faite au beau milieu d'un mouvement de caméra, etc.

Enfin, la possibilité pour le journaliste d'ajouter à l'information en utilisant sa narration est, elle aussi, limitée par la disponibilité d'éléments visuels pertinents.

En somme, alors que le journaliste de presse écrite dispose, à son retour d'une interview, d'une matière abondante qu'il peut utiliser de mille et une façons, le journaliste de presse électronique, en télévision surtout, ne dispose souvent que de quelques extraits utilisables, autour desquels il lui faudra bâtir son reportage. Le matériel recueilli en interview ne restreint en rien la liberté du journaliste de presse écrite ; il constitue la principale contrainte en télévision. Aussi convient-il, dans ce dernier cas, d'être particulièrement attentif à la forme autant qu'au fond.

■ Conseils utiles pour l'interview préenregistrée
(radio ou télévision)

Les conseils déjà donnés pour l'interview de presse écrite, quant
au premier contact avec votre interlocuteur (dans la presse électronique, on parle souvent d'un « invité », même si l'interview
n'est pas enregistrée en studio), valent tout autant pour la radio
ou la télévision. Indiquez toujours clairement le but de votre
interview, quelle sera sa place dans votre reportage ; informez-
vous sur le sujet et sur votre invité avant la rencontre ; préparez-
vous une liste plutôt souple de thèmes à couvrir, de préférence
à une série de questions trop précises, etc. C'est seulement au
moment même de la rencontre avec votre invité que les choses
différeront quelque peu.

La préparation

• Dans le cas d'interviews factuelles décontractées (par opposition aux interviews « serrées » que nous aborderons plus tard),
il est toujours utile d'avoir déjà fait le tour des questions à couvrir avec votre invité, avant de procéder à l'enregistrement. **Il
est toutefois important, pour la télévision surtout, où les corrections au montage sont plus difficiles, d'éviter de faire une
préentrevue trop détaillée immédiatement avant l'enregistrement.** Votre interlocuteur hésitera à vous redire ensuite ce
qu'il croit vous avoir déjà dit, ou au contraire, il fera référence
à ses propos hors caméra, et ses « comme je vous le disais tout à
l'heure » vous embêteront au montage. À la radio, on peut toujours couper ces bouts de phrase. En vidéo, c'est parfois difficile.

Si vous ne pouvez faire votre préentrevue plusieurs heures
ou plusieurs jours à l'avance, contentez-vous alors d'un survol
très sommaire : indiquez en des termes généraux le domaine

que vous comptez couvrir, laissez votre invité réagir, mais sans lui permettre d'élaborer trop en profondeur le contenu de ses réponses. Cela vous permettra tout de même d'établir un bon contact avec votre invité, de mesurer quels éléments d'information il semble privilégier, de préciser vos questions en conséquence et parfois de découvrir de nouvelles pistes que vous n'explorerez que pendant l'interview proprement dite, question de laisser place à la spontanéité.

• Juste avant l'enregistrement, **discutez avec votre invité des objectifs de votre interview, et du cheminement que vous entendez suivre. Au besoin, donnez-lui un aperçu approximatif des questions.** L'objectif n'est pas ici de vous enfermer dans un itinéraire rigide; tout comme pour la presse écrite, les meilleures interviews sont celles qui conservent une certaine liberté. Mais cela évitera les situations où un invité s'étend trop longuement sur certains aspects secondaires parce qu'il ne sait pas vraiment ce que vous attendez de cet entretien, ou bien qu'il synthétise trop d'information dès sa première réponse, parce qu'il ne sait pas que vous comptiez aborder ces sujets par la suite. Une entente sommaire sur la « feuille de route » de l'interview rassure l'invité et facilite votre travail.

• Pour rendre une interview plus dynamique, il est parfois utile de jouer l'avocat du diable, de provoquer, de remettre en question l'opinion émise, afin de pousser votre invité à défendre ses positions avec plus de fougue. Pour éviter que cette attitude paraisse insolente et ait pour effet de museler votre invité, **n'hésitez pas à discuter à l'avance du ton que vous voulez donner à votre interview,** en vous assurant qu'il puisse se prêter au jeu.

• **Il est souvent profitable d'annoncer de manière précise sa première question, voire d'en discuter avec son invité.** Les premières secondes d'une interview sont les plus stressantes. Si l'invité sait à quoi s'attendre, le début de l'interview se fait en douceur. Par la suite, il finira par oublier le micro ou la caméra.

• Pour procéder à l'enregistrement, recherchez un lieu qui permettra à votre invité de se sentir à l'aise. À la télévision, par exemple, les interviews debout manquent souvent de naturel. Évitez les mises en scène qui nuisent à l'intimité : un intervieweur trop éloigné de son invité, des éclairages intimidants ou une caméra trop proche. **Visez toujours à créer un « cocon », un espace d'intimité où votre interlocuteur se sentira à l'aise d'échanger avec vous.**

• Contre le stress de la caméra, rien ne vaut le sourire, les propos rassurants, une certaine intimité… et une familiarisation en douceur avec la technique. Il est parfois utile de tourner les plans de présentation (la mise en scène de votre interlocuteur, à son bureau de travail, par exemple) et les plans de coupe (gros plans de ses mains, vue de son dos, de son profil) avant de commencer l'interview. Vous profiterez de ce délai pour échanger librement. Votre interlocuteur se laissera prendre au jeu, et finira par oublier la caméra.

Il arrive pourtant que ces artifices ne suffisent pas et que, dès le début de l'interview, l'invité change de ton, son aisance s'efface. Le langage du corps devient alors important pour recréer l'intimité. Mais il est parfois utile de ruser avec le stress : la personne en charge de la caméra arrête de tourner, prétextant quelque difficulté technique ; votre invité recommence à respirer ; vous reprenez la conversation dans la détente, hors caméra ; quelques remarques anecdotiques, des échanges libres, puis des questions plus précises ; entre-temps, la caméra aura recommencé à tourner sans même que votre invité ne s'en soit rendu compte.

Le déroulement de l'interview

• Comme pour le *lead* d'un texte journalistique, **il est bon que la première question aille droit au but, place immédiatement l'entretien au cœur du sujet que vous entendez couvrir.** Évitez les entrées en matière trop générales; il peut être difficile de ramener ensuite votre interlocuteur au niveau très concret où vous souhaitez situer ses propos. Mais en même temps, rappelez-vous que le stress est plus fort au départ, et que, par conséquent, la première réponse est rarement utilisable telle quelle. Aussi est-il préférable, pour une interview qui se veut décontractée, de choisir une première question qui ne soit pas trop difficile et qui permette à votre invité de s'exprimer avec aisance.

• **Posez toujours des questions courtes, faciles à comprendre.** Les questions bien ciblées, à objectif unique, évitent des réponses évasives et facilitent le montage. Les questions ouvertes, au contraire, permettent à votre invité de se réchauffer lui-même, d'ouvrir les pistes où il se sent plus à l'aise. Sachez bien doser les unes et les autres.

• **Évitez les questions auxquelles on peut répondre simplement par un oui ou par un non.** L'information nécessaire à leur décodage se trouve alors dans la question. Or, vous ne savez jamais si, au montage, il ne sera pas nécessaire d'effacer votre intervention. Privilégiez les formulations plus ouvertes, qui incitent l'invité à donner des réponses complètes en elles-mêmes. Quelques artifices suffisent. Après avoir demandé à un invité « Les règlements sont-ils assez sévères ? », il suffit parfois d'ajouter un « Qu'en pensez-vous ? » ou « Pouvez-vous commenter là-dessus ? » pour que l'invité ne réponde pas simplement par oui ou par non.

• Tout comme pour l'entrevue de presse écrite, **utilisez de préférence des questions qui font appel au récit.** « Racontez-moi comment vous avez découvert... » « Vous rappelez-vous comment ça s'est passé, le jour où...?» «À partir de quel moment avez-vous...?» Cela donne des témoignages beaucoup plus vivants et permet de construire des reportages beaucoup plus concrets.

• En argot du journalisme, on parle d'une «question plantée» lorsqu'un intervieweur passe un contenu éditorial dans sa question, et coince ainsi son invité dans une direction voulue. «Tout le monde sait, monsieur le ministre, que le patronage s'exerce en haut lieu dans votre parti... Ne trouvez-vous pas que cela remet en question les fondements mêmes de notre démocratie?» Certains intervieweurs-vedettes abusent pourtant de cette technique de mauvais journalisme. Dans les interviews serrées, à la rigueur, cela peut passer. Mais le public n'est pas dupe de ce genre de procédé et, d'ailleurs, un habile patineur contournera facilement de tels pièges. Dans une interview factuelle, il faut **éviter à tout prix ce genre de question qui cache un commentaire.**

• **Prêtez attention aux réponses. Ne craignez pas d'emprunter les chemins imprévus que vous ouvre votre invité, mais sans perdre de vue le cap principal de votre interview, pour pouvoir y revenir dès que nécessaire.** N'écrivez donc pas à l'avance vos questions; une liste ordonnée de thèmes suffira. On en intervertira l'ordre, tout simplement, si le cours de l'entretien l'exige. Combien de fois voit-on un invité avancer des informations surprenantes qu'un intervieweur néglige de lui faire préciser parce que, au lieu d'écouter, il enchaîne platement avec des questions prévues à l'avance? Pire encore, il arrive qu'un invité fournisse, à l'intérieur d'une réponse, des éléments d'information qui rendent caduque une question ultérieure... sans que l'intervieweur ne s'en aperçoive!

• En général, il est préférable de **ne pas couper la parole,** sauf s'il le faut absolument, avec un invité trop volubile, quand on est certain qu'on n'utilisera pas ce qu'il est en train de dire.

Au montage, en effet, les chevauchements sonores entre questions et réponses deviennent de véritables casse-tête.

• Mais ce conseil souffre de nombreuses exceptions. Dans bien des cas, une interview trop gentille, où l'invité a tout son temps pour formuler ses réponses, manquera de dynamisme. **Il suffit parfois de deux ou trois questions un peu plus provocantes, de réactions vives de l'intervieweur, pour que la discussion s'anime et que l'invité reprenne vie.** Encore là, il faut savoir doser les moments d'écoute ouverte et les réactions plus nerveuses. Une affaire de jugement… et d'intuition!

• Dans une interview en différé, **n'hésitez pas à reprendre une question,** si votre invité s'embrouille. On ne garde que la meilleure réponse au montage.

• **N'ayez pas peur des silences, des temps morts,** surtout dans le cas de réponses qui font appel à des opinions ou à des émotions. Il arrive souvent qu'un invité fournisse d'abord une réponse banale — ou trop générale — à une question, parce que c'est la première chose qui lui vient à l'esprit, ou qu'il hésite à se « commettre ». Au lieu d'enchaîner avec une autre question, faites une pause. Dans l'espace de malaise qui se crée parce que votre magnétophone ou votre caméra tourne à vide, l'invité se sent forcé d'approfondir ; c'est souvent dans ce second souffle que l'entretien devient authentique. Combien d'intervieweurs ont tout simplement raté leur interview parce qu'ils ne savaient pas jouer avec le silence !

• **Des questions très courtes, qui n'ont d'autre but que de pousser votre invité à approfondir, peuvent jouer le même rôle:** « Ah oui? », « Vraiment? », « Et vous, dans tout ça? »… J'ai souvent constaté que c'est avec de telles « questions de relance » que j'amenais mes invités à livrer vraiment le fond de leur pensée.

• Il peut arriver, même dans une interview décontractée, qu'on doive poser des questions embarrassantes. **Le faire alors sur le ton de la conversation, sans agressivité.**

• **Il faut savoir mettre à profit le langage du corps :** regardez votre invité pendant l'interview ; montrez-lui un visage souriant plutôt qu'austère ; si vous êtes assis, penchez-vous vers l'avant pour créer un espace d'intimité, plutôt que de vous retirer, d'un air lointain, sur le dossier de votre chaise.

■ Conseils utiles pour l'interview en direct

Tous les conseils pratiques donnés ci-dessus valent aussi pour l'interview en direct. Sauf que cette dernière est, forcément, plus rigide : sa durée, en général plutôt courte, est prédéterminée ; on ne peut se fier au montage pour éliminer les passages faibles.

• Dans une interview en direct, il est essentiel de **très bien cibler ce que l'on veut couvrir,** en ayant des attentes réalistes. On ne peut pas, en six minutes, couvrir tous les aspects d'une question complexe, avec les nuances qui s'imposent.

• L'intervieweur doit donc conserver un contrôle optimal sur le déroulement de l'interview, ce qui demande une préparation plus minutieuse, et rend doublement important le fait **d'aviser son invité du cheminement que l'on compte suivre,** pour pouvoir l'y ramener au besoin, sans qu'il se sente trahi.

• En outre — bien qu'il ne faille pas abuser de la technique —, **il est souvent nécessaire, en direct, d'interrompre un interlocuteur dont la pensée s'égare dans les détours.**

• Toutefois, là encore, il faut être très attentif aux réponses. Il arrive parfois qu'un intervieweur, impatient devant l'élocution laborieuse d'un invité mal à l'aise, finisse par lui couper la parole… juste au moment où il commençait à aborder un aspect intéressant ! Il faut donc avoir l'esprit alerte, **être toujours prêt à intervenir s'il le faut avec une question en réserve, mais pou-**

voir aussi réagir à la moindre ouverture, si quelque chose d'intéressant semble poindre.

Ce délicat équilibre entre le contrôle et la souplesse, en situation de direct, est loin d'être facile à atteindre. Certains animateurs-vedettes, malgré quinze ou vingt ans de métier en télévision, ont encore beaucoup de mal à mener à bien de telles interviews en direct et préféreront toujours les rencontres pré-enregistrées qu'on peut ensuite resserrer au montage.

L'interview serrée (« sur la sellette »)

Les interviews ne se déroulent pas toujours dans ce climat détendu, avec tout le temps requis pour établir le contact et créer une complicité avec son interlocuteur. Dans le cadre de son travail au quotidien, un journaliste peut très bien devoir, en deux ou trois minutes à peine, tirer le meilleur d'une inter-view réalisée à chaud avec un acteur rencontré sur le lieu même de l'événement. Dans ce cas, le cheminement de l'interview devra être méthodique, orienté directement vers les faits ou les opinions recherchées.

C'est aussi le cas des interviews dites « sur la sellette » *(hot seat)*. Un politicien, pris à partie par l'opposition pour un cas fla-grant de favoritisme, accepte de rencontrer une journaliste pour justifier sa position. L'interview ne doit surtout pas, dans ce cas, n'être qu'un faire-valoir offert à ce politicien compromis. Qu'on lui donne la parole, soit! Cela fait partie de ses droits de citoyen. Mais il ne faut laisser aucun espace aux mensonges, aux gentilles approximations, aux protestations « vertueuses » qui ne seraient pas minutieusement scrutées.

• Dans ce cas, contrairement à ce qu'on a dit jusqu'ici, **il est préférable de ne faire aucune préinterview, aucun « réchauffe-**

252 OUTILS ET TECHNIQUES DE COLLECTE DE L'INFORMATION

ment» avec l'invité. Si vous devez passer quelques minutes avec votre invité, avant l'interview, parlez-lui de la pluie et du beau temps. Bien sûr, il sait sur quoi va porter l'interview. Les guets-apens — comme une interview sollicitée sous un faux prétexte — sont contraires à l'éthique courante, en journalisme. Malgré tout, l'invité ne doit pas avoir le temps de prévoir de parades. Faites l'interview à vif, donc.

• **Ciblez bien votre objectif. Un seul point à la fois. N'hésitez pas à poser plusieurs fois chaque question, jusqu'à ce que vous obteniez une réponse satisfaisante. En cas d'échec, revenez-y après un détour. Cuisinez bien votre interviewé!** (Les journalistes appellent souvent cette technique qui consiste à viser un seul objectif, très précis, par son vocable anglais : *narrow casting*).

• Mais cette technique présente aussi un danger. Un journaliste qui s'acharne trop à faire dire quelque chose peut, en presse électronique, avoir l'air d'un inquisiteur. Le public réagira souvent en développant de la sympathie pour la victime. Aussi est-il important que **l'intervieweur conserve toujours un ton calme, assuré, et qu'il contrôle son agressivité.** Même lorsqu'elle vise à coincer un interlocuteur, l'insistance du journaliste doit paraître toute naturelle. Donnez l'image de quelqu'un qui sait où il va, qui maîtrise l'interview, mais qui demeure respectueux de l'autre. C'est un équilibre qui n'est pas facile à maintenir.

• **Tenez-vous-en à des propos simples : plus vous serez clair dans vos questions, plus les ambiguïtés de l'interviewé ressortiront.**

• Comme dans toute interview, **il est important de demeurer attentif : la réponse attendue peut surgir à tout moment. Mais surtout, c'est souvent une autre réponse, inattendue celle-là, qui viendra jeter un éclairage neuf sur ce que vous cherchez à mettre en lumière.** Vous espérez une confession du député pris en faute ; elle ne viendra jamais. Mais dans sa défense, il vous dit qu'il en avait parlé au premier ministre. Voilà une toute nouvelle information qui, demain, fera peut-être la manchette. Rater une telle ouverture — tout à fait imprévue —, c'est rater votre interview, ce qui est malheureusement assez fréquent !

Attention, toutefois ! Ce que l'interview « sur la sellette » gagne en spectacle (parfois) et en informations inédites (plus rarement), elle le perd souvent en profondeur d'analyse et en richesse d'émotions. Et elle présente de nombreux risques. Demandez à ceux qui ont essayé de « mettre en boîte » des experts de la voltige comme Pierre Elliott Trudeau, ou des magiciens de l'esquive comme Robert Bourassa. En fait, c'est une pratique réservée aux professionnels, et qu'il faut manier avec beaucoup de prudence. Débutants, s'abstenir !

L'entretien intimiste (propos et confidences)

Quelques mots, avant de clore ce chapitre, sur un genre d'interview qui se situe à l'opposé du précédent. Alors que l'interview serrée vise avec précision les éléments d'information qu'il faudra, si possible, arracher à l'interlocuteur choisi, l'entretien intimiste cherche plutôt à le laisser s'exprimer librement, à lui laisser l'occasion de se révéler à travers un dialogue cordial. C'est l'interview de base du portrait.

• **La préparation est l'élément clé du succès de l'entretien intimiste.** Plus vous êtes au diapason de votre interlocuteur, plus la confiance s'installera. Au début des années 1960, à l'époque où il animait *Le Sel de la semaine*, Fernand Seguin passait jusqu'à une journée complète avec ses invités avant d'entrer en studio. Et il avait lu, dans les semaines précédentes, l'ensemble de leurs œuvres. Bien peu d'intervieweurs de la télévision ont aujourd'hui le loisir d'y mettre autant d'efforts. Et c'est dommage, car le résultat s'en ressent immanquablement.

• Lors de la préparation de l'interview avec votre invité, **n'hésitez pas à explorer ce qui entoure le domaine d'information visé.** Vous cherchez à connaître une personne, pas seulement un sujet. Les anecdotes savoureuses, les réflexions étonnantes, les travers avoués sous le sceau de la confiance fournissent souvent des pistes d'entretien bien plus riches que les meilleurs dossiers de recherche.

• **Laissez à votre interlocuteur une certaine liberté quant au cheminement de l'entretien.** Toute personne rêve qu'on lui donne un jour droit de parole en dehors des champs où on la sollicite d'ordinaire. Le sentiment de liberté que vous ferez ressentir à votre interlocuteur, dès le début de l'interview, contribuera aussitôt à créer un climat de détente et de complicité.

• Et bien sûr, **plus encore que dans toute autre interview, il est essentiel de savoir ici respecter les silences, de surveiller le langage de son corps, de savoir sourire, de manifester sa complicité.** Il faut créer un espace d'intimité, un « cocon », comme on l'a déjà suggéré pour toute interview décontractée.

10

La couverture d'un événement et la prise de notes

Le journalisme quotidien est, pour l'essentiel, un journalisme d'événements. Même si les journalistes peuvent souvent amorcer eux-mêmes leur démarche de reportage à partir de questions jugées importantes, c'est bien plus souvent les acteurs sociaux et les organisateurs d'événements qui imposent leur contenu aux médias : manifestations, attentats à la bombe ou meurtres ; conférences de presse, colloques ou déjeuners-causeries ; spectacles ou matchs sportifs... Poussée jusqu'à l'abus, c'est une tendance qu'il faudrait déplorer, sans doute ; n'empêche que l'événement demeure la matière première de la presse quotidienne.

Dans certains cas, il s'agira d'événements prévus depuis longtemps, pour lesquels les reporters auront eu tout le temps de préparation requis. La date d'un congrès politique, par exemple, sera connue plusieurs mois à l'avance. Les journalistes peuvent alors planifier leur travail, établir des contacts privilégiés, mener des interviews préparatoires. Certains événements sont même routiniers, comme les matchs d'une équipe de hockey professionnel qui reviennent 80 fois par saison. Les reporters spécialisés qui couvrent un tel calendrier deviennent rapidement des habitués du secteur. Ils en connaissent tous les acteurs et peuvent réagir rapidement. Leur travail devient alors assez simple.

À l'autre extrême, il y a les stations de radio ou les journaux locaux qui ne disposent que d'un nombre restreint de reporters, de telle sorte que chacun doit parfois assumer à lui seul la couverture de trois, quatre ou cinq événements! Et même dans les médias mieux nantis, il arrive souvent qu'un journaliste doive, sans préavis, couvrir un événement dans un domaine qui lui est à peu près étranger. Dans de tels cas, il faut compter sur une solide culture générale et une connaissance très large de l'actualité. Mais cela ne suffit pas à préparer adéquatement même le plus curieux des journalistes à la couverture de n'importe quel événement. Il lui faudra aussi de bons réflexes, du talent, une bonne dose d'intuition, une faculté de saisir rapidement les enjeux, un certain « sens de la nouvelle », etc. Voilà autant de qualités qu'il est difficile de définir de manière formelle.

Dans la tradition de certains grands journaux et magazines américains, on reconnaît deux spécialités aux journalistes. Il y a d'abord les reporters, ceux qui couvrent les événements, qui sont sur le front dans les pays en guerre, qui glanent la nouvelle dans les capitales étrangères, qui couvrent les congrès spécialisés ou qui font enquête dans les milieux qu'ils ont eu le temps d'apprivoiser. Ils rédigent leurs notes d'information, qu'ils acheminent au « pupitre ». Puis il y a les rédacteurs, ceux qui recueilleront toutes ces bribes d'information en provenance de partout, téléphoneront à quelques personnes-ressources privilégiées, consulteront les sites web pertinents ou les dossiers de leur centre de documentation, prendront ainsi le recul qu'il faut pour rédiger une synthèse de tout cela. Cette division des tâches vient de ce que les meilleurs « chasseurs de nouvelles » ne sont pas nécessairement des virtuoses de la synthèse ni de l'écriture. Mais cette compartimentation est plutôt exceptionnelle, et elle n'existe pas dans la presse québécoise. Et puis tout journaliste doit, au départ, savoir couvrir un evénement s'il veut un jour pouvoir saisir d'assez près le réel pour faire les synthèses qui s'imposent.

À défaut de pouvoir proposer des recettes infaillibles, risquons-nous à plonger dans le vif de l'action. Carnet et stylo à la main, magnétophone en bandoulière si vous faites de la radio, ou accompagné d'un cameraman qui vous suit discrètement en attendant votre « OK », vous passez donc à l'attaque.

La couverture d'un événement fortuit

16 h 30. Une gigantesque explosion survient dans une usine de produits chimiques. Il faut à tout prix quelque chose pour le bulletin de 18 heures. À peine le temps d'envoyer une équipe sur place. Les caméras rechercheront les images spectaculaires, les flammes, le métal tordu, le corps des victimes… En une demi-heure, on peut y arriver. Quant à vous, on vous envoie sur place parler aux témoins, comprendre ce qui s'est passé, trouver des responsables s'il y en a… Et les minutes sont comptées.

Aucune préparation, donc, dans un cas pareil. Mais pourquoi ne pas vérifier quand même, avant votre départ, si votre centre de documentation n'aurait pas un dossier de presse sur l'usine en question ou sur d'autres accidents du même type, quitte à les parcourir en diagonale, dans le taxi qui vous amènera sur les lieux? Sinon, prenez une minute pour rechercher (grâce à Google ou à d'autres moteurs de recherche équivalents) le site Internet de l'entreprise et ce qui a déjà été publié sur elle[1]. Ou alors, demandez-vous si un collègue ne pourrait pas vous donner quelques renseignements sur l'usine en question et sur les produits qu'on y manipule. Et si le temps vous manque vraiment, plusieurs médias ont des professionnels de la documentation ou des recherchistes qu'on peut affecter d'urgence à cette tâche de recherche de données complémentaires : une fois arrivé sur les lieux de l'accident, vous n'aurez qu'à appeler au bureau pour qu'on vous transmette les informations de base que vous n'auriez pas eu le temps de colliger avant votre départ précipité.

Sur place, le calepin de notes est l'outil de base. Même si vous faites de la radio ou de la télévision, il y a une partie importante de votre témoignage qui ne tiendra pas dans les extraits sonores ou dans les cassettes vidéo que vous rapporterez : ce qui vous a frappé en arrivant, les émotions des témoins, les détails du décor, les remarques des badauds. Et puis les chiffres précis, les dates, le nom des personnes qui vous auront informé ou de celles dont on vous parlera, et tous les détails techniques qui vous paraîtront essentiels. Compte tenu des délais serrés dans lesquels vous devrez rédiger votre nouvelle, de retour au bureau, vous n'aurez plus le temps de chercher les éléments qui vous auront échappé en phase de cueillette. Enfin, comme nous l'avons suggéré dans le cas des notes d'interview, notez les déclarations qui vous paraissent importantes, que vous pourriez vouloir citer. Même si vous travaillez pour la télé et qu'une caméra filme tout, vous ne disposerez ensuite que de peu de temps pour préparer et monter votre reportage. Mieux vaut noter sur le champ les déclarations essentielles, celles que vous pourriez insérer dans votre « topo », avec l'heure précise où ces paroles ont été

---

1   Si vous disposez d'un téléphone « intelligent » ou d'une tablette électronique, vous pourrez même effectuer cette recherche pendant votre course en taxi.

dites, question d'en retrouver rapidement l'emplacement sur la cassette[2].

Tout cela, bien sûr, sera noté en vrac. Contrairement à l'interview que vous pouvez préparer et diriger, tout se déroule ici selon la logique du réel. Le calepin de notes devient alors un fourre-tout. Mais en le relisant ensuite, l'essentiel de ce que vous avez vécu doit vous revenir en mémoire. En fait, vous découvrirez très tôt que les choses les plus importantes, celles qui constituent la trame de l'événement, vous n'avez pas vraiment besoin de les noter. Ce qui importe, ce sont souvent les détails secondaires, quelques éléments anecdotiques, quelques émotions fluides que vous risquez d'oublier sous la masse des informations plus formelles. N'hésitez pas alors à être impressionniste dans votre façon de prendre vos notes. (Nous reviendrons sur la prise de notes à la fin du présent chapitre.)

Recherchez aussi, sur place, toutes les sources complémentaires d'information. Il peut s'agir de communiqués, de rapports offerts aux journalistes ou de documents divers évoqués par les personnes que vous interrogerez, et que vous devrez souvent réclamer. Recherchez aussi les personnes-ressources fiables. Ce sont parfois les acteurs de l'événement ou les témoins directs, mais parfois aussi des spécialistes extérieurs dépêchés sur les lieux en même temps que vous (des agents du ministère de l'Environnement ou de la Commission de la santé et de la sécurité du travail, par exemple).

Ensuite, sachez profiter de l'expérience et de l'intuition des collègues. Si la concurrence est féroce dans certains secteurs de l'information (le sport professionnel ou l'information policière, notamment), elle n'est pas aussi généralisée qu'on le croit. C'est

---

2   Les cameramen de nouvelles vont presque toujours ajuster la référence de temps de leur caméra *(time code)* à l'heure réelle, pour qu'on puisse retrouver facilement chaque séquence à partir des notes du journaliste.

bien souvent en échangeant leurs bribes d'information que les journalistes de divers médias parviennent à dégager de nouvelles perspectives. Écoutez donc les interviews données aux gens des autres médias, ceux de la radio ou de la télé surtout : lorsque les porte-parole officiels doivent résumer leur message en deux ou trois minutes, ils vont droit à l'essentiel.

Mais attention ! Les faits les plus importants ne sont pas toujours exprimés aussi spontanément. Il faut explorer aussi des éléments d'information périphériques, des causes ou des effets moins directs de l'événement couvert. C'est souvent là qu'on trouve la nouvelle... ou le suivi original.

La couverture d'un événement prévisible

Une seule chose distingue la couverture de l'événement prévisible de celle de l'événement fortuit : le temps de préparation. En somme, une fois sur place, le comportement des journalistes n'est pas différent, mais dans le cas d'un événement prévisible, la couverture peut commencer quelques jours à l'avance ou, à tout le moins, la veille.

La préparation

Il faudra d'abord lire la documentation envoyée par les organisateurs de l'événement pour trouver l'information de base sur le domaine à couvrir. Recherchez les enjeux qui sous-tendent cet événement, bien sûr, mais explorez aussi diverses problématiques particulières qui pourraient intéresser vos lecteurs ou vos auditeurs, des angles d'approche inédits, en somme.

Cette première exploration vous conduira sans doute à

puiser dans les dossiers de votre centre de documentation, à naviguer sur Internet pour explorer ce qui a été écrit ailleurs, et à mener quelques interviews préparatoires. Ces entretiens pourront servir à vérifier vos intuitions, à vous mettre au parfum de ce qu'il faudra surveiller, mais ils peuvent aussi conduire à la publication d'un « pré-papier » sur l'événement (par exemple : « À l'occasion du congrès du Barreau du Québec, qui s'ouvrira demain à Montréal, les avocats entendent bien remettre en question les termes de la loi X... votée ce mois-ci à l'Assemblée nationale »). De tels pré-papiers sont importants parce qu'ils permettent à votre public de se familiariser à l'avance avec les principaux enjeux à suivre, et de mieux comprendre ensuite le déroulement de l'information au jour le jour. Mais il faut aussi se méfier de ces nouvelles qui ne sont basées, trop souvent, que sur des supputations... alors que l'événement peut prendre ensuite une tout autre couleur. Assurez-vous donc de la fiabilité de vos informateurs et évitez de jouer au prophète.

Que vous songiez ou non à diffuser une telle information préliminaire, la recherche préalable demeure essentielle à la préparation d'une couverture approfondie. Elle l'est plus encore en télévision, où toute histoire se construit avec des images. Or, le panorama de gens en congrès ou en conférence de presse n'est pas très significatif pour illustrer le problème dont ils parlent.

Vous couvrez par exemple le dépôt d'une nouvelle loi sur l'immigration. Vous contenterez-vous du gros plan du ministre, tel qu'il a été saisi par les caméras du parlement ? Demandez-vous la veille, ou mieux encore quelques jours à l'avance, quelle situation vous pourriez montrer pour donner un sens à cette nouvelle, et de quelles images vous aurez besoin pour raconter cette histoire. Votre reportage pourrait ainsi commencer par des archives visuelles sur des réfugiés en attente de reconnaissance de statut, entassés dans un hôtel de Dorval, ou par le film d'une manifestation récente pour la défense des réfugiés politiques. Et si le visuel requis n'est pas disponible en archives, il vous faudra organiser à l'avance un tournage, incluant au besoin des interviews, afin d'avoir en main tout le matériel nécessaire pour présenter, le jour même du dépôt de la loi, un reportage consistant qui en éclaire les enjeux. C'est ce qui rendra votre nouvelle efficace : vous montrerez des faits, au lieu de ne mettre en scène que des têtes parlant sur des thèmes abstraits.

Lectures et interviews préparatoires, recherche d'éléments visuels pertinents, c'est en quelque sorte tout le travail journalistique qu'il faut parfois faire à l'avance. Et comme, dans le journalisme quotidien surtout, le temps de montage de ces éléments est extrêmement court, entre l'événement proprement dit et la diffusion de la nouvelle au bulletin du soir, il sera souvent utile de tout scénariser à l'avance, quitte à laisser ouverts quelques aspects du texte, en fonction des éléments de nouvelle imprévisibles[3].

Les discours et les conférences de presse

Lorsque vous arrivez sur les lieux d'une annonce publique, d'une conférence de presse ou de toute autre communication devant un groupe organisé, informez-vous des services offerts aux journalistes : y a-t-il un dossier de presse ? le texte du conférencier est-il disponible ? Dans un tel cas, il devient inutile de

---

3   Je parle ici du bulletin de nouvelles du soir ; la situation est plus difficile encore pour les stations de radio ou de télévision qui offrent des bulletins de nouvelles toutes les heures, voire en direct, comme c'est le cas à RDI, à LCN ou à CNN, par exemple. Pour rendre l'information en direct intelligible, les reportages de type *backgrounder*, réalisés à l'avance, deviennent dès lors essentiels. Notons par ailleurs qu'avec la forte concurrence à laquelle tous les médias se livrent sur Internet, même les journalistes de la presse écrite doivent désormais remettre en toute urgence leur texte pour le site web de leur journal.

prendre des notes détaillées. Soulignez simplement, au fur et à mesure, les passages qui vous frappent (et leur moment précis, si un cameraman filme tout, pour que vous puissiez retrouver facilement ces passages dans l'enregistrement). Dégagez l'essentiel. Pour le reste, votre calepin de notes vous permet, là encore, de fixer sur papier quelques éléments d'atmosphère, des émotions, les détails anecdotiques.

Au cours d'une conférence de presse, ou pendant la période de questions qui suit souvent les exposés, sachez être attentifs aux questions des collègues. Comme on l'a écrit dans le cas des événements fortuits, c'est souvent au fil de ce jeu des questions et des réponses que se dégagera la trame de l'événement et sa signification. Là aussi, il est utile de surveiller les courtes interviews accordées à vos collègues des stations de radio ou de télé. C'est l'essentiel en trois minutes !

Si le temps ne vous presse pas outre mesure, s'il n'y a pas une heure de tombée qui vous force à remballer très tôt votre matériel, n'hésitez pas à demeurer un peu plus longtemps avec le conférencier et son entourage. Les entretiens particuliers, hors de la concurrence féroce pour chaque microseconde, permettent d'aller plus loin, d'explorer de nouvelles pistes en risquant des incursions au-delà de la stricte nouvelle du jour. Attendez. Vous tomberez parfois sur de la matière originale.

Enfin, le conférencier ne vient habituellement pas seul. Dans son entourage, il y a parfois des personnes-ressources (experts, conseillers, administrateurs), moins « visibles » politiquement, mais plus aptes à approfondir les aspects qui vous intéressent, et à vous suggérer des angles novateurs. N'hésitez pas à vous engager dans des conversations à bâtons rompus, même si elles débordent le cadre de la nouvelle du jour. Cela ne sera peut-être pas utile directement ce jour-là, mais c'est comme ça qu'on finit par voir clair dans un dossier qu'on doit suivre à plus long terme… et qu'on enrichit sa banque de personnes-ressources.

Les congrès et colloques

Si les annonces officielles, les discours publics et les conférences de presse sont, la plupart du temps, des événements destinés en priorité aux journalistes, les congrès et colloques servent avant tout aux échanges entre les professionnels, les chercheurs ou les analystes d'un secteur. Ils ne visent donc pas avant tout le public des médias. Certes, on peut tirer beaucoup d'information de tels événements, où l'on trouve du reste presque toujours une table ou une salle de presse, mais les journalistes qui en font la couverture doivent explorer de manière beaucoup plus approfondie le programme s'ils veulent dénicher quelque information pertinente.

Pour les journalistes débutants, la couverture de vastes congrès, qui comptent des centaines de participants dispersés dans plusieurs dizaines d'ateliers parallèles, est presque toujours une expérience angoissante. Je me souviens de m'être déjà demandé : « Mais qu'est-ce que je fais dans une telle galère, avec tous ces spécialistes d'un domaine dont je sais si peu de choses ? » On a alors l'impression d'être un imposteur, surtout quand il s'agit d'un congrès trop spécialisé pour que son intérêt « grand public » saute aux yeux. Imaginez-vous, seul journaliste, au milieu de 450 endocrinologues ou experts du système monétaire international !

Pourtant, pour peu qu'on s'y immerge, les congrès fournissent le contexte de travail le plus enrichissant qu'on puisse imaginer. Deux ou trois jours à passer dans un hôtel, tous les spécialistes d'un même domaine à portée de la main, une documentation abondante et, sur place, toutes les personnes-ressources pour la comprendre, beaucoup de temps devant soi pour des interviews formelles, des conversations libres à profusion, des échanges autour d'une tasse de café le matin, autour d'un verre en fin d'après-midi... Et surtout la possibilité de se familiariser en douceur avec un secteur professionnel, de le découvrir de l'intérieur, de ressentir le climat qui y règne.

Bien sûr, si on travaille pour un organe de presse quotidien, il faudra parfois un peu de virtuosité pour dégager chaque jour de la matière à nouvelle, et surtout pour trouver le temps de rédiger quelques feuillets, alors que le programme se déroule en continu. Cela est lié à la nature même du journalisme, comme exercice d'« histoire immédiate », encore qu'une gestion intelligente de l'information devrait permettre plus souvent à des journalistes de couvrir des événements sans devoir pondre un texte chaque jour. Pour le reste, les congrès, et dans une moindre mesure les colloques — plus courts et centrés sur un thème mieux circonscrit —, demeurent des moments privilégiés où le journaliste peut approfondir son regard sur le monde, développer des contacts, élargir l'éventail des questions qu'il se pose et des réponses qu'il explore, et découvrir, au fil des rencontres impromptues, de nouvelles pistes d'information.

Pour se sentir moins démuni, donnons rapidement quelques clés.

• Les organisateurs de congrès et de colloques prévoient, en général, des services de presse. Une salle, ou du moins une table où l'on trouvera la documentation de base : le programme, la liste des conférenciers, avec quelques notes biographiques, le texte des principales conférences, des communiqués d'organismes participants, etc. **Consultez toujours les documents qui vous sont accessibles : c'est un bon point de départ pour orienter votre couverture.**

• Dans la liste des conférences et des conférenciers, **recherchez ce qui semble à première vue de la matière intéressante pour une nouvelle, ou ce qui vous paraît être de l'information de fond utile. Préparez ainsi à l'avance votre plan de couverture.** L'idéal serait d'avoir pu le faire avant même votre arrivée sur place, si ces documents vous sont parvenus à temps. Dans tout autre cas, il vaut la peine d'y consacrer la première heure. Peu importe si vous devez, pour cela, rater une conférence importante : vous pourrez toujours en rattraper le contenu, lors d'une interview privée ultérieure.

• Mais un programme n'est pas toujours un document explicite ! **Demandez alors aux organisateurs de vous situer l'événement, ce qu'ils estiment en être les faits saillants, les débats de fond qu'il faut suivre, les conférenciers les plus prestigieux, les conférences les plus marquantes. Au besoin, demandez qu'on vous introduise auprès de ces personnes.**

• Dans le cas d'un colloque très spécialisé, **il est inutile, la plupart du temps, de suivre les conférences elles-mêmes.** Le texte, s'il est accessible, suffit presque toujours. Et quand ce n'est pas le cas, quelques minutes en salle vous permettront de situer la personne et son propos. Mais comme l'auditoire spécialisé n'est pas représentatif de votre public, il y a très peu de chances que l'information transmise — et surtout la quantité de détails techniques — corresponde à vos besoins. En dix ou quinze minutes d'entretien particulier, vous obtiendrez beaucoup plus d'information qu'en une demi-heure de conférence spécialisée. Une fois repérés les sujets intéressants et les gens capables d'en discuter avec vous, votre travail de couverture relèvera davantage de la « gestion d'agenda » : **entrez en contact avec vos sources, demandez-leur de vous accorder une demi-heure d'entrevue ; prenez rendez-vous s'ils ne sont pas disponibles sur-le-champ.**

• Quand des sujets suscitent beaucoup d'intérêt parmi les congressistes ou qu'ils portent à controverse, **il peut être intéressant d'assister à la période de questions qui suit les conférences.** Et effet, ces questions vous permettront de mieux évaluer la nature des enjeux et des débats, et vous pourrez remarquer, dans l'assistance, de nouveaux interviewés potentiels qui vous auraient autrement échappé, parce qu'ils ne figuraient pas parmi les conférenciers. Dans un congrès spécialisé, en effet, tous les experts ne sont pas nécessairement au programme.

• Les pauses-café, les lunchs et les occasions de rencontres fortuites sont des moments privilégiés pour les journalistes qui cherchent à établir des contacts, à approfondir quelques réflexions, à prendre le pouls d'un milieu... **Manifestez de l'indiscrétion au besoin, en écoutant par-dessus les épaules. N'hésitez pas à vous introduire auprès des groupes qui vous semblent discuter de sujets intéressants, mais gardez aussi de la réserve, en n'intervenant pas trop dans leurs échanges.** Les meilleurs journalistes, en ces circonstances, sont bien souvent ceux et celles qui savent écouter et « absorber ». Peu à peu, certaines questions essentielles finissent par transparaître, certaines synthèses se dégagent et, avec elles, de nouvelles pistes de couverture.

• Mais vous pourrez aussi vous faciliter la tâche en sachant **repérer, avant le congrès, une ou quelques personnes-ressources qui, sur place, pourront vous servir de guides** et, au besoin, d'interlocuteurs critiques quand il s'agira de vérifier vos pistes d'information.

• **Suivez aussi les événements organisés pour les médias, lorsque les organisateurs du congrès en ont prévu.** Il peut s'agir de conférences de presse, d'expositions commerciales ou techniques tenues en parallèle (pour la télévision, cela constitue une bonne source de matériel visuel d'appoint), d'invitations particulières à des rencontres privées (dans la chambre d'hôtel réservée pour les organisateurs, par exemple), etc.

Si les premières expériences de fréquentation de tels milieux spécialisés sont toujours angoissantes, les journalistes découvrent très tôt que leur « culture mosaïque » présente certains avantages. Dans un monde où les spécialités sont définies de manière de plus en plus étroite, où les experts de champs différents ne se rencontrent guère, il est fréquent de découvrir, au fil des conversations détendues, que ces experts apprennent autant du journaliste que celui-ci en apprend d'eux. Ils ont souvent en main tous les détails d'un problème, mais guère de perspective horizontale. En fait, si les personnes qu'on rencontre au fil de ces événements se méfient souvent des journalistes bousculés par la pression de l'heure de tombée et prompts à sauter aux conclusions hâtives, ils apprécient au contraire la compagnie de ceux qui savent prendre le temps d'écouter et d'aborder ouvertement les questions essentielles. C'est pour eux comme pour vous une excellente occasion de ressourcement. C'est en fréquentant des congrès scientifiques que j'ai pu développer des rapports plus approfondis avec des chercheurs, qui sont par la suite devenus le cœur de mon réseau de personnes-ressources.

La prise de notes et leur utilisation ultérieure

Il n'existe pas de recette magique et universelle pour la prise de notes. D'abord parce que c'est bien souvent une affaire d'habitudes individuelles : chacun finit par se donner les méthodes de travail qui lui conviennent. Ensuite, parce que ces méthodes peuvent changer selon le type de reportage à préparer ou le genre d'événement à couvrir.

Rappelons tout de même quelques principes essentiels que nous avons déjà mentionnés au fil des deux derniers chapitres :

• **Il n'est jamais nécessaire de tout prendre en note. Quelques mots clés suffisent,** ceux qui vous permettront plus tard de vous remémorer l'essentiel, d'en reconstruire les liens logiques.

• Les noms, les lieux, les dates, les statistiques essentielles, bref, **tous les éléments dont la précision est primordiale doivent, quant à eux, être notés avec soin.**

• **Lorsqu'on entend des phrases marquantes, des formulations saisissantes, et qu'on pense pouvoir les utiliser intégralement dans le texte, il est utile de les noter avec plus de soin.** L'usage d'abréviations ou de symboles devient alors pertinent. Si vous ne connaissez pas la sténo, développez vos propres méthodes de notation en raccourci. Si vous bénéficiez d'un enregistrement (audio ou vidéo), notez la référence de temps pour pouvoir retracer ces citations éventuelles.

• Outre le contenu des déclarations, notez aussi, au fur et à mesure, vos impressions furtives, les questions qui vous viennent à l'esprit, les pistes que vous pensez devoir explorer dans la suite de votre recherche. **Que la relecture de vos notes soit un rappel non seulement de ce qu'on vous a dit, mais aussi de votre propre cheminement en cours d'entretien.**

• La réactivation! En général, les éléments perçus comme secondaires commencent à s'effacer de la mémoire entre dix et soixante minutes après qu'on les ait notés. **Dès la sortie d'une interview, dès votre retour d'un événement, relisez rapidement vos notes.** Parce que tout est encore frais dans votre mémoire, il vous sera facile de compléter votre résumé en y ajoutant tous les éléments que vous n'avez pas eu le temps de noter à cause du rythme de l'événement. De plus, ce recul de quelques minutes vous permettra déjà de distinguer un peu mieux les éléments les plus importants. C'est une première phase de traitement de l'information. Les éléments ainsi remis en lumière se trouvent réactivés et demeurent plus longtemps en mémoire. Ils s'ajouteront ainsi à la trame de fond de vos connaissances, si d'autres interviews sont nécessaires.

• **En fin de recherche, avant la rédaction d'un texte ou la préparation d'un reportage, relisez de nouveau toutes vos notes.** Cela permet une nouvelle réactivation de la mémoire, et une intégration plus complète de tout ce que vous aurez exploré, noté et compris. Cela suffit souvent pour que des informations disparates prennent soudain un sens, que leurs liens logiques apparaissent. Bref, les notes bien prises deviennent non seulement un adjuvant de la mémoire, mais aussi un outil de traitement primaire de l'information.

La prise de notes « compilatoire »

La technique qui a été évoquée jusqu'ici est couramment appelée « compilatoire ». C'est un processus linéaire d'accumulation de l'information. Une succession de mots, de morceaux de phrases, entrecoupés de quelques citations intégrales, avec quelques points d'interrogation, quelques réflexions en marge. La prise de notes est en général intermittente : des périodes d'écoute plus ou moins active, suivies de périodes d'écriture en rafales. Le choix des extraits est subjectif : on privilégiera ce qui frappe l'imagination.

Souvent très personnelle dans ses méthodes de mise en page, dans ses abréviations, ses symboles, ses soulignements, cette technique est d'autant plus efficace qu'il y a prise en charge personnelle du message d'origine, c'est-à-dire compréhension et reformulation. C'est cette opération de traitement en direct de l'information qui force le cerveau à être très actif lors de l'écoute ; c'est ce qui fera qu'à la relecture, l'information apparaîtra comme déjà intégrée. C'est pour cela que les écoles de journalisme découragent, en général, l'usage de la sténographie, trop automatique pour permettre ce premier niveau de traitement.

La prise de notes fonctionnelle

La prise de note « compilatoire » demeure une prise de notes en vrac. Certains préféreront disposer leur matériel de manière plus structurée. Aligner par exemple du côté gauche de la page les mots clés, les concepts, le développement thématique de la conversation, alors que, dans une colonne plus large à droite, on regroupe les citations ou les anecdotes qui se rapportent à chaque thème. Parfois, on laissera en bas de page un espace libre où l'on notera, en cours d'entretien ou lors de la relecture, les éléments à caractère plus personnel : nouvelles questions qu'il faut poser, pistes de recherche qui viennent à l'esprit, rapprochements qu'il faudrait faire avec d'autres thèmes, etc.

Cette technique de prise de notes est plus exigeante, dans la mesure où elle impose une activité constante de répartition des éléments dans les différents espaces préétablis. Cela suppose une très grande concentration au moment de l'écoute et un effort constant pour dégager l'organisation du propos. Ce n'est pas toujours facile dans le feu de l'action, mais lorsqu'on y parvient, l'analyse subséquente des propos est d'autant plus facile que leur structure apparaît de manière immédiate. Les notes deviennent un outil de travail plus... fonctionnel !

La prise de notes par phrases-formules

Parce qu'ils ont compris que le but ultime d'une interview, c'est de recueillir d'éventuelles citations qui parsèmeront le texte, certains journalistes choisissent de ne noter, dès le départ, que les bonnes citations, c'est-à-dire les énoncés concis, frappants comme des aphorismes, où s'exprime la pensée de leur interlocuteur.

Certes, tout ce qui se dit dans une interview ne se retrouve pas au complet dans ces phrases-formules glanées au passage, mais ces phrases servent souvent de balises pour la mémoire : le reste du propos — le message, en fait — se reforme rapidement lorsqu'on relit les citations retenues. Or, en phase de rédaction, le journaliste n'aura besoin de rien d'autre que de ces citations. Mais attention ! Il faut tout de même noter aussi les données précises, les dates, les noms, les chiffres…

Notons que, pour un usage journalistique, la méthode est souvent pertinente lorsque vous travaillez à partir de livres ou de rapports écrits. Une lecture intelligente vous permet de comprendre. Cinq ou dix citations pertinentes et quelques chiffres en vrac suffisent alors pour réduire une brique de 300 pages à une seule feuille mobile que vous consulterez au moment de la révision de vos notes et de la rédaction du reportage.

La prise de notes arborescente (mind map)

À l'opposé des méthodes linéaires de compilation de l'information, la prise de notes arborescente commence par l'inscription, au centre de la page, du thème auquel se rattachent les propos. On dispose en périphérie tous les éléments qui s'y rattachent, en les regroupant par genres d'information ou par associations d'idées. Votre interlocuteur vous parle par exemple du décrochage scolaire. Au centre de votre page, vous écrivez « Les causes ». Vous notez tout autour, à mesure qu'il vous parle, mais en les regroupant par familles : les causes d'ordre psychologique, social, économique, etc. Chacun de ces éléments latéraux peut aussi se développer en plusieurs ramifications, où l'on retrouvera des exemples, des citations-chocs, des éléments statistiques.

À tout moment de l'interview, quand un nouveau thème est abordé ou qu'un élément secondaire se développe au point de devenir le centre d'intérêt, on peut changer de page et déployer une nouvelle arborescence. L'ensemble des notes prend la forme d'une série de schémas qui présentent l'information de manière structurée, par thèmes, sous-thèmes, associations.

Notons que cette technique est particulièrement utile lorsqu'un journaliste doit couvrir un événement où les informations ne surgissent pas de manière linéaire : une session de « remue-méninges » *(brainstorming)*, une assemblée générale où les questions qui se succèdent sautent allègrement d'un thème à l'autre, une manifestation où les opinions s'expriment dans le désordre, etc. La prise de notes arborescente est alors une façon simple de regrouper les éléments par thèmes, sans avoir à respecter une structure trop rigide. Et de dégager ainsi du chaos apparent quelques pistes claires pour un éventuel traitement journalistique.

La prise de notes arborescente est aussi très utile en phase finale de la recherche. Lorsque le reportage repose sur plusieurs entrevues et sur des sources écrites multiples (articles de magazines, documents de recherche, rapports, études statistiques), il peut arriver en effet que la matière semble tellement touffue qu'on sente le besoin de regrouper l'ensemble du matériel recueilli de manière plus organisée, avant la rédaction du plan de l'article. La construction d'un survol du champ à couvrir, sous forme arborescente, est une étape intermédiaire très féconde.

La prise de notes systémique

Proche parente de la précédente, la prise de notes systémique trouve son inspiration dans les pratiques des scientifiques et des informaticiens. Elle utilise l'encadrement, les figures géométriques, les flèches, pour regrouper sous forme d'organigramme fonctionnel les mots clés, les phrases-chocs, les données statistiques, etc. Le schéma d'ensemble met l'accent sur les rapports logiques et les enchaînements de l'information.

Mais soyons honnête : ce genre de représentation structurée d'un message ne s'élabore jamais « en direct ». En fait, la prise de notes systémique est impossible lorsqu'il faut glaner au vol des informations. Mais, comme pour la structure arborescente, elle peut être utile quand il faut traiter de manière structurée le contenu d'un rapport, par exemple, ou lors de la relecture finale de l'ensemble de ses notes, pour en dresser une vision synthétique, juste avant la rédaction du plan du texte ou du plan de montage.

11

Les outils de documentation
et le réseau Internet

Les sources d'information écrite et la documentation jouent rarement le rôle déclencheur dans l'activité des journalistes qui couvrent l'actualité au quotidien. Parce que leur matière première est l'événement, les journalistes ont même tendance à laisser les rapports écrits ou les outils de référence aux archivistes et aux historiens. Sauf le jour où une étude est publiée, bien sûr. Mais la nouvelle porte alors sur la publication elle-même, sur les déclarations qui l'accompagnent et sur les réactions qu'elle a suscitées, parce que, dans le feu de l'action, les journalistes n'ont pas le temps de lire à fond ces études. Le lendemain, ils sont ailleurs !

Il existe des exceptions. Le journalisme qui s'exerce dans des domaines spécialisés repose plus largement que le journalisme « général » ou politique sur la matière écrite : le chroniqueur financier doit décortiquer les rapports annuels des entreprises ; les revues savantes ou de vulgarisation sont une source d'information indispensable au journaliste scientifique qui y puisera souvent ses idées de reportage; etc. En outre, certains textes importants ont droit à un traitement de faveur : le rapport tant attendu d'une commission d'enquête donnera lieu à une synthèse détaillée, en plus de la couverture de la conférence de presse de la ministre responsable; et si la contrainte de temps empêche ce traitement en profondeur, la journaliste à qui aura été confié ce dossier se donnera un jour ou deux pour en achever l'étude et présentera, dans l'édition du samedi, une analyse plus fouillée.

Pourtant, les journalistes d'une salle de nouvelles ne travaillent pas toujours sur l'actualité du jour. Dans bien des cas, on leur confie des « histoires » qui ne reposent pas sur une simple couverture d'événement, mais sur de l'information reçue de source privilégiée et qui demande à être vérifiée. Le délai peut alors être de quelques jours, voire de plusieurs semaines pour des enquêtes plus délicates. Ces journalistes ont alors le temps de fouiller dans des banques de données, de scruter des rapports financiers, de parcourir des analyses. D'ailleurs, une enquête faite au Québec auprès de l'ensemble des journalistes avant l'avènement du réseau Internet avait déjà démontré que ceux-ci consacraient le quart de leur temps de travail à la lecture et à la recherche documentaire. Cette proportion a beaucoup augmenté depuis l'explosion du web.

En fait, avant même de choisir un sujet d'article, les journalistes doivent lire. Pour savoir ce qui se passe, suivre le flot quotidien de l'actualité, pouvoir rattacher rapidement les faits nouveaux à leur contexte immédiat. Mais aussi, plus généralement, pour se cultiver, ouvrir ses horizons sur des thématiques nouvelles et des pistes de reportage inusitées. Au cours de cette première étape, les médias de masse et les magazines d'information générale ou spécialisée sont sans doute les ressources les plus largement mises à profit. Plusieurs journalistes font aussi de la consultation de sites Internet une routine matinale quotidienne : ils y trouvent, en ligne, des bulletins de nouvelles continuellement mis à jour, plusieurs quotidiens nationaux ou étrangers, des magazines, des sites de nouvelles spécialisés (en sciences, en médecine, en nouvelles technologie, dans le domaine des sports, du cinéma, etc.). Bref, en une ou deux heures de navigation, ils arrivent à survoler tout ce qui s'est passé d'important dans les dossiers qui les intéressent. Pour le reste de la journée, ils resteront « branchés » aux dernières nouvelles en s'abonnant par courriel à des services d'alerte dans leurs secteurs de couverture, ou en « suivant » quelques sources pertinentes sur Twitter.

Vient ensuite le travail orienté vers une couverture à faire, un reportage à entreprendre. Quel que soit le sujet, on trouve toujours sur Internet une partie de l'information de base : données économiques et démographiques ; sites officiels des entreprises ou des institutions mises en cause ; répertoires gouvernementaux des entreprises, des transactions immobilières, des actes notariés ; base d'information juridique ; sites de référence universitaires ou gouvernementaux ; etc. Dans certains cas, les journalistes iront aussi consulter les répertoires électroniques d'articles accessibles sur abonnement. Il peut s'agir de répertoires d'articles de journaux (comme Eureka, la banque de données comprenant les articles des principaux quotidiens et périodiques du Québec) ou d'articles de revues spécialisées (comme PubMed, pour la littérature médicale, pour n'en mentionner qu'un).

S'ils en ont le temps, ils pourront chercher ensuite à mettre la main sur diverses études déjà publiées, question d'acquérir une vue d'ensemble du dossier. Si ces études ne sont pas accessibles sur ordinateur, on peut les obtenir dans les bibliothèques ou centres de documentation spécialisés : bibliothèque du ministère de la Santé et des Services sociaux pour les questions relatives à la santé ; centre de documentation du ministère du Travail ou des centrales syndicales pour les dossiers portant sur le travail ; bibliothèques spécialisées dans les départements ou groupes de recherche universitaires, etc. Ces ressources ne sont pas toujours ouvertes au public, mais il est plutôt rare qu'on en refuse l'accès aux journalistes. Notons du reste qu'on retrouve sur Internet les bibliothèques comme la Grande Bibliothèque du Québec, la Library of Congress américaine ou la British Library, de même que les bibliothèques des grandes universités. Ces sites offrent aux internautes de multiples services, souvent payants certes, mais avec lesquels il est utile de se familiariser.

À mesure que les recherches du journaliste progressent, les questions qu'il se pose exigent de plus en plus de précision. Il lui faut parfois retrouver des statistiques récentes, confirmer une donnée, retracer le texte exact des recommandations de tel ou tel groupe. Dans bien des cas, les personnes interviewées vont elles-mêmes remettre au journaliste les documents requis, mais il faudra souvent retourner dans les bibliothèques générales ou spécialisées, ou consulter de nouveau divers sites web, avec des objectifs de recherche beaucoup mieux définis cette fois.

Comme beaucoup de documents du passé n'ont jamais été archivés sous forme numérique, il devient parfois nécessaire, quand on remonte dans le temps, de consulter les archives et les outils de référence des bibliothèques : répertoires d'événements, répertoires d'articles, ouvrages bibliographiques, répertoires de personnalités, rapports d'études ou de commissions d'enquête, etc. En bibliothèque, les journalistes peuvent en outre compter sur les services de bibliothécaires ou documentalistes profes-sionnels pour orienter efficacement leurs recherches.

Enfin, il arrivera qu'un journaliste ait besoin de renseigne-ments très précis qui ne sont disponibles que dans les banques de données spécialisées... et payantes. Il peut s'abonner direc-tement à des serveurs commerciaux de banques de données (un investissement annuel de quelques centaines de dollars, auquel s'ajoutent des tarifs de communication et une factu-ration à la pièce pour chaque page téléchargée) ou profiter de l'abonnement de bibliothèques universitaires et être facturé à la tâche. Dans les deux cas, il est essentiel de bien planifier ses requêtes pour obtenir rapidement les renseignements désirés, tout en minimisant les coûts.

Dans le cas d'institutions gouvernementales, les journalistes peuvent aussi avoir recours à la Loi sur l'accès à l'information pour demander qu'on leur remette des documents internes qui n'ont pas encore été publiés... mais il faut alors s'armer de patience : si l'information demandée est jugée « délicate », ou si cela exige un effort pour la colliger et la rendre disponible, il faudra souvent de longs délais avant de l'obtenir, sans compter que si cette documentation inclut des renseignements personnels, l'institution visée devra d'abord les retrancher avant de rendre publics les documents demandés (on parle alors de documents « caviardés » pour désigner ces documents où l'on a masqué toutes les phrases qui risquaient de dévoiler des secrets ou de révéler l'identité d'une personne).

Articles, rapports de recherche, ouvrages de référence, répertoires d'événements, sites de référence sur le réseau Internet, banques de données spécialisées... Trop peu de journalistes, hélas, connaissent bien ces outils de recherche. Et quand vient le temps d'y avoir recours, ils perdent un temps fou à s'y retrouver. Aussi est-il recommandé à tout journaliste d'investir un peu de temps pour se familiariser avec les ressources disponibles, et de s'inscrire quand l'occasion se présente aux sessions de formation offertes par leur employeur ou par divers organismes, dont la Fédération professionnelle des journalistes du Québec (FPJQ).

Pour donner quand même une bonne idée de ce qui est disponible, je propose ici un premier survol de ces outils, en étant conscient qu'il ne saurait être complet, et surtout qu'il ne couvre que ce qui était disponible au moment de mettre sous presse... Or, tout change très vite dans le domaine de l'information.

Les principaux outils documentaires et les sites d'information utiles aux journalistes

Les médias et les répertoires d'articles

Que lisent donc les journalistes? D'abord, les textes... de journalistes! Grands consommateurs d'actualité, les journalistes lisent avant tout leurs collègues et concurrents des autres médias. Ils lisent aussi les périodiques d'intérêt général *(L'actualité, Time Magazine, Le Nouvel Observateur...)* et les magazines spécialisés *(Businessweek, Consumer Reports, Québec Science...)*. Ces textes sont en effet écrits dans une langue accessible, ils offrent déjà une première synthèse journalistique, bref, une partie du travail est faite. Ils constituent un bon point de départ: voici ce qui a été écrit sur la question; voici en outre les personnes qui ont déjà été interrogées sur le sujet, qui ont accepté de témoigner et qu'on pourrait revoir, en cas de besoin. C'est l'assise sur laquelle le journaliste greffera quelques éléments nouveaux — le contenu de deux ou trois interviews originales, quelques anecdotes récentes — pour produire un texte inédit, mais jamais décroché de la continuité journalistique qui l'a inspiré.

Voilà pourquoi les « filières thématiques » des centres de documentation, où les articles et autres documents courants étaient regroupés par sujets (des fichiers de coupures de presse, par exemple), étaient jadis la source la plus souvent consultée par les journalistes. L'arrivée de banques de référence dites « plein texte » accessibles sur ordinateur (la banque Eureka, par exemple) a peu à peu rendu caducs ces fichiers de coupures de presse. Mais ces dernières demeurent utiles comme aide-mémoire, pour garder sous la main (et sous l'œil) quelques textes jugés essentiels, qu'on pourra relire à tout moment en cours de démarche. Certains journalistes vont aussi se constituer de tels dossiers personnels où ils réuniront tous les articles touchant les domaines qu'ils couvrent, afin de se tenir à jour et d'y puiser rapidement de nouvelles idées de reportages ou de « suivis », ou d'y retracer les noms de personnes-ressources ayant déjà accepté de rencontrer des journalistes. En principe, la plupart de ces textes sont accessibles par Internet, mais encore faut-il savoir où les trouver... En outre, leur consultation n'y est pas toujours gratuite[1].

Une suggestion, en passant. La plupart des journalistes lisent les quotidiens locaux et les magazines grand public; c'est essentiel pour se tenir informé de ce qui alimentera les conversations du jour. Mais celui qui veut se donner un avantage et trouver des pistes originales a avantage à lire des publications plus fouillées, comme le *Courrier international, Le Monde diplomatique, The Economist, New Scientist...*

Pour la même raison, les journalistes spécialisés liront aussi, de manière plus ou moins régulière, certains périodiques professionnels qui leur permettent de se tenir au courant de l'activité du secteur qu'ils couvrent: bulletins institutionnels, journaux universitaires, syndicaux ou d'associations professionnelles, analyses sectorielles périodiques, etc[2]. Pour un journaliste spécialisé, surtout un pigiste qui ne travaille pas dans une salle

---

1 Bien des journalistes, quand ils entreprennent une démarche de reportage approfondi, vont d'abord rechercher sur Internet tout ce qui pourrait leur être utile, impriment des centaines de pages (articles de magazines, articles scientifiques, rapports de recherche, jugements de cour, textes de loi...) qu'ils vont ensuite classer par sous-thèmes dans plusieurs chemises. Qui a dit que l'avènement de l'électronique allait amener la disparition du papier?

2 On parle surtout ici de publications traditionnelles, distribuées par la poste. En effet, même si l'information qu'on y publie est presque toujours offerte aussi en format électronique, les gens lisent plus facilement les imprimés (ou, à tout le moins, les parcourent en diagonale). Je ne sais pas si l'avènement des tablettes électroniques changera la donne.

de rédaction, de telles lectures sont essentielles pour demeurer « branché » sur l'actualité dans son champ de couverture.

Les livres, monographies et publications diverses

Il faut souvent dépasser les écrits journalistiques si l'on veut comprendre à fond un problème, un débat, la structure d'une industrie... Ce sont alors surtout les livres (essais, dossiers, etc.) et les monographies qui permettront au journaliste peu familier avec un domaine d'en saisir les enjeux. Un chroniqueur touristique ou international se procurera quelques livres sur un pays qu'il compte visiter ; une journaliste en économie consultera une monographie sur l'industrie minière canadienne avant un important congrès dans ce domaine.

Une multitude de publications officielles (rapports, études, dossiers sectoriels) provenant d'organismes publics ou parapublics, ainsi que des dossiers, études ou mémoires produits par des organismes privés, des entreprises ou des groupes de pression peuvent aussi servir de référence pour l'analyse d'une situation, plusieurs mois ou même quelques années après leur publication, à condition bien sûr de garder à l'esprit que les points de vue qui y sont exprimés sont ceux de l'organisme qui les a produits. Il faut garder un œil critique, en somme. Notons que ces études et monographies sont souvent accessibles sans frais sur le site Internet des organismes qui les publient.

Les études et rapports de commissions d'enquête

Dans la famille de ces documents de fond, les rapports de commissions d'enquête méritent une attention particulière. Œuvres volumineuses, souvent accompagnées d'une kyrielle d'annexes documentaires, ayant mobilisé les efforts de plusieurs experts pendant de longs mois, ces rapports demeurent pendant plusieurs années des mines de renseignements inépuisables pour quiconque cherche à approfondir un domaine. Dix, vingt ou trente ans plus tard, des rapports majeurs comme celui de la commission Parent sur la réforme du système québécois de l'éducation au début des années 1960, celui de la commission Castonguay-Nepveu sur l'assurance maladie, celui de la commission Legault sur l'urbanisation, ceux des commissions Davey, Kent puis Caplan-Sauvageau sur les médias de masse, celui de la commission Bouchard-Taylor sur les pratiques d'accommodement reliées aux différences culturelles, et combien d'autres études de ce genre demeurent encore des documents à consulter quand on cherche à dégager les perspectives d'ensemble de l'un ou l'autre des secteurs ainsi couverts.

Si les plus anciens de ces rapports ont été publiés avant l'avènement d'Internet et doivent donc être consultés en bibliothèque, ceux qui ont été publiés depuis le milieu des années 1990 sont presque tous accessibles intégralement sur le web. Il peut arriver toutefois que certaines études complémentaires ou certains mémoires présentés devant ces commissions d'enquête soient plus difficiles à retracer sur le web et nécessitent aussi une recherche en bibliothèque.

Les outils statistiques

La presse quotidienne accorde une place importante, sinon démesurée, aux données statistiques de tout genre. « La croissance du produit national brut s'accentue », « se stabilise », « diminue »... « Le chômage s'accroît », « se maintient », « tombe »... « Les coûts de la santé représentent désormais 14 % des dépenses de l'État »... « 40 % des étudiants de cégep ont un emploi qui leur procure un revenu moyen de»... «50 % des mariages finissent par un divorce».

Cette vénération des chiffres n'est pas toujours saine. De multiples indicateurs n'ont, bien souvent, aucune signification en dehors des cercles d'initiés. Ou ils n'ont de valeur qu'en tant que révélateurs de tendances à long terme. Traités à la petite semaine, ils sont trop imprécis pour avoir une signification réelle. C'est le cas par exemple de la majorité des indicateurs macroéconomiques.

Pourtant, les journalistes ont besoin de données pour mesurer l'importance réelle de ce qu'ils voient, entendent ou perçoivent. Car le témoignage anecdotique n'a de valeur, en information, que s'il représente une situation transposable. On aura beau citer le cas d'une entreprise prospère, qui nous dira si les autres compagnies du même secteur ont une santé équivalente? Un chômeur désespère? Combien d'autres se sont trouvé facilement un emploi? Voilà un mariage à la dérive? Mais ne s'agit-il pas d'une exception? Bref, pour appuyer sa recherche, le journaliste sent très tôt qu'il a besoin de chiffres pour confirmer la réalité du phénomène qu'il met en scène.

Résultat: tout journaliste apprend très tôt à consulter les tableaux publiés par les services gouvernementaux (Statistique Canada et l'Institut de la statistique du Québec) ou par de nombreux organismes privés ou publics. Mais on ne soupçonne pas toujours l'importance de cette activité statistique. Le site web de Statistique Canada publie chaque jour son feuillet *Le Quotidien* où sont présentées ses dernières analyses. On y trouve sous divers onglets les données les plus récentes tirées du recensement, l'évolution des principaux indicateurs économiques et sociaux, ainsi qu'un répertoire de toutes ses publications regroupées par thèmes. On peut y découvrir de l'information sur presque tout, du tonnage des métaux extraits dans les mines canadiennes aux exportations du secteur manufacturier, en passant par les prises des pêcheurs ou le volume des flux financiers transfrontaliers, etc. De nombreuses analyses scientifiques tirées de ces données brutes y sont accessibles en format PDF.

L'Institut de la statistique du Québec publie de manière analogue son bulletin hebdomadaire *Stat-Express*, qui résume les plus récentes données économiques et démographiques et l'évolution des principaux indicateurs de la province. On retrouve aussi ces données regroupées par thèmes ou par régions. Tout journaliste devrait prendre quelques minutes pour explorer la richesse de ces sites, afin de mesurer l'étendue de l'information accessible.

Il existe bon nombre d'autres sources de données statistiques. De nombreux organismes privés ou publics produisent leurs propres études. Mentionnons par exemple les publications des associations sectorielles (Association minière du Canada, Association papetière, Conseil des universités, etc.), les feuillets d'information des banques, les analyses financières et boursières des maisons de courtage et des fonds de placements ainsi que les rapports périodiques des services de recherche de nombreux ministères fédéraux ou provinciaux. Notons toutefois que c'est souvent à partir des données de Statistique Canada que seront préparées ces analyses d'organismes publics ou privés; comme on peut faire dire bien des choses aux chiffres, en choisissant habilement les tableaux et les séries statistiques qui appuient son propos, il faut parfois se méfier des analyses « de seconde main » et se donner la peine de remonter aux sources premières. Nous reviendrons, au chapitre 12, sur le traitement des sources statistiques et techniques.

Mentionnons en passant les sites des maisons de sondage. La maison Gallup, par exemple, produit depuis plusieurs années un sondage hebdomadaire à l'intention des médias canadiens, ce qui permet de suivre l'évolution des opinions et des mentalités. Son site web international offre un contenu renouvelé quotidiennement (Gallup Daily News) et on y retrouve des centaines de sondages, menés dans de nombreux pays, sous un grand nombre de thèmes. Le site d'Angus Reid est presque aussi riche. Les journalistes québécois auront aussi intérêt à explorer les sites d'entreprises locales comme Ipsos Canada et Léger Marketing.

Les publications gouvernementales spécialisées et les registres d'information à caractère public

Parce que l'État joue un grand rôle dans les sociétés dites « développées », les divers paliers de gouvernement constituent la source la plus abondante d'information de tout genre. Outre les études statistiques mentionnées plus haut, les ministères et organismes publics poursuivent des travaux internes de recherche qui aboutiront à des rapports ou à des monographies. Dans certains cas, la loi les oblige en outre à compiler certains renseignements de nature publique et à les rendre disponibles sur demande. Ce n'est pas tant l'accès à cette information qui pose problème que la surabondance des rapports et études. Comment trouver les informations pertinentes dans ces innombrables pages publiées chaque année par des centaines d'organismes?

Rappelons d'abord que les gouvernements provinciaux et le gouvernement fédéral rassemblent des bibliographies périodiques de leurs publications. On trouvera, par exemple, sur le site de Bibliothèque et Archives nationales du Québec (BAnQ), une *Liste mensuelle des publications du gouvernement du Québec*. De nombreux ministères et services gouvernementaux publient aussi leurs propres listes des documents déposés dans leur centre de documentation. Ces publications sont très souvent disponibles en ligne; lorsque ce n'est pas le cas, on peut en général les obtenir rapidement en s'adressant aux organismes émetteurs, puisqu'il s'agit de documents publics.

L'énumération de tous les renseignements disponibles auprès des organismes publics serait difficile à faire. Donnons simplement quelques exemples, en vrac :

— le site web d'Industrie Canada comprend une banque de données avec tous les brevets enregistrés au Canada, une autre sur les marques de commerce (avec la nature des produits offerts sous chacune), sur les droits d'auteur, sur les entreprises à charte fédérale, sur les faillites, sur les liens de propriété entre les entreprises, etc. Tous ces registres sont interrogeables avec des outils de recherche plutôt simples[3]. Au Québec, le Registraire des entreprises possède des banques de données analogues, dont l'accès est garanti par la loi ;

— Environnement Canada possède une banque de données sur toutes les matières industrielles dangereuses ; Transports Canada tient un registre de toutes les lois et réglementations et de toutes les enquêtes ayant fait suite à des accidents lors du transport de matières dangereuses au Canada ;

— les Archives nationales conservent d'innombrables documents sur l'histoire des familles, des institutions et des communautés canadiennes ;

— les commissions de contrôle des activités boursières (l'Ontario Exchange Commission et l'Autorité des marchés financiers, au Québec) garantissent l'accès du public à tous les documents officiels produits par les sociétés dont les actions sont négociées en Bourse, tels les prospectus d'émission d'actions

---

3   La plupart de ces registres sont gratuits, mais pas tous. Au moment où j'écris cette nouvelle édition, par exemple, le Registre des dossiers de faillite et d'insolvabilité, le Registre foncier du Québec ou le Registre des droits personnels et réels mobiliers (RDPRM) sont tous payants. Mais dans bien des enquêtes journalistiques, l'information qu'on y trouve est essentielle et vaut largement les sommes demandées.

ou les rapports annuels[4]; cela vaut aussi pour la Securities and Exchange Commission américaine;

— la Commission de la santé et de la sécurité du travail (CSST) met à la disposition des chercheurs et des journalistes un centre de documentation en matière d'accidents de travail; dans ce cas, les dossiers individuels sont souvent confidentiels, mais de nombreuses études sectorielles sont dignes d'intérêt;

— maints fichiers de renseignements sont, de par la loi, à caractère public et donc accessibles sur demande : enregistrement des actes de propriété (Registre foncier du Québec); rôles municipaux d'évaluation foncière; registres des permis de construction ou autres permis commerciaux, etc.;

— on trouve de plus en plus d'information sur les sites des municipalités, dont les procès-verbaux du conseil municipal et de l'exécutif, dans plusieurs cas, mais la complexité de certains sites peut être époustouflante (c'est le cas de Montréal et de ses arrondissements);

— enfin, je m'en voudrais de ne pas inclure dans cette liste le plumitif, registre informatisé donnant accès à l'historique des différents dossiers judiciaires de nature civile, criminelle et pénale qu'on retrouve dans les greffes des palais de justice du Québec (informatisés depuis 1975 à 1985, selon les districts), un outil essentiel pour toute couverture du monde judiciaire[5];

---

4   Tous les rapports et prospectus des entreprises sont disponibles sur place, auprès des autorités boursières. Il existe par ailleurs un système électronique d'enregistrement, d'analyse et de recherche (SEDAR) où tous ces documents sont regroupés, à l'intention des investisseurs et des analystes, qui peuvent ainsi y avoir accès en ligne. Mais ce service (sedar.com) est payant. Il en va de même pour un site analogue, le Système électronique de déclaration des initiés (SEDI).

5   Là encore, la consultation du registre est payante, mais les journalistes inscrits aux Palais de justice ainsi que les journalistes indépendants membres de la Fédération professionnelle des journalistes du Québec (FPJQ) y ont accès gratuitement.

mentionnons aussi le site Jugements.qc.ca, le site du Barreau du Québec pour certains rôles accessibles en ligne, mais surtout le site de la Société québécoise d'information juridique (SOQUIJ), qui regorge d'information pertinente pour les journalistes.

Tous ces dossiers sont en principe publics et sont accessibles, pour la plupart, sur le web. Avec un peu d'efforts (et parfois un peu d'argent), on y trouve de l'information précise... et précieuse. Pour les journalistes couvrant l'économie, le travail, la santé publique, la scène judiciaire, le monde municipal, et en particulier pour tous les journalistes d'enquête, une connaissance de ces sites spécialisés est primordiale. Il vaut la peine de consacrer quelques jours à leur exploration, et de profiter des sessions de formation offertes à l'occasion par des collègues plus expérimentés.

Avant de clore ce survol des publications gouvernementales, mentionnons la *Gazette officielle,* où sont rendues publiques toutes les réglementations et les lois, ainsi que le *Bulletin officiel (Ottawa Letter),* où sont décrites toutes les activités du gouvernement fédéral, du Parlement et des tribunaux (les trois pouvoirs constitutifs de l'État). Les journalistes peuvent aussi avoir accès à la transcription de tous les débats en Chambre ou en commission parlementaire. Ces documents existent aussi dans les provinces.

Le recours à la Loi sur l'accès à l'information

Malgré l'abondance de l'information disponible, il arrive que les renseignements qu'on cherche à obtenir n'aient pas donné lieu à une publication ou que les employés en ayant la charge soient réticents à laisser un journaliste consulter les documents originaux et tentent de le dissuader (on lui demandera, par exemple, de payer pour la photocopie de documents avant même de pouvoir les consulter). C'est souvent le cas au sein des administrations municipales, moins bien organisées en général, et plus portées à gérer « en privé ». Dans pareils cas, une demande écrite est parfois plus efficace. On y invoquera le droit de tout citoyen d'inspecter gratuitement ces informations à caractère public.

En cas de difficultés, rappelez-vous que, pour tout ce qui est gouvernemental, l'accès aux documents publics est garanti par les lois canadienne et québécoise d'accès à l'information[6]. Le journaliste peut alors entreprendre une démarche auprès de la Commission d'accès à l'information du Québec, par exemple, pour obtenir toute étude qu'on lui aurait refusée. Le seul fait d'adresser une demande officielle en vertu de cette loi suffit souvent à faire tomber les dernières défenses. Mais même s'il faut mener la lutte jusqu'au bout et attendre parfois plusieurs mois avant qu'on vous donne raison, la bataille en vaut le coût. Certes, avec quelques mois de retard, l'information risque de ne plus être aussi pertinente, mais le journaliste qui aura persévéré se sera créé une réputation de « coriace ». Par la suite, on sera plus réticent à lui refuser ce qu'il demandera.

---

6 Bien que cette affirmation générale demeure vraie, l'adoption d'un nouveau code civil au Québec, en 1992, a un peu compliqué les choses en plaçant la confidentialité des renseignements personnels au premier plan des préoccupations. Ainsi, les registres de l'État civil, qui étaient considérés comme des documents publics et donc accessibles à tous lors de la première édition de ce livre, sont maintenant d'accès restreint. Certains organismes invoquent maintenant de manière quasi automatique la présence de renseignements nominatifs dans leurs registres pour en refuser l'accès aux journalistes.

Les revues savantes, les ouvrages de recherche et autres publications spécialisées

Nous vivons, dit-on, à l'âge de l'information : il se publie chaque mois au Canada quelques centaines de revues savantes et autres ouvrages présentant des recherches inédites ; à l'échelle mondiale, c'est par dizaines de milliers que ces publications s'accumulent. Destinées à quelques spécialistes d'un même domaine, les textes de ces revues sont rarement utiles au journaliste des médias de masse.

Pourtant, il arrive souvent qu'une recherche publiée d'abord dans une revue destinée aux spécialistes soit ensuite reprise dans des revues moins spécialisées ou dans la grande presse... avec quelque déformation. Telle hypothèse avancée parmi d'autres par un sociologue pour expliquer un phénomène mal défini devient, sous la plume d'un autre auteur, une « brillante évocation d'un phénomène nouveau ». Un magazine destiné au grand public reprend ensuite cette information en la grossissant encore plus. Puis l'information sera reprise dans plusieurs quotidiens. À force d'être répétée, elle devient un fait connu et accepté comme tel, sans qu'il n'ait jamais été démontré. Tout journaliste soucieux de conserver un esprit critique face aux déclarations qui se font trop souvent à tort et à travers doit donc souvent remonter aux sources et consulter les publications originales des études citées. Trop peu le font, malheureusement. Nous y reviendrons au chapitre 14, quand il sera question du journalisme scientifique.

Bien que certains journalistes jugent parfois utile de s'abonner à des revues spécialisées dans leur domaine (l'aviation civile ou militaire, la biologie moléculaire, la diplomatie internationale, l'économie pétrolière, etc.), c'est en général dans les banques de données dites « plein texte » (presque toujours payantes) que les journalistes trouveront l'article original dont

ils ont besoin. Dans cette perspective, il est bon de se familiariser avec la consultation de ces banques de données accessibles
dans toutes les bibliothèques. Et il ne faut surtout pas hésiter à
demander l'aide des bibliothécaires professionnels qu'on y rencontre. Ce personnel est formé pour répondre à des demandes
comme celles que peuvent formuler des journalistes. Les bibliothécaires aiment fournir cette aide et sont payés pour le faire. Et
si on les entend parfois se plaindre, c'est plutôt de ce que trop
peu de gens mettent à profit leur compétence!

À côté des articles de revues spécialisées, notons les actes
de congrès et colloques, ou autres publications du même type,
qui tentent de faire le point sur les études et recherches dans un
domaine et constituent souvent, de ce fait, d'excellents ouvrages
de référence pour les journalistes. De nombreux instituts de
recherche publient de tels ouvrages sur le cancer, sur le développement urbain, sur la violence chez les jeunes, sur la maladie
mentale, sur le vieillissement, sur les problèmes économiques
des pays du tiers-monde, et que sais-je encore? Une fois de plus,
c'est auprès des bibliothécaires qu'un journaliste pourra découvrir ces documents susceptibles de lui donner une vue d'ensemble sur la question qu'il entend aborder.

Les services de prêt entre bibliothèques (dans les institutions
universitaires, notamment) font que même les publications non
disponibles sur place peuvent vous être acheminées en quelques
jours à peine. N'hésitez pas à vous en prévaloir.

Les ouvrages de référence et les encyclopédies

Dans le Québec de mon enfance, dans les années 1950 et 1960,
le mot « encyclopédie » était associé à ces vendeurs qui parcou-
raient villes et villages pour vendre de porte en porte des abonnements à l'*Encyclopédie de la Jeunesse,* des Éditions Grolier.

Combien de familles ont accepté, sous la pression de ces marchands de culture, d'investir quelques centaines de dollars (une fortune à l'époque), en paiements mensuels réguliers, sur ce qu'on leur présentait comme l'avenir de leurs enfants !

Reste que les encyclopédies (du moins les plus sérieuses d'entre elles) constituent des outils de première importance pour tout journaliste qui veut faire le point sur un secteur de la connaissance humaine. Les articles de l'*Encyclopædia Britannica* (en anglais) ou de l'*Encyclopædia Universalis* (en français, mais d'un niveau plus difficile), même sur des domaines qui évoluent rapidement comme la biologie ou la physique fondamentale, comptent parmi les synthèses les plus remarquables qui existent sur ces sujets. Le coût d'achat élevé de ces encyclopédies, l'espace qu'elles occupaient dans une bibliothèque et le fait que leur contenu était condamné à « vieillir » avec les années constituaient autant de freins à leur acquisition par les journalistes qui préféraient les consulter en bibliothèque. Tous ces problèmes n'existent plus depuis que ces ouvrages de référence sont offerts en abonnement à prix abordable sur Internet.

Mais l'outil le plus fascinant qu'on trouve désormais sur le web demeure Wikipedia, un projet d'encyclopédie universelle collective, totalement gratuite, multilingue et fonctionnant sur le principe de la « connaissance distribuée », c'est-à-dire la conviction que si on laisse un grand nombre de personnes y inscrire librement ce qu'ils savent et en discuter entre eux, on finira par retrouver en un même lieu plus de connaissances que si on avait confié la rédaction aux experts les plus reconnus. En principe, chacun peut modifier et améliorer librement le contenu de chaque article... ce qui ouvre aussi la porte à la publication d'insanités (les responsables de Wikipedia parlent de « vandalisme » lorsque cette information fausse est insérée de manière consciente). Mais des milliers de bénévoles révisent sans cesse les changements proposés et s'assurent que ce qu'on y a ajouté est solidement documenté. Résultat, l'information douteuse ou inexacte est, en général, très rapidement corrigée (le plus souvent dans les heures qui suivent).

Créée en janvier 2001, cette encyclopédie « démocratique » a d'abord été reçue avec méfiance par les universitaires. Mais dès 2005, une étude publiée dans la revue *Nature* a établi que les articles scientifiques de Wikipedia ne comprenaient guère plus d'erreurs que ceux de l'*Encyclopædia Britannica*, et qu'ils avaient, en moyenne, une « profondeur » aussi riche[7].

Bien sûr, comme n'importe qui peut créer une nouvelle page sur un sujet qui l'intéresse (un groupe rock, un phénomène paranormal, un nouveau jeu de société, un film récent…), certaines « entrées » demeurent très succinctes, avec un contenu superficiel, voire promotionnel. On verra alors rapidement apparaître une mise en garde qualifiant cet article d'incomplet ou de « biaisé » et invitant les internautes à y ajouter de l'information, ou à commenter l'article dans une section intitulée « discussion » (*talk*, dans l'édition en langue anglaise). De même, si certaines affirmations paraissent douteuses, on inscrira en petits caractères « références requises » dans l'espoir que l'auteur ou d'autres lecteurs appuient ce contenu par des liens qui renvoient à des études solides.

Le plus fascinant, c'est que tous les états antérieurs de chaque article et toutes les discussions qui ont permis son évolution demeurent accessibles grâce à des onglets apparaissant sur la page consultée. Pour le journaliste, cela rend Wikipedia extrêmement précieuse : non seulement on y trouve l'état de la connaissance actuelle sur le sujet recherché, mais en consultant la section de discussion et en lisant au besoin les versions

---

7   Notons ici que les résultats de cette étude ont aussitôt été contestés par les éditeurs de *Britannica*. N'empêche que la publication a contribué à établir de manière définitive la réputation de Wikipedia.

antérieures de l'article, on peut en quelque sorte revivre tout le débat qui a mené à sa rédaction finale. Aucune autre encyclopédie avant elle n'avait offert un tel accès direct aux controverses entre experts. Wikipedia est à la fois une encyclopédie et un forum vivant!

En outre, chaque affirmation clé dans un article offre des liens avec la documentation qui l'appuie (d'autres articles de l'encyclopédie, des publications scientifiques ou des rapports d'organismes reconnus), ce qui permet une exploration en profondeur du sujet. Le journaliste pourra ainsi retracer toutes les études significatives, colliger rapidement une documentation complète et repérer tous les experts pertinents. Il m'est arrivé souvent, à titre de rédacteur en chef à Radio-Canada, d'avoir à répondre à des « experts » qui contestaient certains aspects de nos reportages ou nous reprochaient d'avoir adopté un point de vue marginal ou carrément erroné. Chaque fois, j'ai retrouvé dans l'article de Wikipedia sur le même sujet les grandes lignes du débat auquel me conviait ce téléspectateur critique[8].

Wikipedia est donc devenu incontournable, mais les journalistes pourront aussi consulter en version imprimée ou sur Internet des ouvrages plus spécialisés, comme les multiples atlas géographiques ou économiques (dont worldatlas.com), *L'État du monde* (Éditions de La Découverte), *L'Annuaire du Québec* et combien d'autres almanachs en tous genres.

---

8   Au moment où j'écris ces lignes, l'encyclopédie est disponible en 281 langues (dont 205 comptent plus de 1000 articles). La version anglaise dépassera les quatre millions d'articles avant la fin de 2011, ce qui représente plus de 500 millions d'entrées en comptant toutes les versions antérieures conservées en mémoire. La version française, la troisième plus abondante, après l'allemande, devrait dépasser les 1 200 000 articles (et 75 millions d'entrées) cette même année.

Les répertoires d'événements

Disponibles en bibliothèque, les répertoires d'événements constituent la véritable mémoire active de l'information. Ils sont surtout utiles pour la préparation de documentaires ou de reportages qui cherchent à remonter le fil de l'histoire. Le plus connu est le *Facts on File*. Cette publication présente chaque semaine, depuis 1941, un résumé succinct des événements qui ont marqué le monde ou, du moins, qui ont fait la manchette des grands quotidiens occidentaux (surtout américains), ainsi que certaines statistiques clés de l'économie. Vous cherchez à retracer l'histoire des crises raciales aux États-Unis ? Fouillez dans les index annuels de *Facts on File* aux mots clés « *racial riot* ». Année après année, tous les événements significatifs vous redeviennent accessibles. Des années d'histoire, en quelques heures à peine ! D'autres répertoires de ce genre sont publiés en Europe, et le *Canadian News Facts* se présente un peu comme le complément canadien de son « grand frère » américain[9].

Les répertoires de personnalités, d'entreprises ou d'associations

Washington délègue un nouvel ambassadeur à Ottawa : qui se cache derrière ce visage encore peu connu chez nous ? Un financier américain lance une offre publique d'achat des actions d'une société canadienne : à quelles sociétés son nom est-il rattaché ? Ottawa nomme un nouveau président à la tête d'une société d'État : quel mérite a cet individu, sinon d'être du bon parti ?

---

9   Aujourd'hui, la banque de données de *Facts on File* est accessible en ligne (service payant), ce qui n'est pas le cas du *Canadian News Facts*. Mais ces « index », utiles surtout quand on veut remonter l'historique d'un sujet d'actualité au fil des années, sont disponibles dans toutes les grandes bibliothèques.

Les réponses à ces questions figurent sans doute au *Who's Who*, où sont répertoriés tous les personnages publics des États-Unis, du Canada, d'Europe ou du monde, dans les multiples versions internationales de cet ouvrage. On y trouve, en quelques lignes, la biographie de chaque personnalité : son âge, son statut matrimonial, sa formation et un résumé de sa carrière, les responsabilités publiques qu'elle occupe, les prix et médailles qu'elle a reçus, les conseils d'administration où elle siège, etc. En trois minutes, on apprend tout !

Le répertoire *Sources* porte en sous-titre le descriptif suivant : *The media's guide to experts and spokespersons*. Disponible en ligne sur le réseau Internet, on y trouve la liste alphabétique de tous les parlementaires canadiens, des personnalités ayant reçu des prix et mentions importantes, des personnes à joindre dans plus de 1 000 associations, entreprises ou institutions diverses au Canada, une liste de toutes les publications récentes (livres ou vidéo), un calendrier d'événements, en plus des nouvelles du jour. Mais son intérêt principal vient de l'index de référence par sujets qui vous permet de trouver rapidement qui, au Canada, peut vous parler du sujet qui vous préoccupe. Le site américain ProfNet offre aux journalistes un service analogue de mise en contact avec les experts et les relationnistes qui ont fait l'effort de s'y inscrire.

Le *Financial Post* offre en ligne son *Directory of Directors* où sont présentés tous les dirigeants d'entreprises majeures au Canada. Grey House Publishing édite en version papier le *Canadian Parliamentary Guide*, qui donne la liste de tous les services publics du Canada et des provinces, en plus du répertoire de tous les hommes politiques, les hauts fonctionnaires, les diplomates, les juges… Ces répertoires ont bien sûr leurs équivalents aux États-Unis et dans de nombreux pays européens. Dans le domaine financier, on trouve de nombreux ouvrages de référence (*Survey of Industrials, Survey of Financial Institutions,*

Fortune 1000, etc.) qui donnent, en plus des noms des dirigeants et des membres des conseils d'administration, un portrait succinct des activités, les données financières, les liens de propriété, bref, un portrait immédiat des grandes sociétés américaines ou internationales. Mentionnons aussi le *Directory of Associations in Canada,* la compilation fédérale des *Liens de parenté entre corporations,* etc.

En fait, cette liste de répertoires documentaires pourrait s'étendre sur des pages. Le but n'est pas ici d'être exhaustif, mais d'inviter, une fois de plus, les journalistes à passer quelques heures dans la section des références d'une bibliothèque, ne serait-ce que pour découvrir la richesse des informations qu'on peut y trouver.

Les répertoires de publications, de titres, d'auteurs et de sujets

Pour terminer ce survol des outils de documentation, mentionnons les nombreux ouvrages de références bibliographiques accompagnées de descriptifs plus ou moins détaillés, les listes de publications (revues et magazines) et les répertoires d'articles, où sont listés tous les articles des médias, par auteurs, par titres ou par mots clés. Ainsi, pour retracer tout ce que les quotidiens ont écrit sur un sujet donné, on consultera l'*Index de l'actualité à travers la presse écrite* ou le *Canadian News Index.* Pour les magazines, il y a *Point de repère* et *Canadian Periodical Index.* Pour la presse américaine, mentionnons le *Reader's Guide.* Pour retracer les articles parus dans les revues savantes, les bibliothèques universitaires offrent sur cédérom de nombreux répertoires spécialisés.

La recherche sur Internet

Le réseau Internet est né dans les années 1970, sous le nom
d'ARPANET, quand la Défense américaine, soucieuse d'assurer
la stabilité de ses réseaux de communication contre d'éventuelles
attaques aériennes, a décidé d'interconnecter tous les centres
informatiques universitaires dans un « réseau des réseaux »,
beaucoup moins vulnérable parce qu'il allait reposer sur une
multitude de réseaux parallèles. Dans les années 1980, on a
développé un protocole d'interconnexion universel pour que
tous ces réseaux puissent s'échanger de l'information (le TCP/
IP) puis un outil d'adressage et de navigation révolutionnaire,
le HTML (pour *Hypertext markup language*). Ce codage permet
de cacher derrière chaque mot souligné une commande de bran-
chement donnant l'adresse d'une autre page d'information.

La plupart des universités nord-américaines et beaucoup de
groupes de recherche publics ou privés ont alors créé leur site
où l'on pouvait naviguer avec aisance en cliquant sur les mots
soulignés. Mais au début des années 1990, les renseignements
ainsi accessibles se limitaient aux communications institution-
nelles des membres du réseau. Pour le reste, si quelqu'un voulait
vraiment accéder à des banques de données, il devait savoir où
les trouver, dans un univers virtuel qui s'était développé sans
aucun répertoire, et utiliser des protocoles de communication
plus complexes. Dans la première édition de ce livre, en 1990,
je n'accordais que deux paragraphes à ce réseau... qui n'avait
guère d'utilité pour les journalistes.

En 1992, une petite entreprise de Californie mettait au point
un nouvel outil d'accès à l'information : le logiciel Mosaic. Cette
première interface graphique offrait une navigation beaucoup
plus facile et donnait accès à la fois aux textes et aux images, du
moins pour les pages d'information accessibles par hyperliens

(celles qui formaient ce qu'on a alors appelé le *World Wide Web*). La Fédération professionnelle des journalistes du Québec a tenu cette année-là son premier atelier de présentation d'Internet. On y avait décrit la remarquable croissance du nombre d'abonnés du réseau au cours des deux années précédentes, et souligné l'arrivée de ce nouvel outil de navigation; mais le présentateur, André Laurendeau, un des pionniers d'Internet au Québec, avait aussi rappelé que le « web[10] » ne comprenait qu'une infime partie de l'information accessible sur le réseau, et pas la plus intéressante.

En 1993, le président américain Bill Clinton a décidé de confier à l'entreprise privée le développement futur du réseau Internet, financé jusque-là par le ministère de la Défense et déployé presque uniquement dans les universités. Ce fut le signal de départ d'une ruée des sociétés commerciales vers le web. L'entreprise qui avait lancé Mosaic mettait sur le marché en 1994 un nouveau logiciel, plus puissant encore : Netscape. Elle en profitait pour s'inscrire en Bourse, devenant le premier grand succès financier d'Internet. Les premiers logiciels grand public permettant au néophyte de programmer son propre site web datent aussi de cette époque. En quelques mois, des centaines de milliers d'entreprises et d'individus se sont mises à concevoir leurs sites web : présentations corporatives, pages d'information, journaux intimes, site de groupes d'intérêt spécialisés, sites de divertissement, vitrines commerciales... y compris d'innombrables sites pornographiques. À compter de l'automne 1995, la majorité des ordinateurs individuels vendus au Canada comprenaient un modem. En 1996, on a assisté à une explosion du nombre des abonnés individuels au réseau Internet. C'est

---

10 Au début, le terme *web* a parfois été traduit par *toile* au Québec. Mais dans l'ensemble, l'usage tend à faire du terme anglais le mot générique pour désigner cet espace d'Internet où l'on retrouve la grande majorité des sites accessibles par hyperliens. C'est ce terme que nous utiliserons ici.

cette année-là qu'Internet est devenu un outil de travail essentiel aux journalistes.

Les moteurs de recherche

Au début, les documentalistes boudaient ce réseau anarchique, affirmant que l'information n'y était ni contrôlée ni organisée pour des fins de recherches sérieuses ; une sorte d'immense foire aux rumeurs, disaient-ils. Puis, des organisations fiables y ont versé leurs banques de données et leurs textes d'analyse, forçant certains services d'information spécialisée à modifier leur stratégie commerciale et à miser à leur tour sur la gratuité (ou du moins sur des tarifs très bas).

Les premiers « moteurs de recherche » disponibles sur Internet (Web Crawler, Yahoo!, HotBot, AltaVista, Excite…) permettaient au départ, à partir de quelques mots clés, de retracer la plupart des sites pertinents. Mais ces outils sont vite devenus tellement encombrés par les millions de sites répertoriés qu'après quelques années, même des requêtes très précises produisaient souvent une liste de plusieurs centaines de liens ; pire encore, parce que ces moteurs de recherche devaient renouveler sans cesse leur exploration du web pour demeurer à jour, certains sites pertinents finissaient par disparaître de leur champ de vision, alors que des sites sans valeur encombraient leurs listes de suggestions[11].

Breveté à la fin de 1997, le moteur de recherche Google a

---

11 Lors de la deuxième édition de ce livre, en 2000, je déplorais la faiblesse de ces outils de recherche et je recommandais plutôt aux journalistes la fréquentation de nombreux sites répertoriant les pages web par champs de spécialité. Ces sites existent toujours et demeurent parfois utiles, mais la technologie des moteurs de recherche s'est beaucoup améliorée, depuis l'arrivée de Google notamment, et cette recommandation m'apparaît moins pertinente.

innové en se basant non pas sur l'exploration exhaustive de tous les sites web, mais plutôt sur la fréquence des liens activés autour de ces sites pour retracer les plus pertinents. Google est rapidement devenu le leader incontesté de la recherche sur le web, au point où le mot *googler* est devenu synonyme de « faire une recherche de page web ». Cela dit, les anciens moteurs de recherche existent toujours, et ils ont raffiné leurs algorithmes de recherche depuis lors (quand ils n'ont pas, tout simplement, intégré dans leur outillage le moteur développé par Google). Comme leurs résultats peuvent différer de ceux de Google, il peut parfois être utile, quand on cherche à retracer des sites peu fréquentés, de procéder aux mêmes recherches sur plusieurs moteurs, et de comparer les résultats offerts.

Notons que pour augmenter l'efficacité des recherches, il est bon d'avoir recours à la fonction « recherche avancée » offerte par plusieurs de ces outils. Cela permet d'utiliser les opérateurs booléens (ET, OU, SANS, etc.) pour filtrer plus efficacement les sites proposés. Plusieurs moteurs offrent aussi d'autres outils pour restreindre le champ d'exploration : on proposera par exemple de ne rechercher que les images, que les vidéos, que les documents Word ou PDF, que les blogues[12], que les sites de nouvelles, etc. Enfin, Google conserve en mémoire (en cache) les pages de certains sites répertoriés antérieurement. Quand des sites controversés sont retirés du web par leurs auteurs, on peut souvent les consulter malgré tout par la suite, grâce à cette fonction... fort utile pour un journaliste le moindrement curieux !

---

12 Le terme *blogue* vient de l'expression anglaise *web log*, qui désignait à l'origine un site web où les textes étaient entrés les uns à la suite des autres, comme dans un carnet de bord. Ces « carnets web » permettent aux lecteurs d'y inscrire aussi leurs commentaires, placés après chaque « entrée ». Le web compte désormais d'innombrables blogues personnels ou thématiques, offrant des millions de forums plus ou moins spécialisés.

Les « explorateurs de connaissances » et le « web sémantique »

Né en 2009, l'« explorateur de connaissances » WolframAlpha est le premier exemple d'une nouvelle génération d'outils d'exploration du web fondés non pas sur la recherche de sites, mais sur la recherche d'information à partir de questions formulées en langage naturel[13]. Pour l'instant, ce n'est guère qu'une encyclopédie interactive fondée sur une gigantesque banque de données, en plus d'une calculette qui peut fournir la réponse à un nombre considérable de problèmes mathématiques. Beaucoup moins riche que Wikipedia, elle n'est pas d'une grande utilité pour un journaliste.

Mais d'autres outils du même genre devraient faire leur apparition au fil des ans, à mesure que les concepteurs de sites web vont mettre à profit les nouvelles versions du langage HTML, versions qui intègrent dans le codage des liens de l'information sur le contenu « sémantique » des documents vers lesquels on nous dirige. C'est en tout cas la promesse qu'on nous fait aujourd'hui : avec le web « sémantique », il sera bientôt possible de trouver de l'information précise, à partir de questions formulées en langue courante.

Les sites « publics » pour le dépôt de documents confidentiels

Créé en 2006, le site WikiLeaks offre un espace de dépôt à toute personne détenant des documents hautement confidentiels mais d'intérêt public. Au départ, les créateurs du site se limitaient à

---

13 Au moment de la publication de ce livre, cet outil ne fonctionne qu'en anglais. Mais des sites analogues en langue française vont sûrement se développer rapidement.

fournir un espace d'hébergement pour ces documents, en ayant mis en place des mécanismes de sécurité pour qu'il soit impossible d'en retracer la source. Ils espéraient que, sur le modèle de Wikipedia, la communauté des internautes allait ensuite fouiller ces documents secrets, et en tirer toute l'information pertinente. Dès 2007, environ 1,2 million de documents avaient été ajoutés à la banque de données de WikiLeaks, mais cette surabondance a fait en sorte que la majorité de ces documents n'ont jamais été analysés.

WikiLeaks a quand même permis la divulgation de nombreuses affaires secrètes : corruption et détournements de fonds au Kenya (2007) ; relevés bancaires de 1600 clients de la banque suisse Julius Bär ayant un compte secret aux îles Caïmans (2008) ; publication intégrale du procès de Marc Dutroux, un pédophile belge dont le dossier était couvert par le secret d'instruction (2009) ; manœuvres financières douteuses de la Banque Kaupthing d'Islande, divulguées juste avant la grande crise financière mondiale (2009) ; publication des échanges de courriels révélant que le Climatic Research Unit de l'Université d'East Anglia aurait étouffé toute contestation des données concernant le réchauffement climatique (on a parlé du *Climategate*, en 2009)... Le site a vraiment fait les manchettes (et est devenu « l'ennemi public numéro un » aux États-Unis) à partir de 2010, avec la diffusion d'une vidéo de l'armée américaine montrant deux photographes de l'agence Reuters mitraillés sans raison par un hélicoptère lors d'un raid aérien sur Bagdad, puis la publication d'une série de fiches secrètes rapportant au jour le jour les incidents militaires en Afghanistan et en Irak.

Beaucoup de ces documents contenaient tellement de renseignements, et étaient colligés de façon si disparate, qu'il était difficile pour les internautes d'en comprendre l'importance. En outre, il était évident (dans le cas des rapports de guerre, notamment) que leur divulgation intégrale pouvait mettre des vies en danger. En 2010, les responsables de WikiLeaks ont changé de stratégie et, au lieu d'ouvrir leur site de dépôt à tous, ils ont remis les documents jugés les plus délicats à des journalistes de quelques grands médias et ont ainsi filtré et remis en contexte une partie de l'information. Cette nouvelle approche a suscité quelques tensions, et un groupe de dissidents a créé un autre site plus « ouvert », OpenSource. Dans les mois qui ont suivi, des sites analogues sont apparus dans un grand nombre de pays, y compris le site QuebecLeaks[14].

Mentionnons qu'il existe aussi de nombreux sites spécialisés, gratuits ou payants, destinés aux journalistes d'enquête. On y trouve des liens avec les sites de type WikiLeaks, des banques de données sur les entreprises, sur les comptes *offshore*, sur les régimes fiscaux des pays, sur les réseaux associés aux organisations criminelles à l'échelle planétaire, etc.

Les sites-répertoires

Le web offre aussi de très nombreux répertoires généraux ou spécialisés qui regroupent les sites par thèmes et par sous-thèmes. Pendant quelques années, à cause de l'encombrement des résultats fournis par les moteurs de recherche, ces répertoires étaient plus efficaces pour explorer l'univers du web. L'arrivée de Google les a rendus moins essentiels. Reste que, pour avoir une vision structurée de l'ensemble des ressources disponibles dans un domaine spécialisé (la fourrure, le tourisme, la micro-électronique, la génétique, l'information judiciaire, la création

---

14 Il est trop tôt pour savoir quel rôle joueront à plus long terme ces multiples sites publics de dépôt de documents confidentiels. Mais il est certain que la possibilité de déposer des documents secrets sur le web sans qu'on puisse retracer la source de la fuite change radicalement la donne. Nous sommes entrés dans une ère où aucun secret n'est à l'abri.

littéraire, etc.), il est encore utile de fréquenter de tels répertoires spécialisés plutôt que de « googler » dans l'ensemble du web.

Mentionnons par exemple, pour les journalistes, le site JournalismNet développé par le journaliste d'enquête Julian Sher (disponible en anglais et en français). On y retrouve des liens vers tous les moteurs de recherche, vers tous les sites de journaux, magazines, stations de radio ou de télévision, vers les banques de données judiciaires de toutes les provinces, et bon nombre d'autres sites pratiques. Le site de la FPJQ est aussi riche en liens utiles (sous l'onglet « outils de travail », notamment).

Parmi les tout premiers moteurs de recherche, certains (comme Yahoo! ou Excite) se sont d'ailleurs transformés en véritables portails où on trouve ce genre de répertoire de sites, regroupés par thèmes. Mentionnons enfin le site Technorati, un répertoire spécialisé dans les blogues.

Les forums, les groupes de discussion et les blogues

Dès les débuts du réseau Internet, les usagers y ont créé des espaces de discussion ouverts à tous (les « babillards électroniques » ou les « forums ») ou réservés à des abonnés regroupés par champs d'intérêt (les Newsgroups, UseNet, ou ListServ). C'est un peu l'équivalent électronique d'une salle de rencontre où ne viendraient que les spécialistes d'un même sujet ou les personnes intéressées. Quand vous y entrez, vous ne savez pas qui vous y trouverez ni le sujet précis de leurs échanges. Mais vous pouvez quand même suivre les débats afin de prendre le pouls du groupe et découvrir les sujets qui préoccupent ses membres à ce moment-là. Pour un journaliste spécialisé, cela peut devenir très précieux. Vous pouvez aussi y écrire toute question dont vous cherchez la réponse. Tous les abonnés reçoivent alors votre question et il y a de bonnes chances que quelques-uns vous répondent.

Avec l'émergence de ce qu'on a appelé le « web 2.0 », c'est-à-dire un réseau misant sur l'interactivité et la « connaissance distribuée », les blogues ont proliféré. La grande majorité de ces carnets interactifs sont centrés sur la personnalité du blogueur : il peut s'agir de journaux personnels sans thématique particulière, ou au contraire de carnets centrés sur le champ d'expertise de leur auteur (par exemple, un critique de cinéma qui alimente sur son blogue des échanges sur les films récents ou un chroniqueur politique qui anime un blogue sur l'actualité ; en fait, la plupart des blogues écrits par des journalistes sont de ce type). Leur fréquentation peut être divertissante, mais elle est rarement utile comme source documentaire. Par contre, des blogues spécialisés animés par plusieurs « experts » ont fait leur apparition, et certains ont attiré dans un même lieu de partage virtuel plusieurs spécialistes d'un même domaine, jouant alors un rôle analogue aux groupes de discussion. Il en va de même de certains sites thématiques sur les plateformes de « réseaux sociaux » comme Facebook. Les journalistes spécialisés auront avantage à explorer ces multiples « réservoirs d'expertise » afin de pouvoir entrer facilement en contact avec de nouvelles personnes-ressources.

Les « réseaux sociaux »

Il existe d'innombrables sites web fondés sur les échanges directs entre leurs abonnés et le partage de fichiers. La première « communauté » de ce genre, GeoCities, un lieu d'hébergement de pages web créé dès 1994, a été perçue comme un outil incontournable de démocratisation du web et de liaison entre les individus partageant des intérêts communs. Racheté par Yahoo! en 1999, le site a rapidement perdu de sa popularité et n'a plus beaucoup d'importance aujourd'hui dans l'univers du web. Difficile de prédire si les sites d'échange et de partage d'aujourd'hui connaîtront le même sort. Mentionnons quand même certaines « communautés » qui dominent le web au moment où j'écris ces lignes : YouTube, pour le partage de fichiers vidéo, Twitter, pour l'échange de liens et de très courts commentaires (les « tweets », ou « gazouillis » en français, limités à 140 caractères), Facebook ou Myspace, qui offrent un espace de conversation et de partage de fichiers entre « amis », etc.

Pour l'instant, ces sites dont le contenu est généré par les usagers sont rarement utiles comme source de documentation fiable. Mais les médias les utilisent beaucoup comme espace de promotion et de diffusion de leur contenu, de sorte que les journalistes sont souvent appelés à y placer des textes, des commentaires ou des interviews.

Certains sites qui offrent le partage de biographies, de curriculum vitæ ou de réseaux professionnels peuvent par ailleurs être utiles à un journaliste qui veut élargir son réseau de personnes-ressources[15].

Le courrier électronique

Est-il utile de rappeler enfin que le réseau Internet donne aussi accès au courrier électronique ? Une fois que le journaliste a repéré les experts d'un secteur donné (sur un site web, sur Facebook, sur un groupe de discussion), il est souvent facile d'obtenir leur adresse électronique et de leur envoyer ses demandes par courriel. Ce mode de communication est moins interactif que le téléphone — et moins enrichissant, avouons-le —, mais il

---

15 Malheureusement, la plupart de ces communautés demandent qu'on s'y inscrive, et la multiplicité de ces sites diminue l'utilité réelle de chacun.

permet de laisser un message sans frais à son interlocuteur, quelle que soit la distance et l'heure du jour, un avantage très important dans le cas de recherches internationales. Les échanges par courriel permettent aussi d'obtenir, en fichiers joints, des notes de recherche, des tableaux de données, des schémas ou autres articles pertinents à toute requête[16].

Quelques mises en garde

Si Internet a révolutionné l'accès à l'information et à la documentation, le journaliste doit conserver son esprit critique face au réseau. On y trouve de tout : des sites crédibles comme des sites au contenu douteux. Internet est ainsi devenu la première source de légendes contemporaines, cette information fausse qui se répand soudainement (grâce aux sites de partage, notamment) et finit par être tenue pour vraie. Toujours garder à l'esprit qu'Internet, c'est une place publique : la qualité de l'information recueillie dépend de la fiabilité que vous accordez à la source. La règle à suivre, c'est de vérifier toute l'information que vous recevez, si vous ne pouvez en certifier la source.

Quand on trouve ce qu'on cherche, on se heurte aussi au problème de la surabondance de l'information. Les résultats d'une recherche sur un pays en guerre pourront inclure de nombreux articles de quotidiens, des rapports gouvernementaux, des analyses internationales sur ce conflit, les prises de position des groupes en présence, les points de vue des parties en cause.

---

16 Le courrier électronique permet aussi le télétravail : vous pouvez, pendant que vous couvrez un congrès à Chicago ou à Tokyo, envoyer des requêtes concernant un autre article, réviser un texte ou poursuivre des échanges avec un collègue... qui ne se rendra même pas compte que vous n'êtes pas au bureau ! Mais cet aspect ne concerne pas l'objet du présent chapitre, soit l'information accessible sur le réseau Internet.

Fascinant et instructif… mais cela prend un temps fou, si on n'a pas une idée précise de ce qu'on cherche!

Mentionnons enfin qu'Internet n'est pas le premier outil interactif qui vous permette d'entrer en contact avec le monde entier sans quitter votre table de travail. Le réseau téléphonique le faisait bien avant. Et il est encore plus interactif : on apprend plus en conversant — avec la possibilité de poser des sous-questions, de corriger ses visions, de relancer les échanges vers d'autres pistes — qu'en adressant des demandes par courrier électronique. Même les conversations écrites en temps réel (les « textos » et autres messageries électroniques) n'ont pas la même spontanéité que l'oral. Un conseil, donc : après avoir retracé vos personnes-ressources par Internet, appelez-les pour échanger avec elles. Les tarifs d'interurbains coûtent, eux aussi, de moins en moins cher.

La stratégie pour amorcer une recherche

Voici, pour conclure ce chapitre, quelques conseils pratiques pour pouvoir intégrer dans vos démarches journalistiques les ressources de documentation que nous venons de survoler.

Bien connaître les ressources disponibles

Avant même de vous mettre au travail, familiarisez-vous avec les outils documentaires disponibles par Internet, et avec les ressources publiques accessibles près de chez vous (bibliothèque municipale, bibliothèques collégiales ou universitaires, centres de documentation spécialisés, associations professionnelles, associations culturelles ou ethniques, etc.). Prenez le temps de les visiter au moins une fois, ne serait-ce que pour savoir ce qu'il est possible d'y trouver.

Amorcer une recherche

Une fois bien au fait des ressources documentaires accessibles, vous voilà prêt à enclencher vos premières recherches. Tentez d'acquérir d'abord une bonne vue d'ensemble du dossier que vous cherchez à approfondir. Cela peut se faire par des interviews exploratoires avec des personnes-ressources proches des milieux touchés (interview de *background*), mais aussi par la consultation de sites Internet, de dossiers de presse, de monographies, d'articles de revues, etc.

Au départ, n'hésitez pas à ratisser large : on comprend mieux les enjeux autour d'une question précise quand on saisit l'ensemble d'un dossier. Mais attention : des questions trop vastes (« Je veux avoir un bilan de la santé des Québécois », ou bien « Avez-vous des statistiques sur le développement de la micro-informatique ? ») risquent de vous faire perdre du temps sans vous apporter d'information pertinente. Mieux vaut bien délimiter votre angle de couverture et choisir, dès le départ, les faits précis que vous voulez cerner : quel phénomène ? quelles statistiques ? quelle année ? quel lieu ? etc.

Ces premières lectures vous apporteront beaucoup de renseignements pertinents… que vous ne cherchiez pas au départ. Ainsi, des anecdotes glanées dans les répertoires d'événements peuvent enrichir la trame narrative de votre dossier, réinsérées dans une perspective historique. Une personne mentionnée dans un site web ou par une de vos personnes-ressources vous semble intéressante. Vous faites une recherche rapide dans *Who's Who* (ou plus simplement sur Google), et cela vous fait découvrir des relations toutes nouvelles entre le domaine étudié et d'autres secteurs de l'actualité récente... Un bon journaliste doit savoir « flairer » ces nouvelles pistes. Cela peut l'inciter à modifier son angle d'approche, ou à préparer d'autres articles à partir de ces nouvelles avenues[17].

À ce stade de votre recherche, notez sommairement toutes les données, tous les faits qui vous paraissent significatifs, ainsi que les noms des spécialistes ; ce sont des personnes-ressources éventuelles. Pour cette prise de notes, il n'y a pas de système idéal. Certains préféreront utiliser des fiches ; d'autres jetteront en vrac sur papier les faits à retenir ; d'autres enfin utiliseront la photocopieuse. Qu'importe la méthode. L'essentiel, c'est que vos survols initiaux sur le web puis vos séjours en bibliothèques soient profitables. Que vous en retiriez tout ce qui pourra vous être utile immédiatement, mais aussi ce qui vous permettra par la suite de dégager des perspectives plus approfondies sur le domaine couvert. C'est ainsi qu'on construit peu à peu sa propre expertise.

La recherche dans les banques de données

Les banques de données de type « plein texte » comme Eureka, Infomart, Dialog ou CompuServe sont précieuses pour les journalistes, mais leur consultation n'est pas gratuite. Si vous ne profitez pas de l'abonnement de votre média et devez assumer vous-mêmes les frais, chaque consultation vous est facturée en fonction du nombre de pages téléchargées. Apprenez à être

---

17 Le journaliste Jean-Benoît Nadeau cite, dans son *Guide du travailleur autonome,* le cas d'une recherche qui l'a mis en contact avec un entrepreneur à succès d'origine américaine. En fouillant dans sa biographie, il a retracé sa ville natale et a pu vendre au journal de cette municipalité un texte sur le « succès à l'étranger » de ce natif du coin. C'est en faisant ainsi flèche de tout bois que les journalistes travaillant à la pige arrivent à rentabiliser leurs efforts.

efficaces dans vos techniques de requête, à lire en diagonale le matériel qui apparaît à l'écran afin de télécharger tout ce qui est pertinent... mais rien de plus.

Pour une recherche efficace, familiarisez-vous d'abord avec la structure de chaque banque de données que vous comptez utiliser. Bien qu'elles fonctionnent toutes avec la même logique générale (l'information y est organisée par « champs »; la recherche procède par mots clés qu'on associe par des opérateurs booléens — ET, OU, SANS, NI — en indiquant si les mots associés doivent être juxtaposés, proches l'un de l'autre ou n'importe où dans le texte), la formulation des requêtes peut varier d'une banque de données à l'autre.

Établissez ensuite une stratégie de recherche : ciblez la langue pertinente pour chaque banque de données; choisissez des mots clés pertinents afin de limiter l'étendue de votre recherche, sans passer à côté d'informations utiles; précisez la couverture géographique et chronologique pour éviter de vous retrouver avec des textes dépassés ou provenant de pays qui ne vous intéressent pas... Et surtout, corrigez le tir en fonction du nombre et de la pertinence des textes ou des références obtenus.

Notons en terminant que ces modes d'interrogation des banques de données (par opérateurs booléens) sont aussi utilisés par de nombreux outils de recherche sur Internet. Même si le temps de consultation ne vous est pas facturé dans le cas de sites à accès ouvert, votre temps demeure précieux : mieux vaut apprendre à travailler efficacement avec ces langages d'interrogation.

12

Savoir compter :
le traitement des sondages,
des recherches scientifiques
et des données numériques

Dans un petit livre, publié en 1974 aux Éditions du Jour sous le titre *Le 100 000ᵉ exemplaire*, le philosophe Jacques Dufresne rappelle que, jusqu'au début du XXᵉ siècle, les chiffres n'avaient encore qu'un usage accessoire dans la presse : pendant plusieurs siècles, les journaux étaient consacrés à l'expression d'opinions ou au récit des faits et gestes des personnes publiques. Ce n'est qu'avec l'apparition de la presse factuelle, qui se veut « objective », que les chiffres deviennent le symbole de la rigueur des analyses présentées et une mesure de l'importance des faits cités. Ils prennent alors, dans le monde de l'information, une place dominante. C'est désormais à coups de chiffres que les politiciens feront campagne, que les syndicats et les patrons s'affronteront, que les experts donneront du poids à leurs analyses. Ils deviennent la formule magique : « Ce que je dis est vrai, puisque je peux vous citer des données, à la deuxième décimale près ! »

Les journalistes tombent bien facilement dans le panneau des chiffres lancés sans discernement. N'ont-ils pas, dans leur travail au jour le jour, tendance à privilégier les citations ? Et si les statistiques mentionnées étaient fausses ? Qu'importe ! Si le ministre les a avancées, on ne risque rien à les lui attribuer ; s'il nous a induits en erreur, il se trouvera bien quelqu'un pour rectifier les faits. Demain, on n'aura qu'à publier un démenti !

À ce jeu, la presse quotidienne devient un champ de bataille où plus rien ne permet de distinguer qui a raison et qui a tort. Le recours aux chiffres cités sans vérification devient de la désinformation. Il existe certes des sources fiables, mais même les témoins les plus crédibles ont parfois des visions erronées ; leur perspective sur le réel n'est toujours que partielle. Le journaliste qui pratique le doute méthodique comme mode d'appréhension des réalités derrière les discours ne se fera donc jamais l'écho de ces statistiques lancées à la volée sans en vérifier chaque fois la qualité et la pertinence.

Les chiffres ne sont toutefois pas toujours que des pièges du discours. Ils ont souvent un rôle fondamental en information : celui de donner la mesure réelle d'un phénomène que le journaliste cherche à cerner. On dénonce la présence d'une substance toxique dans l'environnement, mais quelle est l'ampleur de la contamination et la mesure réelle du danger ? On parle de violence chez les jeunes à Montréal après que deux ou trois attentats ont fait la manchette, mais le problème est-il vraiment plus aigu qu'il l'était il y a cinq, dix ou quinze ans ? Pour de telles « mises en perspective », le journaliste sentira lui-même le besoin de consulter des sources techniques, de rechercher des indicateurs de tendance, de citer des données statistiques, pour confirmer la place réelle des faits relatés.

Quel que soit son domaine de couverture, le journaliste est donc constamment mis en présence de ces éléments d'interprétation mathématiques, bien souvent essentiels, à condition de les traiter avec prudence... et de savoir que ceux qui les utilisent leur font parfois dire n'importe quoi.

Les sondages

Les sondages que les journalistes ont en main peuvent provenir de maisons spécialisées (CROP, Léger Marketing, SOM, Gallup), de groupes de recherche universitaires, publics ou privés. Ils peuvent avoir été commandés par des entreprises commerciales ou des groupes de pression, y compris les partis politiques. Leur portée peut être très générale (sondages démographiques, sondages sur les valeurs) ou, au contraire, limitée (sondages « sur mesure » ayant un objectif très précis, comme l'accueil fait à une nouvelle marque de céréales). Leur méthodologie sera parfois très rigoureuse, parfois volontairement simplifiée, et leur traitement engendrera des coûts plus ou moins élevés selon qu'on se contente de compiler les réponses séparément ou qu'on cherche à vérifier leurs corrélations (un traitement statistique plus complexe).

Toutes ces variables influencent bien sûr la validité des résultats et la crédibilité qu'il faudra leur accorder. Cela dépendra parfois du sérieux des sondeurs, parfois aussi de l'argent dont dispose le client. Mais c'est bien souvent le but initial du sondage qui déterminera les sommes qu'on doit y allouer et le choix des méthodes. Le journaliste doit donc se demander d'abord qui a supporté les frais de l'étude et dans quel but on l'a menée.

Pourquoi fait-on des sondages ?

Plusieurs raisons peuvent conduire un organisme à commander ou à réaliser lui-même un sondage.

• Lorsqu'ils sont très « ouverts » dans leur approche, les sondages peuvent servir à **esquisser le portrait d'un groupe, de ses valeurs, de ses priorités, des opinions dominantes**; cela peut être fait simplement aux fins de recherches (en sociologie, par exemple) ou pour préparer une stratégie de marketing ou une campagne électorale.

De tels sondages comportent souvent des limites : certains sujets sont tabous et les sondés mentent inconsciemment (au sujet de la consommation de drogues, par exemple, ou encore sur les comportements sexuels ou le revenu) ; d'autres suscitent des réponses normatives, c'est-à-dire que les gens se définissent tels qu'ils se perçoivent et non pas toujours tels qu'ils sont réellement. Pourtant, même si les tendances mises en évidence par les sondages ne sont alors pas toujours fiables, elles risquent d'influencer les approches publicitaires, les plates-formes électorales, les débats collectifs. Justes ou fausses, les révélations des sondages deviennent donc, du seul fait que bien des décideurs les utilisent, de bons indicateurs d'avenir.

• Ciblés un peu plus étroitement, les sondages permettent **d'analyser une hypothèse de recherche, de vérifier l'efficacité d'un service ou d'une image (dans le domaine commercial) ou la perception (bonne ou mauvaise) d'une action ou d'une idée (en politique)**, etc.

S'ils ne sont pas faits de manière très professionnelle, ces sondages laissent parfois entrevoir leur cible, ce qui peut induire des réponses orientées en fonction de l'objectif du client. Une lecture critique des questions suffit parfois pour découvrir de telles faiblesses. Par contre, quand la méthodologie est rigoureuse, ces sondages peuvent fournir une réponse d'autant plus précise que les objectifs définis au départ étaient étroits, et le portrait des répondants, bien cerné. Dans tous les cas, il est important, lorsqu'on obtient les résultats bruts d'un sondage, de s'interroger sur ce qu'il cherchait à vérifier, sur les groupes qui en formaient l'échantillon et sur les limites de validité qui en découlent.

• Beaucoup de sondages ont aussi pour but **d'orienter la création de nouveaux produits ou services, ou de modifier des produits et services existants**; ce sont les sondages de clientèle, qu'on utilise de plus en plus pour définir les caractéristiques des produits mis sur le marché : prix, distribution, *packaging*, créneaux publicitaires prioritaires, etc.

De plus en plus raffinés, ces sondages comportent tout de même une limite intrinsèque : on ne peut répondre à des questions sur des produits et services non encore existants que de manière normative, en se basant sur l'expérience du passé. De tels sondages sont impuissants à prévoir les virages importants dans le comportement des consommateurs. Ainsi, IBM a renoncé à lancer son micro-ordinateur au milieu des années 1970 parce que les sondages auprès des clientèles éventuelles avaient révélé des perspectives désastreuses; aucun consommateur ne voyait en quoi il pourrait avoir besoin d'un tel jouet... jusqu'à ce que l'arrivée du micro-ordinateur Apple prouve que ce « jouet » était bel et bien utile !

• Certains sondages ont pour objectif, avoué ou pas, **d'influencer un groupe et de modifier son comportement**. On peut toujours, en choisissant le bon moment pour mener un sondage (en fonction de l'actualité, par exemple) et en formulant ou en agençant correctement les questions pour susciter telle réponse plutôt que telle autre, faire ressortir d'une étude prétendue objective les opinions que l'on veut mettre de l'avant.

Cette technique a souvent été utilisée au Canada par des groupes de pression, notamment dans le débat sur l'avortement, dans le domaine du contrôle de l'immigration ou dans la lutte contre les impôts et les taxes. On peut toujours prévoir les réponses que provoqueront des questions comme celles-ci : « Croyez-vous qu'un pays souverain comme le Canada devrait avoir le droit de choisir les immigrants qu'il souhaite voir s'établir sur son territoire ? » « Croyez-vous qu'un pays souverain peut tolérer que des immigrants mentent ou commettent des actes illégaux pour franchir ses frontières ? »

Comme arme idéologique, le sondage sera alors d'autant plus convaincant qu'il aura l'air scientifique, et donc inattaquable. Les journalistes doivent donc redoubler de vigilance : toujours se demander qui a payé l'étude, et dans quel but. C'est souvent le meilleur moyen d'en reconnaître les partis pris.

• Mentionnons enfin que les journaux commandent souvent eux-mêmes des sondages, dans le but **d'établir des prévisions (pendant les campagnes électorales, par exemple) ou de suivre l'évolution de l'opinion au fil de l'actualité.** Le résultat de ces sondages devient alors, en lui-même, matière d'information.

Beaucoup de gens ont remis en question la pertinence de publier de tels sondages, en période électorale notamment. Selon les opposants, leur publication fausserait le jeu démocratique, en influençant le choix des électeurs en faveur du parti qui domine les sondages. Mais la démonstration de cet effet pervers n'a jamais été faite. Et si, en démocratie, les citoyens veulent voter en fonction des sondages, de quel droit les priverait-on de cette information ? Comme les partis politiques mènent leurs propres sondages, il paraît difficile de justifier le fait d'interdire aux citoyens l'accès à une information qui, de toute façon, influence déjà les comportements des candidats et des partis. Enfin, on ne pourra jamais empêcher les reporters qui couvrent une campagne électorale de chercher à savoir de quel côté souffle le vent et d'y aller de leurs propres prédictions, sur la base des multiples entrevues faites sur le terrain. Il s'agit là en quelque sorte de quasi-sondages, sans prétention scientifique. Dès lors, où tracerait-on la frontière? Comment pourrait-on permettre la publication de telles prédictions spontanées tout en interdisant aux médias d'en entreprendre la vérification méthodique? Cela reviendrait à autoriser l'information... pourvu qu'elle ne soit pas vérifiée!

Au-delà de ces commentaires généraux sur les sondages, voyons maintenant d'un peu plus près les biais méthodologiques qui s'y cachent souvent et qui exigent une grande vigilance de la part des journalistes.

L'échantillonnage

Les techniques de sondage se sont raffinées au fil des ans. Les sondages préélectoraux largement erronés, comme celui qui amena le *New York Times* à annoncer, en première édition, la victoire de Dewey contre Truman aux élections présidentielles de 1948, sont choses du passé. Mais cela ne devrait pas justifier une foi aveugle dans tous les sondages qui nous sont présentés. Les sondages préélectoraux mobilisent de grosses sommes. Dans la majorité des autres cas, pour des raisons économiques, les firmes de sondages sont obligées de stratifier leur échantillonnage selon des critères beaucoup plus restreints (sexe, langue, âge, origine ethnique, niveau de revenu, etc.) et les échantillons ne sont pas toujours à l'image exacte de la population étudiée. C'est vrai en particulier des sondages téléphoniques (n'excluent-ils pas, *a priori*, les gens qui n'ont pas le téléphone ou les gens qui sont très rarement à la maison?) ou des sondages « trottoir » qui sélectionnent forcément les promeneurs d'une certaine zone urbaine et, plus encore, seulement ceux que l'intervieweur choisira inconsciemment d'interroger.

Les firmes de sondages les plus sérieuses vont parfois pondérer leurs résultats pour réduire ces distorsions. Ce n'est pas toujours le cas. Pour juger de la fiabilité d'un sondage, il faut donc avoir accès aux données brutes et à une description détaillée de sa méthodologie. Un premier principe, donc : **toujours se méfier d'un sondage livré sans annexe méthodologique !**

Il faudra aussi **se méfier des sondages par échantillon autosélectionné.** On envoie un questionnaire à un large groupe ; un certain nombre de personnes répondent. Mais cela ne dépend pas du hasard : celles qui ont des idées à défendre, des expériences à raconter ou des raisons de se plaindre ont une plus forte incitation à répondre. Le portrait qu'elles esquisseront ne reflétera pas nécessairement l'opinion de l'ensemble de la population sondée. C'est le cas de presque tous les sondages menés par des médias auprès de leurs lecteurs, ou par des associations auprès de leurs membres. Mentionnons, par exemple, ceux que réalise le Conseil du patronat auprès des gens d'affaires : ils ne sont certes pas dépourvus d'intérêt, et l'évolution des réponses, d'une année à l'autre, est révélatrice de certaines tendances ; mais les résultats bruts sont toujours faussés par cette autosélection des répondants.

De manière analogue, **les enquêtes portant sur l'ensemble d'une population, mais qu'on n'a jointe qu'en partie, sont souvent biaisées elles aussi.** Qui sont ceux qu'on n'a pas joints, et pourquoi ? Peuvent-ils invalider partiellement les résultats obtenus ? Dans les enquêtes sur le sort des diplômés universitaires, par exemple, il est beaucoup plus facile de retracer ceux qui ont suivi un cheminement prévisible (ceux qui travaillent dans leur spécialité) que ceux qui ont « décroché ».

Ouvrons ici une parenthèse pour parler des sondages menés par Internet. Au début, leurs résultats n'étaient pas considérés comme fiables, notamment parce que l'accès à un ordinateur était encore moins « démocratique » que l'accès à un téléphone.

SAVOIR COMPTER 323

Et les personnes qui se donnaient la peine de répondre à ces sondages en ligne formaient des sous-groupes autosélectionnés, donc peu représentatifs. Avec le temps, toutefois, ces sources d'erreur se sont amoindries. Tous les Canadiens n'ont certes pas encore accès à Internet, mais les firmes de sondages se sont dotées de listes de dizaines de milliers d'internautes prêts à répondre à des sondages et qui ont accepté de livrer leur « profil démographique ». En choisissant soigneusement dans ces listes, il est désormais possible de créer des sous-échantillons parfaitement représentatifs de la population générale qu'on souhaite sonder. Pendant quelques années, les sondeurs ont mené ces sondages en ligne parallèlement avec des sondages plus traditionnels, pour comparer les résultats. Ils considèrent aujourd'hui que les sondages colligés sur le web sont souvent plus précis (et moins chers à réaliser) que les sondages téléphoniques.

Le contexte d'administration d'un questionnaire

En 1987, une dépêche de la Presse Canadienne relatait qu'une très forte majorité de Canadiens (76 %) et de Canadiennes (80 %) croyait que la plupart des hommes pourraient commettre un viol s'ils étaient sûrs de ne pas être ensuite arrêtés et condamnés. L'information provenait, apprenait-on quelques paragraphes plus loin, d'un sondage effectué en Ontario auprès des abonnés du câble qui venaient de visionner un film dénonçant le viol.

Voilà un excellent exemple du mauvais usage d'un sondage. Outre le caractère ambigu de cette affirmation (« la plupart des hommes pourraient commettre un viol si... »), notons que les abonnés du câble qui venaient de visionner ce film ne constituent certes pas un échantillon représentatif des Canadiens et Canadiennes dans leur ensemble : tous les sondés étaient anglophones, de l'Ontario, et abonnés au câble! En second lieu, cet échantillon avait été autosélectionné, puisque ces gens avaient choisi d'eux-mêmes de visionner ce film, avant qu'on leur pose la question. Mais surtout, le message du film lui-même a inévitablement dû influencer leurs réponses. Quelle information ce sondage nous donne-t-il vraiment sur les citoyens du pays? Il nous apprend tout simplement que quand on vient de regarder un film qui dénonce le viol, on se laisse influencer! Qu'en sera-t-il six semaines plus tard, ou même le lendemain, à l'heure où la dépêche de la PC traversera le pays?

Cela relève de l'évidence: quand on veut sonder vraiment les opinions d'une population ou d'un groupe, on ne cherche pas d'abord à orienter cette opinion dans un sens précis par un conditionnement massif. Or, les sondeurs commettent systématiquement cette faute. C'est au moment même où les Canadiens sont assaillis de manchettes sur l'arrivée illégale de réfugiés tamouls, et sur les mensonges que ceux-ci ont proférés auprès des agents de l'immigration, que les journaux publient des sondages d'opinion sur nos politiques d'immigration! Et c'est pendant le déroulement d'un procès fortement couvert sur les meurtres sexuels révoltants d'un couple ontarien qu'ils publient des sondages d'opinion sur l'attitude que devrait adopter notre système pénal contre les prédateurs sexuels. Cet état de fait est inévitable: après tout, les journaux s'intéressent à l'actualité, et c'est lorsqu'un un débat fait rage qu'on est intéressé à sonder les cœurs et les cerveaux à son sujet. Mais il est important de garder à l'esprit que ce qu'on obtient alors, c'est un « instantané », une opinion à chaud qui risque, par conséquent, d'être très fluide. Les journalistes devraient donc **toujours regarder dans quel contexte d'actualité un sondage a été réalisé, et prendre conscience du fait que ce contexte a pu influencer l'opinion recueillie.**

La formulation et l'enchaînement des questions

Les manipulations sont parfois plus subtiles : elles peuvent provenir de l'enchaînement des questions, voire de leur formulation précise, conçue pour suggérer l'interprétation qu'on cherche à faire confirmer.

Il y a eu, au Québec, un parfait exemple de ce genre de manipulation, lors du débat sur l'éventuelle partition du territoire après un référendum. En septembre 1997, la maison de sondages SOM publiait un résultat étonnant : à la question « Croyez-vous que les régions du Québec qui souhaiteraient rester dans le Canada (après un référendum favorable à l'indépendance) ont le droit de le faire ? », 60 % des personnes sondées avaient répondu oui. Même chez les indépendantistes, le « oui » atteignait 51 %. Incroyable ! Ce sondage a fait la « une » de tous les journaux.

Jean-Marc Léger, de la firme Léger Marketing, s'est dit outré devant ce sondage. Sa réaction a été d'inclure sensiblement la même question dans son sondage mensuel, tenu à peine dix jours plus tard. À la question « Selon vous, les régions qui voteront majoritairement non au référendum pourront-elles, oui ou non, se séparer du Québec et demeurer dans le Canada ? », seulement 32,3 % des personnes interrogées ont répondu oui (25 %, parmi les indépendantistes).

Comment expliquer un tel revirement d'opinion en dix jours à peine ? Une analyse fine montre que la question précédente du sondage SOM portait sur le droit du Québec « de décider unilatéralement de se séparer du Canada ». Ceux qui avaient répondu oui à cette première question (les indépendantistes, surtout) ont eu tendance, par cohérence, à accorder ce même « droit » aux autres. Au contraire, ceux qui pensaient que l'indépendance unilatérale était illégitime ont pu voir, dans la partition, une riposte juste. Bref, quelle que soit la réponse donnée à la première question, la cohérence incitait à dire oui à la seconde. Au contraire, Léger Marketing a d'abord interrogé les gens sur leur opinion subjective : « Êtes-vous POUR ou CONTRE la partition du Québec ? » La question suivante, sur la légitimité du geste, a donc entraîné, là encore, des réponses cohérentes : ceux qui étaient contre la partition ont dit très majoritairement qu'ils la croyaient illégitime. Les deux sondages avaient été faits selon les règles de l'art, auprès d'échantillons représentatifs. Mais les deux sondeurs, d'orientation politique différente (SOM est souvent associée au Parti libéral ; Léger Marketing a été fondée par un ancien ministre du Parti québécois), ont construit leur questionnaire en fonction des résultats qu'ils cherchaient à obtenir.

Dans ce cas précis, les journalistes auraient dû s'apercevoir du biais méthodologique du sondage SOM dès son dévoilement, et le traiter avec beaucoup plus de réserve. Mais les résultats étonnants (61 % des Québécois croyaient la partition légitime !) font de bien meilleures manchettes que les résultats attendus. Quand le second sondage est sorti, personne ne s'est donné la peine — publiquement du moins — de comparer les démarches et d'en tirer une leçon de prudence pour l'avenir.

Qu'aurait-il fallu faire ? **Adopter simplement, face à chaque sondage, l'approche du « doute méthodique » qui devrait caractériser toute démarche journalistique :** faire l'hypothèse que les résultats ne sont pas vrais — surtout lorsqu'ils sont aussi étonnants — et essayer de comprendre ce qui, dans l'échantillon retenu, dans le contexte, dans la formulation et l'enchaînement des questions, peut expliquer la dérive. Si l'on ne trouve absolument aucune faille, on peut alors commencer à prendre les résultats au sérieux.

La présentation du questionnaire

Dans certains cas, l'interaction entre l'intervieweur et les personnes sondées peut engendrer des déformations. Pour un journaliste, ce type de problème est beaucoup plus difficile à évaluer, puisqu'on n'assiste pas aux entrevues. Rappelons tout de même un cas célèbre, cité dans de nombreux livres sur les sondages : en 1948, aux États-Unis, on a mené une vaste étude sur le traitement de la minorité noire ; selon que le questionnaire était présenté par un sondeur blanc ou un sondeur noir, ses résultats étaient fort différents. On a alors découvert un certain « effet caméléon » : intervieweurs blancs et noirs n'avaient pas, face aux personnes interrogées, les mêmes attentes, ce qui risquait d'avoir influencé subtilement leur façon de se comporter en entrevue ; de leur côté, les répondants auraient cherché inconsciemment à refléter ce qu'on attendait d'eux.

Les réponses normatives (effet dit de pieux mensonge)

La personne qui répond à un sondage a tendance à projeter sur papier les comportements et attitudes qu'elle *croit* avoir, ou même qu'elle *souhaiterait* avoir. Demandez aux gens combien de fois ils se brossent les dents chaque jour, ou combien de douches ils prennent chaque semaine... Les réponses vous renseignent sur les comportements que les gens croient corrects, pas sur ce qu'ils font réellement. Ainsi, en période de crise d'énergie, les sondeurs ont découvert que les gens préféraient les petites cylindrées économiques, quelques années avant que les courbes de consommation de voitures ne soient effectivement modifiées ; au départ, les répondants projetaient un idéal, une « norme », et non leur comportement réel.

Les exemples de ce genre sont innombrables. Ainsi, tous les

sondages révèlent que les Américains lisent surtout le *Times* ou le *Newsweek*, alors qu'en fait, les ventes aux kiosques des revues érotiques ou des journaux à sensation (comme le *National Enquirer*) sont bien plus élevées. De même, alors que tous les sondages révélaient, dès 1987, que le principal sujet de préoccupation au Canada était l'environnement, les magazines spécialisés dans ce secteur continuaient de disparaître, faute de lecteurs!

Ce phénomène des réponses idéalisées explique peut-être aussi pourquoi, en dehors des périodes électorales, les sondages politiques avantagent souvent les partis marginaux : quand ça ne compte pas vraiment, les gens sont toujours prêts à appuyer la vertu.

Les erreurs d'interprétation

Un sondage, quand il est rendu public, est souvent accompagné d'une analyse qui en dégage le sens. Mais celle-ci donne parfois lieu à des erreurs d'interprétation. Si l'on demande aux gens : « Croyez-vous que les Noirs sont bien traités au Canada ? », une augmentation de « oui » semble indiquer, si on ne s'y arrête pas pour réfléchir, une certaine amélioration de leur situation. Or, tout ce que le sondage révèle, c'est un changement dans les perceptions. Dans ce cas précis, le fait qu'on sous-estime le problème des gens de couleur pourrait révéler au contraire une montée du racisme.

La marge d'erreur d'un sondage

En statistiques, la marge d'erreur est une estimation de la variation que les résultats d'un sondage pourraient avoir si l'on reprenait la même enquête avec plusieurs échantillons. La marge d'erreur publiée par les maisons de sondages dépend du degré de confiance souhaité : « les résultats publiés seront vrais 19 fois sur 20 », écrira-t-on dans l'annexe méthodologique ; on parlera alors d'un « intervalle de confiance » de 95 %.

Pour un intervalle de confiance donné, la marge d'erreur ne dépend que de la taille de l'échantillon, peu importe la taille de la population totale. Ainsi, un échantillon de 1000 personnes est aussi valable pour estimer les intentions de vote des Américains, une population de 300 millions, que pour les Canadiens, 9 fois moins nombreux. Et il faudra aussi 1000 personnes pour estimer avec le même degré de confiance les intentions de vote des Montréalais, 100 fois moins nombreux ! Dans tous ces cas, on obtiendra des données à l'intérieur d'une marge de confiance de 3 %, 19 fois sur 20[1].

Mais attention, si on peut se contenter de 1000 personnes pour sonder la population canadienne avec un bon degré de confiance, les sous-échantillons de chaque province ou de chaque région seront beaucoup plus petits. Et la marge d'erreur de chaque sous-groupe devient alors très élevée.

Enfin, la marge d'erreur tient uniquement en compte les limites de l'échantillon. Elle ne comptabilise pas les autres sources potentielles d'erreurs comme le biais dans les questions, l'exclusion d'un groupe, le fait que certaines personnes ne veulent pas répondre, le fait que certaines personnes mentent.

---

1   Pour le calcul précis, quand on souhaite un intervalle de confiance de 95 % (des résultats fiables 19 fois sur 20), il faut diviser **0,98** par la racine carrée de la taille de l'échantillon. Avec 1000 personnes sondées (racine carrée : 31,6), on obtiendra donc une marge d'erreur de 3,1. Pour un échantillon de 5000 personnes, le calcul donne une marge d'erreur de 1,4 %. Si on se fixe un intervalle de confiance beaucoup plus élevé (99 %), on divisera **1,29** par la racine carrée de l'échantillon, c'est-à-dire que la marge d'erreur n'augmente alors que d'environ 30 %. Avec 1000 personnes sondées, les résultats sont donc valables à 4 % près, 99 fois sur 100. Voilà pourquoi on fait très rarement des sondages sur des échantillons plus grands.

Les données de recherches scientifiques

Au tournant des années 1960, le professeur Stanley Milgram, de l'Université Yale, a rendu publics les résultats de ses expériences sur l'obéissance à l'autorité. En prétextant une recherche sur la capacité de sujets à retenir des listes de mots, lorsqu'on punissait les erreurs au moyen de chocs électriques, il demandait à des « expérimentateurs volontaires » de presser un bouton pour administrer des chocs de plus en plus forts à des « étudiants » chaque fois que ceux-ci commettaient une erreur. Les victimes — complices de l'expérimentation, en fait — simulaient une douleur de plus en plus grande, et finissaient par hurler, en suppliant l'expérimentateur de mettre fin à leur torture. À la surprise de Milgram, 20 % des gens acceptaient d'administrer des doses reconnues comme mortelles, si le responsable de la recherche leur expliquait que le protocole de l'expérience l'exigeait. Et quand ce responsable de la recherche portait un sarrau blanc, et que les « bourreaux » n'entendaient pas les cris de leurs victimes, le nombre des sujets « assassins » grimpait jusqu'à 65 % ! Menées dans la foulée du procès de Nuremberg, ces expériences ont montré comment des gens ordinaires avaient pu devenir des assassins, par simple obéissance à l'autorité. Mais elles démontraient surtout le respect presque mythique qu'on accorde aux scientifiques, jusqu'à en perdre tout discernement.

Certes, la science n'a plus, aujourd'hui, le profil triomphant qu'elle avait à cette époque. La conscience environnementale et l'intensité des crises sociales et économiques ont amené certains leaders d'opinion à remettre en question les discours scientifiques et technologiques dominants. Pourtant, les médias accordent encore une crédibilité énorme à tout ce qui provient du monde médical ou scientifique, à tout ce qui a été publié dans des revues savantes reconnues ou annoncé dans des congrès internationaux. Après tout, quand éclate un débat social, c'est souvent en interrogeant les experts universitaires ou en fouillant dans les publications techniques que les journalistes vont chercher des éléments de réponse.

Cette confiance repose sur l'image de la science comme activité humaine « objective », désintéressée, vouée à la seule poursuite de la connaissance. Vision romantique — que bien des scientifiques partagent d'ailleurs —, qui néglige un aspect fondamental : les scientifiques sont des êtres humains, influencés par les préjugés, les idéologies et les intérêts de la société qui les alimente. Des partis pris, conscients ou non, interviennent à toutes les étapes du processus de la recherche, en partant du choix des objets d'étude jusqu'à l'interprétation des résultats. Les journalistes doivent être conscients de ces failles potentielles. Non pas pour rejeter en bloc toute la littérature scientifique, mais seulement pour ne pas être mystifiés par de prétendues démonstrations qui, trop souvent, résistent mal à l'analyse.

Le choix et la définition des problèmes étudiés

Pour qu'un problème donne lieu à des études scientifiques, encore faut-il qu'il intéresse un laboratoire ou une équipe de recherche. Puis, il faut que les scientifiques intéressés obtiennent le financement nécessaire. L'activité scientifique s'inscrit alors dans une boucle fermée : les secteurs de recherche les mieux subventionnés mobiliseront plus de scientifiques, qui engendreront donc un plus grand nombre de publications et obtiendront dès lors plus de visibilité, ce qui attirera ainsi de nouvelles ressources. Résultat : à moyen terme, ce sont les fondations, les grandes entreprises telles les sociétés pharmaceutiques, les gouvernements (les budgets de la défense, surtout, ceux de la santé et de l'éducation ensuite) qui finissent par influencer directement les orientations de recherche de la communauté scientifique.

Ce ne serait qu'un moindre mal si cette boucle délimitait les domaines les plus souvent étudiés, sans pour autant influencer la nature des résultats obtenus. Malheureusement, les préoccupations des organismes qui accordent des subventions influencent aussi la manière de poser les questions et, par conséquent, la nature des expériences qu'on choisit de faire et des variables qu'on choisit d'observer. Ces choix ne sont pas neutres: dans la majorité des cas, la nature des questions qu'on pose conditionne directement les résultats qu'on obtient.

Citons là-dessus un exemple devenu célèbre. Pendant des années, les études biomédicales sur la consommation de graisse animale et de graisse végétale ont conduit les chercheurs à recommander une diminution de la consommation de beurre et à encourager plutôt l'usage de margarine tirée d'huiles végétales dites «polyinsaturées». Or, au milieu des années 1970, toute une littérature scientifique est apparue, qui «innocentait» le beurre comme facteur clé de la hausse de cholestérol dans le sang, et associait au contraire la consommation de margarine à certains types de cancers... et même à une hausse des problèmes cardiaques[2]! En deux ou trois ans, sur la foi de ces nouvelles recherches, le discours médical a été entièrement révisé. Était-ce un hasard si ces recherches avaient été largement financées par les associations américaines de producteurs laitiers?

Notons qu'il ne s'agissait pas d'une manipulation des faits; tout juste a-t-on remis en question les hypothèses antérieures de recherche, et découvert que les corrélations mises en évidence jusque-là n'étaient pas aussi concluantes, quand on définissait

2   Le problème vient en fait du traitement industriel d'hydrogénation qu'on fait subir à ces «bons gras» d'origine végétale pour obtenir la consistance solide du beurre. Aujourd'hui, seules les margarines végétales non hydrogénées sont recommandées par les nutritionnistes.

autrement les groupes d'étude et les groupes témoins. On a alors repris les recherches en utilisant de nouvelles variables, et obtenu des résultats qui contredisaient les études antérieures. Mais aurait-on fait cette relecture critique des expériences si aucun lobby puissant n'était intervenu pour financer cette révision?

En fait, la méthode scientifique repose toujours sur une simplification de la réalité. On recrée en laboratoire un modèle du système à l'étude, où n'entrera en jeu qu'un nombre restreint de variables. Dans les recherches « sur le terrain » (par observation), on cherchera à définir des groupes équivalents en tous points, sauf pour le facteur dont on veut mesurer l'importance. Le choix des variables qu'on juge importantes, et des facteurs qu'on choisit au contraire de négliger, repose sur des *a priori* idéologiques, et constitue la première faiblesse de toute recherche scientifique. Comme le démontre l'exemple du beurre et de la margarine, **les mêmes recherches peuvent aboutir à des résultats contradictoires, si l'on change la définition des groupes cibles et des groupes témoins étudiés, ou si on redéfinit les hypothèses à vérifier.**

Lorsqu'il s'agit de mesurer la validité d'une conclusion, il faut donc s'interroger sur les variables « confondantes » dont la recherche n'a pas tenu compte. La grande presse a largement couvert par exemple les recherches sur le prétendu « chromosome du crime ». On avait découvert, dans les prisons américaines, que de nombreux criminels possédaient dans leurs cellules un chromosome Y excédentaire. Associé à la production des hormones mâles, ce double Y aurait généré des hommes hyperviolents. L'hypothèse hormonale, séduisante, fut adoptée d'emblée. Mais en fait, les « double Y » ont aussi une constitution physique plus massive, ils sont plus lents et souffrent presque toujours de retard mental. Or, en les comparant avec les autres groupes présentant une constitution physique et un retard intellectuel équivalents, on a découvert que, parmi les

OUTILS ET TECHNIQUES DE COLLECTE DE L'INFORMATION

« double Y », on ne comptait pas plus de comportements criminels. La variable hormonale n'y était pour rien, mais il a fallu des
années pour qu'on s'en rende compte !

De nombreuses recherches ont porté sur le phénomène
de l'hystérie de masse, à propos de travailleuses souffrant de
malaises insaisissables qu'elles reliaient à leur environnement de
travail. Parce qu'on n'arrivait pas à isoler clairement des causes,
et que les troubles en question semblaient affecter surtout les
femmes dans des catégories d'emploi généralement moins
rémunérées et moins satisfaisantes, on a fait l'hypothèse que ces
problèmes étaient de nature psychosomatique. Mais beaucoup
d'autres variables pourraient aussi être étudiées : les femmes
ayant une physiologie différente de celle des hommes, elles sont
peut-être plus affectées par certains micropolluants ; elles occupent presque toujours des emplois caractérisés par une mobilité
plus faible que celle des travailleurs masculins, ce qui peut aussi
expliquer une exposition différente à ces polluants ; enfin, les
femmes remplissent encore l'essentiel des tâches domestiques
après leur journée de travail rémunéré, ce qui peut ajouter à leur
fatigue physique et à leur vulnérabilité. Mais toutes ces variables,
propres au travail féminin, ne figurent à peu près jamais dans les
recherches épidémiologiques.

Les choix des sujets et des groupes témoins

En juillet 1990, une équipe américaine a annoncé que des injections répétées d'hormone de croissance pouvaient freiner la
progression des symptômes du vieillissement chez les personnes
âgées... et même « rajeunir » certains d'entre eux. « La fontaine
de Jouvence », a-t-on titré à la « une » de tous les journaux et
magazines. Aujourd'hui encore, beaucoup de cliniques offrent,
aux hommes et aux femmes obsédés par le vieillissement, un

traitement — très coûteux — à l'hormone de croissance. Or, une simple lecture de l'article original montre que les personnes âgées qu'on a sélectionnées pour recevoir les injections avaient, au départ, un taux sanguin de cette hormone exceptionnellement bas. Bref, la recherche a démontré que, chez des vieillards qui *manquent* d'hormone de croissance, un supplément peut réduire les symptômes du vieillissement. Pour les autres, rien de concluant n'a encore été publié, quelques décennies plus tard. Mais cette limite évidente dans la portée du résultat annoncé n'apparaît guère dans les articles des journaux et magazines de l'époque. Les journalistes s'étaient-ils donné la peine de vérifier sur quels sujets on avait mené l'expérience?

C'est pourtant une question clé, dans toute recherche scientifique. Dans le domaine des sciences humaines ou biomédicales, notamment, il n'est pas possible d'expérimenter en laboratoire; on procède alors à des études statistiques où l'on compare deux groupes d'individus: le premier groupe manifeste le symptôme ou le comportement étudié, l'autre pas. On essaie alors de voir ce qui les distingue et d'isoler une ou plusieurs causes possibles, parmi les différences notées. On peut aussi procéder à l'inverse et prendre deux groupes tout à fait équivalents, sauf au regard d'un seul facteur qu'on cherche à étudier (comme l'effet de l'hormone de croissance, dans l'exemple ci-dessus).

Cette démarche repose sur la notion clé de « groupes équivalents ». Un exemple grossier: pour prouver que le sport, c'est la santé, on pourrait comparer l'incidence de morbidité (fréquence des maladies et des blessures) dans un groupe de sportifs professionnels et dans une population située dans les mêmes tranches d'âge. Même si on équilibre les âges, les groupes ne sont pas pour autant comparables: les sports professionnels attirent au départ des individus plus grands, plus forts, mieux nantis physiquement que la moyenne. Seule une étude expérimentale, basée sur des groupes comparables qu'on soumettrait ensuite à des entraînements différents, aurait quelque valeur en cette matière.

Il s'agit là d'un exemple évident. Mais il montre que, **pour obtenir des résultats qu'il soit possible d'interpréter, les chercheurs doivent définir très finement leurs groupes d'étude et leurs groupes témoins... ce qui limite d'autant la portée de leurs conclusions.** Les auteurs de la recherche en sont en général conscients, et ils souligneront, dans leur analyse des résultats, les limites de validité de leur étude. Mais ces nuances disparaissent presque toujours dans le rapport que les médias font de ces travaux.

Par ailleurs, **l'obligation de trouver un groupe témoin parfaitement équivalent au groupe étudié empêche souvent d'isoler des corrélations intéressantes et conduit à nier des effets pourtant réels.** Ainsi, on a mis du temps à démontrer avec certitude l'effet du tabagisme sur la santé, en partie parce qu'il fallait alors comparer deux groupes identiques en tous points, sauf en ce qui concernait le critère à l'étude. Pour y arriver, on devait trouver des individus appartenant aux mêmes groupes d'âge, venant du même milieu socio-économique, avec une alimentation comparable, le même travail et habitant le même secteur (pour éliminer les facteurs liés aux polluants environnementaux). De telles contraintes conduisaient à constituer des groupes témoins formés de personnes très proches des groupes de fumeurs, comme leurs conjoints ou leurs collègues de travail non fumeurs. Dès lors, on se trouvait à sélectionner des gens qui étaient affectés par la fumée des autres. Dans le cas du tabac, les données sont tellement abondantes et les évidences si criantes que les études épidémiologiques ont fini par aboutir. Mais combien d'autres effets échappent encore à l'analyse, à cause de cette impossibilité d'isoler un facteur, entre deux groupes trop semblables[3]?

Un autre principe général en recherche : **il faut se méfier des échantillons non constants dans le temps.** Or, dans le cas d'études où l'on suit l'évolution d'un phénomène sur cinq, dix ou vingt-cinq ans (en sciences humaines, mais aussi en santé, lorsqu'on étudie par exemple l'évolution des taux de survie de personnes atteintes de cancers), les groupes ont rarement la consistance requise pour qu'on puisse tirer des conclusions claires. Le contexte social change si rapidement qu'il est difficile de savoir à quels facteurs attribuer l'évolution observée. Dans l'exemple du cancer, l'amélioration des taux de survie provient-elle des progrès de l'arsenal thérapeutique, d'un dépistage plus précoce de la maladie, d'une meilleure information ou de l'état général de la santé et de l'hygiène des populations ? On retrouve là encore bien trop de variables confondantes pour que toute déduction soit crédible.

Enfin, il faut aussi **se méfier des études basées sur des groupes restreints.** Quelques individus marginaux peuvent fausser largement les statistiques du groupe. Même des expériences contrôlées peuvent donner des résultats enthousiasmants — mais obtenus par simple hasard — si les groupes examinés sont assez petits et qu'on ne répète pas l'expérimentation un nombre suffisant de fois !

---

3 Une raison de nature plus technique explique pourquoi les études épidémiologiques sont rarement concluantes : les chercheurs font, au départ, l'hypothèse que les liens recherchés n'existent pas, et ils ne rejetteront cette « hypothèse nulle » que s'ils ont moins de 5 % de chances de se tromper. En d'autres termes, on attend d'être *absolument* certain qu'un lien existe avant d'affirmer quoi que ce soit. Cela permet à la science de progresser sur des bases très solides. Mais cela ne signifie pas que les causes écartées parce que le lien statistique n'est pas assez significatif ne soient pas, malgré tout, de réels facteurs de risque.

Les méthodes d'observation

Les conclusions d'une recherche dépendent directement des outils utilisés (questionnaires, tests biochimiques ou physiques, observation à partir d'une grille, observation libre, etc.) et des faits que les chercheurs ont choisi *a priori* de considérer comme significatifs.

Or, ces choix sont faits en fonction de grilles préétablies et d'idéologies qui influeront aussi sur la façon dont on interprétera, au fur et à mesure, chaque fait observé. Ainsi, en sciences sociales surtout, parce que les comportements à l'étude sont extrêmement complexes, une même succession de gestes sera interprétée et codifiée de manière différente par deux équipes, si leurs grilles d'observation diffèrent au départ. Non seulement aboutiront-elles alors à des conclusions divergentes, mais même leurs relevés d'observation seront souvent inconciliables. De tels travers ont marqué l'ensemble des recherches en éthologie et en sociobiologie, où les analystes tombent souvent dans l'anthropocentrisme, c'est-à-dire qu'ils ont tendance à attribuer aux comportements animaux un contenu symbolique inspiré de leur propre lecture de la condition humaine.

Le plus étonnant, c'est que les sciences dites « exactes » n'échappent pas à ce travers. Les physiciens atomiques savent depuis le début du siècle — notamment depuis l'avènement de la mécanique quantique — que les mêmes phénomènes peuvent présenter des aspects inconciliables si on les soumet à des expériences différentes. En somme, c'est l'expérimentateur qui choisit quelle réalité il découvrira !

En toxicologie, selon les modèles biologiques qu'on retient et les conditions dans lesquelles sont menées les expériences, on peut démontrer un effet ou, au contraire, l'infirmer. L'histoire de la pollution chimique de Love Canal par la Hooker Chemical Company a mis plusieurs années avant d'éclater au grand jour parce que les experts de l'Environment Protection Agency et ceux du comité scientifique chargé de vérifier l'état chromoso-mique des citoyens ne relevaient pas les mêmes anomalies sur les photos au microscope de ces chromosomes ! Plus près de nous, les citoyens de Shannon, près de Québec, ont mené une bataille de plusieurs années contre la base militaire de Valcartier et l'en-treprise SNC Technologies afin d'obtenir une compensation pour la contamination de leur nappe phréatique par un solvant cancérigène, le trichloroéthylène (TCE). Une partie du pro-blème venait de l'impossibilité de démontrer le lien direct entre le TCE et les nombreux cas de cancers relevés dans le village, car quelques études scientifiques indirectes, utilisant diverses hypo-thèses pour regrouper les cas de cancer, ont abouti à des résultats contradictoires.

Dans tous ces exemples, il n'est pas encore question des erreurs grossières, des fraudes, ni des « légers ajustements » de données, beaucoup plus fréquents qu'on ne l'affirme. Le récit de telles fraudes n'entre pas dans les objectifs du présent chapitre. **Rappelons simplement l'importance, pour tout journaliste, de pratiquer un certain « scepticisme systématique » en matière de science comme dans toute autre activité humaine.**

Les erreurs d'interprétation

Une fois la méthodologie analysée et les limites de validité bien saisies, il reste à étudier avec un esprit critique le cœur même de toute publication scientifique : l'analyse et l'interprétation des résultats. C'est là qu'on rencontre à la fois les éléments les plus intéressants d'une recherche et les glissements les plus dangereux.

 • **Les facteurs cachés, les causalités inverses, etc.**
   Les chercheurs (et les journalistes) ont trop souvent tendance

à croire que toute corrélation implique nécessairement un lien de cause à effet, et ils postulent souvent de manière arbitraire le sens de ce rapport. En fait, certaines corrélations peuvent être dues au hasard — un échantillonnage plus large finirait par les éliminer — ou dépendre d'un tiers facteur, commun aux deux faits observés. Ainsi, le port de lunettes de soleil s'accroît dans les régions où les gens sont bronzés; il n'y a là aucun rapport de cause à effet, mais une cause commune: le soleil. Les tiers facteurs ne sont malheureusement pas toujours aussi évidents.

Par ailleurs, le sens d'une causalité n'est pas toujours clair. Par exemple, dans une étude menée à l'Université de Californie à Los Angeles, on a associé la consommation de tabac à de faibles rendements à divers tests intellectuels; le titre de l'article parlait de l'influence de la nicotine sur les facultés cérébrales. En fait, ce lien est plausible, mais bien des facteurs confondants peuvent entrer en ligne de compte (la consommation d'alcool, par exemple, souvent associée à la consommation du tabac). Mais se pourrait-il que la relation s'établisse plutôt en sens inverse: que les personnes plus stressées au départ, ayant de moins bonnes capacités de concentration ou ayant vécu souvent des situations d'échec scolaire, aient tendance à fumer plus que les autres?

Il ne faut pas oublier, enfin, qu'il existe aussi des relations causales à double sens: le niveau des revenus et l'éducation s'influencent mutuellement, tout comme la consommation de drogues et la marginalisation. Tout postulat de causalité, dans un sens ou dans l'autre, est souvent purement arbitraire.

• **Le danger des extrapolations**

L'abondance de pluie augmente le rendement des récoltes, jusqu'à un certain seuil... au-delà duquel se produit l'effet inverse. Il en va de même de beaucoup de faits sociaux: à partir d'un certain seuil, les « effets pervers » (une notion que de plus en plus d'économistes prennent en compte) annulent les bénéfices d'une évolution. Malheureusement, les études et arguments techniques présentés aux journalistes donnent souvent dans l'extrapolation sans tenir compte de ces facteurs de seuil et des effets pervers. Méfiez-vous de ce genre d'extrapolation.

• Les « effets de terrain »

Une cause peut expliquer les différences observées à l'intérieur d'une population A et à l'intérieur d'une population B, sans pour autant expliquer la différence entre les deux populations. Ainsi, on peut lier le niveau d'éducation aux revenus en France, puis aux États-Unis; pourtant le fait que les Américains aient, en moyenne, des revenus supérieurs à ceux des Français n'est pas lié au fait qu'ils soient, en moyenne, plus instruits. En statistique, on parle alors de « l'effet de terrain ». À l'intérieur d'un territoire donné, un facteur peut devenir déterminant, tous les autres facteurs étant égaux; mais, lorsqu'on passe d'un territoire à l'autre, d'autres facteurs doivent être invoqués pour expliquer les différences.

C'est ce genre d'erreur qu'on a reproché aux chercheurs qui ont utilisé les résultats des tests d'intelligence pour comparer les populations noire et blanche aux États-Unis. Parce que, dans un milieu culturel donné, les différences de quotient intellectuel dépendent largement de la génétique, cela ne prouve pas que la génétique explique les écarts du Q.I. entre deux groupes de culture et de niveau socio-économique distincts[4].

Cela devient d'autant plus compliqué que certains facteurs peuvent même avoir des effets contraires, d'un terrain à l'autre.

---

4 C'est l'erreur qu'a commise le controversé psychiatre Pierre « doc » Mailloux quand il a affirmé, en 2005, à l'émission *Tout le monde en parle*, que les Noirs étaient en moyenne 15 % moins intelligents que les Blancs, et que cela pouvait s'expliquer par leur passé d'esclaves : ils auraient été « sélectionnés » pour leur force et leur docilité de caractère, pas pour leur intelligence. Ces propos ont soulevé un tollé, avec raison. En fait, s'il est vrai que les Noirs réussissent moins bien aux tests de Q.I., par un facteur de 15 % en moyenne, cet écart est entièrement explicable par le niveau socio-économique des familles, et les travers « culturels » des tests utilisés.

L'esprit contemplatif peut nuire au succès aux États-Unis, mais être un élément positif ailleurs. Le gène de l'anémie falciforme est « mauvais » en Amérique, mais il constitue un facteur de survie en Afrique parce qu'il protège ses porteurs de la malaria. En somme, il faut savoir qu'en recherche, un résultat ne vaut souvent que pour le seul territoire (ou groupe) où il a été établi. Toute généralisation est périlleuse.

• **Le danger de la réduction à l'individu**

Ce n'est pas parce qu'une chose est démontrée statistiquement qu'elle s'applique à chaque individu. Voilà pourquoi, malgré la nocivité du tabac, désormais bien établie, certains gros fumeurs deviennent centenaires !

De la même manière, il ne faut pas généraliser en appliquant à chaque sous-groupe de population des résultats confirmés pour un grand ensemble. Par exemple, le lien statistique entre le taux de cholestérol dans le sang et l'incidence de crises cardiaques est bien démontré ; pourtant, si l'on divise correctement la population en sous-groupes, en fonction de leur métabolisme du cholestérol, on découvre que ce lien est très fort pour une partie de la population... mais nul pour les autres ! En somme, en appliquant à tous les « normes » définies par les statistiques, on impose à une partie de la population des contraintes inutiles. On a trop souvent tendance à l'oublier quand on invoque tel ou tel résultat de recherche pour formuler des règles, pour justifier un comportement, ou pour établir des mesures discriminatoires.

La diffusion des recherches dans les médias

Enfin, au-delà de toutes ces limites inhérentes au processus même de la recherche, les résultats originaux sont souvent déformés encore plus quand ils sont rapportés par d'autres scientifiques, ou dans les médias d'information. Cela tient à la nature même du journalisme de vulgarisation. Nous y reviendrons au chapitre 14, dans la section portant sur le journalisme scientifique. Mentionnons simplement que, même lorsqu'il n'y a pas d'erreur au départ, on assiste souvent à une amplification des résultats au fur et à mesure qu'on s'éloigne de la source.

Tel chercheur publie des résultats intéressants et propose une interprétation particulière. Dans son analyse, il admettra parfois que d'autres explications sont possibles, mais les auteurs qui, à leur tour, citeront cette recherche initiale, ne s'encombreront pas de cette nuance. Leur texte annoncera que le premier chercheur « a démontré que... ». Quand la grande presse s'emparera de ces résultats, d'autres nuances disparaîtront encore, jusqu'à ce que, à force d'être répétée, l'interprétation proposée d'abord de manière timide soit universellement tenue pour vraie!

* * *

Les remarques qui précèdent ne signifient pas qu'il faille écarter en bloc les données de recherche sous prétexte qu'elles sont forcément biaisées. Il est nécessaire cependant que les journalistes cessent de croire tout ce qu'on présente sous cette étiquette « scientifique ». Ils doivent plutôt **s'efforcer d'avoir accès aux sources originales pour mesurer les limites de validité des faits rapportés, et traiter avec prudence toute affirmation qui n'est pas accompagnée d'une description méthodologique précise.**

Lorsqu'on a en main les textes originaux, on ne doit pas se laisser abattre par les difficultés qui en rendent parfois la lecture fastidieuse. Même si on ne saisit pas toutes les nuances, il est en général facile de retracer, dans un article scientifique, l'information utile sur :

— la taille et la composition des groupes étudiés;
— leur mode de sélection;
— le questionnaire ou la description de l'expérimentation;
— le détail des résultats obtenus;
— la « mortalité expérimentale » (la stabilité du groupe étudié);
— la nature des moyennes et des autres valeurs statistiques utilisées;
— les multiples explications possibles des corrélations relevées.

Et surtout, il ne faut pas croire que ces vérifications auront toujours été faites par les personnes qui vous communiquent des résultats qu'ils ont lus ailleurs.

Enfin, comme pour les sondages, **on doit regarder aussi qui a financé l'étude.** C'est souvent la meilleure piste pour déceler les *a priori*, même inconscients, qui risquent d'apparaître dans les questions posées au départ, dans le choix et la définition des groupes cibles, dans les facteurs qu'on a choisi d'observer et ceux qu'on a choisi de négliger.

Les statistiques, les indicateurs de tendance et autres données numériques

Les chiffres que rencontrent les journalistes ne proviennent pas que des sondages et des rapports de recherche scientifique. Il y a des centaines d'autres études statistiques, dont nous avons déjà souligné la nécessité dans le chapitre sur les outils de documentation. Malheureusement, quand on vous bombarde de telles données, citées hors contexte — dans un discours, dans un communiqué —, même celles qui sont fiables deviennent souvent des outils de manipulation. Là encore, quelques conseils de prudence s'imposent.

Les données statistiques

Lorsqu'on utilise une information statistique, la définition du groupe étudié a autant d'importance — et exige autant de vigilance — que pour toute autre donnée de sondage ou de recherche. Que comprend-il au juste? S'agit-il d'un groupe assez homogène pour que ces données statistiques — collectives donc — aient un certain sens?

Notons au passage que l'élément statistique le plus souvent utilisé est la valeur moyenne; on donne rarement les autres indices numériques qui caractérisent le groupe étudié: la médiane, l'écart type, etc. De toute façon, se dit-on, le lecteur n'y comprendrait rien... et les journalistes non plus! Pourtant, les réalités socioéconomiques ne correspondent pas toujours à des courbes normales. Quelques archimillionnaires suffisent, par exemple, à augmenter la moyenne de revenus d'une population donnée; la médiane (le niveau de revenu en bas duquel on trouve la moitié des individus) ou le « sommet » modal (l'endroit sur la courbe où l'on retrouve le plus d'individus) sont souvent des données plus pertinentes que la moyenne arithmétique.

Les indicateurs de tendance

En économie, beaucoup de données ne sont pas significatives en soi, les relevés étant entachés de trop d'approximations et de facteurs d'erreur. Elles n'ont de valeur qu'en tant qu'indicateurs de tendance. En effet, si les mêmes méthodes, appliquées au fil des mois ou des années, révèlent une évolution constante dans un sens donné, cette évolution peut être réelle. Les indicateurs deviennent alors des outils de planification utiles; mais il faut éviter de les traiter comme des données absolues.

Par exemple, personne ne peut prétendre connaître le nombre de chômeurs au Canada. On ne s'entend même pas pour définir ce qu'est une personne au chômage! Faut-il qu'elle cherche activement du travail ou simplement qu'elle soit désœuvrée? Et les gens qui, par dépit, s'inscrivent à des cours techniques sont-ils encore des chômeurs? Et les travailleurs « au noir »? En fait, tout ce que mesure Statistique Canada, c'est le nombre d'emplois perdus et gagnés dans quelques marchés témoins, un nombre compilé par sondage sur de petits échantillons, qu'une haute voltige arithmétique permet ensuite d'étendre à l'ensemble de la population canadienne. C'est ce chiffre purement abstrait qui tirera ensuite quelques larmes ou quelques sourires aux politiciens!

On pourrait faire le même genre de critique pour l'ensemble des indices macroéconomiques. Le produit national brut (PNB), par exemple, est calculé de telle manière qu'une catastrophe naturelle majeure contribue à le « gonfler » (à cause de l'activité de réparations qu'elle engendre) tout autant qu'une période de prospérité réelle. De même, l'indice du coût de la vie, basé sur un hypothétique « panier de provisions » et sur l'achat de certains biens et services, ne permet pas de mesurer le coût réel de la vie de nombreux sous-groupes sociaux, pas plus qu'il ne tient compte des stratégies de substitution qui permettent aux consommateurs d'échapper à certaines hausses de prix.

De nombreuses autres données numériques, largement rapportées par la presse, n'ont de sens que comme outils économétriques ou dans un contexte très restreint: tel investissement gouvernemental permettra la création de 350 emplois et des retombées indirectes de 3 millions de dollars par année; tant mieux pour la région qui bénéficiera de cette manne! Mais si on adopte une perspective plus globale, on comprendra que cet argent doive provenir d'ailleurs, où son absence aura des retombées négatives peut-être équivalentes! Le calcul des retombées ne peut servir, en macroéconomie, que d'outil comparatif entre deux usages des mêmes sommes d'argent. Ce n'est jamais ainsi qu'on s'en sert, dans les discours politiques!

Les chiffres cités hors contexte

Une publicité réelle, pour un extracteur de jus: « Des études scientifiques indépendantes ont démontré que notre extracteur permet de purger en moyenne 26 % plus de jus pour les agrumes, 17 % pour les légumes à chair molle, et jusqu'à 50 % pour le céleri et les carottes. » Quelle aubaine! Mais à quoi donc compare-t-on cet extracteur? Ça, on ne le dit pas. En fait, ces chiffres n'ont aucune signification.

Le problème, c'est que les discours techniques sont truffés de ce genre d'imprécisions. Tel nouveau procédé industriel permet de tripler la solidité de l'acier: on triple quoi, par rapport à quoi? Quelle échelle utilise-t-on pour mesurer cette solidité? Telle approche antitabac a un taux de succès de 80 %: 80 % de ceux qui s'y sont inscrits? de ceux qui ont suivi toute la session? Et qu'appelle-t-on un « succès »? Avoir arrêté pendant un mois? Pendant un an? Ou tout simplement avoir diminué sensiblement? Devant pareille mystification par le chiffre, les journalistes ont intérêt à se méfier de toute donnée comparative citée hors contexte, ou de toute donnée numérique avancée en absence de groupe témoin.

C'est le cas en particulier des relevés de coïncidences « historiques », où pareil groupe n'existe pas. Les fluctuations qu'on attribue alors à telle ou telle cause sont, bien souvent, l'indice de variations aléatoires ou cycliques. Le chômage a reculé depuis l'élection du nouveau gouvernement? Et alors? Qu'est-ce que ça prouve... sinon que l'économie est cyclique? L'introduction d'un vaccin ou d'un nouveau médicament coïncide avec le recul de la maladie? Mais peut-on être certain qu'il y a entre les deux phénomènes une relation de cause à effet? Après tout, les épidémies ont, elles aussi, tendance à se résorber après un certain temps. De même, l'amélioration de l'état psychologique d'un patient en thérapie n'indique pas que cette thérapie est efficace; cycliques eux aussi, la plupart des troubles psychiques vont s'améliorer tôt ou tard, thérapie ou pas. Et puis, même les effets réels ne durent pas toujours bien longtemps. **Devant toute donnée à caractère historique (avant *vs* après), demandez-vous si l'on a assuré un suivi des effets présumés.**

Enfin, et surtout, **n'acceptez jamais de chiffres absolus, comme preuve de quoi que ce soit.** Trente-sept accidents mystérieux dans le triangle des Bermudes? Ah bon! Et combien dans le triangle des Alpes? Ou dans toute autre zone maritime à fortes turbulences? L'étude, dans ce cas précis, a été faite par des chercheurs français qui ont bien sûr découvert que le triangle « maudit » n'avait guère entraîné plus de disparitions que l'océan Indien, pourtant situé à la même latitude. Cela n'empêche pas les quotidiens de transformer souvent en « statistique inquiétante » toute coïncidence anecdotique. Six cas de leucémie à Laval? Mais combien à Sainte-Thérèse ou à Candiac, pour la même période? Notons ici que la prudence doit jouer dans les deux sens: il arrive que des coïncidences du genre, d'abord traitées comme telles par les autorités, se révèlent significatives par la suite. Il est toujours avisé, toutefois, de ne pas sauter trop vite aux conclusions.

Il faut aussi **se méfier des chiffres vrais, mais invoqués dans un contexte autre que le contexte d'origine.** Une recherche *in vitro* sur un ingrédient ne prouve pas l'efficacité du dentifrice miracle qu'annonce la publicité, pas plus qu'un politicien ne peut démontrer la compétence de son gouvernement en sélectionnant soigneusement certains indicateurs économiques, fussent-ils vrais.

■ **Quelques conseils pour le traitement des données numériques**

Si l'utilisation abusive des chiffres et des données de recherche au-delà de la limite de leur validité doit être dénoncée, il demeure que les chiffres sont un outil essentiel d'analyse du réel. Que faire alors? Comme journalistes, vous pouvez vous sentir un peu démunis pour faire une lecture critique des documents techniques qu'on vous soumet. Quelques conseils s'imposent ici:

1. Faites un effort, chaque fois que possible, pour **remonter aux sources originales des sondages, recherches ou études qu'on vous rapporte;** dans bien des cas, les interprétations abusives viennent des personnes qui utilisent et reproduisent ces données, pas de celles qui les ont produites.

2. Quand vous obtenez le texte original des sondages, **vérifiez dès le départ qui a tiré les conclusions des faits cités;** ce peut être l'auteur de la recherche (est-il vraiment neutre, ou serait-il financé par une partie intéressée?), mais ce peut aussi être le responsable de la diffusion des résultats (le fabricant d'un produit qui affirme que l'étude «démontre que...»), un politicien qui extrapole trop, ou un journaliste qui «charrie».

3. Même quand les interprétations vous paraissent plausibles et cohérentes, **recherchez dans le texte les sources d'erreurs possibles, ou du moins les limites apparentes de validité :** *a priori* des chercheurs, nature des hypothèses avancées, définition du groupe témoin, nature des analyses menées, incertitudes quant aux causalités, extrapolations risquées, transposition de contexte, etc.

4. En cas d'incertitude, il est toujours souhaitable de **consulter des experts, en recherchant en particulier des gens qui auront, face aux données en question, une forte perspective critique.** Il n'y a pas seulement en politique que les journalistes doivent chercher le point de vue de l'opposition !

13

Lire un rapport annuel

Bien que dans certains secteurs, comme le sport ou les arts, ce sont les actions individuelles qui intéressent les journalistes, c'est bien plus souvent l'activité des institutions qui alimente les nouvelles. Et les gens que rencontrent les journalistes, ne parlent pas à titre d'individus mais à titre de représentants du gouvernement, des ministères, des municipalités, des institutions de santé ou d'éducation, des entreprises, des associations syndicales ou professionnelles.

Dans notre système juridique, ces institutions sont en général constituées en sociétés, c'est-à-dire qu'elles ont un statut autonome, indépendant des individus qui les dirigent. Les juristes parlent de « personnes morales » au sens où ces entités juridiques deviennent aptes à emprunter de l'argent en leur propre nom, à signer des contrats, à détenir des titres, etc. Quand ces institutions éprouvent des difficultés financières ou que ces sociétés commerciales font faillite, leurs membres ou leurs actionnaires peuvent y perdre leur mise, mais ce n'est pas eux qui devront assumer les dettes de l'entreprise. Elle seule peut être saisie. Voilà pourquoi on désigne parfois ces entreprises par le vocable « sociétés à responsabilité limitée » (SARL) : les actionnaires ne sont responsables que de l'argent qu'ils y ont placé. En Europe, on utilise le vocable « sociétés anonymes » pour désigner ces entités qui posent des actes juridiques sans engager nommément les personnes qui signent les documents.

Pourquoi cette introduction un peu technique? Simplement parce que trop de journalistes ont tendance à oublier cette réalité. Quel que soit leur secteur de couverture, ils ont quotidiennement affaire à ces «personnes morales», ministères, hôpitaux, galeries d'art, troupes de danse ou de théâtre, équipes professionnelles de hockey ou de baseball, centres de soins aux personnes âgées, entreprises commerciales, ou toute autre association à but lucratif ou non.

Ces institutions possèdent souvent une « carte d'identité » qui nous renseigne sur leurs objectifs, leurs structures, les moyens d'action qu'elles se donnent. Cela peut être la charte et les statuts d'une association, le plan de développement d'une entreprise, les lois constituantes des organismes publics. Dans presque tous les cas, ces documents sont publics et peuvent donc être consultés par les journalistes. Mais c'est surtout à travers les rapports d'activité et les bilans financiers que la loi leur impose de produire annuellement qu'un observateur pourra se familiariser avec la vie de ces institutions, leur solidité financière, la qualité de leur gestion, leurs actions récentes ou leurs projets à court terme.

Certes, dans le cas d'entreprises familiales ou de sociétés à actionnariat réduit, ces rapports ne sont pas publics; c'est le cas de la majorité des petites entreprises, ainsi que de quelques grandes sociétés qui n'ont pas encore offert leurs actions en Bourse. Malgré tout, les institutions et entreprises qui « font la nouvelle », notamment celles qui sollicitent des fonds ou qui reçoivent d'importantes subventions, sont presque toujours publiques et leurs rapports annuels, accessibles.

Les journalistes ont intérêt à jeter un coup d'œil sur ces documents quand ils doivent analyser ou prévoir les comportements de ces « personnes morales », ou mesurer leur solidité et leur marge de manœuvre. Trop de journalistes considèrent malheureusement ces documents comme étant trop techniques ou s'imaginent qu'ils sont trafiqués par des comptables complaisants, et hésitent donc à les consulter. Aussi nous semble-t-il utile de consacrer un chapitre de ce livre à la lecture des rapports annuels et des états financiers. Notons que le lecteur aurait avantage à avoir sous la main le rapport annuel d'une entreprise de son choix, pour rechercher, au fur et à mesure, les éléments qui seront expliqués ci-après.

Considérations générales

Un rapport annuel, c'est un document légal que les entreprises à caractère public et parapublic, à but lucratif ou non lucratif, sont tenues de présenter à la fin de leur exercice financier, pour rendre compte de leur situation financière et de leurs réalisations durant l'année. En somme, c'est le bulletin de fin d'année de l'entreprise. Ne pas confondre avec le « bilan », imposé quant à lui à toutes les entreprises, qu'elles soient publiques ou privées, mais qui ne constitue qu'un des éléments du rapport annuel.

La présentation graphique du rapport et le titre précis donné à chaque partie peuvent varier d'une entreprise à l'autre. Mais les pratiques comptables sont régies par certaines normes, et un habitué y trouvera toujours sensiblement les mêmes éléments d'information. Bien qu'on puisse y avoir maquillé un peu les

faits ou présenté les chiffres sous un jour favorable, le rapport permet quand même de juger de la situation de l'entreprise. Les principales rubriques d'un rapport annuel complet sont :
— le profil de l'entreprise et les faits saillants du rapport;
— le message aux actionnaires;
— le survol des activités;
— les états financiers proprement dits (incluant le rapport des vérificateurs et les notes complémentaires);
— le survol des années antérieures;
— la liste des administrateurs et du personnel de direction.

Ce chapitre présente sommairement chacune de ces parties, l'accent étant mis sur les éléments d'information qui sont les plus significatifs quand vient le temps d'estimer l'évolution future d'une entreprise. Ce sont ces éléments qui intéressent les journalistes, de même que les syndiqués, les actionnaires ou les acquéreurs éventuels.

Mais attention! Un portrait clair de l'entreprise ne suffit pas pour juger de son rendement et risquer des prévisions sur son développement à long terme, car aucune entreprise n'existe dans le vide. Pour une analyse plus complète, il faut comparer la situation de l'entreprise à celle de ses concurrentes (ou d'autres entreprises du même type) et replacer le rapport annuel dans une perspective historique, en comparant les faits et les chiffres qu'il contient à ceux des années antérieures.

Pour évaluer le climat d'ensemble du secteur qu'exploite une entreprise, pour comparer ses résultats avec ceux de ses concurrentes et mesurer ainsi la compétence relative de ses administrateurs, les analystes financiers disposent de plusieurs indicateurs et autres outils d'analyse sectorielle. Nous n'entrerons pas ici dans la description de ces outils complémentaires, bien qu'ils puissent intéresser les journalistes de la presse financière[1].

---

1   Le journaliste intéressé pourra se familiariser avec ces outils spécialisés en

Le profil de l'entreprise et les faits saillants

Le rapport annuel commence en général par une très courte définition de l'entreprise. On y formule explicitement sa mission, ses activités principales, ses axes de développement et ceux de ses filiales. Il y a peu à dire sur ces quelques paragraphes, sinon qu'ils révèlent parfois des changements dans la philosophie d'une entreprise, surtout lorsqu'elle entreprend de se diversifier : telle chaîne d'épicerie devient « un groupe de commerce polyvalent » ; telle entreprise de téléphonie se redéfinit comme « un leader dans le domaine des télécommunications », etc. Ce sont des nuances intéressantes à noter, parce qu'elles traduisent souvent une redéfinition des priorités.

Prenons un exemple concret : le géant québécois du câble Vidéotron se définissait à l'origine comme un exploitant de réseau de câblodistribution ; puis, pressentant le fait que le câble n'était qu'un moyen technique de « porter » le contenu télévisuel à domicile, l'entreprise s'est redéfinie, au milieu des années 1980, comme « œuvrant dans le secteur du loisir à domicile » ; un journaliste aurait pu, dès lors, prévoir certains développements comme la décision, prise peu de temps après, de déployer la chaîne SuperClub Vidéotron (des boutiques de location et de vente de vidéos, livres et jeux vidéo) ou de créer toute une gamme de services de loisirs à domicile.

Immédiatement après le profil de l'entreprise, on trouve souvent un très bref tableau reproduisant les données les plus

---

consultant les analyses détaillées produites par des entreprises comme Dow Jones ou Moody's — généralement accessibles en bibliothèque ou auprès de serveurs commerciaux de banques de données — ou en s'adressant aux analystes des firmes de courtage ou des fonds d'investissement ; il pourra aussi consulter les profils sectoriels d'Industrie Canada ou du ministère québécois du Développement économique, de l'Innovation et de l'Exportation, pour pouvoir replacer l'activité de l'entreprise étudiée dans un contexte plus large.

significatives du rapport annuel : revenus bruts, bénéfices d'exploitation, bénéfices répartis par action, etc., le tout étant comparé aux chiffres de l'année précédente. C'est la première chose qu'un journaliste va regarder, pour mesurer d'un premier coup d'œil si l'entreprise a progressé ou régressé cette année-là. Notons que l'Ordre des comptables agréés du Québec a révisé ses normes comptables dans les années 1990, et recommande désormais l'utilisation d'un nouveau vocabulaire. Ainsi, les revenus sont devenus des « produits » et les dépenses sont devenues des « charges ». Mais ce vocabulaire pourra varier dans le cas d'entreprises incorporées ailleurs, notamment. À l'usage, on finit par comprendre que, malgré ces changements de termes d'un rapport à l'autre, tous les bilans présentent à peu près les mêmes éléments.

Le message aux actionnaires

Le président du conseil d'administration — ainsi que le chef de l'exploitation, parfois — y va ensuite de son message aux actionnaires. Après tout, c'est à eux qu'est destiné ce rapport. On y présente donc, sous la forme d'un texte cette fois, les faits saillants des états financiers, notamment ce qui intéresse le plus les détenteurs du capital : l'évolution de l'avoir des actionnaires, le rendement de leurs actions, la marge de profit de l'entreprise. On y explique les raisons de la performance exceptionnelle de celle-ci ou, au contraire, pourquoi elle ne fut pas à la hauteur des attentes.

Ce message aux actionnaires se termine presque toujours sur un ton optimiste ; après tout, quel p.-d.g. avouerait candidement à ses actionnaires que rien ne va plus, et qu'il ne sait pas où donner de la tête ? N'empêche que ce message est souvent riche en information. Si, une année, la rentabilité d'une entreprise a beaucoup chuté à cause d'une nouvelle situation de concurrence, d'une hausse dramatique du prix des matières premières sur les marchés internationaux, d'un conflit de travail, ou pour toute autre raison identifiable, ces facteurs conjoncturels n'apparaîtront pas toujours de manière évidente à la seule lecture des colonnes de chiffres des états financiers. Dans son message aux actionnaires, le président rappellera toutefois ces éléments pour justifier la piètre performance apparente de son entreprise et pour annoncer les mesures correctrices mises de l'avant. C'est aussi dans ce texte qu'il cherchera à souligner ce qu'il considère comme les faits porteurs d'avenir pour cette année-là : acquisitions importantes, nouveaux développements commerciaux, liquidation de secteurs en perte de vitesse, changements d'orientation de filiales, etc.

De par son caractère de message « officiel », ce texte nous renseigne en fait sur l'image que la direction d'une entreprise souhaite que l'on retienne de l'année écoulée. Elle fournit à la fois un guide de lecture et un commentaire sur les états financiers qui suivent. Il arrivera certes que, en fouillant les données financières et en les comparant avec celles d'autres entreprises du même secteur, on aboutisse à d'autres conclusions et qu'on remette en question les explications fournies par la direction. Cela n'en rend pas moins intéressante cette lecture particulière que la direction d'une entreprise avance sur la situation de celle-ci.

Le survol des activités

Vient ensuite une description des multiples activités de l'entreprise pendant l'année écoulée et des résultats obtenus, secteur par secteur, filiale par filiale. C'est parfois le chef de l'exploitation de l'entreprise (le président-directeur général ou le vice-président directeur, par exemple) qui signera ce second texte ; mais il peut aussi résulter d'un travail collectif — être préparé, par exemple, par les responsables de chaque division — et être présenté sans signature.

Ce texte varie beaucoup dans sa forme, d'un rapport à l'autre : on y donne tantôt des descriptions très générales des multiples divisions de l'entreprise — guère plus que dans un prospectus promotionnel, en somme —, tantôt un aperçu détaillé des revenus et des dépenses de chaque division, de ses difficultés, de ses bons coups et de ses perspectives d'avenir. En plus des activités commerciales proprement dites, le survol pourra inclure la description de certains projets spéciaux mis en branle cette année-là, la mention des investissements consentis, des activités de recherche et de développement, des politiques de gestion des ressources humaines (conventions collectives négociées ou réformes des plans de retraite des employés, par exemple) ou de toute autre activité qui, sans figurer nécessairement aux états financiers, contribue à l'image et aux objectifs corporatifs de l'entreprise (si elle a participé au financement de projets communautaires, par exemple).

Notons que plusieurs situations évoquées dans ce texte peuvent avoir une influence réelle sur les résultats de l'année ou sur l'avenir de l'entreprise. C'est le cas par exemple d'acquisitions nouvelles, de la signature d'une convention collective ou du développement de nouveaux marchés prometteurs. Pourtant, les journalistes passent rapidement sur ces pages, parce que les faits les plus significatifs à court terme figurent déjà dans le message aux actionnaires. Notons toutefois que la lecture de ce survol gagne en pertinence quand on y trouve des détails précis sur les résultats financiers de chaque division et de chaque filiale. Ce n'est malheureusement pas toujours le cas, les entreprises ayant de plus en plus tendance à présenter un bilan consolidé afin de donner le moins d'information possible à d'éventuels concurrents.

Les états financiers

Les états financiers comprennent :

— **le rapport du vérificateur,** qui constitue en quelque sorte le sceau professionnel garantissant l'authenticité des données fournies ;

— **le tableau des produits et des charges** (ou « état des revenus et des dépenses », ou « résultats consolidés », ou « compte des profits et pertes »), qui permet d'établir si l'entreprise a été rentable cette année-là ; c'est, pour un journaliste, le tableau le plus important ;

— **le tableau de l'évolution de la situation financière** (ou « survol des opérations de trésorerie », ou « évolution des liquidités »), qui nous renseigne sur la trésorerie de l'entreprise et, donc, sur les liquidités dont elle dispose en fin d'année ; bien que cette situation puisse varier énormément d'une journée à l'autre, ce tableau nous renseigne néanmoins sur l'utilisation par l'entreprise des fonds acquis pendant l'année ;

— enfin, **le bilan,** sorte d'instantané de l'entreprise reflétant sa valeur comptable, les richesses qu'elle possède (son actif) et ce qu'elle doit rembourser (son passif), de même que ce qui reste en fin de compte comme avoir propre de ses actionnaires ; on y trouve les renseignements clés sur l'endettement d'une entreprise, ses investissements, son fonds de roulement — le meilleur indice de sa marge de manœuvre à court terme.

Les trois tableaux sont accompagnés de nombreuses **notes** qui en explicitent les chiffres et précisent les pratiques comptables utilisées. Souvent, un tableau complémentaire fait état des bénéfices accumulés par une entreprise au fil des années («bénéfices non répartis»). Ici, les pratiques varient : cette dernière information se retrouve parfois à l'intérieur du bilan, parfois même dans les notes.

Le rapport du vérificateur

Le rapport du vérificateur est presque toujours un texte court, formulé de manière standard, qui confirme que le vérificateur a eu accès aux livres de l'entreprise et que, à sa connaissance, les tableaux qui suivent sont conformes aux normes comptables et qu'ils reflètent bien la situation financière de ladite entreprise. C'est seulement quand le vérificateur s'écarte de ce texte standard que le journaliste (ou l'actionnaire) doit se poser des questions. On indiquera parfois qu'on n'a pas pu avoir un accès direct aux livres, que certaines inscriptions n'ont pas pu être vérifiées, que telle transaction n'a pas été enregistrée selon les normes, ou qu'il subsiste des éléments d'incertitude... Et on présentera donc le rapport «sous réserve». Dans de tels cas, il faut se méfier de l'authenticité des données ou, à tout le moins, de la nature des pratiques comptables de l'entreprise[2].

Ainsi, il serait logique de retrouver le rapport du vérificateur avant la présentation des tableaux proprement dits. La pratique est toutefois variable sur ce point. Mais avant de plonger dans les chiffres, le journaliste devrait jeter un regard rapide sur ces quelques paragraphes au cas où des réserves seraient émises.

---

2   Notons qu'on retrouve assez souvent de telles réserves dans les états financiers d'associations ou d'organismes à but non lucratif, administrés par des non-professionnels, et dont la comptabilité est plus relâchée.

L'état des produits et des charges

Le premier tableau, l'état des produits et des charges (autrefois : revenus et dépenses), nous renseigne sur la rentabilité réelle de l'entreprise au cours des douze mois couverts par le rapport. Dans bien des cas, c'est l'élément essentiel pour juger de sa viabilité. Si une société a un chiffre d'affaires de plusieurs millions mais qu'elle traîne, année après année, un important déficit d'exploitation, sa survie s'en trouve compromise, à moins que quelque prêteur optimiste ou ses actionnaires n'acceptent d'y injecter de nouveaux fonds. Et l'évolution de la rentabilité d'une entreprise, d'une année à l'autre, demeure un des meilleurs indicateurs de sa stabilité financière à moyen terme, ou de l'impulsion qu'il convient de donner à la barre du gouvernail.

Le tableau commence toujours par les **produits,** ou **revenus bruts** (on parle aussi de **ventes nettes,** dans le commerce), c'est-à-dire le chiffre d'affaires, comprenant toutes les ventes de biens et de services, que les sommes aient été encaissées ou non ; les ventes à crédit sont donc incluses dans ce tableau.

De ces revenus on commence par déduire le **coût des marchandises vendues** (c'est-à-dire les **frais variables,** ceux qui dépendent directement du niveau des ventes). Ce poste budgétaire comprend tous les intrants, c'est-à-dire le coût des matières premières, les salaires et charges des employés affectés à la production, ainsi que les frais imputables à la fabrication et à la distribution : équipements industriels, usines, frais d'emballage et d'entreposage, etc.

La soustraction permet donc de dégager une première **marge bénéficiaire brute** sur les ventes, dans laquelle l'entreprise devra puiser pour payer ses frais fixes. Lorsque cette marge est trop faible, l'entreprise est très vulnérable aux hausses du coût des intrants (donc du coût des marchandises vendues). Un conseil, alors : essayez de savoir quels facteurs pèsent le plus lourd dans ce coût. Certains éléments échappent en effet en bonne partie au contrôle des administrateurs : le prix des matières premières ou les fluctuations du dollar, par exemple. D'autres intrants peuvent plus facilement être contrôlés.

Viennent ensuite les **autres charges d'exploitation,** c'est-à-dire les frais généraux qui ne sont pas imputables directement à la fabrication des produits (on parle aussi de **frais fixes**) : frais d'administration générale de l'entreprise, frais de représentation et de publicité, frais financiers (les intérêts sur la dette, notamment) et les amortissements. Contrairement au coût des ventes qui varie en fonction directe du volume des activités, les autres frais dépendent de la structure administrative de l'entreprise et sont, en principe, liés plus directement à la qualité de sa gestion interne.

Il faut noter ici que les **amortissements** constituent en fait une répartition annuelle — selon des modalités autorisées par la loi mais souvent un peu arbitraires, et très variables d'un secteur industriel à l'autre — des investissements de l'entreprise en recherche, en équipement ou en immeubles. On peut les considérer comme une réserve que l'entreprise se constitue pour un réinvestissement éventuel. Ils sont alors traités comme des charges qui réduiront les profits (et donc les impôts à payer) pour l'année à laquelle elles sont imputées. Mais l'entreprise verse ces sommes dans son propre fonds de réserve, c'est-à-dire que les amortissements ne nécessitent aucune sortie d'argent réelle pour la trésorerie. Si une entreprise apparaît déficitaire sur papier à cause d'une politique d'amortissement accéléré de ses équipements, elle peut conserver, malgré tout, d'assez bonnes liquidités et jouir en conséquence d'une excellente marge de manœuvre.

Notons aussi que les frais de recherche et de développement sont parfois traités comme des coûts variables, liés à la mise au point des produits et répartis selon un pourcentage fixe des ventes (en recherche pharmaceutique, par exemple, et dans bien d'autres entreprises de haute technologie), ou considérés au contraire comme des investissements amortis annuellement, au même titre que les immeubles.

La soustraction de ces frais fixes permet donc de dégager le **bénéfice d'exploitation** (ou **bénéfice avant impôt,** parfois aussi appelé **excédent des produits sur les charges**). Le rapport du bénéfice d'exploitation sur le chiffre d'affaires, ou **marge bénéficiaire,** donne une idée de la rentabilité réelle de l'entreprise, toutes dépenses confondues. Une marge très faible signifie qu'une entreprise sera plus vulnérable, en période d'inflation ou de ralentissement des ventes. Notons toutefois que cette marge dépend beaucoup de la concurrence et du secteur d'activité. Elle est traditionnellement très faible dans le commerce de l'alimentation, où le roulement de la marchandise est très élevé, mais elle sera au contraire très élevée dans des secteurs à haute spécialisation, où le nombre des ventes est restreint (dans les produits de luxe ou l'aéronautique, par exemple).

La soustraction des impôts à payer (ou l'addition de crédits d'impôt relatifs aux années antérieures, dans le cas d'entreprises ayant connu des années déficitaires ou ayant beaucoup investi dans la recherche, par exemple) permet alors de rectifier le montant pour dégager le **bénéfice net avant postes extraordinaires.** C'est le profit réel (après impôts) que l'entreprise tire de ses opérations. C'est la véritable mesure de la rentabilité de l'entreprise. C'est ce chiffre que le journaliste ou l'analyste financier s'empressera de comparer avec celui des années précédentes, pour savoir si l'entreprise progresse ou si, au contraire, elle traverse une période plus difficile.

Pourtant, l'état des produits et des charges ne s'arrête pas à cette ligne. En effet, lorsque les états financiers sont consolidés, c'est-à-dire lorsqu'ils comprennent les résultats d'exploitation de filiales qui ne sont pas détenues à 100 % par la compagnie mère, les actionnaires ne veulent pas connaître uniquement la rentabilité de leur entreprise, ils veulent aussi savoir quelle part leur revient. On déduira donc toute partie du bénéfice d'exploitation qui doit être rendue aux autres actionnaires de ces filiales consolidées : c'est la **participation des minoritaires** dans ces bénéfices.

Fait plus important encore, une compagnie peut réaliser des profits ou des pertes significatives dans des opérations financières qui n'ont rien à voir avec ses activités normales d'exploitation. Une entreprise manufacturière qui vend une usine ou liquide à profit certains équipements, par exemple, ne peut pas considérer cette activité comme relevant de son champ d'exploitation « ordinaire ». Il en est de même lors d'une fermeture, quand elle décide de verser une indemnité aux travailleurs mis à pied, ou quand elle doit payer une forte somme à la suite d'un accident ou d'un procès. Ces **postes extraordinaires** sont parfois très importants dans les résultats rapportés.

En effet, c'est souvent lorsqu'une entreprise voit sa rentabilité chuter qu'elle décide de mettre fin à certaines activités de production ou de se départir de secteurs déficitaires. Les postes extraordinaires peuvent alors transformer un bénéfice d'exploitation trop faible en une perte ou, au contraire, en un bénéfice confortable lié à la vente de certains actifs, masquant la rentabilité réelle de l'exploitation cette année-là. Voilà pourquoi il est plus significatif de regarder le bénéfice d'exploitation ou le bénéfice net avant postes extraordinaires, plutôt que le bénéfice net inscrit à la dernière ligne du tableau.

Le **bénéfice net** (ou la **perte nette,** selon le cas) qui apparaît en bas de tableau, après ces postes extraordinaires, se retrouvera tout de même dans la trésorerie de l'entreprise. C'est ce montant qui viendra grossir (ou réduire) l'avoir des actionnaires. En général, le rapport annuel indique à la fois la valeur totale de ce bénéfice et sa valeur répartie par action. Mais attention : une partie seulement de ce bénéfice net sera effectivement distribuée aux détenteurs du capital, à titre de dividende; le reste sera réinvesti dans l'entreprise pour en assurer la croissance, à titre de **bénéfice non réparti** (j'en reparlerai plus loin, en abordant le bilan financier).

En plus de rapporter les produits et les charges de l'entreprise pour la dernière année, les états financiers fournissent en général les chiffres comparatifs de l'année précédente; on trouve aussi parfois, en fin de rapport, un tableau synthèse de plusieurs années antérieures. C'est dans ces données comparatives qu'on puisera l'information la plus pertinente. Mentionnons d'abord l'évolution du chiffre d'affaires, à la toute première ligne du rapport: c'est ce qui permet d'observer la croissance de l'entreprise, son « agressivité » (au sens américain du terme), et la place qu'elle arrive à occuper dans un marché concurrentiel. N'oubliez pas, cependant, qu'une croissance du chiffre d'affaires peut être due à une augmentation de la part du marché, mais aussi à l'acquisition de nouvelles entreprises dont la rentabilité n'est pas toujours immédiate; il pourra arriver alors que la croissance du chiffre d'affaires s'accompagne d'une chute des bénéfices.

C'est donc l'évolution du bénéfice net (la dernière ligne) qu'il faut regarder ensuite, ou, mieux encore, l'évolution du bénéfice d'exploitation, puisque les postes extraordinaires sont toujours conjoncturels. En général, une augmentation du bénéfice est signe de croissance. Pour tenir compte à la fois de l'évolution du chiffre d'affaires et du bénéfice, on pourra regarder l'évolution du **ratio du bénéfice d'exploitation sur le chiffre d'affaires total**. C'est ce ratio qui fournit les renseignements les plus significatifs sur la qualité de la gestion de l'entreprise.

Lorsque ces résultats diffèrent beaucoup, d'une année à l'autre, il faut toujours se demander si c'est là une tendance à long terme ou s'il ne s'agit pas plutôt de facteurs accidentels. Ainsi, lorsque la chute de la rentabilité provient d'une situation de concurrence accrue, on peut y voir une « tendance lourde » qui nécessitera des correctifs profonds de la part de l'entreprise. Au contraire, si les résultats sont influencés par une évolution brusque des taux de change ou du coût des matières premières, il peut s'agir d'un effet de conjoncture à court terme. On trouvera parfois cette information dans le message aux actionnaires qui ouvre le rapport, mais il faudra souvent consulter des analyses sectorielles indépendantes pour bien distinguer les facteurs qui sont en jeu.

Mentionnons enfin deux autres ratios, de moindre importance. D'abord, l'évolution de la **marge bénéficiaire brute sur ventes** nous donne une bonne idée de la capacité de l'entreprise de vendre ses produits et services à un prix qui couvre ses frais ; une progression à ce chapitre indique que l'entreprise est de plus en plus en mesure d'affronter la concurrence. Ce ratio intéressera aussi les travailleurs d'une entreprise, en période de négociation de leurs conditions de travail, puisqu'il délimite la capacité de l'employeur de leur accorder des augmentations salariales. En second lieu, l'évolution du **ratio des bénéfices nets sur le chiffre d'affaires** intéressera les analystes financiers parce qu'elle risque d'avoir un effet à court terme sur la valeur des actions. Mais ce ratio intègre l'effet des impôts reportés et des postes extraordinaires qui viennent embrouiller les résultats réels de chaque année, et il faut pouvoir le suivre sur une longue période pour en mesurer vraiment l'évolution.

L'évolution de la situation financière

Ce second tableau est d'abord d'un intérêt comptable. Il s'agit de vérifier comment le bénéfice net (ou la perte nette) rapporté au tableau précédent se retrouve bien, tel quel, dans l'évolution de l'encaisse de l'entreprise. S'il n'y a pas eu de détournements de fonds, en somme.

On part donc de l'encaisse rapportée à la fin de l'année précédente. On y ajoute le bénéfice net rapporté, ainsi que toutes les charges qui n'ont pas exigé de déboursé véritable (les amortissements, les impôts reportés et certains charges liées à une réévaluation comptable des actifs, par exemple). On additionne les nouvelles entrées de fonds (actions émises, emprunts, ventes de placements, etc.) puis on soustrait les sorties de fonds (investissements, remboursement de dettes, rachat d'actions déjà émises, dividendes versés aux actionnaires, etc.). Le comptable peut alors vérifier que l'encaisse « sur papier » est bien conforme à son encaisse réelle.

Pour l'analyste financier ou le journaliste, ce tableau permet de voir comment l'entreprise a obtenu ses fonds pendant l'année (a-t-elle mis de côté de grosses sommes aux fins de réserve pour amortissement? A-t-elle émis des actions? des obligations? des emprunts bancaires? etc.), et surtout comment elle les a utilisés (a-t-elle fait des placements prudents? A-t-elle investi dans de nouveaux champs d'activité ou simplement racheté de vieilles dettes?).

Dans le cas d'entreprises profitables, ces renseignements permettent de distinguer celles qui sont très actives — à la recherche de nouvelles ressources financières, de nouveaux débouchés, de nouvelles acquisitions — et celles qui semblent plutôt dans l'expectative et qui dirigent leurs fonds vers des placements « de portefeuille ». Cela peut révéler le dynamisme de l'administration... ou sa prudence. À l'opposé, l'étude de la situation financière d'une entreprise fortement déficitaire permet de voir comment elle a pu faire face à ses obligations courantes (liquidation d'actifs, émission de nouvelles actions, emprunts, etc.) et si elle a pu conserver malgré tout une marge de manœuvre financière suffisante.

Le bilan financier (l'actif et le passif)

L'état des revenus et des dépenses nous renseigne, on l'a vu, sur la performance de l'entreprise pendant l'année, mais cela nous renseigne assez peu sur sa valeur. Ainsi, un petit bureau peut avoir un gros chiffre d'affaires et des profits confortables, mais valoir pourtant moins qu'une très grande entreprise... déficitaire.

Pour connaître la valeur réelle de l'entreprise, on consultera son bilan financier. Le bilan, c'est comme une photographie de l'état d'une entreprise ou d'une association, au moment précis où elle termine son exercice financier. Quelles sommes avait-elle en caisse? Quelles sommes en placements à court ou à long terme? Qu'avait-elle en inventaire? Que valaient ses immobilisations? Que devait-elle à ses fournisseurs? à ses employés? à l'impôt? à ses créanciers? Et, bien sûr, à ses actionnaires? On y retrouve donc d'un côté toutes les richesses qu'elle possède (**l'actif**) et, de l'autre, toutes les dettes qu'elle a accumulées (**le passif**).

Lorsqu'un particulier dresse son bilan, la différence entre l'actif et le passif équivaut à son avoir net. Dans le cas d'une entreprise, son avoir net appartient, en principe, à ses actionnaires. Aussi les comptables ont-ils adopté la convention qui veut que cet avoir net figure, lui aussi, du côté des dettes de l'entreprise (une dette à ses propriétaires), de sorte que l'actif et le passif soient toujours égaux. Si une entreprise a des actifs de 10 millions de dollars, par exemple, et des dettes de 3 millions, l'avoir net de ses actionnaires sera de 7 millions. En ajoutant ce montant aux dettes, on se retrouve avec un passif de 10 millions.

Dans la présentation du bilan financier d'une entreprise, les conventions comptables imposent toutefois une distinction entre deux grandes catégories : d'abord **l'actif et le passif à court terme,** comprenant tous les éléments du bilan qui jouissent d'une certaine liquidité, ceux qui devront être perçus ou payés au cours des douze prochains mois; puis **l'actif ou le passif à long terme,** ceux dont on ne peut disposer facilement, ou qui ne seront pas exigibles en moins d'un an.

L'actif à court terme comprend les liquidités de l'entreprise (sous forme d'encaisse ou sous forme de dépôts à terme ou autres billets encaissables en moins d'un an), les comptes à recevoir, les produits en inventaire, les impôts et autres frais payés à l'avance, les subventions ou crédits d'impôts dus à l'entreprise et certains droits ou licences monnayables, etc. C'est tout ce que la compagnie aura en mains propres, au cours de la prochaine année.

L'actif à long terme se compose quant à lui des placements en actions ou en billets à plus long terme, des immobilisations (usines et équipements), ainsi que d'autres éléments moins tangibles, comme la valeur estimée d'une clientèle captive (l'achalandage), les brevets et licences détenus, la valeur non amortie des recherches, etc.

Selon la même logique, **le passif à court terme** comprend tous les paiements que l'entreprises devra faire au cours des douze prochains mois : les comptes à payer, les revenus perçus d'avance, les intérêts à payer sur la dette, les emprunts à rembourser d'ici un an, les dividendes à verser, les droits et redevances dus, les impôts , etc.

Enfin, **le passif à long terme** comprend les impôts reportés sur plus d'un an, la dette à long terme de l'entreprise et, parfois, quelques autres engagements financiers.

La colonne du passif s'achève donc sur **l'avoir des actionnaires,** ventilé entre la valeur des actions au moment de leur émission et le cumul des bénéfices non répartis, au fil des années.

Tout comme dans le cas du tableau des résultats, l'analyste gagnera à étudier, dans un bilan financier, le comportement de certains ratios. Ainsi, la différence entre l'actif à court terme et le passif à court terme nous donne **la valeur du fonds de roulement,** c'est-à-dire l'évolution probable des liquidités au cours des douze prochains mois. C'est la meilleure mesure de la marge de manœuvre de l'entreprise, de sa capacité de faire face à ses obligations. On considère en général comme confortable une situation où l'actif à court terme est deux fois plus élevé que le passif à court terme. Ce qui est sûr, en tout cas, c'est qu'un fonds de roulement négatif représente un risque qui pourrait forcer les gestionnaires à emprunter ou à liquider des placements. (Certains analystes utilisent même un ratio encore plus prudent, et soustraient de l'actif à court terme la valeur des inventaires et des frais payés d'avance, qui ne sont pas aussi facilement disponibles.)

Le deuxième ratio intéressant, c'est **le rapport entre la valeur de l'inventaire en fin d'année** (indiquée au bilan) **et le volume des ventes** (indiqué au tableau des résultats). Si ce ratio est faible, c'est l'indice d'une bonne gestion; on conserve peu de stocks, ce qui entraîne moins de frais d'intérêts, d'entreposage, etc. Mais il n'y a pas ici de valeur idéale. Tout dépend du secteur d'activité. Une entreprise de haute technologie, qui fabrique annuellement un ou deux appareils très sophistiqués vendus à fort prix, peut bien, en fin d'année, avoir un inventaire considérable, si la vente n'a pas encore eu lieu. Une épicerie, par contre, à cause d'une marge bénéficiaire brute très faible, doit avoir un roulement très élevé de ses stocks. Voilà donc un ratio qui n'a de sens que si l'on compare une entreprise à ses concurrentes directes.

Le troisième ratio nous renseigne plutôt sur la sécurité à long terme de l'entreprise : c'est **le rapport de la dette totale sur l'avoir des actionnaires.** Plus ce ratio est faible, moins l'entreprise est endettée et, par conséquent, plus grande sera sa marge de manœuvre à long terme. Par contre, si une entreprise est très faiblement capitalisée, mais qu'elle est fortement endettée, on dira qu'elle a un fort « levier financier ». En effet, cela signifie que les actionnaires y ont investi très peu d'argent, mais qu'ils

contrôlent malgré tout de gros investissements. Position financière fragile, certes, mais c'est souvent en utilisant un tel levier
financier que des entrepreneurs ont bâti leur richesse[3].

Quelques mots enfin sur la valeur aux livres des actions
d'une entreprise. On l'obtient en divisant l'avoir des actionnaires par le nombre des actions émises. Notons que la valeur en
Bourse d'une action peut être fort différente de sa valeur comptable. En effet, si une société a des actifs très faibles (une firme
de consultants, par exemple, dont la valeur repose surtout sur
la matière grise) mais que ses opérations sont très profitables
et qu'elle peut payer en conséquence un dividende élevé, ses
actions peuvent trouver preneurs à très bon prix malgré leur
faible valeur comptable.

Parce que ce prix des actions dépendra du bénéfice net de
l'entreprise, il est intéressant de mesurer le ratio du bénéfice net
de l'entreprise sur l'avoir de ses actionnaires. Ce ratio, exprimé
en pourcentage, devrait en principe dépasser le taux d'intérêt des
dépôts à terme à la banque si l'on espère que des investisseurs
acquièrent des actions, plus risquées que des dépôts garantis.
C'est l'indice ultime de l'attrait que représente une entreprise
pour ses actionnaires.

---

3   C'est en obtenant un prêt de 23 millions — bien plus important que sa capi-
talisation — que la petite entreprise de téléavertisseurs de Charles Sirois, Télésystème National, a pu acquérir au début des années 1980 le géant TAS Paging,
pour devenir le plus important acteur canadien dans ce secteur. En revendant
ensuite son réseau de téléavertisseurs à Bell Mobilité, Télésystème National a pu
récupérer assez d'argent pour prendre le contrôle du géant des télécommunications transatlantiques Téléglobe. En profitant une fois de plus de leviers financiers très élevés, l'entreprise a pu lancer toute une gamme de nouvelles sociétés,
dont Microcell (qui exploitait le service de téléphonie sans fil Fido) et TIW (qui
offrait des services de téléphonie sans fil dans plusieurs pays). Elle valait alors
plusieurs milliards de dollars. Mais cette stratégie est dangereuse: quand Télésystème National s'est engagée dans un projet démesuré de couverture satellitaire de la planète et que sa filiale TIW s'est mise à battre de l'aile, le conglomérat
a perdu rapidement une bonne partie de sa valeur.

Les notes complémentaires

Dernier élément des états financiers, une longue série de notes accompagne toujours les tableaux dont il vient d'être question. On y trouve tous les détails requis pour comprendre les chiffres consolidés qui figurent aux états. Il faut entre autres surveiller :

— le rappel des pratiques comptables; c'est bien souvent technique, mais on y explique parfois des changements de pratiques qui ont une influence majeure sur les états financiers, et rendent moins facile la comparaison d'une année à l'autre;

— le détail des impôts à payer, des crédits d'impôt attendus et des impôts reportés;

— les politiques d'amortissement, et le calcul de la valeur résiduelle des équipements et des immeubles, ainsi que des autres valeurs amorties (les investissements de recherche, par exemple);

— la description des postes extraordinaires qui figurent dans l'état des revenus et des dépenses;

— les engagements financiers à long terme, notamment dans le fonds de retraite des employés;

— la structure détaillée de la dette;

— la structure détaillée du portefeuille : actions, obligations, dépôts, etc.;

— la structure du capital-actions de l'entreprise ainsi que les engagements pris à ce chapitre (options émises pour les employés, par exemple);

— une mention obligatoire des transactions entre apparentés (sociétés détenues par les actionnaires majoritaires de l'entreprise, par exemple);

— et toute autre situation qui risque, ultérieurement, d'avoir des conséquences sur les chiffres rapportés : poursuites éventuelles, contestation de droits et brevets, révision demandée des taux d'imposition, etc. Si, au moment du règlement futur, l'effet est négatif, la direction choisira presque toujours de corriger à rebours ses anciens rapports pour ne pas noircir le bilan de l'année en cours ; mais si l'effet est positif, on placera volontiers les sommes imprévues dans les « postes extraordinaires » de cette année-là, pour en augmenter la rentabilité apparente. Tout ça est parfaitement légal. Mais l'analyste doit éviter d'être dupe de ces jeux comptables et prendre le temps, en conséquence, de lire au moins en diagonale les notes accompagnant les états financiers.

Le survol des années antérieures

Beaucoup des chiffres rapportés dans les états financiers n'ont de sens que si on les compare à ceux des années antérieures, pour en dégager quelques tendances. Il en va de même des ratios . Évoluent-ils dans le sens d'une rentabilité accrue, d'une solidité de plus en plus grande de l'entreprise ? En somme, c'est dans une perspective historique qu'il faut toujours étudier le rapport annuel d'une société, ce que permet le tableau comparatif des principaux postes financiers, étalés sur trois ou cinq ans.

Malheureusement, ce ne sont pas tous les rapports annuels qui fournissent ce tableau comparatif ; il faut alors fouiller dans les centres de documentation ou les répertoires d'entreprises pour profiter de cette perspective à long terme. Mais si les pratiques comptables ont été modifiées entre-temps, ou si l'entreprise a fait plusieurs acquisitions, les comparaisons deviennent parfois difficiles.

* * *

Bien sûr, cette énumération succincte des éléments d'un rapport annuel peut sembler d'une grande complexité. Pourtant, il suffit de suivre pas à pas, une seule fois, le texte et les tableaux d'une entreprise qu'on connaît un peu (celle qui nous emploie, par exemple) pour découvrir rapidement la logique qui régit cette information. On découvre ensuite que, si le titre des rubriques peut changer d'une entreprise à l'autre, les mêmes éléments se retrouvent, les mêmes ratios s'appliquent.

Et surtout, il suffit d'avoir eu besoin, une seule fois, de renseignements précis et de les avoir trouvés dans le rapport annuel pour mesurer l'importance de cette information.

Là encore, comme nous l'avons dit des articles scientifiques ou des sondages, rien n'empêche le journaliste de consulter une personne-ressource, si quelque information lui semble difficile à déchiffrer.

QUATRIÈME PARTIE

Les champs de pratique spécialisés

14

Le journalisme spécialisé

Un journaliste est avant tout un spécialiste de la communication, un « témoin professionnel » qui doit savoir regarder, écouter, questionner, afin de transmettre en langage clair ce qu'il a compris, en le replaçant dans le contexte qui le rende intelligible. Les aptitudes qui permettent à un chroniqueur sportif de rendre compte de ce qui se passe dans les coulisses d'une équipe professionnelle ne sont pas très différentes de celles que doit posséder le journaliste qui couvre la scène municipale ou celui qui est affecté à l'actualité scientifique. Certes, il faut se familiariser avec un vocabulaire et maîtriser des concepts clés, mais l'essentiel s'acquiert, à condition de savoir écouter. Comme le dit souvent mon collègue Gilles Gougeon[1] : « Nous sommes des

---

1 Journaliste de télévision qui a travaillé surtout à Radio-Canada. Il illustre bien la polyvalence demandée aux journalistes : il a couvert la scène locale, la politique et l'international. Il a animé une émission de consommation. Il a fait de la nouvelle et du grand reportage, à la fois comme journaliste et comme réalisateur.

spécialistes de l'ignorance. Notre grande force, c'est que nous devons savoir poser des questions et apprendre...» C'est cette curiosité et cette capacité d'écoute qui permettent ensuite de transmettre l'essentiel.

Bien sûr, certains journalistes couvrant le secteur judiciaire ont jugé utile d'aller suivre des cours de droit. Le journal *Les Affaires* avait comme politique d'envoyer ses journalistes suivre une formation auprès de l'Institut canadien des valeurs mobilières. Et une formation de base en sciences n'est pas inutile si on veut faire carrière en vulgarisation. Mais ce n'est pas essentiel. J'ai dirigé pendant plusieurs années l'émission *Découverte*, à la télévision de Radio-Canada. Sur la quinzaine de réalisateurs avec qui j'ai travaillé, seulement deux avaient un diplôme en sciences ou en génie. Quant aux journalistes, la moitié d'entre eux seulement avaient une formation scientifique. Du reste, n'ai-je pas moi-même travaillé pendant la moitié de ma vie professionnelle en journalisme économique, sans avoir reçu la moindre formation de base en ce domaine?

Pourtant, la spécialisation des journalistes est une tendance incontournable. Cela s'explique d'abord par l'accès accru aux études universitaires observé au Québec depuis la fin des années 1960. Si la voie royale vers le métier était autrefois un cours classique ou une formation en lettres ou dans les humanités, de plus en plus de journalistes ont désormais une formation universitaire en droit, en sciences sociales ou naturelles, en économie, en histoire de l'art ou en cinéma, etc., formation complétée au besoin par un certificat en journalisme. Les « spécialistes » comptent désormais pour près de la moitié des jeunes journalistes. Il n'est pas étonnant que ces personnes cherchent à mettre à profit leur formation de base en œuvrant de préférence dans le secteur de leur formation, quitte à diversifier peu à peu leur champ d'intérêt, à mesure qu'ils acquerront une plus grande maîtrise des techniques d'information.

La formation universitaire n'est pas le seul facteur qui incite les journalistes à se spécialiser. L'organisation des grandes salles de rédaction en multiples pupitres spécialisés fait en sorte qu'un journaliste sera au départ affecté à un secteur donné. Si ce secteur lui est peu familier, il aura besoin de quelques mois pour y « faire ses classes », s'y faire connaître et développer un réseau de personnes-ressources. La direction de l'information aura tendance à rentabiliser cet investissement humain en laissant ce journaliste au même secteur pendant quelques années au moins.

Par ailleurs, les petites salles de rédaction, tant dans la presse écrite que dans la presse électronique, sont elles aussi de plus en plus spécialisées, à cause de la fragmentation des organes de presse en fonction des créneaux publicitaires (magazines sectoriels, sites web et chaînes de télévision spécialisées, etc.). Les spécialistes trouvent donc plus facilement un premier emploi. Et le journaliste indépendant qui espère obtenir des revenus décents grâce au statut de collaborateur régulier d'une publication spécialisée aura avantage à approfondir le créneau de celle-ci. Par exemple, un rapide regard sur les magazines québécois montrera que, pour plus de 300 titres spécialisés, il n'existe guère plus d'une dizaine de revues dites « générales », et ce sont celles où la concurrence pour l'espace rédactionnel est la plus forte (*L'actualité, Châtelaine, Sélection, En Route,* etc.).

Enfin, entrent aussi en jeu des questions d'intérêt personnel. Comme toute autre profession, le journalisme gagne à être pratiqué avec une certaine passion. La personne que les jeux politiques excitent, qui s'amuse à analyser les stratégies et les tactiques électorales ou les phénomènes de pressions populaires fera sans doute un meilleur correspondant parlementaire que celle qu'exaltent les grands défis individuels. De même, certains journalistes préfèrent échanger avec des experts lors d'un congrès ou analyser soigneusement des rapports techniques, alors que d'autres excellent plutôt dans le travail « sur le terrain », à parler aux gens dans la rue, dans leurs lieux de travail ou de loisir.

Les avantages et les dangers de la spécialisation

Cette spécialisation présente des avantages indéniables. La compétence en journalisme repose en effet sur l'accès aux sources premières de l'information et ne peut être atteinte sans une certaine familiarité avec les réseaux propres à chaque secteur. Les canaux de diffusion de l'information ne sont pas les mêmes en économie, en environnement ou dans le domaine des sciences ou des arts.

De même, on a vu l'importance de toujours pouvoir compter sur une expertise externe et d'avoir accès à un réseau fiable de personnes-ressources compétentes. On comprendra que le journaliste qui a pris le temps de bâtir ses assises dans un secteur donné finisse par en tirer une information plus approfondie. Et qu'il se fasse moins facilement « passer des sapins » !

Cela dit, il reste vrai que, lorsqu'on maîtrise bien les outils de base de ce métier, le passage d'un secteur de spécialisation à un autre n'est qu'une question d'adaptation. Quelques mois de travail intensif, une certaine vigilance au départ pour ne pas tomber trop facilement dans les pièges, un peu de patience pour se familiariser avec le vocabulaire des spécialistes, les réseaux d'expertise et les sources d'information fiables, et ca y est !

La plupart des responsables de rédaction favorisent même ce recyclage périodique de leur personnel, car la spécialisation comporte aussi des inconvénients. J'ai déjà souligné au chapitre 2 comment le cloisonnement de l'information et la spécialisation des réseaux-ressources de chaque journaliste peuvent l'amener à

ne lire les événements qu'à travers le filtre propre au milieu couvert. En économie, les reporters ne rencontrent que des gestionnaires d'entreprises, des hommes et des femmes d'affaires ou des
porte-parole de grandes institutions financières, et finissent par
adopter sans s'en rendre compte les credo de l'économie libérale. De même, les journalistes scientifiques se sentiront investis
de la mission de convaincre leurs lecteurs de l'importance de
la recherche, les chroniqueurs à l'environnement épouseront
les causes écologistes, et les journalistes aux affaires sociales,
celles des bénéficiaires de l'aide sociale, etc. Cette juxtaposition
de causes à défendre peut conduire à une vision morcelée de la
réalité, où tout se trouve présenté selon un angle particulier sans
que personne n'arrive à aborder les enjeux dans une perspective
globale.

Ce problème peut être aggravé par le fait qu'à force de fréquenter un même milieu, les journalistes spécialisés finissent par
en adopter non seulement les visions, comme nous l'avons vu,
mais aussi le vocabulaire. Ils risquent alors de perdre le recul
essentiel par rapport à leurs sources. Cela contribue aussi à élargir le fossé qui se creuse entre eux et leurs lecteurs.

En somme, les avantages et les dangers de la spécialisation
des journalistes viennent de ce rapprochement, de cette intimité
même, entre le témoin et ses sources. On peut même bien souvent parler de « promiscuité ». On le comprendra mieux à travers les exemples concrets rapportés au fil des prochaines pages.

Un avertissement, d'abord : il était impossible, dans le cadre
de ce livre, d'aborder en détail chaque secteur. Leur simple
énumération est déjà fastidieuse : politique, affaires municipales, faits divers, justice, affaires sociales, santé, éducation, vie
syndicale, communautaire ou associative, religions, minorités
culturelles, personnes âgées, condition féminine, économie,
agriculture, science, médecine, environnement, informatique
et nouvelles technologies, architecture, arts et lettres, culture,

sports, tourisme, plein air et loisirs, gastronomie, etc. Et encore, ce ne sont là que des grandes catégories. Certains journalistes ont des spécialisations encore plus fines : défense, aéronautique, cyclisme, musique rock, affaires indiennes, photo, Internet, etc. Il a donc fallu regrouper et choisir, de manière un peu arbitraire, sur quels secteurs il convenait de jeter un regard particulier. Laissons-nous diriger alors par la structure même des grandes salles de rédaction, où des cloisonnements sont apparus de manière plus ou moins spontanée.

Le journalisme politique, parlementaire ou municipal

On a parfois l'impression, en lisant la « une » de nos journaux ou en écoutant les bulletins de nouvelles, que tout n'est qu'affaire de politique. Que les élus occupent trop de place avec leurs sempiternels débats sur la santé, l'éducation, l'économie, la constitution ou les finances publiques… Chaque jour, à la même place, les mêmes visages, les mêmes propos.

Cela tient en bonne partie au rôle fondamental dévolu à la presse, en régime démocratique : celui de faire circuler l'information d'ordre public pour permettre aux électeurs de faire des choix éclairés. Certes, le public aime bien qu'on lui raconte des histoires tristes ou drôles, qu'on lui parle de ses vedettes, qu'on lui présente des images d'un incendie spectaculaire, qu'on le tienne au courant des mille et un faits divers qui constituent la trame de son quotidien. Et les journaux ne s'en privent pas! Mais je soupçonne que la plupart des journalistes considèrent, en leur for intérieur, que cette information est plus divertissante qu'essentielle. Que les *scoops* les plus importants sont ceux qui renversent les gouvernements. Qu'en fin de compte, c'est sur l'arène politique seulement qu'on peut mesurer l'utilité réelle d'une presse libre.

L'omniprésence des politiciens dans nos médias tient aussi à notre habitude de « courir l'événement », et plus encore l'événement « déclaration ». Or, dans l'échelle des sources crédibles présentée au chapitre 7, nous avons vu que les élus de tous genres viennent au premier rang. Les vedettes peuvent être riches, sympathiques, fascinantes, mais elles ne représentent qu'elles-mêmes. Les élus, au contraire, sont censés représenter leurs commettants. Et ce sont eux qui gèrent les fonds publics. Une presse qui se proclame ouverte et d'intérêt public va forcément accorder à ces porte-parole autorisés une place à la mesure de leur légitimité.

Enfin, si les hommes et les femmes d'affaires peuvent fort bien s'accommoder du secret, si la crédibilité des scientifiques vient plus de l'appréciation des confrères que de celle des médias, les politiciens accomplissent une tâche publique et doivent accepter *a priori* d'être placés sous le regard scrutateur des médias. Plus encore, ils doivent miser sur l'opinion publique. Et la presse fait partie des canaux normaux de circulation de l'information politique ; elle constitue un rouage essentiel de tout processus de prise de décision.

Tôt ou tard, tous les journalistes verront leurs dossiers déboucher sur le terrain politique, du chroniqueur sportif appelé à commenter les programmes nationaux de soutien au sport amateur ou le financement d'un nouveau stade, au chroniqueur de théâtre qui se penche sur une nouvelle loi encadrant la profession de comédien, en passant par les journalistes scientifiques ou de l'environnement, de l'éducation ou des affaires sociales. Comment peut-on parler alors d'un champ de pratique spécialisée ?

C'est qu'il y a, dans les grands médias, un petit groupe de journalistes dont le travail est centré sur la vie parlementaire et sur le gouvernement en tant qu'institution. Ils exercent leurs fonctions à la tribune parlementaire, à Ottawa ou dans les assemblées provinciales. Ce domaine de pratique bien particulier mérite qu'on s'y intéresse d'un peu plus près.

Des journalistes inondés d'information

La vie parlementaire, c'est une session quotidienne en Chambre, une ou deux commissions parlementaires qui siègent en parallèle, quelques dizaines de ministres qui cherchent constamment à arracher aux médias un petit espace de visibilité, sans oublier les critiques de l'opposition qui veulent en faire autant. À leurs côtés, plusieurs dizaines de députés, au rôle plus modeste certes, mais qui ne dédaignent pas d'avoir des conversations occasionnelles avec les journalistes, des sous-ministres et plusieurs milliers d'experts réunis dans un rayon de quelques kilomètres[2]. Mais surtout, on y trouve la plus grosse concentration imaginable d'attachés de presse, d'agents d'information, de relationnistes, tous payés pour courtiser les journalistes. Ajoutons-y une poignée de lobbyistes (ils sont plusieurs milliers, à Washington!) et une multitude de représentants de groupes divers qui profitent justement de la forte concentration de journalistes pour rendre publiques leurs doléances.

---

2   Depuis quelques années, les gouvernements (à Québec comme à Ottawa) tentent de limiter et de contrôler les échanges directs entre les experts gouvernementaux et les journalistes, en exigeant que toute demande des médias passe par les services de communication des ministères ou, pire encore, par les cabinets ministériels. Pour les journalistes, c'est un véritable problème puisqu'il devient très difficile de parler directement aux vrais experts. Cela vaut pour les correspondants parlementaires, mais aussi pour l'ensemble des journalistes. Dans certains cas, les rapports personnels qu'un journaliste a pu développer dans son champ de couverture peuvent toutefois lui permettre de contourner ces obstacles.

Puis il y a la paperasse! Dix ou vingt communiqués publiés quotidiennement par les cabinets ministériels, les ministères ou les agences gouvernementales, des projets de loi, le journal des débats, les rapports annuels de toutes les sociétés d'État, et des centaines d'études techniques et autres recherches gouvernementales.

Dans ce déluge de publications et de déclarations, on dénichera de temps en temps une information importante. Parfois, elle se dégage de manière évidente. Le plus souvent elle se perd dans une masse de faits sans relief et c'est le hasard, l'intuition ou l'expertise particulière d'un journaliste qui la fera ressortir.

Mais la plupart du temps, les correspondants parlementaires, sollicités par trop de sirènes, laisseront à d'autres le soin de dicter leur emploi du temps. Ce sont alors les propos tenus en Chambre, habilement scénarisés par les services de presse des personnages politiques, qui orienteront la couverture du lendemain. Ou encore, quand un problème survient ailleurs au pays, c'est le chef des nouvelles qui demandera à son correspondant de « suivre l'affaire » au parlement et d'y recueillir les réactions.

Les journalistes parlementaires entreprennent alors leur course quotidienne contre la montre. On s'empresse de parcourir la pile de documents accumulés depuis la veille, on écarte les convocations sans importance, on confie les affaires les plus simples aux représentants d'agences pour se garder un ou deux dossiers chauds qui porteront la signature maison dans le journal du lendemain. Un jour, c'est une réforme du Code criminel. Le lendemain, c'est une subvention industrielle. Le surlendemain, un scandale politique… Une couverture en surface, forcément. En fait, lorsqu'une expertise plus pointue est requise, la rédaction fera souvent appel à ses journalistes spécialisés!

Certes, les correspondants à Québec, à Ottawa, à Toronto, viennent parfois d'horizons spécialisés (une chroniqueuse à l'éducation, un analyste financier, une journaliste à l'environnement, etc). De temps en temps, du moins dans le cas des entreprises qui disposent de plusieurs correspondants, on acceptera de libérer ces journalistes durant plusieurs jours pour qu'ils fouillent une seule affaire. Mais dans l'ensemble, le contexte de travail du journalisme parlementaire en fait une pratique généraliste. Cela peut être vu comme un grand avantage. Les journalistes qui œuvrent à Québec ou à Ottawa ont l'impression de toucher à tous les dossiers importants, d'être témoins de toutes les grandes batailles.

En même temps, faute de pouvoir approfondir chaque dossier qui aboutit sur son bureau, le chroniqueur sera tenté de centrer sa couverture sur les débats, les arguments qui s'opposent et les stratégies des partis, plutôt que sur les réalités qu'ils recouvrent. « Le premier ministre dit que… », « Le chef de l'opposition répond que… ». Quand donc ces journalistes auraient-ils le temps de rassembler la documentation nécessaire pour savoir lequel des deux a raison?

Dans l'intimité du pouvoir

Parce que les journalistes parlementaires couvrent avant tout les joutes oratoires et les « parties de bras de fer » qui se jouent en coulisses, ils en viennent souvent à ne percevoir le monde politique que comme une arène où s'opposent des stratégies, des tactiques, des « beaux coups ». Dès lors, le contact intime avec les acteurs, leurs conseillers ou leurs adjoints administratifs devient une clé essentielle pour interpréter correctement leurs manœuvres et découvrir de bonnes pistes.

Le meilleur correspondant parlementaire, c'est bien souvent celui qui connaîtra personnellement le plus de ministres, pourra obtenir des déjeuners privés avec les attachés politiques, aura ses entrées dans les ministères, sera courtisé assidûment par les lobbyistes, et bénéficiera, de ce fait, d'échanges de confidences et de renseignements exclusifs. C'est un jeu de donnant, donnant dont personne n'est totalement dupe, mais où chacun trouve son compte. Tel ministre aura droit à un article sympathique, parce que la journaliste qui le courtise sait qu'elle pourra compter sur lui quand viendra le temps de vérifier certaines rumeurs.

Sous le gouvernement de Stephen Harper, à Ottawa, les rapports entre le gouvernement et les journalistes sont devenus beaucoup plus tendus. Le premier ministre a en effet imposé un contrôle très strict sur toutes les communications entre ses ministres et les journalistes, et tenté lui-même de minimiser ses échanges directs avec la presse en diffusant ses propres communiqués, ses photos et ses extraits vidéo. Beaucoup de journalistes ont dénoncé cette volonté de les contourner. Certains observateurs y voient au contraire un défi pour les journalistes qui pourraient ainsi s'affranchir des jeux de coulisses et du donnant, donnant, et faire un véritable travail de fond sur les enjeux politiques.

Reste que de nombreux journalistes apprécient la fréquentation des gens de pouvoir, aiment les courtiser parfois, voir leurs faiblesses, mesurer leurs rêves et leurs ambitions. Et comprendre, en fin de compte, comment les décisions se prennent, au-delà des grands principes.

Un univers coupé du réel

Mais cette intimité avec le pouvoir a aussi son revers. Les politiciens, les fonctionnaires, les lobbyistes et autres spécialistes du gouvernement ont souvent l'impression de vivre dans une bulle. C'est un monde peuplé d'experts, de juristes, d'analystes; un monde fait de réglementations, de normes et de lois-cadres. N'importe quel ministre ou n'importe quel attaché politique vous le dira : il suffit de quelques mois à Ottawa ou à Québec pour ressentir cet isolement. C'est un véritable pensionnat ! Une fois par semaine, à son bureau de comté, le député reprendra contact avec une autre réalité, celle de ses électeurs. Le journaliste n'a même pas cette chance : son univers est centré sur la « chose politique » en tant que jeu de pouvoir et d'influences. Et l'intimité qu'il doit cultiver avec les acteurs de cette scène, ce partage quotidien des innombrables anecdotes qui pimentent la vie parlementaire ne font que l'isoler davantage de l'univers extérieur.

La couverture politique des dossiers est souvent une couverture abstraite. Les réglementations dans le domaine social s'y discutent en termes de principes, de modalités de gestion et de priorités budgétaires. On n'y entend rarement le témoignage des personnes seules, des malades, de ceux qui vivent sous le seuil de la pauvreté.

Cet univers est d'autant plus abstrait que les politiciens et hauts fonctionnaires eux-mêmes laissent rarement filtrer leurs émotions. Dans ce monde de parole publique, tout est contrôlé. Et dans la hâte de tout couvrir, les journalistes n'ont guère le temps de traquer la vie derrière les mots.

Pour une meilleure intégration du journalisme politique

Bien sûr, on rencontre parfois une couverture politique mieux intégrée, où chroniqueurs parlementaires et journalistes « de terrain » travaillent en étroite relation. Ainsi, chaque fois qu'apparaît un problème dans une école, dans une salle d'urgence, dans une prison, les chroniqueurs politiques peuvent être mobilisés pour en assurer le suivi auprès de l'appareil gouvernemental. À l'inverse, chaque fois que le gouvernement présente une nouvelle loi ou entreprend l'étude d'une politique, certains reporters peuvent être mobilisés pour observer la situation réelle et en témoigner.

Cette approche suppose une étroite collaboration entre les correspondants parlementaires et les autres journalistes de la salle de rédaction et une coordination de leurs priorités de couverture, que seul peut assurer un leadership fort pour ce qui est des assignations respectives. Enfin, il faut un échange constant d'information entre les spécialistes et ces généralistes que sont les correspondants parlementaires.

Reste que la pression constante exercée par les ministres, les députés d'opposition, les lobbyistes et les relationnistes auprès des journalistes parlementaires — et le fait que les directeurs de l'information ne veulent pas rater les sujets qui feront la manchette des médias concurrents — imposent souvent un emploi du temps et une liste de priorités qui laissent peu de place à une couverture vraiment originale. Ces problèmes ne diffèrent guère de ceux que nous avons décrits, dans une perspective plus générale, au chapitre 2. Tout juste est-ce plus marqué dans le cas du journalisme politique, en raison de la surabondance des déclarations, des publications, des textes ou des événements, et des moyens très professionnels que se donnent les acteurs de la scène politique pour tirer profit de la presse.

Le journalisme municipal, ou le parlementarisme incarné

La réforme de la Loi sur les cités et villes du Québec, dans les années 1970, a introduit au niveau municipal une tradition politique calquée sur celle qui existe aux niveaux supérieurs de gouvernement. On y retrouve des partis politiques, et le déroulement des conseils municipaux s'inspire de la tradition parlementaire. Pourtant, la fonction publique municipale, sauf pour les très grandes cités, demeure de dimensions restreintes. Le pouvoir y repose entre les mains d'un petit nombre d'individus. Mais la vraie différence est ailleurs. On peut, à Ottawa, entreprendre l'étude d'un projet de réglementation sur les pêcheries, à plus de 1 000 kilomètres du premier village côtier. Dans une ville, au contraire, la distance entre les politiques et les citoyens concernés ne tient toujours qu'à une course en taxi! De sorte que le chroniqueur municipal n'a pas qu'une vision abstraite des choses; il peut aller voir ce qui se passe dans les quartiers, parler aux citoyens, pas seulement à leurs porte-parole autorisés.

En second lieu, comme les pouvoirs municipaux sont plus limités, les dossiers « chauds » ne se succèdent pas avec autant de rapidité qu'aux niveaux supérieurs de gouvernement. Les journalistes ont donc plus de temps pour les approfondir. Du reste, ils n'ont bien souvent pas le choix, car si les gouvernements fédéral et provinciaux possèdent une machine d'information fort bien rodée dont les journalistes sont parfois les otages, les pouvoirs locaux ont, au contraire, tendance à considérer leurs responsabilités comme une affaire privée. Si les journalistes veulent comprendre leurs dossiers, ils doivent les fouiller. C'est un journalisme de terrain, d'études de cas, d'enquêtes à l'occasion. Rappelons ici les nombreuses enquêtes menées par les médias depuis les années 2000 sur les élections « clés en main » dans les petites municipalités, sur les magouilles des firmes d'ingénieurs auprès des élus pour rafler les contrats d'infrastructures, sur les appels d'offre truqués par un cartel de grands entrepreneurs (les « *Fabulous Fourteen* »), sur le contrat des compteurs d'eau de Montréal que la Ville a dû annuler à la suite d'enquêtes journalistiques, etc.

Bien que le pouvoir qui s'exerce au niveau municipal soit limité et les enjeux, moins considérables en apparence, beaucoup de journalistes politiques, qui regardaient autrefois la scène municipale comme un théâtre secondaire, y ont découvert un champ de pratique très valorisant. Ce domaine partage avec le journalisme parlementaire son caractère généraliste et sa mise en scène d'acteurs politiques en constante opposition, mais il associe sans cesse les grands débats aux réalités quotidiennes des lecteurs. Cela permet une diversité non seulement dans les thèmes qu'on aborde, mais aussi dans le type de témoignage qu'on recueille.

N'idéalisons pas trop, toutefois! La plupart des municipalités n'ont pas leur propre quotidien ou leur station de télévision. La scène locale n'y est couverte que par les hebdos ou les stations de radio et de télévision régionales, dont les ressources journalistiques sont limitées... et qui ne souhaitent pas se mettre à dos les leaders et les annonceurs du cru. Bref, on n'a guère les moyens d'y mener de véritables enquêtes, et les élus locaux ont donc pris l'habitude de gérer leurs affaires avec une certaine discrétion. L'accès à l'information y est difficile. Bien des dossiers municipaux échappent encore au « radar » des journalistes.

Le journalisme de faits divers et le journalisme judiciaire

Dans la mythologie du journalisme, version Walt Disney, on voit toujours le reporter débutant couvrir les faits divers, plus communément appelés les « chiens écrasés ». Un jour, entre un papier sur un accident de la circulation et un autre sur un incendie dramatique ou un pont qui s'écroule, le Tintin en herbe surprend un financier local en train de préparer une affaire louche. La publication d'un article sur ce scandale le propulsera aussitôt au rang des vedettes de la presse.

Voilà pour la légende. La réalité, c'est que les médias ont compris depuis plusieurs années que si le journalisme de faits divers n'était pas perçu comme très noble par les gens de la profession, c'était par contre une matière très populaire auprès du public. Des journaux spécialisés dans le fait divers et les affaires criminelles, sur le modèle de *Photo Police*, font des affaires d'or partout dans le monde. Les quotidiens populaires se sont donné des structures très efficaces pour couvrir les innombrables événements qui se produisent dans la ville au fil des heures, tout en assurant le suivi des affaires criminelles. Il s'agit en fait de spécialités apparentées, mais de pratiques distinctes.

La course aux événements

Les grands médias possèdent en général une salle d'écoute où un employé surveille en permanence ce qui se dit sur toutes les fréquences des émetteurs radio : police, services ambulanciers, services d'incendie ou communications privées (les « CB », ou *citizen's band*). Les journalistes et photographes affectés aux faits divers demeurent alors en attente dans la salle de rédaction ou, mieux encore, sillonnent la ville en automobile. Dès qu'un incident est rapporté, on lance un appel, comme le ferait le poste de distribution d'une compagnie de taxis. La voiture la plus proche sera affectée à la couverture de l'événement. Ainsi, il n'est pas rare que les journalistes et photographes affectés aux faits divers arrivent sur les lieux avant ou presque en même temps que les policiers.

Cette forme de couverture, on le comprendra, n'est toujours qu'événementielle. Le journaliste court ainsi d'un meurtre à un sinistre, d'un vol à main armée à un accident de la route, d'une manifestation à une « descente » policière dans un bar clandestin, sans pouvoir approfondir chaque dossier ni avoir le temps de s'interroger sur les causes de la criminalité et sur la qualité de vie dans les quartiers. Il couvre, il rapporte, il repart.

Il existe, entre ces reporters du front et les services policiers, une étroite complicité. Sans la collaboration policière, le journaliste aurait accès à très peu d'information. Contrairement au domaine politique où une bonne partie du jeu est public, où existe une opposition et une bureaucratie forte et indépendante, l'univers policier est monolithique et secret — et l'univers criminel encore bien plus ! Mais tout le monde aime bien avoir bonne presse et le policier qui rencontre souvent le même journaliste finit par lui consentir quelques confidences.

En outre, les services policiers ont compris qu'en faisant circuler l'information sur un vol, un meurtre ou un incendie criminel, on augmente les chances que des témoins accidentels se manifestent. Et, de manière générale, plus on parle de ces affaires criminelles dans la presse, plus la population réclame la présence policière et accepte d'en payer le prix. Les services policiers se sont donc dotés très tôt de politiques efficaces de relations avec les journalistes.

Les grandes enquêtes

Certains médias confieront à un journaliste une couverture plus approfondie du domaine des enquêtes policières : brigade des stupéfiants, escouade tactique, service des fraudes économiques, bureau des enquêtes criminelles, etc. En pratique, ce spécialiste de l'univers policier se retrouvera parfois sur les lieux d'un crime ou d'un accident majeur, mais c'est avant tout le suivi des dossiers qui le préoccupe. Son outil de travail sera plus souvent le téléphone que l'automobile. Sa matière première : les confidences des enquêteurs, parfois celles des criminels, et les piles de documents soumis en preuve quand les procès aboutissent. Ces documents permettent de mieux comprendre comment fonctionnent les grands réseaux criminels, qui en sont les principaux acteurs, et qui on devrait surveiller dans l'avenir. On peut alors parler d'un deuxième niveau de couverture, beaucoup plus approfondie.

Parce que Montréal est devenue, au moment de la guerre des motards puis avec l'arrivée de Vito Rizzuto à la tête de la Mafia, la véritable porte d'entrée de la drogue au pays et dans le nord des États-Unis, les réseaux criminels organisés ont fait les manchettes des médias montréalais presque sans interruption depuis la fin des années 1980. La richesse engendrée par ce commerce lucratif a ensuite permis aux milieux criminels d'infiltrer massivement l'économie légale, notamment dans les secteurs de la restauration, du commerce de détail et de la construction, avec des ramifications dans les milieux syndicaux et politiques. Résultat : ce fut souvent les reporters affectés à la couverture des enquêtes criminelles qui ont publié au Québec les enquêtes les plus percutantes[3].

Le chroniqueur judiciaire

La troisième branche de la chronique judiciaire, c'est le travail du correspondant au palais de justice, où aboutiront tôt ou tard toutes les affaires criminelles. Tout comme les parlements, les palais de justice ont leur salle de presse où les journalistes ont un accès direct aux rôles des tribunaux (les causes mises à l'horaire chaque jour) et à toute l'information pertinente sur ces causes.

Mais attention, il faut choisir : plusieurs dizaines de causes peuvent aboutir chaque jour dans les cours de droit criminel ou civil, au Tribunal de la jeunesse ou au Tribunal de la famille,

---

3 Mentionnons Michel Auger au *Journal de Montréal*, André Cédilot à *La Presse*, ou Marie-Maude Denis à Radio-Canada.

en plus des cours d'appel. Il faudra d'abord prendre le temps de parcourir ces listes, de consulter les dossiers, pour découvrir quelles causes méritent une couverture, lesquelles font suite à des événements qui avaient défrayé la chronique. Le chroniqueur judiciaire devra ensuite remonter aux sources dans les affaires choisies, couvrir le déroulement des procès (un exercice presque toujours laborieux) et résumer enfin tout ça en quelques feuillets (ou le raconter en une minute), en donnant juste assez de détails pour que le lecteur ou l'auditeur se souvienne de l'affaire et puisse comprendre le déroulement du procès. Résultat : les journalistes du palais de justice y passent souvent leur journée entière à lire des dossiers judiciaires ; ils y fréquentent des juges, des avocats ou des employés de bureau œuvrant dans le même domaine. Ils deviennent rapidement de véritables spécialistes du droit.

À cause de cette spécialisation, certains médias confieront aux chroniqueurs judiciaires non seulement la couverture des procès mais aussi l'analyse des questions relatives aux réformes des lois, au pouvoir d'interprétation des tribunaux, aux décisions de la Cour suprême, aux activités des tribunaux administratifs (Commission des droits de la personne et des droits de la jeunesse, Régie du logement, Office des professions, etc.) ou au suivi de certaines commissions d'enquête. Nous voici à l'autre extrême du registre journalistique, où la matière n'est plus l'événement (le « fait divers »), mais les principes de la justice et de la vie démocratique. Et si le journaliste de faits divers et, à la rigueur, le responsable de la couverture policière n'ont guère besoin d'une solide formation juridique, celui qui couvre l'évolution de notre système judiciaire — le « troisième pouvoir » en démocratie — doit presque obligatoirement posséder une bonne maîtrise du droit.

Ce rapide survol du domaine judiciaire nous permet d'en mesurer toute la diversité. Chaque traitement particulier décrit ci-dessus possède ses propres caractéristiques et il serait périlleux de vouloir traiter en bloc des limites du journalisme judiciaire pratiqué dans nos médias. Risquons malgré tout quelques réflexions critiques.

Les faits… et leur signification

En décembre 1989, à l'École polytechnique de Montréal, un jeune homme fait irruption dans une salle de cours en brandissant une arme semi-automatique. Il ordonne aux gars et aux filles de se séparer en deux groupes, fait sortir les premiers, et tire sur les étudiantes en criant qu'il déteste les féministes. Commence alors un cauchemar qui durera plus de vingt minutes pendant lesquelles le dément circulera d'un étage à l'autre et tirera sur quelques étudiantes encore. Quatorze jeunes femmes sont tuées. Quelques autres blessées. Puis le jeune homme se suicide.

Bien sûr, il s'agit du geste d'un fou. Mais si le jeune homme avait séparé les Blancs et les Noirs, et tué les seconds en lançant un cri raciste, tous les journalistes y auraient vu l'expression extrême d'un malaise racial dans notre société. Or, dans l'histoire de la Polytechnique, il a fallu quelques jours avant que les journaux n'osent aborder de front la question de la place des femmes dans notre société et les malaises qu'elle suscite.

Deux mois plus tard, la Fédération professionnelle des journalistes du Québec (FPJQ) tenait une journée de réflexion sur la couverture du drame. « Avons-nous bien fait notre travail? » demandait-on aux journalistes. Réponse majoritaire : « Oui quant aux faits; nous les avons rapportés de manière juste et efficace… Non quant à l'analyse; nous avons mis du temps avant de comprendre le sens de l'événement. »

Cette réponse illustre, je crois, le drame fondamental de

notre couverture des faits divers. Nous rapportons des faits bruts : le nombre de morts, les noms si possible, les sommes volées, l'étendue des dégâts, le coût des dommages... Mais pour la mise en contexte, c'est souvent plus mince. Que reste-t-il du journalisme quand on ne fait pas l'effort de donner un sens aux faits bruts ?

Il arrive que les médias fassent cet effort. En août 2008, la mort du jeune Fredy Villanueva sous les balles policières a provoqué de vives manifestations dans le quartier de Montréal-Nord où vivait ce jeune homme. Pour mater ces émeutes, quelque 500 policiers ont été déployés sur les lieux. Trois d'entre eux ont été blessés, tout comme un journaliste et un cameraman. Il y eu des cocktails Molotov, des camions de pompier endommagés, des vitrines fracassées, des vols... Au-delà du fait divers, les journaux ont vite mis en cause les tensions et le profilage racial au sein du Service de police de la Ville de Montréal. Puis ils ont envoyé leurs reporters décrire la vie quotidienne dans cette zone marquée par la pauvreté, le désespoir et la violence des gangs de rue... mais aussi par la présence de quelques citoyens exemplaires qui s'efforcent de changer les choses[4].

C'est lorsqu'on donne aux journalistes responsables des faits divers le temps d'explorer en profondeur la décrépitude des immeubles à logements, l'insuffisance des services publics, la dérive des écoles, la misère des foyers d'accueil ou la montée du racisme dans certains quartiers qu'on leur permet de jouer vraiment leur rôle. Hélas, les faits se bousculent. Tous les jours, à pleines pages, on a droit à l'horrifiant récit des derniers vols à main armée, des assauts dans le métro, des meurtres, des viols.

---

4   Je pense ici à l'excellent dossier du journaliste Vincent Larouche sur la vie à Montréal-Nord, publié sur trois jours dans *Le Journal de Montréal,* pour lequel le journaliste s'est mérité en 2009 la bourse Albert-Prévost du journaliste le plus prometteur en début de carrière. En septembre 2006, Vincent Larouche avait aussi publié un long dossier sur le phénomène des gangs de rue à Montréal.

On apprend comment les policiers ont mis la main au collet d'un prévenu ou comment ils entendent mener leur enquête. Cette information morcelée alimente les conversations du « village », certes, mais elle ne nous renseigne guère sur le monde dans lequel nous vivons.

Voyeurisme et vie privée

Un autre débat a marqué la journée de réflexion de la FPJQ sur les événements de l'École polytechnique. Une étudiante, blessée ce jour-là, et un jeune homme, le frère d'une des victimes, sont venus dire aux journalistes comment ils se sont sentis traqués le soir du drame et durant les jours suivants. Pourquoi avoir mis à la « une » le gros plan d'un corps ensanglanté ? Pourquoi avoir envoyé une équipe de télévision filmer la chambre à coucher désormais vide d'une des victimes ? Pourquoi s'être pointé dès le matin à la résidence d'un témoin ?

Des milliers de victimes d'actes criminels se sont posé ces questions. Dans le fait divers, où finit le domaine public et où commence la vie privée ? La pratique actuelle du journalisme de faits divers encourage la mise en situation, parfois crue, de l'horreur. On cherche à faire ressentir au lecteur ce que les victimes ont vécu, à leur faire partager leurs émotions, leurs larmes. Dans une certaine vision de la presse comme espace de partage et lien culturel d'une société, ce « voyeurisme » peut se justifier par les solidarités qu'il fait naître entre les victimes et les autres citoyens. Du reste, les reporters aux faits divers vous diront que la majorité des victimes et de leurs proches acceptent de bon gré cette invasion de la presse dans leur vie privée et estiment que le fait de pouvoir partager leur douleur et de solliciter ainsi l'appui de leurs concitoyens a souvent pour eux un effet bénéfique.

Les journalistes affectés aux faits divers reconnaîtront

cependant qu'il leur arrive parfois de franchir certaines limites : dans leur course aux témoignages exclusifs, bousculés par les heures de tombée, ils agissent souvent par automatisme, sans tenir compte de toutes les implications émotives pour les victimes. Ils ont un texte à livrer, et ce n'est que plus tard, avec le recul, qu'ils saisiront parfois à quel point la frontière était étroite entre le nécessaire et l'inacceptable.

Droit à l'information et droit à la justice

Notre régime démocratique repose sur le droit de chaque individu à une défense pleine et entière dans un système judiciaire indépendant des pouvoirs politiques et tenu d'exercer son autorité au grand jour. Cette dernière caractéristique garantit au citoyen qu'il ne sera pas l'objet de tractations frauduleuses ; il n'y a rien de plus dangereux pour les droits de la personne qu'un système judiciaire qui fonctionne en secret. C'est ce caractère public de l'exercice de la justice qui fonde le droit des journalistes de rapporter le contenu des accusations et de couvrir les procès.

Mais ce droit est soumis à certaines limites. Ainsi, la Loi sur les jeunes contrevenants interdit de divulguer le nom de jeunes de moins de dix-huit ans appelés à comparaître devant le Tribunal de la jeunesse, que ce soit à titre de suspect, d'accusé, de victime ou de simple témoin, sauf si le juge émet une ordonnance autorisant la publication. La protection des mineurs va même plus loin : un reportage qui permet d'identifier un jeune en train de commettre un geste illégal — fumer un joint dans une discothèque, par exemple — peut aussi donner lieu à une poursuite, qu'il y ait des accusations portées contre le jeune ou pas. Là encore, les médias frôlent souvent les limites.

En deuxième lieu, lors d'un procès portant sur des crimes

à caractère sexuel, le plaignant et tout témoin mineur peuvent demander que leur identité soit protégée. Dans les cas d'inceste, la protection de l'identité de la victime impose nécessairement celle de l'accusé, puisqu'il s'agit d'un parent.

Un juge peut aussi imposer un huis clos, ou interdire de publier certains faits mis en preuve, quand les avocats de la défense sont parvenus à le convaincre que cette publication pourrait causer un tort irréparable à un accusé ou à des tiers. Dans certains cas, cette interdiction couvrira non seulement les éléments de preuve, mais la stratégie même de la défense : dans un cas de poursuite pour viol, par exemple, il peut arriver que la défense cherche à mettre en cause le comportement sexuel antérieur de la plaignante ; la plaignante sera alors avisée de cette intention, mais les journalistes ne peuvent diffuser ni cet avis ni le contenu des audiences qui suivront.

Enfin, l'article 162 du Code criminel interdit la publication, dans le cadre d'une couverture judiciaire, de « toute matière indécente ou tout détail médical, chirurgical ou physiologique indécent qui serait de nature à offenser la morale publique ». Cet article n'a à peu près jamais été invoqué contre un journaliste, mais c'est en partie en vertu de cette « décence », en partie pour respecter la demande des parents des victimes, que le juge chargé du procès du prédateur sexuel Paul Bernardo, en 1995, a interdit aux médias de diffuser et même de décrire le contenu des bandes vidéo tournées par le meurtrier et sa compagne Karla Homolka.

Ces interdictions sont absolues et les enfreindre constitue un outrage au tribunal pour lequel un journaliste peut être condamné à la prison. Mais même quand il n'y a pas d'interdiction formelle, la couverture des procédures criminelles impose une certaine réserve dès qu'une affaire est « devant les tribunaux » *(sub judice)*. En effet, toute information publiée portant sur des faits qui ne font pas partie de la preuve ou de la défense, ou toute prise de position susceptible d'influencer un juge ou un jury, risque de faire avorter le procès. Les journalistes doivent donc se montrer très prudents lorsqu'ils rappellent les faits ou rapportent des propos tenus hors du tribunal (par les victimes, par les témoins, ou même par les avocats). Il appartient alors au juge de décider si l'information, ou la prise de position, constitue un accroc suffisant pour infléchir le cours de la justice et si elle mérite une condamnation pour outrage au tribunal.

En réalité, les juges n'ont pas souvent invoqué le *sub judice* pour mettre à l'amende un journaliste ou les personnes qu'il a citées. Mais des avocats de la défense profitent souvent d'une publication intempestive pour réclamer l'arrêt du procès — avec succès parfois. L'obligation de réserve fournit par ailleurs un excellent prétexte à beaucoup de citoyens (et de politiciens) pour refuser de commenter toute affaire pendante.

Toutefois, même quand les journalistes respectent toutes ces règles, ils doivent demeurer conscients que les renseignements concernant des perquisitions, des arrestations, des poursuites criminelles ou civiles peuvent mettre en cause la réputation des gens et doivent donc redoubler de prudence. La Commission d'accès à l'information et de protection des renseignements personnels recommande même qu'aucun nom ne soit divulgué relativement à une affaire criminelle, tant que la personne n'a pas été formellement mise en accusation. En principe, il faudrait aussi éviter de mentionner l'endroit d'une perquisition, ou tout autre renseignement permettant d'identifier les personnes habitant à cet endroit, tant qu'il n'y a pas eu d'accusation, là encore. Les médias rejettent cette politique trop restrictive. Si un élu est arrêté et interrogé dans le cadre d'une enquête criminelle, ou si une grande entreprise ou une institution fait l'objet d'une perquisition, c'est certainement d'intérêt public même si, après enquête, les policiers décident de ne pas porter d'accusation. Dans ce cas, si le journaliste choisit de rapporter l'événement, il devra préciser qu'aucune accusation n'a encore été portée.

Malgré tout, la divulgation des noms dans les affaires criminelles ou pénales demeure délicate, par exemple lors de l'investigation d'un crime faisant les manchettes de tous les médias : quand les accusations sont portées, les noms des prévenus sont aussitôt divulgués, mais si le dossier traîne en longueur et qu'on disculpe les suspects, quinze ou dix-huit mois plus tard, l'affaire initiale aura entre-temps été oubliée; le risque est grand qu'aucun média n'en parle... Qui donc redonnera aux personnes accusées à tort leur réputation, désormais souillée?

Ces questions éthiques ne sont pas simples. Chaque année, des causes soumises au Conseil de presse viennent préciser un peu les normes de pratique du métier. Mentionnons simplement que le contexte de travail des journalistes affectés aux faits divers et à la justice ne leur permet pas toujours, sous la pression des événements, de se poser toutes ces questions.

Le Barreau du Québec a offert des bourses d'études à plusieurs journalistes désireux de parfaire leurs connaissances en droit. Cela a permis d'améliorer nettement la qualité de la couverture judiciaire au cours des dernières années. Mais on confie encore trop souvent la couverture des faits divers à des journalistes débutants, et la pression liée à la concurrence ne favorise pas un travail prudent.

Une pratique à haut risque

Un matin, pendant l'émission *Salut, bonjour!* de Télé-Métropole, les balayeurs d'ondes de la station captent un appel d'urgence aux forces policières : des coups de feu ont été tirés dans un immeuble du Plateau-Mont-Royal et on craint le pire; on va cerner la rue. Wow! De l'action policière en direct, en plein cœur de Montréal! La station dépêche un journaliste et un cameraman sur les lieux. Pendant quelque temps, le journaliste a bien peu de choses à dire. Puis l'action s'accélère. Deux citoyens, des Noirs, sont arrêtés et conduits vers les voitures de police. La caméra les suit. On ne sait rien de plus à leur sujet. Sauf que 500 000 téléspectateurs ont assisté en direct à leur balade sous escorte. Une demi-heure plus tard, ils seront libérés : ils n'avaient aucun rapport avec l'événement ; tout juste avaient-ils commis l'erreur d'être sortis de leur logement à la mauvaise heure ! On corrigera la bévue aux informations du midi, mais le mal est fait.

Cette anecdote vraie illustre bien les dangers de la télévision en direct, dans la couverture des affaires criminelles. Certes, la radio a depuis longtemps ses reporters-vedettes affectés aux opérations policières en direct. Mais la radio ne *montre* pas. Elle fait certes entendre la voix, mais si le reporter a la prudence de ne pas donner de noms ni d'adresses, les prévenus demeurent à peu près anonymes. La télé, par contre, révèle tout.

Mais la prudence est d'autant plus difficile que la rubrique des faits divers est, avec le sport, un des domaines où la concurrence entre les médias est la plus féroce. Peut-être est-ce simplement parce que ces deux secteurs — où il est plus facile de rejoindre les émotions des lecteurs ou des auditeurs — ont servi d'assises au lancement de toute une gamme de journaux populaires de format tabloïd, aux États-Unis comme ici.

Les journalismes « sociaux » : éducation, santé, travail, vie communautaire et environnement

Le lecteur de ce livre pourrait s'interroger ici en voyant regroupés dans une même section des domaines aussi différents que l'éducation, la santé, la vie syndicale, la vie communautaire et l'environnement. Ce choix s'explique d'abord par le fait que, s'il est vrai que certains journalistes se spécialisent dans la couverture de l'un ou l'autre de ces domaines, les médias ne les traitent pas, en général, dans des sections différentes, mais les rassemblent plutôt sous un même « pupitre », baptisé « général », faute de mieux, sans doute !

Du reste, malgré leur objet de couverture spécifique, ces secteurs partagent certaines caractéristiques. D'abord, il y est question de politiques sociales. Certes, les enjeux ne sont pas les mêmes selon qu'on y discute de réforme des institutions psychiatriques, d'accès libre et gratuit à l'université ou de politiques salariales ou environnementales. Pourtant, dans chacun de ces dossiers, on retrouve les mêmes acteurs sociaux, les mêmes forces qui opèrent. L'État y fait figure de maître du jeu : c'est lui qui définit les règles, soit à titre de législateur, soit comme employeur. Face au gouvernement, on retrouve les représentants patronaux et les grandes organisations syndicales, qui négocient les règles de fonctionnement du système. Enfin, les organismes communautaires, plus artisanaux, sont censés représenter les « bénéficiaires », les « simples citoyens », les « sans-voix ». Les journalistes qui couvrent le domaine social se retrouvent souvent au cœur de ce triangle, à devoir arbitrer les discours divergents de ceux qui s'affrontent.

On s'étonnera surtout de trouver, parmi ces dossiers à caractère social, la couverture des questions environnementales. Ce domaine, il est vrai, tire son origine du journalisme scientifique. Ce sont les biologistes qui ont, les premiers, attiré l'attention sur la fragilité de certains écosystèmes et sur la gravité de nos problèmes planétaires. Mais le débat environnemental a quitté aujourd'hui les laboratoires et les congrès scientifiques pour occuper la place publique. La protection de la qualité de l'air, de l'eau, du sol et des écosystèmes fait maintenant partie des responsabilités sociales de l'État et du cadre réglementaire qu'il doit imposer à l'activité économique. Une responsabilité guère différente, en fait, de celle qu'il doit assumer en matière de santé publique ou d'encadrement social du travail. Et, là aussi, face à l'État et aux employeurs, on retrouve des groupes de citoyens organisés qui jouent un rôle moteur.

Une couverture au profil fluctuant

L'importance accordée à ces questions sociales et les priorités de couverture dans ce domaine ont beaucoup varié au fil des années, suivant le profil démographique de la société nord-américaine d'après-guerre. Ainsi, l'éducation a pris une place prépondérante pendant les années 1960, à l'époque des grandes réformes de la Révolution tranquille et de l'arrivée aux études des *baby-boomers,* pour qui on a bâti les polyvalentes, les cégeps et le réseau de l'Université du Québec. Dans les années 1970, les *baby-boomers* sont arrivés massivement sur le marché de l'emploi. Les relations de travail ont alors pris une très grande place et tous les médias avaient leur journaliste affecté à la couverture syndicale. Ce poste de chroniqueur syndical attitré n'existe plus aujourd'hui. Il en va de même pour les chroniques sur la consommation, très populaires dans les années 1970, à la belle époque de Ralph Nader et du *consumerism* américain... alors que les *boomers* achetaient et meublaient leur première maison, élevaient leurs enfants, et consommaient massivement.

À la fin des années 1970, les préoccupations environnementales ont pris l'avant-scène, mais un seul quotidien québécois avait encore un chroniqueur attitré à l'environnement à la fin des années 1990. La priorité est alors passée à la santé et aux services offerts aux personnes âgées, ce qui reflète là encore le vieillissement de la génération des *boomers.*

Dans les années 2000, toutefois, avec le phénomène de la mondialisation, on a assisté à un retour des grands débats sur les enjeux environnementaux, et à une couverture plus suivie des questions d'immigration et d'intégration des nouveaux arrivants à la société d'accueil (les « accommodements raisonnables »). Mais la gestion de notre système de santé demeure encore parmi les sujets les plus couverts par les médias.

Malgré ces changements de priorité au fil des années, on comprendra que la couverture des enjeux sociaux occupe toujours une très grande place dans nos médias.

Un journalisme centré sur les crises et les conflits

La première caractéristique de ce champ de pratique est que les événements couverts surviennent presque toujours en temps de crise : des urgences qui débordent, des étudiants qui manifestent contre la hausse des frais de scolarité, un groupe de citoyens qui s'oppose à la destruction d'un parc ou à la construction d'une centrale thermique, etc. Cela est dû à la fonction première de ce métier, qui consiste à rapporter les événements perturbateurs ou porteurs d'avenir et à leur attribuer un sens.

Une convention collective qui se signe sans accrocs passe en général inaperçue ; aucune grève, aucune manifestation, aucune dénonciation publique. Les médias se contenteront au mieux d'un entrefilet, sauf si les termes de l'accord représentent une innovation importante dans les relations de travail. On ne s'attardera pas davantage sur un travailleur qui conserve son emploi, un jeune qui a accès à l'université, une entreprise qui ne pollue pas. Ce sont les crises, au contraire, qui mettent en relief les urgences sociales, qui imposent des choix parfois difficiles. Et c'est en période de crise que les journalistes doivent éclairer les positions respectives, les analyser, les remettre en contexte.

Il s'ensuit qu'on ne parle du domaine syndical que lorsqu'il y a un conflit de travail ou des mises à pied importantes ; pas étonnant, alors, que les organisations de travailleurs et de travailleuses fassent figure, dans l'opinion publique, d'éternels insatisfaits. De même, c'est quand une école devient le théâtre d'agressions racistes qu'on rouvre le dossier de l'intégration des jeunes d'origine étrangère. Et on parle bien plus des entreprises qui sont à l'origine de déversements nocifs importants que de celles qui respectent l'environnement, ce qui contribue à renforcer l'impression que les sociétés multinationales sont toutes de grandes pollueuses.

Les journalistes spécialisés dans ces dossiers à caractère social font de louables efforts pour contourner cet écueil. Un de leurs recours, c'est justement de tenir une chronique régulière, où il devient possible d'assurer le suivi des dossiers en dehors des urgences. Pourtant, même lorsque le suivi est bien assuré, les nouvelles portant sur des événements dramatiques dont la compréhension devient essentielle seront reçues plus efficacement par le public que les reportages publiés en dehors de toute urgence sociale. Les médias sont comme une loupe placée sur les enjeux sociaux; cela les condamne à être des prismes déformants.

Une inévitable partialité

Les journalistes économiques mettent en scène des institutions puissantes, des entreprises, des gens d'affaires prospères. Ceux qui couvrent les arts ou le sport rencontrent des vedettes. Les chroniqueurs scientifiques interviewent des gens qui se présentent comme des sommités... Les journalistes sociaux, au contraire, rencontrent le plus souvent des gens ordinaires : les travailleurs d'une entreprise au lendemain d'une fermeture; les bénéficiaires des services sociaux dont on vient de réduire l'allocation; les enseignants « de la base » et leurs élèves; les malades

psychiatriques; les groupes de locataires menacés d'expulsion;
les personnes fraîchement arrivées au pays... Il est difficile alors
pour le journaliste de ne pas considérer son travail comme une
façon d'aider ces gens démunis à faire valoir leurs droits. Il n'y
a plus de neutralité qui tienne, dans ce cas: le « témoin » choisit
son camp, il défend la veuve et l'orphelin contre tous les pouvoirs qui les oppriment, il défend l'environnement contre tous
ceux qui l'agressent.

Dans la perspective plus théorique d'une presse neutre et
objective, ce parti pris pour les démunis peut sembler un accroc.
Mais comme notre presse est très souvent à la remorque du pouvoir (j'ai déjà souligné ce problème au chapitre 2, sur les partis
pris de l'information, et au chapitre 7, sur les sources légitimes),
la volonté de couvrir le social sous l'angle des simples citoyens
peut apparaître comme une façon pour la presse de laisser filtrer
— encore que de manière fort timide — un autre regard sur le
monde et une manière de mieux rejoindre ses lecteurs[5].

En situation de conflit, toutefois, cette grille d'analyse spontanée des reporters peut les conduire inconsciemment à faire
le jeu de l'un ou l'autre des pouvoirs qui s'affrontent, celui qui
réussira le mieux à faire coïncider son message avec les « justes
causes » appuyées par la presse sociale. C'est un écueil dont il
faut se méfier.

En 1989, pendant la série de négociations dans les services
publics, les infirmières et autres employés d'hôpitaux qui avaient
réussi à susciter au départ un vaste mouvement de sympathie
dans la population ont perdu l'appui des médias dès qu'ils ont
choisi la grève générale. Cette grève était pourtant légale, et les

---

5   Ce parti pris pour les citoyens démunis, contre les pouvoirs qui les briment,
explique aussi le succès des émissions *J.E.* et *La Facture*, les deux titres qui obtiennent les meilleures cotes d'écoute en information au Québec. Les téléspectateurs
peuvent facilement s'identifier aux simples citoyens qui jouent le rôle central,
dans ces histoires de consommation.

services essentiels assurés, mais à chaque bulletin de nouvelles, après l'inévitable message syndical suivi du tout aussi inévitable message gouvernemental, les journalistes y allaient de leurs longs reportages filmés sur place, mettant en scène des malades, victimes innocentes de cette guerre des nerfs. On y voyait des vieillards, un peu perdus, déambuler dans des corridors vides. Ces mêmes images auraient sans doute pu être filmées à toute autre période de l'année, mais les gros plans de la misère humaine étaient si éloquents que les éditorialistes ont réclamé du coup une loi d'urgence. À ce moment-là, le gouvernement en a profité pour déposer de nouvelles offres, fort de l'appui d'une population qui réclamait désormais une loi-matraque. Les médias avaient bien joué leur rôle! Les infirmières ont accepté une convention collective guère plus avantageuse que celle qu'elles avaient refusée trois mois auparavant, assortie par ailleurs de pénalités majeures.

En 1999, les infirmières ont de nouveau fait une grève (illégale, cette fois) en bénéficiant encore de l'appui de la population. Mais le ressentiment profond qui les a alors poussées à commettre ce geste illégal prenait sa source dans le conflit mal réglé, dix ans plus tôt. Sommes-nous sûrs qu'à long terme, les simples citoyens que les journalistes prétendaient servir, avec les reportages « humains » tournés dans les corridors d'hôpitaux, sont sortis gagnants de cet affrontement?

La difficile écoute des sans-voix

Une autre difficulté mérite d'être soulignée, à propos de ce parti pris des journalistes sociaux en faveur des personnes démunies. Pour bien comprendre ce que vivent les gens, il faut les regarder et les écouter. Il est souvent difficile de le faire à l'intérieur des délais serrés du journalisme quotidien. Et même dans le cadre de reportages un peu moins hâtifs, la tâche n'est pas facile. Les journalistes sont habitués de poser des questions à des experts, à des politiciens, à des professionnels de la parole, puis de noter leurs réponses. Les idées sortent de manière cohérente. Le portrait se dégage rapidement.

Face aux personnes moins familiarisées avec les médias, la tâche n'est pas aussi simple. Il faut écouter des gens qui, bien souvent, semblent n'avoir *a priori* rien à dire, ou qui ont au contraire tellement de choses sur le cœur qu'ils n'arrivent plus à distinguer ce qui est important de ce qui ne l'est pas. Le journaliste court alors deux risques. Le premier est d'interpréter la situation en fonction de grilles d'analyse préconçues, comme le fait le touriste qui passe deux jours à Calcutta et pense avoir touché l'âme de l'Inde. L'autre risque est de rechercher des porte-parole cohérents plutôt que de faire parler ceux qui maîtrisent moins bien la pensée et le verbe. On s'adresse alors aux « intervenants » du milieu : animateurs sociaux, bénévoles et employés permanents des groupes de pression. Ils n'ont peut-être pas vécu les épreuves décrites, mais ils les ont au moins observées de près. Le résultat n'est pas toujours mauvais, mais ce n'est pas la vie réelle que les journalistes mettent alors en scène, mais un discours sur ce réel, tenu par des porte-parole à qui ils en viennent à donner beaucoup de pouvoir.

Le chapitre 16 décrira les efforts de certains journalistes pour inventer une façon différente de vivre et de raconter les choses, dans ce qu'on a appelé le « nouveau journalisme ».

Le journalisme international

La majeure partie de l'information internationale diffusée par les médias provient des quatre grandes agences de presse que sont l'Associated Press (AP), l'Agence France-Presse (AFP), Reuters et United Press International (UPI[6]). Dans les journaux et à la radio, leurs dépêches sont souvent traduites, réduites en longueur ou récrites par des journalistes sédentaires, en fonction des contraintes de temps et d'espace. À la télévision, AP est le principal fournisseur de séquences vidéo, à travers son service APTN, mais les grands réseaux américains (CNN, ABC, NBC et CBS) ont aussi signé des ententes de partage de matériel visuel, tout comme certaines chaînes de télévision européennes ou agences spécialisées dans la vidéo comme Visnews ou EuroNews.

La section internationale de nos médias a donc un caractère unique : les journalistes qui y travaillent sont en majorité des « rédacteurs » œuvrant à des milliers de kilomètres des événements qu'ils couvrent, à partir d'une information filtrée par le regard particulier des grandes agences occidentales et qu'ils ne peuvent donc pas contrôler à la source. À la télévision, la majorité des « récits » internationaux sont ainsi préparés par des journalistes locaux. Même lorsque ces journalistes entreprennent un travail plus personnel de remise en contexte de cette information, leurs sources documentaires sont bien souvent, elles aussi, tributaires des agences de presse : ce sont les coupures de journaux antérieurs, les répertoires d'événements comme *Facts on File* ou les reportages approfondis de certains magazines, seul

---

6 Par tradition, on parle encore des quatre grandes agences internationales bien que, dans les faits, UPI ait connu dans les années 1980 des difficultés telles qu'elle a dû déposer son bilan. Sa taille a été grandement réduite, mais elle a continué de servir quelques centaines de journaux clients en trois langues (anglais, espagnol et arabe). En 2000, elle a été rachetée par News World Communications, un groupe de presse associé à l'Église de l'Unification, et qui possédait alors le *Washington Times,* en plus de nombreux journaux en Corée, au Japon et en Amérique du Sud. L'agence demeure importante en Asie et au Moyen-Orient, et son site web rejoignait près de 3 millions de visiteurs par mois au début des années 2010.

apport documentaire qui échappe parfois à ce monopole des agences.

Heureusement, les grands médias ont parfois aussi des correspondants à l'étranger. Il peut s'agir d'employés permanents de l'entreprise — ce qui est assez rare au Québec — ou de collaborateurs indépendants en poste dans diverses régions de la planète. Ils envoient aussi à l'occasion des journalistes maison en reportage à l'étranger.

En outre, comme je l'ai souligné au chapitre 7 sur les sources d'information, la possibilité, bien réelle aujourd'hui, de capter sur Internet les médias de presque tous les pays, et la diffusion de plus en plus fréquente (sur YouTube ou autres sites de partage) de séquences vidéo prises sur le vif par les témoins d'événements, sont en train de changer la donne. Il devient donc possible pour les médias d'ici d'approfondir leur couverture internationale et de s'affranchir de leurs anciens fournisseurs. Encore faut-il que les médias acceptent d'en faire une priorité en affectant des journalistes à cette couverture.

Les correspondants en poste à l'étranger

Du fait de la taille modeste du marché québécois, les médias d'ici sont incapables de financer l'embauche de nombreux correspondants permanents dans toutes les régions du monde. Ils emploient surtout des pigistes. Un journaliste en poste à Tokyo, par exemple, couvrira l'actualité à la fois pour Radio-Canada et pour Radio France Internationale (RFI). Une journaliste vivant au Caire ou à Rome enverra des reportages à *La Presse* et à divers magazines; des stations de radio feront appel à elle, en cas d'urgence. Dans certains cas, c'est une Québécoise, capable en principe de tenir compte des bases culturelles et des priorités d'ici. Mais il arrive souvent que des correspondants européens offrent leurs services à nos médias. Si ces correspondants peuvent, en principe, fournir des reportages « sur mesure », mieux adaptés aux besoins de chaque média que le texte uniforme des agences, il n'est pas toujours certain que leur ton convienne parfaitement au public d'ici.

Il est donc avantageux pour un média d'avoir sur place ses propres correspondants. Leurs angles de couverture seront plus appropriés pour le public québécois. Et le journaliste qui s'installe pour quelques années dans une capitale étrangère finit par y développer ses propres réseaux et peut ainsi produire des reportages sur des sujets inédits. Mais cela coûte cher et demande du temps. Lorsqu'on vient d'arriver dans une région du globe, on est au départ peu familiarisé avec la langue, les mœurs ou les codes sociaux. On maîtrise mal les réseaux d'information. On connaît peu ce qui se trame en marge de l'information officielle que contrôlent souvent les gouvernements en place.

Puis, au fur et à mesure qu'on se familiarise avec le pays ou la région couverte, il ne faut pas perdre de vue que le public que l'on sert ignore presque tout de ces réalités. Il est parfois difficile de savoir, de Moscou ou de Beijing, ce que les Québécois savent des événements qu'on choisit de raconter, ce qu'ils ont retenu des événements précédents, ce qu'ils pourront comprendre des enjeux. C'est donc par liaison téléphonique que les correspondants à l'étranger apprendront ce que nous savons déjà et ce que nous voulons savoir de ce qui se passe là-bas. Le responsable des pages internationales commandera au correspondant en poste à Moscou telle ou telle information. Mais qui donc a informé ce responsable ? Les agences de presse et les grands réseaux de télévision, bien sûr, dont on continue de dépendre !

Le comble, c'est à la télévision qu'on le vit parfois. Une correspondante en Europe est envoyée d'urgence couvrir des événements qui se déroulent en Serbie. Dès son arrivée sur place, on lui demande un premier reportage, ou à tout le moins une conversation en direct pour les nouvelles du jour. Mais elle n'a pas encore eu le temps de filmer son propre matériel. On décide donc d'avoir recours aux images que les réseaux européens ont déjà fait parvenir. Un peu avant le bulletin, la correspondante appelle la salle des nouvelles, à Montréal. On lui décrit le premier montage qu'on a préparé en se basant sur les textes des agences. On en décrit les enchaînements visuels, en demandant à la correspondante de faire « coller » son texte à l'image. La journaliste peut certes négocier un peu, mais c'est la disponibilité du matériel visuel étranger et le travail d'un réalisateur montréalais qui, en fin de compte, décideront du contenu de la nouvelle qui sera écrite en Serbie, avant d'être transmise par téléphone ou par Internet!

Bien sûr, on recevra le lendemain et dans les jours qui suivent des reportages plus exclusifs. Mais le correspondant demeure souvent tributaire du matériel des agences, quand les événements se déroulent sur plusieurs fronts. Donnons un premier exemple : un important tremblement de terre est survenu au Sichuan en 2008. Le correspondant de Radio-Canada à Beijing a d'abord couvert les réactions et les déclarations dans la capitale, située à des heures de la zone sinistrée. Il lui a fallu quelques jours pour se rendre sur place, où il a pu filmer les opérations de sauvetage dans quelques villages. Mais le matériel visuel reçu à Montréal, en provenance des agences ou de la télévision chinoise, est demeuré nécessaire pour présenter une vue d'ensemble des dégâts et de la désolation. Un autre exemple : en 2011, lors du soulèvement contre le régime de Kadhafi en Libye, il était impossible de voyager de façon sécuritaire entre la zone « libérée » de l'ouest du pays et celle demeurée sous le contrôle de Tripoli, à l'est. À moins d'avoir recours à deux équipes, un « envoyé spécial » ne pouvait rapporter qu'une partie de l'histoire.

Témoigner, en terrain étranger

En plus d'être l'affaire des journalistes sédentaires — occupés
à adapter les dépêches des agences — et des correspondants
à l'étranger, le journalisme international est aussi l'affaire de
quelques reporters qu'on enverra parcourir le monde quand des
événements importants surviendront. Leur champ de couverture est surtout le domaine politique : campagnes électorales,
crises politiques majeures, manifestations, grèves nationales,
guerres et révolutions. Mais on envoie parfois des reporters couvrir des événements culturels, religieux ou judiciaires, et, plus
souvent encore, des faits divers majeurs, comme les tremblements de terre ou les catastrophes aériennes.

À cause de cette diversité, on ne peut pas vraiment parler de
spécialisation. Et s'il arrive qu'une journaliste, après trois séjours
prolongés au Pérou, ait acquis une bonne connaissance de ce
pays, cela n'en fait pas pour autant une spécialiste de l'Amérique
du Sud dans son ensemble.

En somme, quand ils arrivent sur un terrain nouveau, les
journalistes internationaux ne sont rien de plus que des reporters généralistes envoyés à l'étranger. Du reste, le journalisme
international est souvent du reportage local... pratiqué dans un
autre pays que le sien ! En Argentine comme dans Limoilou, le
mandat est le même : observer ce qui se passe, comprendre, puis
en témoigner.

Ces trois mots clés posent toutefois plus de problèmes à
l'étranger que chez soi. **Observer** est souvent difficile : on n'a
pas toujours accès aux endroits où les choses se passent, et
même quand on y est, il n'est pas toujours facile de décoder le
sens de l'événement. On fait face à des problèmes de langue, à
des différences dans les comportements sociaux ainsi qu'à des
réseaux plus ou moins hermétiques. **Comprendre et mettre en
contexte** nécessite une bonne connaissance de la trame de fond

des événements, de ce qui s'est produit avant et de ce qui se prépare. Dans son propre pays, cette connaissance devient naturelle pour celui qui fait profession d'informer; à l'étranger, sa lecture du réel dépend de ce qu'il aura pu apprendre avant de partir. Le reportage à l'étranger requiert une solide recherche. Enfin, pour **témoigner,** il faut, on l'a dit, garder le contact avec son public, tenir compte de ce qui lui est inconnu, savoir vulgariser.

Arrêtons-nous sur quelques problèmes spécifiques du journalisme international.

• **La communication en langue étrangère.** À l'étranger, on peut parfois se débrouiller avec l'anglais et le français, aussi longtemps qu'on reste dans le cercle des journalistes, des politiciens ou des universitaires. Mais, si l'on veut descendre dans la rue, prendre le pouls des agriculteurs, des ouvriers, des manœuvres, il faut parler leur langue ou avoir un interprète. Le choix d'un bon interprète est crucial, car cette personne ne fera pas que traduire; elle devra comprendre les enjeux et décoder au-delà des mots, en cherchant à expliquer au journaliste étranger ce qui lui échappe. Elle pourra indiquer au reporter qui croire et qui traiter avec des réserves. Se fier à un interprète nommé par le gouvernement, c'est souvent s'enfermer dans un « voyage organisé ». Les journalistes internationaux se refileront donc des « tuyaux » quant aux interprètes dignes de foi. Mais il sera utile aussi de s'informer auprès de citoyens canadiens nés dans le pays qu'on va visiter, pour entrer en contact avec des personnes fiables. Une fois sur place, les journalistes pourront aussi prospecter du côté des universités, où se trouvent souvent des analystes à l'esprit libre parlant le français ou l'anglais. Reste que, dans le choix d'un interprète, il faut parfois prendre des risques.

• **La vérification des faits et la fiabilité des sources.** On ne peut pas toujours, en territoire étranger, avoir un accès libre à tous les sites web, fouiller dans les centres de documentation, parcourir les rapports publics ou consulter des experts. Il faut donc lire beaucoup avant son départ, prévoir en quelque sorte tout ce qui pourrait nous être dit. Il faut bien connaître le pays, mais aussi les groupes qui s'y affrontent et leurs principaux porte-parole. Mesurer à l'avance leur crédibilité. Encore là, les ressortissants étrangers établis au Canada ou les autres journalistes ayant couvert ce même pays constituent d'excellentes sources d'information sur les personnes fiables.

• **Les imprévus.** À l'étranger, les choses ne se déroulent *jamais* comme prévu. Bien sûr, ici non plus, les événements ne respectent pas toujours l'horaire des journalistes. Mais quand on a payé 15 000 ou 20 000 dollars pour envoyer une équipe outre-mer, et que l'entrevue escomptée est reportée de quelques jours, voire de quelques semaines, le résultat est dramatique. Dans bien des pays, les ententes conclues par téléphone ou par écrit ne comptent guère; le journaliste à qui on a promis une entrevue découvre parfois, en arrivant sur place, que la personne visée est... en voyage à l'étranger! Il faut donc souvent refaire à la hâte, en une journée passée à l'hôtel, un programme de voyage qu'on avait mis deux semaines à préparer avant le départ. Il est toujours prudent d'avoir un « plan B », mais il faut aussi savoir insister. Pour cela, le téléphone est essentiel, mais on découvre rapidement que rien ne vaut le contact direct : ne jamais accepter un refus par téléphone; c'est en serrant des mains, en échangeant des sourires, que les choses finissent par s'arranger. La couverture internationale, c'est toujours le régime de la « débrouille »!

• **La dépendance par rapport aux télécommunications.** Un téléphone dans la chambre d'hôtel, vous disaient jadis les reporters globe-trotters, c'est plus important qu'une toilette! La couverture quasi planétaire des réseaux de téléphonie mobile permet désormais aux journalistes de demeurer constamment en contact avec leur média (bien qu'il subsiste des régions isolées). Mais attention, les protocoles de téléphonie utilisés en Amérique ne fonctionnent pas toujours à l'étranger et il faut parfois prévoir un appareil « international ». En outre, les forfaits téléphoniques locaux n'incluent pas la couverture à l'étranger, et la facture peut vite atteindre des sommes astronomiques[7].

Le téléphone est essentiel pour entrer en contact avec les gens qu'on espère rencontrer et pour régler mille et une formalités qu'imposent bien des pays aux journalistes de passage. Il est aussi nécessaire pour appeler son média, autant pour lui faire parvenir les textes qui doivent être diffusés en direct que pour apprendre, parfois, ce qui se passe dans le pays même où l'on se trouve ! En 1989, lorsque se sont produits les événements de la place Tian'anmen, en Chine, des journalistes occidentaux qui étaient en province, ou même à quelques kilomètres de Beijing, ont appris par téléphone, de l'Amérique, ce qui se passait là-bas, car les médias locaux n'en parlaient pas !

• **Les heures de tombée.** Pour les journalistes à l'étranger, elles représentent souvent un défi considérable. À cause du décalage horaire d'abord, mais plus souvent encore en raison des difficultés de communication, de transmission de textes ou d'images par satellite. Aussi, quand les heures sont comptées entre l'événement à couvrir et le bulletin de nouvelles, les reporters vont-ils chercher à produire leur document à l'avance, en anticipant, quitte à rajuster le *lead* et quelques éléments du texte à la dernière minute. Dans de tels cas, c'est la lecture des faits

---

7   Les téléphones portables offrent une option d'itinérance qui permet à l'appareil d'être en contact constant avec le réseau cellulaire ou satellitaire. En 2011, cette fonction de l'appareil pouvait coûter jusqu'à 50 $ par jour, dans certains pays. De même, les téléphones dits « intelligents », comme le iPhone ou le Black-Berry, permettent le téléchargement de données à travers le protocole téléphonique 3G, mais chaque téléchargement peut coûter plusieurs dizaines de dollars. Avec les tarifs interurbains, il nous est arrivé, à Radio-Canada, de devoir assumer des factures de téléphone de près de 5 000 $ pour un reportage de quelques semaines à l'étranger. Il est prudent alors d'acheter des forfaits étrangers « tout inclus », là où ils sont disponibles.

antérieure à l'événement couvert qui oriente le choix de l'angle d'approche et des images. C'est ainsi que des équipes de reportage assistent parfois à des événements historiques sans en comprendre immédiatement la portée et sans corriger leur tir en conséquence... parce que leur analyse avait été préscénarisée[8] !

• **Les idées préconçues.** Un écueil à éviter à tout prix : juger les gens et leurs mœurs à partir de ce que l'on est, leur imposer ses propres grilles d'analyse. Cela demande une grande ouverture d'esprit, d'autant plus qu'on doit, malgré tout, être conscient aussi de la réalité du public à qui on s'adresse. Des images acceptables en Iran ou au Congo pourraient être mal perçues au Canada. Le reporter à l'étranger est sans cesse en décalage avec lui-même : une partie de lui vit à l'heure du pays qu'il visite, tandis que l'autre demeure ancrée dans sa terre de résidence.

Liberté de presse et contrôle de l'information

Au-delà de ces problèmes, liés au fait de travailler à l'étranger, dans une autre langue, face à des gens de mœurs différentes, dans des conditions parfois difficiles et sous la pression constante du temps, le journalisme international est aussi limité par les restrictions imposées à la liberté de la presse, dans de nombreux pays.

Il peut s'agir d'interdictions formelles de voyager dans certains territoires, de parler à certaines personnes, de filmer

---

8   Le cinéaste et producteur canadien Peter Raymont a produit en 1988 le film *The World Is Watching*, un documentaire sur la couverture internationale d'un important discours de Daniel Ortega, alors président du Nicaragua. Le film montrait bien comment tous les grands réseaux avaient préparé leurs reportages à l'avance, à cause de l'heure tardive du discours... et comment ils ont à peu près tous « raté » le compromis historique qu'Ortega offrait alors aux États-Unis.

LES CHAMPS DE PRATIQUE SPÉCIALISÉS

certaines scènes. Plus subtilement, un État peut tenter de contrôler l'information et faire circuler de fausses statistiques ou de fausses photos sur de faux événements. Il n'est sans doute pas un pays en guerre (guerre de frontière ou guerre civile) qui ne diffuse ainsi des bulletins trafiqués. À force d'être annoncées, répétées, intégrées dans les versions officielles, ces nouvelles finissent par être considérées comme vraies par la majorité des correspondants étrangers. Il est bien plus difficile de mesurer la limite de crédibilité des acteurs sociaux dans un pays étranger que chez soi. Et il est encore plus difficile de le faire quand aucune autre information ne nous parvient !

Existe-t-il des moyens de contourner cet obstacle ? Certains journalistes oseront l'aventure de la clandestinité et contourneront les interdits qu'on leur oppose. C'est une approche souvent périlleuse. Dans la plupart des cas, faute de vouloir prendre de tels risques, au moins devrait-on pratiquer le doute méthodique chaque fois qu'on fait face à la moindre restriction.

Mais surtout, avant de partir pour un pays en crise, ou au retour, quand on cherche à tout remettre en perspective ou à assurer le suivi des événements couverts, on aura avantage à mettre à profit les ressources locales (les ressortissants étrangers, les groupes de solidarité et les organisations internationales non gouvernementales). Elles sont souvent mieux informées de ce qui se passe réellement en territoire interdit que ne le sont les agences de presse ou les stations américaines de télévision !

Le journalisme économique

Si les grands journaux ont depuis longtemps une section autonome pour la couverture de l'économie et de la finance, c'est parce que cette information est produite selon un cycle quotidien. Tout comme les résultats sportifs, les cotes de la Bourse ou les taux de change sont en effet révisés tous les jours. Si une entreprise annonce des dividendes, émet des actions ou annonce le lancement d'un nouveau produit, cette nouvelle peut déclencher le jour même des réactions du côté des investisseurs. L'information financière quotidienne est, par conséquent, un service essentiel!

On ne s'étonnera donc pas de constater que c'est autour de cette information financière que le journalisme économique a vu le jour, et qu'il s'y est longtemps cantonné. Il a fallu une première crise des taux d'intérêt au tournant des années 1970, l'abandon de la convertibilité du dollar américain en 1972, suivis immédiatement par le choc pétrolier de 1973 (le prix du pétrole brut, décrété par l'Organisation des pays exportateurs de pétrole, a quadruplé en un an!) pour que nos journaux découvrent l'importance d'une meilleure couverture de la scène économique.

L'inflation, d'un taux traditionnellement situé entre 3 % et 5 % par année au Canada, venait de bondir autour de 10 %. Les taux d'intérêt ont dû suivre, et l'endettement des consommateurs est devenu un problème majeur. Les syndicats ont réclamé l'indexation de leurs salaires. En 1975, le premier ministre Trudeau imposait un gel des prix et des salaires au pays. Dans les bulletins quotidiens d'information, une fois sur deux, c'est une question économique qui occupait la manchette.

À la fin des années 1970, la Banque du Canada a décidé d'attaquer de front le problème de l'inflation, en haussant les taux d'intérêt jusqu'à un niveau quasi usuraire de 21 %. Cela a provoqué, chez nous, une véritable crise économique — la plus importante depuis 1929[9] — et confirmé l'importance de l'information économique.

---

9   Pour être honnête, il faudrait préciser qu'en 1980 la Banque du Canada n'avait pas vraiment le choix : les banques centrales des États-Unis, de Grande-

LES CHAMPS DE PRATIQUE SPÉCIALISÉS

Entre les années 1983 et 1987, c'est l'engouement des Québécois pour le nouveau régime d'épargne-actions et la montée spectaculaire d'une nouvelle génération de gens d'affaires aux postes de contrôle de notre économie qui devaient stimuler l'intérêt des lecteurs pour les nouvelles concernant les entreprises et la planification de leurs finances personnelles... Jusqu'à l'effondrement de la Bourse en 1987 ! Puis, une nouvelle offensive de la Banque du Canada contre l'inflation déclenchait, dès 1990, une nouvelle crise économique et propulsait la dette publique canadienne à un niveau inquiétant. Pendant toute la décennie, les chroniqueurs du secteur économique ont couvert le débat qui dominait la scène politique canadienne : l'objectif du « déficit zéro » et l'éventuelle réduction de la dette. C'est durant cette période que sont apparus les mouvements altermondialistes et la contestation des sommets de dirigeants des pays industrialisés.

Dans les années 2000, on a d'abord connu une période d'euphorie autour des titres des entreprises d'électronique et de télécommunications, une « bulle spéculative » qui a éclaté en 2002, puis la crise bancaire et financière de l'automne 2008, qui a poussé l'économie mondiale au bord du gouffre. On le voit, la couverture de l'économie est, depuis quarante ans, au cœur de l'actualité et à la « une » des journaux.

Bretagne et d'Allemagne, inspirées par les théories monétaristes, ont décidé conjointement d'appliquer ces politiques dites « de resserrement monétaire ». La crise de 1980-1982 a frappé toutes les économies occidentales. Pour le second épisode de lutte à l'inflation, celui de 1990-1993, par contre, la Banque du Canada a fait preuve d'un zèle injustifiable. Non seulement cette seconde crise a frappé le Canada plus durement que ses partenaires économiques, mais le niveau excessif de la dette publique canadienne s'explique en bonne partie par les taux d'intérêt et la politique de « rareté monétaire » pratiquée par la Banque du Canada — une responsabilité que trop peu de journalistes économiques ont comprise et pris la peine d'expliquer à leurs lecteurs.

Un secteur très diversifié

Le vocable de « journalisme économique » regroupe en fait sous une même thématique des pratiques fort différentes. Entre l'analyse macroéconomique (l'étude des tendances et des indicateurs comme le produit national brut, la balance des paiements, les taux de change, etc.), l'analyse sectorielle (« Où en est l'industrie québécoise des pâtes et papiers ? »), la microéconomie (les portraits d'entreprises), les portraits individuels, l'information de consommation et les finances personnelles, il n'y a pas seulement des différences de sujets, mais aussi des différences de genre journalistique, de ton et de public.

Cette diversité rend la pratique du journalisme économique fort stimulante. On y rencontre un jour un entrepreneur dont on doit rapporter les qualités et les défauts : écriture intimiste ou dynamique ; recherche de l'humain derrière les images... Le lendemain, on plonge dans le rapport annuel d'une grande entreprise, dont on dit qu'elle pourrait être en difficulté : comparaison de chiffres et de ratios ; téléphones à des analystes du secteur ; travail de vulgarisation... La semaine suivante, on part explorer un secteur industriel à coups de rapports de recherche, de documents statistiques, d'entrevues de fond avec des analystes ou des universitaires... Puis, un détour rapide du côté des associations de consommateurs, ou un autre, plus mondain, pour assister au lancement d'une nouvelle campagne de marketing... Peu de secteurs offrent un panorama aussi riche en perspectives.

Cette diversité concerne aussi le champ d'action que couvrent les journalistes économiques : certains traitent d'enjeux à caractère local (le développement d'un parc industriel, par exemple) ; d'autres abordent plutôt des dossiers de politique nationale, y compris les questions d'ordre social ; d'autres enfin s'intéressent aux grands dossiers financiers internationaux (comme l'évolution des prix des matières premières ou l'endettement des pays du tiers-monde). C'est en quelque sorte un secteur spécialisé qui intègre, à lui seul, un peu de tout ce dont on a parlé jusqu'ici.

Le culte des héros de l'entreprise

On a longtemps déploré le fait que nos héros historiques étaient des politiciens, des religieux, des artistes ou des sportifs, alors que les vedettes de l'économie, c'étaient les autres! Au cours des années 1980, les journalistes ont collaboré à une vaste prise de conscience collective de notre capacité de réussir en affaires. Du jour au lendemain, des entrepreneurs, jusque-là silencieux, ont trôné sur nos tribunes, et les pages économiques se sont mises à suivre leurs moindres gestes comme s'il s'agissait de vedettes de l'équipe sportive locale. On les appelait les « guerriers de l'émergence », les « champions du Québec inc. ».

Solidarité féconde, diront ceux qui croient au bien-fondé du système de la libre entreprise et souhaitent que les Québécois y jouent pleinement leur rôle. Mais il faut se rendre compte que, avec cette glorification des réussites individuelles, les journalistes ont contribué à donner à ces gens d'affaires un rôle social qu'ils n'étaient pas toujours les plus aptes à remplir. L'entreprise privée possède ses propres critères d'évaluation, sa propre éthique, et on appauvrit la dynamique sociale en la réduisant à ce type d'analyse. En d'autres mots, ce qui est bon pour General Motors (ou Microsoft) n'est pas nécessairement bon pour les États-Unis.

Avec les ratés qu'ont connus par la suite plusieurs entreprises dirigées par ces « héros » des années 1980, la presse économique est devenue aujourd'hui un peu plus prudente. Mais, dans l'ensemble, elle demeure complaisante. Cela s'explique de diverses manières. D'abord, je ne connais pas de journaliste économique qui ne soit convaincu que la croissance de l'entreprise privée est essentielle au développement économique. Ce « préjugé favorable » s'accommode mal de la critique. En deuxième lieu, les gens d'affaires, enivrés par leur nouvelle reconnaissance sociale et ayant à leur disposition d'importantes ressources de relations publiques, ont commencé à courtiser les journalistes en comptant, en échange, sur un appui inconditionnel des médias. Il est bien difficile, pour un journaliste qui fréquente toujours ces milieux, de demeurer longtemps à l'abri de la séduction. Enfin, l'accès à l'information pose souvent un problème réel en journalisme économique. Les entreprises publiques doivent, bien sûr, transmettre certains documents à la presse, mais une part importante de l'activité de toute entreprise est confidentielle. Malgré l'émergence de vedettes médiatiques parmi les gens d'affaires, la grande majorité des entrepreneurs et des financiers continuent de rester dans l'ombre. Le monde de l'économie demeure un monde difficile d'accès et les journalistes qui veulent y pénétrer doivent montrer patte blanche[10].

Le danger des histoires de réussite (success stories)

Les dirigeants d'entreprises sont prompts à rencontrer la presse quand tout va bien, quand ils s'apprêtent à émettre des actions ou à lancer de nouveaux produits, mais beaucoup plus réticents

---

10 Il existe aux États-Unis une tradition de journalisme économique beaucoup plus critique. Des magazines comme Forbes ou Fortune y vont parfois de portraits incendiaires. Au Québec, l'espace économique est trop petit : les rares fois où la revue Commerce, le magazine d'affaires le plus prestigieux dont la publication a pris fin après cent dix ans en 2009, a publié des portraits critiques, cela a créé un malaise chez son éditeur, le Groupe Transcontinental. C'est que les gens dont on parle sont très souvent des partenaires d'affaires qu'on ne veut pas se mettre à dos.

à parler en période difficile. Cela pose un premier problème :
quand une entreprise accepte de s'ouvrir aux journalistes, c'est
bien souvent que cette opération fait partie d'une stratégie commerciale à laquelle se prêtent alors les médias !

Mais cet accès sélectif a une autre conséquence : presque tous
les portraits de compagnies ou d'entrepreneurs publiés dans les
journaux, dans les magazines, ou diffusés à la télévision, nous
parlent de rythmes de croissance phénoménaux, de sociétés qui
percent sur les marchés étrangers, d'innovations en train de
rendre leurs promoteurs millionnaires... alors qu'en fait, neuf
nouvelles entreprises sur dix meurent avant cinq ans ! Quand
donc les journaux nous font-ils part de ces histoires d'échecs ?

C'est le syndrome du « conte de fées », en somme. Cela
contribue à créer le mythe qu'il est facile de réussir en affaires.
Bien des jeunes entrepreneurs s'y brûleront les ailes.

Le clivage de l'information

Les sources privilégiées des journalistes économiques au sein du
milieu des affaires les amènent à couvrir les dossiers d'actualité
avec le point de vue des entrepreneurs ou des financiers. Or, il
arrive souvent que, dans les mêmes journaux, d'autres chroniqueurs couvrent les mêmes dossiers, avec des points de vue
divergents.

C'est ainsi qu'apparaissent des clivages irréductibles : on
oppose le monde des affaires à celui de la consommation ; la pro-
ductivité à l'environnement ; le syndicalisme à la libre entreprise ;
les emplois à l'innovation technologique ; les politiques sociales
à la compétitivité économique... Ces oppositions sont réelles
dans bien des cas. Pas toujours, cependant. Mais la division du
travail au sein de la profession empêche bien souvent les journalistes de percevoir les synthèses possibles.

À cet égard, il est sans doute heureux que le journalisme de consommation, né comme une spécialité distincte dans les années 1970, sous l'influence des groupes inspirés de Ralph Nader aux États-Unis, ait été intégré par la suite aux pupitres économiques. Il en va de même du rapprochement souhaitable entre la presse économique et les journalistes syndicaux ou les chroniqueurs environnementaux.

L'abus des chiffres

Quand il ne fait pas le portrait des entrepreneurs, le journalisme économique est souvent une affaire de chiffres. Rapports annuels des entreprises, analyses sectorielles ou régionales, macroéconomie ou information financière, tout s'y traite en termes d'investissements, de taux de croissance, d'indices et de ratios. Le problème, c'est que si les chiffres sont utiles comme outils d'analyse, ils ne le sont pas toujours comme faits bruts.

C'est vrai notamment de tous les indicateurs (le PNB, le taux de chômage, etc.), comme on l'a vu au chapitre 12. En principe, les journalistes économiques, parce qu'ils sont spécialisés dans ce domaine, devraient en être conscients et toujours manipuler les données numériques avec prudence. Hélas, ils cèdent bien souvent à la fascination des grands nombres.

La vulgarisation et la sélection des publics

Parce que le journalisme économique est souvent un journalisme très technique, se pose le problème de la vulgarisation. Chaque fois que la Banque du Canada choisit de restreindre la masse monétaire en haussant les taux d'intérêt, les journalistes se posent la même question : doit-on reprendre dans une chronique l'explication vulgarisée des liens entre les taux d'intérêt, le niveau d'endettement, l'inflation et la croissance économique ? On le fait à l'occasion, mais personne n'aime republier le même article chaque semaine !

De temps en temps, il faut bien présumer que certaines choses sont déjà connues et comprises, et pousser plus loin l'analyse. Dès lors, le journaliste se coupe d'une partie du public ou, plus exactement, il *choisit* de s'adresser à un public plus restreint à qui il peut alors fournir une information plus détaillée. C'est ainsi qu'une forte proportion des lecteurs finissent par se sentir exclus des pages « financières » des journaux. Cela encouragera en retour les chroniqueurs économiques à se spécialiser un peu plus, leur public étant, de toute façon, déjà sélectionné.

Le journalisme scientifique et médical

À première vue, le journalisme scientifique partage avec le journalisme économique de nombreuses caractéristiques. Ils ont tous deux un caractère technique et les chiffres y jouent un grand rôle. Ces secteurs sont aussi diversifiés l'un que l'autre et exigent des compétences si nombreuses qu'un seul journaliste peut difficilement en couvrir tout le champ. Dans les deux domaines, les journalistes vont parfois croiser quelques vedettes qui font profession de parler aux médias, mais la plupart des acteurs préfèrent demeurer dans l'ombre, et sont de toute façon plutôt ternes en entrevue. Enfin, en science comme en économie, il y a une activité locale importante, mais la scène des événements majeurs est avant tout internationale.

Pourtant, un élément fondamental distingue ces deux secteurs : alors que l'information économique a sa place quotidiennement dans les médias, les domaines médical et scientifique sont, au contraire, des secteurs où il y a relativement peu de nouvelles urgentes. Bien sûr, un chercheur peut un jour faire une déclaration importante, recevoir un prix Nobel ou mourir dans un accident d'avion. Ce sont là des nouvelles. Mais elles ne portent pas sur l'objet même de l'activité scientifique, soit la découverte de nouvelles connaissances, l'expérimentation de nouveaux médicaments ou la mise au point de nouvelles techniques.

Ces découvertes et ces innovations, par contre, résultent presque toujours d'un processus collectif, échelonné sur plusieurs années de travaux, et dont chaque étape ne représente qu'un petit pas... dont on peut difficilement tirer une nouvelle passionnante. Quand l'information parvient aux médias, c'est habituellement à la suite d'une publication ou lors d'un congrès où des chercheurs ont présenté devant leurs collègues les résultats de recherches qui datent déjà de quelques mois. Et les nouvelles connaissances ou les traitements innovateurs qu'on annonce ainsi n'auront souvent guère d'application pratique avant plusieurs années. Rien qui puisse ressembler à une urgence sociale !

Voilà pourquoi les journaux se sont donné des sections économiques quotidiennes, alors qu'ils repoussent souvent les textes scientifiques vers des pages hebdomadaires, à plus faible emprise sur l'actualité courante.

Une information importante... et fascinante

Pourtant, la recherche scientifique est une activité humaine essentielle. Ses enjeux sont majeurs. Elle mobilise d'importants fonds publics et, à ce titre, doit être couverte comme tout autre domaine d'intérêt collectif.

Lorsqu'elle porte sur le domaine médical, cette information

rejoint les gens dans leurs angoisses, leur donne parfois des moyens d'agir sur leur propre vie et leur santé, leur redonne espoir, bien souvent.

Quant à la vulgarisation scientifique, si elle se fait simple et accessible, elle intéresse les gens à plus d'un titre : elle répond à des questions fondamentales, elle fascine, elle dessine le futur, elle relie les phénomènes quotidiens d'observation aux théories les plus lointaines. Elle est tout à la fois information-spectacle (le lancement d'une navette spatiale, par exemple), information-voyage (les grands reportages du *National Geographic* sur la faune) ou information-loisir.

Information-culture, aussi. Nous vivons dans une civilisation façonnée par la technologie et l'approche scientifique des phénomènes. Certes, l'information par les médias ne remplacera jamais l'enseignement comme moyen d'accès à la pratique scientifique ; ce n'est pas son rôle. Mais en faisant connaître un vocabulaire, en popularisant certains concepts, en établissant un contact entre les intuitions du public et les modèles que proposent les scientifiques, la vulgarisation joue le rôle de pôle de référence culturelle. Elle permet à un lecteur ou à un téléspectateur sans véritable formation scientifique de se retrouver malgré tout dans cette culture qui, autrement, lui resterait étrangère.

En plus de cette fonction culturelle, il y a la fonction politique : parce que nous vivons à une époque de technologie, de nombreux choix sociaux nécessitent une compréhension des questions techniques et scientifiques sous-jacentes. C'est ce qui faisait dire à Fernand Seguin, un des pionniers de la vulgarisation scientifique québécoise décédé en 1988, qu'il ne pouvait y avoir de véritable démocratie sans ce « partage du savoir ».

Apportons tout de même une nuance : les meilleurs articles de vulgarisation n'assureront sans doute jamais ce vrai partage du savoir dans notre société. Ils ne permettront jamais au simple citoyen de mesurer ses connaissances à celles du médecin ou de l'ingénieur. Mais ils peuvent au moins permettre un « partage de l'ignorance » : que chacun puisse évaluer l'importance des questions irrésolues ; l'étendue des incertitudes, des approximations et des abus de langage ; les limites de compétence. C'est lorsqu'elle favorise l'esprit critique et la remise en question des idées préconçues que la vulgarisation scientifique participe le mieux à l'exercice de la démocratie.

Un journalisme d'approfondissement... dans un champ de pratique trop vaste

Nous pouvons ainsi dégager au départ certaines caractéristiques du journalisme scientifique. D'abord, l'événement urgent y est rare. Bien sûr, on demandera souvent au journaliste affecté à la couverture d'un congrès scientifique de produire une nouvelle pour le bulletin du soir ou le journal du lendemain. Mais la nouvelle pourrait, sans problème, n'être diffusée que la semaine suivante ! Le journalisme scientifique n'est pas le royaume du *scoop* !

En principe, cette caractéristique devrait permettre aux journalistes scientifiques de se libérer de la pression des heures de tombée pour approfondir un peu plus leurs dossiers. C'est d'ailleurs un secteur où la consultation de sources écrites est essentielle, notamment les publications originales des chercheurs (relire là-dessus les mises en garde du chapitre 12).

En pratique, toutefois, cet avantage est souvent annulé par l'étendue du champ à couvrir. Parce que l'information n'y est pas perçue comme urgente et prioritaire, les salles n'affecteront guère plus d'un journaliste à l'actualité scientifique. Cette personne devra alors couvrir à la fois les nouvelles découvertes en astronomie, le développement des biotechnologies, les fouilles archéologiques au Québec et ailleurs, la mise au point de nouveaux médicaments ou de nouveaux traitements pour des centaines de maladies différentes, les progrès de l'intelligence artificielle, etc. On comprendra qu'avec un mandat aussi vaste, il soit difficile de se maintenir à jour, pour mettre chaque information nouvelle en contexte.

Ambitieux peut-être, ce mandat n'est pas impossible, à condition que le journaliste prenne le temps de lire et de mener à fond toutes les entrevues requises, en gardant toujours à l'esprit un objectif clair : si l'on doit expliquer les choses, il faut bien les comprendre d'abord ! Une tautologie ? Pourtant, combien de fois des journalistes, intimidés par le vocabulaire technique ou les présentations abstraites d'un scientifique, n'osent pas lui demander de reprendre ses explications. Ils s'imaginent pouvoir se contenter d'une vision d'ensemble du domaine... quitte à se référer au besoin à l'intégrale de la conversation sur bande. Il ne peut y avoir de meilleure recette pour produire des textes obscurs !

Un journalisme de vulgarisation

En économie, la vulgarisation sert à faire comprendre une nouvelle du jour, la hausse des taux d'intérêt par exemple. Dans le domaine des sciences, on verra plus souvent le journaliste profiter d'un congrès médical pour nous expliquer les nouvelles approches de traitement de l'hypertension, ou d'un congrès de météorologues pour nous parler du réchauffement de la planète causé par l'effet de serre. L'événement n'est alors qu'un prétexte. Le contenu du texte, c'est la vision du monde que dessine la science.

Dès lors, deux questions se posent au journaliste, avant qu'il ne prépare son texte ou son scénario : qu'est-ce que mon public sait ? et jusqu'où puis-je l'emmener ? Comme on l'a vu à propos de la vulgarisation en économie, le journaliste peut prendre pour hypothèse que le public ne sait à peu près rien, et revenir sans cesse à l'a b c des connaissances. Ou il peut au contraire miser sur l'acquis et pousser l'analyse un peu plus loin. Mais en choisissant la seconde voie, on sélectionne déjà un certain public.

La vulgarisation, en sciences, se heurte à plusieurs obstacles. D'abord, la spécialisation des scientifiques empêche parfois de trouver des perspectives d'ensemble, de replacer une découverte dans un contexte qui soit significatif pour le grand public. En outre, le langage utilisé par les scientifiques est ésotérique. Mais, plus fondamentalement encore, l'édifice conceptuel auquel ils se réfèrent est souvent très différent des conceptions qui prévalent chez le commun des mortels. Le message devient donc incompréhensible sans une vaste entreprise de renversement des concepts, ce qui dépasse de beaucoup les moyens dont disposent les journalistes. Ces obstacles font qu'il est difficile de traduire les propos des scientifiques sans les déformer.

Simplifier pour être compris

Mais il ne faut pas exagérer ce problème de la vulgarisation. La méthode scientifique impose elle-même une certaine simplification du réel pour le faire entrer dans le cadre d'une situation expérimentale, d'une hypothèse de recherche. Nous avons déjà souligné, au chapitre 12, que cette méthode crée au départ des distorsions.

Or, si la présentation vulgarisée des faits est parfois source de distorsion additionnelle, une déformation beaucoup plus grande peut provenir de la façon dont le public comprendra le message et intégrera les nouveaux concepts à sa vision du monde. En effet, même la personne qui sait peu de choses possède, depuis son enfance, toute une collection de connaissances spontanées et de concepts préscientifiques. Les explications — même les plus claires — ne viennent donc pas se loger dans une tête vide, mais elles se greffent à ces visions antérieures, parfois justes, parfois erronées. Résultat : le journaliste qui hésite à utiliser des images simplifiées, afin de ne pas déformer le réel, risque de produire un texte qui sera, de toute façon, mal compris de son lecteur. On n'y gagnera guère en rigueur !

Il existe des recettes classiques pour la traduction vulgarisée des textes techniques. Elles constituent la base de toute écriture journalistique (voir le chapitre 4), mais elles sont particulièrement utiles dans le domaine scientifique.

• **De la forme passive à la forme active.** Les rapports scientifiques utilisent la forme passive, plus logique peut-être, parce qu'elle remonte de l'effet à sa cause, comme on le fait en recherche. Si cette écriture se prétend plus objective parce qu'elle évacue du récit l'auteur de la recherche, elle demeure néanmoins assez lourde. On a déjà vu, au chapitre 4, que les « conteurs de village » que sont les journalistes utilisent plutôt une langue narrative, privilégiant la forme active.

• **De l'abstrait au concret.** Faire l'effort de remplacer chaque terme technique par un mot de tous les jours ou par une image appropriée. Remplacer les phrases longues par une série de phrases courtes. Illustrer les concepts en cause par des témoignages, des anecdotes. Et surtout, replacer les acteurs dans l'histoire... Tout au long de sa recherche, le journaliste pourra, par la nature de ses questions, inciter le chercheur à adopter un langage plus concret. Lui demander ce qu'il a fait plutôt que ce qu'il a découvert, quels gestes il a posés, comment se déroulaient ses journées. En somme, lui demander de raconter plutôt que d'expliquer.

• **Des exemples.** Toujours demander aux chercheurs, quand on les rencontre, de suggérer des exemples, des cas concrets qui illustreront la problématique.

• **Des figures de simplification**: l'analogie, la métaphore, l'hyperbole. Ne pas avoir peur de proposer des modèles simplifiés, des images claires, qu'on utilisera ensuite tout au long de son texte.

• **Un usage modéré des termes techniques et des données numériques.** Utiliser autant que possible les termes populaires plutôt que les termes savants. Éviter les enchaînements de concepts peu familiers ou l'accumulation de données numériques. Disperser habilement ces données pour qu'elles ne surchargent jamais le même paragraphe ou le même passage d'un reportage radio ou télé. Sinon, utiliser l'encadré (dans l'écrit) ou le graphique simplifié (à la télé) pour appuyer les passages plus techniques.

Un journalisme centré sur la démarche

Nous avons vu que l'information scientifique devrait être génératrice de doute, en insistant davantage sur les incertitudes et les questions; reconnaissons que la vulgarisation de nature pédagogique se présente bien plus souvent comme l'affirmation de nouvelles certitudes. En effet, le journaliste aura tendance, pour faire comprendre le mode d'action d'un nouveau médicament ou la pertinence d'une nouvelle théorie, à associer directement, dans son reportage, cette découverte au problème qu'elle vient résoudre. Dès lors, tout le texte vulgarisé se présente un peu comme une « preuve » de la théorie mise de l'avant. En outre, pour rendre le sujet compréhensible, on doit souvent faire appel à de l'information de base, alors tenue pour vraie : voilà ce qu'est l'atome; voilà ce qu'est le cancer; voilà comment se réchauffera notre planète...

Les journalistes doivent être prudents lorsqu'ils vulgarisent. Ils doivent respecter les zones d'incertitude et les limites de validité des concepts. Une façon de le faire est d'insister moins sur les résultats scientifiques obtenus et davantage sur la démarche poursuivie. Cette approche est d'ailleurs naturelle en journalisme. En racontant une histoire qui n'occulte pas les fausses pistes, les erreurs, les incertitudes, on donne à la recherche toute sa dimension humaine. On présente l'information d'une manière plus dynamique en y insérant, au besoin, des effets de scénario : un point de départ, un déroulement incertain, des obstacles à franchir, avec une conclusion heureuse ou non.

Une autre recette, tout aussi élémentaire en journalisme : le doute méthodique. Devant toute idée nouvelle, et donc susceptible d'être contestée, les journalistes devraient, comme en information politique ou sociale, chercher à interroger aussi l'« opposition ».

La vulgarisation, entre le mythe…
et les questions irrésolues

Un autre danger de la vulgarisation à caractère pédagogique, c'est qu'en transmettant des connaissances toutes faites, des certitudes apparentes, on dépossède le public d'un certain savoir spontané. À force d'entendre parler des « métamorphoses complexes du virus de l'influenza pour tromper le système immunitaire de l'organisme hôte », le simple citoyen finit par se convaincre que seul un spécialiste peut traiter… une bonne vieille grippe !

Lorsqu'elle est présentée sous son jour le plus fascinant, l'information scientifique devient parfois source d'une vaste mythification de la science. Plus le public est impressionné, plus il en vient à vénérer ce qui le dépasse. Avec cette célébration de la science comme savoir mythique, on est loin de l'idéal du partage culturel !

On trouve encore, dans la presse quotidienne et dans certaines revues spécialisées, ce genre d'information qui n'a d'autre but que de fasciner. Il faut reconnaître toutefois que l'information scientifique pratiquée aujourd'hui est de plus en plus souvent centrée sur les questions, les limites ou les incertitudes de la science. Elle porte autant sur les dossiers noirs de la civilisation technologique (les dangers du nucléaire, les pluies acides, l'effet de serre, les substances cancérigènes, etc.) que sur ses hauts faits. Au point que certains scientifiques en sont venus à déplorer que les journalistes alimentent un certain courant antiscientifique dans notre société.

Ce rôle critique des journalistes scientifiques est favorisé par le fait que les scientifiques font, en théorie, profession de ce doute méthodique ; leur métier, c'est de remettre en question les apparences, d'explorer les frontières de ce que l'on sait et de ce que l'on ignore. Bien sûr, beaucoup de scientifiques conservent des préjugés et affichent leurs certitudes. Mais dans tout dossier qu'il abordera, le journaliste scientifique rencontrera aussi des chercheurs dissidents qui poseront autant de questions gênantes que leurs collègues ont avancé de certitudes.

Les lecteurs ou les téléspectateurs qui s'attendent à se faire livrer des réponses claires souffrent parfois de ce journalisme tout en nuances et en remises en question. Mais, comme nous l'avons déjà vu, ce « partage du doute » est sans doute l'apport le plus fondamental que l'on puisse attendre de cette couverture du milieu scientifique par nos médias.

La quête du sensationnalisme

Une difficulté additionnelle, en journalisme scientifique, vient de la relative incompatibilité entre le processus scientifique et les exigences des médias. La science progresse grâce à un effort collectif, déployé pendant une période relativement longue, dans plusieurs pays. Chaque participant à ce jeu n'y tient en général qu'un rôle modeste, et chaque étape n'est souvent qu'un fragment de l'ensemble. Cette réalité s'insère mal dans notre pratique du journalisme, toujours en quête de vedettes, d'événements marquants, de miracles.

En outre, la publication de ces résultats ponctuels se fait selon des règles très particulières, peu compatibles avec le fonctionnement des médias. Quand une équipe obtient de nouveaux résultats, elle les rapporte dans un article qu'elle soumet à une revue spécialisée. D'autres chercheurs vont alors scruter le manuscrit et évaluer la pertinence de sa publication. Le processus exige du temps, de sorte que, lorsque la découverte est enfin rendue publique, plusieurs mois se sont écoulés. D'autres données ont été divulguées entre-temps. Les auteurs de la recherche eux-mêmes en ont de nouvelles à présenter. Comment donc faire une nouvelle avec ce qui est déjà vieilli et en partie dépassé?

Une première technique consiste à donner à chaque percée relativement modeste l'apparence d'un pas décisif, en lui accolant immédiatement ses conséquences les plus lointaines. On annonce qu'«une équipe médicale vient de découvrir un nouveau médicament qui détruit, en laboratoire, le virus du sida», en s'empressant d'ajouter que «cette percée redonne espoir à des millions de sidéens nord-américains...» Bien sûr, on connaît des centaines de molécules qui détruisent le virus du sida, et rien ne prouve que ce nouveau produit aura plus de chances que les autres de devenir un médicament efficace. Et de toute façon, il faudra plusieurs années de tests avant toute commercialisation. L'information est prématurée, donc, mais elle a l'apparence d'une «nouvelle» importante et significative. Elle aura donc des chances de faire la manchette!

En somme, alors que la science progresse grâce à des milliers de petites découvertes sans grande importance et à de très rares percées majeures, les journaux donnent au contraire l'impression qu'on assiste sans cesse à des découvertes déterminantes. C'est ainsi que, chaque semaine ou presque, les médias annoncent la découverte d'un nouveau traitement contre le cancer, la solution définitive pour le recyclage de nos déchets, le développement d'un moteur non polluant ou la découverte d'une nouvelle théorie sur l'origine de l'univers!

Et s'il arrivait que ces «percées» n'aient été que des fausses pistes? Accorderons-nous la même importance à une nouvelle qui nous informera qu'on *n'a pas* trouvé la solution au cancer, qu'à celle qui suggérera le contraire? Les médias ont annoncé une bonne dizaine de fois la découverte du gène de la schizophrénie... mais ils ont passé sous silence le fait que, chaque fois, ces gènes «candidats» ont dû être écartés!

L'impossible rigueur

Dans une perspective journalistique, cette mise en relief des nouvelles scientifiques se justifie pourtant. Après tout, c'est bel et bien la guérison du cancer ou du sida, la découverte du gène de la schizophrénie, la compréhension de l'univers qui sont en jeu; c'est dans ce contexte que chaque nouvelle donnée doit être comprise. N'est-ce pas justement le rôle du journaliste que de faire voir la signification de faits banals en apparence?

À condition bien sûr que le chroniqueur sache faire toutes les nuances requises : sous un titre flamboyant, on découvrira un texte qui parle d'une recherche préliminaire, d'espoirs encore lointains, de retombées négatives possibles. Pourtant, cette prudence ne suffit pas toujours. Si les enjeux sont trop efficacement atténués, la nouvelle risque de n'être pas lue, ou même de n'être pas publiée. Si, au contraire, ces enjeux sont mis en évidence et que l'information devient manchette, bien des gens ne retiendront que les grands titres et oublieront les passages plus nuancés.

Les mêmes nouvelles qui reviennent sans cesse

La tendance des journalistes à évoquer des perspectives fascinantes pour présenter une recherche qui n'aboutira souvent que plusieurs années plus tard peut conduire à un résultat paradoxal. Si, à toutes ses étapes ultérieures, cette même recherche donne lieu à de nouvelles publications scientifiques, l'objet de la découverte, présenté chaque fois avec enthousiasme par les journalistes, risque de faire la manchette une bonne dizaine de fois!

Un exemple parmi tant d'autres : en 1981, au bulletin de nouvelles de Radio-Canada, on rapporte une découverte importante de l'Institut de recherches cliniques de Montréal, concernant les mécanismes de contrôle de l'hypertension. Or, en 1976, dans une émission de télévision à Radio-Québec, on avait interrogé le même chercheur, qui avait décrit les mêmes faits. Connaissez-vous un seul autre secteur d'information où la même nouvelle peut être placée en manchette deux fois, à cinq ans d'intervalle ?

La pression du milieu scientifique

Si beaucoup de chercheurs hésitent à rencontrer les journalistes parce qu'ils craignent un traitement trop sensationnaliste, d'autres au contraire sollicitent les contacts avec la presse. Depuis quelques années, en effet, beaucoup de scientifiques ont compris que, sans un vaste appui du public, il est difficile de poursuivre une activité aussi coûteuse, et aussi lente à livrer les résultats attendus. Un peu comme pour les gens d'affaires de la

« nouvelle émergence », dont nous avons parlé plus haut, l'univers scientifique a aussi ses vedettes médiatiques.

En soi, c'est sans doute une bonne chose. Pourquoi n'aurions-nous comme vedettes que des sportifs, des politiciens ou des artistes ? Les journalistes scientifiques doivent toutefois être conscients que le choix des chercheurs ou des sujets-vedettes dépend des priorités de notre société et que le jeu des médias contribue à renforcer ces choix. Le niveau de financement des recherches dans le domaine des nouvelles technologies de la reproduction, pendant les années 1980, était directement lié à l'engouement médiatique pour les bébés-éprouvette et les autres technologies miracles apparentées. La rapide mobilisation de fonds pour la recherche sur le sida ne fut pas étrangère non plus à l'importance que les médias ont accordée à cette maladie, dès sa découverte.

En fait, les recherches de pointe « se vendent bien » et se retrouvent souvent en manchette : révolution thérapeutique, percée technologique, découverte fascinante… D'autres sujets ont un rayonnement moins apparent : recherches sur la santé au travail, sur la prévention, sur l'utilisation efficace des ressources. Les premières seront donc abondamment publicisées et subventionnées ; les autres, beaucoup moins. Pourtant, les retombées sociales et économiques des approches préventives sont sans doute plus importantes que celles des recherches d'avant-garde. Par exemple, on sait que les programmes de distribution alimentaire aux femmes enceintes font diminuer le taux de naissance de bébés prématurés ; cette approche coûte moins cher et a un impact plus favorable sur la santé que les technologies de pointe qui permettent de sauver des bébés d'à peine un kilo. Mais la distribution de lait ne donne pas une nouvelle très fascinante ! En choisissant de mettre l'accent sur la fascination, quitte à passer sous silence les aspects pervers de certaines avancées technologiques, les journalistes prennent parti pour une approche aux dépens de l'autre.

Ajoutons ici une dernière remarque. Dans certains domaines hautement concurrentiels, des scientifiques ont commencé, dans les années 1970, à contourner les lourdeurs du monde scientifique en envoyant leurs résultats directement aux grands médias. Dans le secteur des biotechnologies, où les enjeux commerciaux sont énormes, c'est en conférence de presse que de nombreux chercheurs ont annoncé leurs découvertes. Cette approche a vite été dénoncée, avec raison à mon avis : les exigences de la démarche scientifique ne conviennent pas au rythme effréné de la presse quotidienne. Ces exigences empêchent cependant les chercheurs ou les entreprises commerciales de « tourner les coins ronds » pour s'approprier en premier des marchés lucratifs. Mieux vaut redoubler de prudence, se méfier de tout scientifique qui s'adresse d'abord aux médias, et réaliser qu'en science aussi, le journaliste est aux prises avec les groupes d'intérêt puissants.

Le journalisme sportif

Tous les sondages concordent : les passionnés de l'information sportive ne dépassent guère 25 % à 30 % de la population. Et si entre 60 % et 65 % des gens affirment être un peu ou très intéressés par les nouvelles sportives, près des trois quarts le sont par les nouvelles politiques, au-delà de 85 % par les nouvelles scientifiques et jusqu'à 95 % par les nouvelles médicales. Pourtant, les quotidiens qui ont misé sur le sport comme moteur des ventes réussissent bien mieux que les autres à « vendre de la copie ». Et tous les éditeurs connaissent la célèbre règle des trois S, comme base d'une presse rentable : le sensationnalisme, le sexe et le sport.

Pourquoi cette efficacité de l'information sportive ? Parce que les amateurs de sport forment un public particulièrement assidu. Cela tient à la nature de cette information : alors que les débats politiques ne sont jamais des événement achevés, que les enjeux ne peuvent y être compris qu'en mettant en rapport une quantité énorme d'information, que des éléments essentiels à la compréhension peuvent échapper au lecteur, le monde du sport est, au contraire, un univers simplifié. Quelques joueurs, d'un nombre limité de clubs, s'affrontent pour un nombre prédéterminé de matchs, d'épreuves, de tournois. Tout se déroule dans un « terrain de jeu » aux dimensions limitées, selon un calendrier prévisible. Chaque résultat y est clair : un gagnant, des perdants. Chaque événement y a une fin : un match, une saison, une compétition olympique ; ensuite, on tourne la page et on recommence à zéro.

Si on veut suivre assidûment les compétitions dans toutes les disciplines, tant dans le sport amateur que professionnel, la scène sportive peut certes apparaître comme un univers complexe. Mais le lecteur n'a guère besoin d'une expertise aussi diversifiée. Il suffit de suivre un secteur, même distraitement, pour que la logique de la continuité s'impose aussitôt. L'évolution des situations y est dynamique ; chaque résultat s'ajoute aux précédents de manière linéaire ; les règles sont simples, accessibles. Il suffit parfois de jeter un coup d'œil quotidien aux statistiques pour que commence à jouer l'identification : *notre* club perd ou gagne ; *nos* joueurs marquent des points ; *nos* athlètes remportent des médailles... *Nous* avons gagné !

Cette identification est d'autant plus forte qu'elle est renforcée par le caractère collectif de la « cérémonie » sportive. On pense bien sûr aux Jeux olympiques, mais aussi aux matchs de football (ou *soccer*), qui sont des éléments essentiels de l'expression patriotique dans les pays d'Europe, d'Asie, d'Afrique et d'Amérique du Sud; on pense à l'importance culturelle du baseball aux États-Unis ou du hockey chez nous. Dès lors, tous les éléments d'un culte sont en place : des « grands prêtres » vedettes, des adeptes, une passion collective. Cela devient un sujet prépondérant de partage culturel.

Enfin, dans un univers d'information centré sur les accidents, les guerres, les crises, les pages de sport publient parfois les seules « bonnes nouvelles » du quotidien. On y retrouve la féerie de nos contes d'enfant : voilà des gens bien ordinaires devenus millionnaires à cause de leur seul talent ! Les vrais amateurs ne forment que 30 % de la population ? Qu'importe ! Ce sont des lecteurs et des auditeurs assidus, passionnés, qui s'identifient à leurs vedettes. Les chroniqueurs, par le jeu de leurs analyses, de leurs prédictions et de leurs confidences, viennent alimenter les rêves de tous ces gens.

Une marge de manœuvre exceptionnelle

Première caractéristique, donc : le monde du sport est un monde artificiel, créé de toutes pièces selon des règles arbitraires. On pourrait voir ces règles de compétition comme une métaphore des conflits entre les humains; c'est même évident dans le cas des compétitions à caractère international, où les systèmes politiques et sociaux s'affrontent tout autant que les athlètes qu'ils délèguent. N'empêche que, une fois la scène mise en place et la compétition commencée, le drame qui s'y déroule n'a plus de rapport avec les événements sociaux, politiques ou économiques du jour. Le sport évolue en vase clos et tire sa signification de l'intérieur : de ses règles propres, de la performance des équipes ou des individus qui s'affrontent, des records qu'il faut à tout prix dépasser, de l'effort, de l'exploit humain « gratuit »…

Aussi, parce que ses propos ne touchent que la microsociété isolée de chaque discipline sportive, le chroniqueur de sport bénéficiera d'une marge de manœuvre peu commune en information. Alors que la presse nord-américaine pratique en général une politique de cloisonnement étanche entre les textes d'information et les textes éditoriaux, les journalistes sportifs butinent allègrement d'un genre à l'autre, et personne ne leur en tient rigueur. Ce n'est pas par hasard si la tradition des *columnists* qui envahissent désormais nos journaux s'est développée d'abord dans les pages sportives. N'est-ce pas d'ailleurs dans ces pages que Pierre Foglia a commencé ses chroniques irrévérencieuses?

Le journalisme sportif est ainsi un des domaines — avec la critique d'art — où l'information est la plus personnalisée. Les journalistes de sport deviennent rapidement des vedettes, des «experts» qu'on consultera et dont on s'inspirera. Un dialogue s'établit alors, en solitaire d'abord, quand chaque lecteur compare ses perspectives à celle, des chroniqueurs, puis en public, quand les tribunes sportives à la radio et à la télévision donnent directement la parole aux lecteurs des pages sportives.

Des frontières étroites

Cette grande liberté comporte bien sûr une limite: les journalistes des sections sportives peuvent dire ou écrire à peu près n'importe quoi... tant et aussi longtemps que cela ne touche pas la «véritable» information, c'est-à-dire celle qui se joue en dehors des stades et des circuits qui les alimentent.

Il arrive que des problèmes sociaux prennent l'avant-scène: les *hooligans* qui manifestent violemment pendant les matchs de football en Europe; les athlètes olympiques qui s'adonnent au dopage; ou les problèmes de cocaïne dans les sports professionnels. Le chroniqueur sportif va certes devoir aborder de telles questions, mais ce n'est pas ce qu'on attend de lui en priorité. Il y a des compétitions à couvrir, des matchs à suivre. Il est là avant tout pour observer la scène. Et ses contacts privilégiés dans le « merveilleux monde du sport » ne l'incitent pas, non plus, à accorder trop de visibilité à ces zones d'ombre que tout le milieu tend à minimiser.

Pendant les Jeux panaméricains de Winnipeg, à l'été 1999, plusieurs athlètes cubains ont fait défection et demandé l'asile politique au Canada. Il s'agissait d'une information importante : après tout, le Canada est toujours demeuré un allié de Cuba, malgré l'embargo imposé contre l'île par les Américains. Après l'effondrement de l'Union soviétique, le Canada est même devenu le plus important partenaire commercial de Cuba, mais le régime de Fidel Castro suscitait, sur la scène internationale, de plus en plus de critiques. Il y avait donc là une excellente occasion de discuter avec ces athlètes dissidents, de manière très concrète, de la question cubaine et de nos relations avec ce pays. Cela n'a pas été fait, parce que les journalistes sur place avaient, avant toute autre chose, des compétitions à couvrir !

Un chroniqueur se permettra de regarder, à l'occasion, le bilan financier d'une entreprise de sport professionnel, lorsqu'elle réclame une aide de l'État pour la construction d'un nouveau stade. C'est lui qui analysera les politiques concernant le sport lorsqu'elles seront présentées en Chambre. Mais ce ne sont là que des îlots marginaux dans les flots d'une couverture orientée avant tout vers le spectacle, sans rapport direct avec le reste de l'actualité.

Un journalisme centré sur l'humain

Dans cet univers artificiel, les athlètes sont plus ou moins prisonniers d'un espace symbolique réduit : le village olympique pendant les Jeux; le circuit des hôtels et des stades pour les ligues professionnelles; les pistes d'essai et les circuits officiels en Formule 1; etc. Les journalistes habitent alors le même espace. Dans le sport professionnel, surtout, on les verra souvent voyager dans les mêmes avions, loger aux mêmes hôtels, suivre les mêmes équipes (*leur* équipe) jour après jour. Une très grande promiscuité finira pas s'installer entre les journalistes et ceux qu'ils observent.

La nature très commerciale du sport professionnel encourage cette promiscuité. Les journalistes peuvent bien être critiques, cyniques parfois, il n'en reste pas moins que ce sont eux qui moussent la vente du produit, et qui transforment les gestes étranges d'une vingtaine d'adultes occupés à s'arracher un ballon en un moment de grande émotion. C'est ce qui explique que l'industrie du spectacle sportif favorise cette intimité entre journalistes et athlètes. Quand donc un chroniqueur politique aura-t-il l'occasion de voir pleurer le ministre, de l'accompagner au vestiaire après une défaite, de l'interviewer à sa sortie de la douche, avec seulement une serviette nouée sur les hanches?

Ce rapport intime est aussi lié à la nature de l'acte sportif: un effort de dépassement, une course à l'exploit... Au théâtre aussi, le spectacle repose sur la performance des acteurs, mais il y a un texte, des décors, une mise en scène, un message. La critique ne porte jamais sur le seul jeu des personnes qui se livrent en spectacle. Le sport, lui, est un spectacle sans texte. Ce que les journalistes couvrent n'a rien de cérébral; c'est une scène où quelques individus cherchent à tout donner, avec la victoire comme seul enjeu. Et la fin n'est pas écrite. Chaque partie se solde par une grande fierté ou une déception intense. Des émotions palpables. Les journalistes sportifs mettent les cœurs à découvert!

Ne sont-ils que des voyeurs, comme on le leur reproche souvent? Ne font-ils que potiner, quand ils élèvent les états d'âme d'une vedette au rang de question nationale? Peut-être. Mais c'est parce que, justement, le sport n'est, en dernière analyse, qu'une question d'état d'âme. Beaucoup plus qu'une transposition des conflits nationaux, la scène sportive est le théâtre par excellence du rêve et de l'ambition. De ce besoin que nous avons presque tous de prouver aux autres que nous pouvons exceller. Nul autre journaliste que celui du sport ne touche avec autant d'intensité la trame intime de l'âme humaine !

Information neutre et complicités

On ne peut pas vivre jour après jour avec des athlètes, être témoin de leurs émotions les plus intenses, partager leurs joies et leurs déceptions sans que s'établissent avec ces personnes des relations d'amitié. Dans le sport professionnel, il suffit parfois de quelques mois de couverture régulière pour qu'un chroniqueur fasse partie du cercle intime des athlètes. Dès lors, il devient lui-même un acteur important de la scène qu'il couvre.

C'est souvent par la voie des journaux que certains athlètes lancent des messages à leurs entraîneurs, ou certains entraîneurs, à leurs athlètes. Journalistes agents, mais aussi journalistes promoteurs : comment les entreprises de sport rentabiliseraient-elles leur industrie sans la bienveillante complicité des chroniqueurs ? Nous revoilà dans le domaine du donnant, donnant — tel qu'il existe dans bien d'autres secteurs, diront certains. Mais dans le domaine politique ou dans la couverture de l'activité policière, quand les complicités deviennent trop flagrantes, il s'en trouve certains pour se scandaliser. Dans le domaine du sport, cette pratique est tolérée, voire valorisée.

Les commentateurs sportifs de *La Soirée du hockey,* diffusée de 1952 à 2004 à Radio-Canada, étaient payés directement par le propriétaire des Canadiens. C'étaient des employés du club, en somme. Or, ce sont ces mêmes personnes qui couvraient la scène sportive aux bulletins de nouvelles de la société d'État! Et pendant des années, un commentateur sportif de la même société a aussi été l'organisateur du Marathon international de Montréal. Nulle part ailleurs qu'aux sports de tels conflits d'intérêts ne sont tolérés.

La personnalisation très forte de l'information sportive et la proximité entre les journalistes et les acteurs transforment rapidement les chroniqueurs de sport en vedettes, du moins ceux qui couvrent le sport professionnel. On les invite alors à commenter les matchs dans des émissions diffusées à la radio ou à la télévision. C'est pour eux un supplément de revenu, mais surtout un supplément de « visibilité » qui renforcera leur statut de journalistes-vedettes. Quel journaliste osera alors dénoncer une organisation sportive qui garantit une partie de son salaire, et l'essentiel de son statut?

Un espace propice au potin

La promiscuité produit un autre effet : le journalisme sportif devient le domaine de prédilection du potin. Qu'a-t-on à écrire lorsqu'on est en reportage à l'autre bout des États-Unis, pour suivre son équipe, mais qu'il n'y a rien d'autre ce jour-là qu'une brève séance d'entraînement? Qu'on se retrouve ensuite à l'hôtel où les joueurs attendent nerveusement le match du lendemain?

Dans le journal, l'espace disponible dépend normalement de l'importance des faits couverts. Le sport jouit d'un espace prédéterminé, qu'il y ait ou non des nouvelles à rapporter! Pour remplir cet espace, le journaliste part donc à la recherche de confidences, de rumeurs qui alimenteront une chronique plus personnelle sur le moral des troupes, sur les enjeux du lendemain, sur les stratégies de l'entraîneur. Ces confidences seront d'autant plus faciles à obtenir que le reporter fait partie de la famille et que les sportifs, comme toutes les vedettes, aiment bien parler aux journalistes et voir leur nom en gros caractères dans le journal du lendemain.

Rien de plus normal, donc; mais le résultat, c'est qu'une bonne partie de ce que publient nos journaux dans la section des sports n'a pas une grande signification, au sens où nous l'avons définie au premier chapitre!

Le syndrome du scoop

Autre caractéristique du journalisme sportif: son caractères hautement concurrentiel. Ici, plus encore que pour le journalisme de faits divers, c'est le nombre de nouvelles diffusées en primeur qui fait la « cote » du journaliste. C'est une tradition qui vient peut-être du fait que le monde sportif est, par essence, un monde de compétition dont l'esprit finirait par déteindre sur les journalistes. Mais c'est surtout parce que le sang et le sport constituent les deux armes privilégiées de la bataille commerciale des quotidiens.

À moins que ça ne soit aussi, en partie, parce que le domaine du sport est perçu comme un jeu, où la rumeur, fût-elle non fondée, peut être publiée sans grande conséquence!

Une écriture libre, dans des conditions difficiles

Enfin, soulignons une dernière caractéristique de la presse sportive. Parce qu'elle est orientée vers les êtres humains et non vers les enjeux (*people oriented* et non *issue oriented*, comme on dit dans la presse américaine), parce que sa couverture est centrée sur des moments dramatiques dont la conclusion n'est jamais connue à l'avance, la presse sportive est le lieu de prédilection d'une forme d'écriture très dynamique, émotive, toute faite d'images et de suspense. À cause de la liberté dont jouissent les reporters, elle permet aussi l'expérimentation de nouvelles façons de dire les choses.

En fait, on le voit surtout dans la presse sportive européenne. Il suffit d'écouter les rapports d'événements sportifs à la télévision française pour découvrir cette merveilleuse manière qu'ont les journalistes de décrire les matchs comme on raconte des histoires. Malheureusement, les conditions réelles des journalistes qui couvrent l'activité sportive quotidienne ne facilitent pas cette invention littéraire.

Premier obstacle : l'heure de tombée. Comment ne pas être indulgent à l'endroit de journalistes qui couvrent un match de hockey jusqu'à 22 h 15, se précipitent ensuite au vestiaire des joueurs à la recherche de deux ou trois réactions émotives « baragouinées » dans un anglais de second ordre, se bousculent dans un ascenseur toujours trop lent, pour aller écrire à la hâte un texte de deux feuillets qu'il faudra acheminer au journal par courrier électronique… avant l'heure fatidique de 23 heures ! Comme l'a déjà écrit Réjean Tremblay, réussir à écrire dans de telles conditions, cela tient du miracle… quotidien !

Le second écueil tient au fait que ce milieu tend à privilégier les chasseurs de nouvelles (les *news getters*) plutôt que les journalistes qui excellent dans la réflexion et la synthèse. Il ne faut donc pas s'étonner que, malgré d'heureuses exceptions, la presse sportive n'attire pas, en général, les meilleurs techniciens de l'écrit ou de la parole.

C'est regrettable, compte tenu de la grande marge de manœuvre dont jouissent ces journalistes. Il est parfois navrant de compter, dans nos reportages sportifs, le nombre de clichés, d'expressions ampoulées, d'anglicismes… Encore que, dans ce dernier cas, on puisse être compréhensif, à défaut de pardonner totalement : quand on couvre pendant deux semaines la tournée américaine d'une équipe de baseball, qu'on accompagne vingt-cinq joueurs anglophones, cinq entraîneurs anglophones, une vingtaine de journalistes anglophones, qu'on lit les journaux en anglais, qu'on écoute la télévision en anglais, qu'on recueille les déclarations en anglais, et qu'on doit tout traduire au moment de l'écriture, sous la pression de l'heure de tombée, le texte produit s'en ressent nécessairement!

Le journalisme culturel et la critique d'art

Le concept de culture recouvre une réalité très large. Notre régime démocratique, nos façons de vivre, nos rapports économiques et sociaux ou nos priorités collectives sont tous des éléments de notre culture. On pourrait ainsi dire que tout journalisme est, forcément, « culturel ». J'utiliserai ici ce terme dans un sens beaucoup plus restreint, qui correspond aux divisions de nos salles de rédaction : le journalisme culturel est celui qui couvre les arts, la littérature et les spectacles, c'est-à-dire les activités de ce qu'on appelle parfois aussi les industries culturelles.

Dans les milieux intellectuels, il est de bon ton de mépriser le journalisme sportif, et de valoriser au contraire ce journalisme culturel. Pourtant, leurs caractéristiques se ressemblent. Au risque de paraître provocant, allons-y donc d'un parallèle.

Une très grande marge de manœuvre... mais des frontières étroites

J'ai présenté l'univers des pages sportives comme un monde artificiel, dont l'action se déroule sur une scène, hors du temps, en marge des débats sociaux. On retrouve cette même notion

de « scène » dans le domaine artistique, avec les mêmes conséquences : les journalistes qui œuvrent dans ce secteur jouissent
d'une grande marge de manœuvre dans leur façon de dire les
choses ou de franchir les frontières entre l'information et l'opinion (la critique) ; comme pour les événements sportifs, leur
regard porte en général sur un « produit » (un spectacle, une
œuvre, une exposition) qui existe pour lui-même, hors du
contexte de l'actualité du jour.

Admettons quand même que le cloisonnement est ici moins
étanche que pour le journalisme sportif, notamment parce que
le propos des artistes est, très souvent, un commentaire sur la
société. Et que si les vedettes sportives ne se mêlent pas souvent
de politique, beaucoup d'artistes choisissent au contraire d'y
jouer un rôle actif.

Un journalisme centré sur l'humain

On a décrit le journalisme sportif comme un journalisme centré sur l'humain, sur la performance, sur l'espoir et la déception. Dans le domaine des arts aussi, la trame de l'information
repose avant tout sur l'expression de créateurs, sur la performance des artistes de scène, sur leurs angoisses, leurs succès ou
leurs échecs.

Comme la scène sportive, le domaine artistique est morcelé
en un grand nombre de spécialités qu'on confie à des chroniqueurs différents ; chacun d'eux fréquente donc un tout petit
milieu de création (la danse, l'art contemporain, les groupes
rock, etc.), où se tissent rapidement des réseaux d'amitié. La
même cause (la proximité entre le journaliste et ses sources)
produit le même effet : il est très difficile pour le journaliste de
maintenir une distance critique envers ceux et celles qu'il fréquente assidûment... mais cette intimité lui permet de recueillir

tous les propos et toutes les confidences. Le journalisme culturel devient vite, lui aussi, un territoire de prédilection du potin.

Une nuance s'impose ici. Alors que presque tous les journalistes sportifs donnent dans cette course aux confidences, le monde des chroniqueurs culturels s'est vite stratifié entre ceux qui couvrent la « communauté artistique », dont la prose fleurit surtout dans les journaux et magazines artistiques à potins, et les autres, qui s'intéressent plus aux œuvres et à la démarche des créateurs. Au sein même des équipes des quotidiens et des grands magazines de presse écrite ou électronique, on trouve des chroniqueurs qui fréquentent de près les créateurs, et d'autres qui se font un point d'honneur de conserver leur distance, question de pouvoir juger les œuvres, non les personnes qui les ont mises au monde.

Un journalisme de service et d'humeur : la critique

Si l'industrie du spectacle, comme celle du sport, ne vit que grâce à la coopération active de la presse, rouage essentiel de sa promotion, il existe toutefois une différence importante entre les deux champs de pratique. En effet, le chroniqueur sportif couvre des événements qui possèdent en propre des éléments de suspense. L'enjeu prioritaire, ce n'est pas tant la qualité du spectacle que son résultat : le succès ou l'échec ; la victoire ou la défaite.

Dans le domaine culturel, au contraire, la nouvelle ne réside pas dans l'issue imprévisible du spectacle (ou de l'œuvre), mais dans la qualité de son interprétation. Il n'y a pas de pointage, pas de normes externes pour définir le succès ou l'échec. Ce qui compte, c'est l'appréciation du public... ou des critiques, qui jouent dès lors un rôle beaucoup plus central dans l'industrie qu'ils couvrent.

En d'autres termes, le journaliste sportif se tient dans les coulisses et regarde vivre les athlètes. Il partage leurs efforts. Son jugement ne détermine pas l'issue de la compétition. Le critique d'art, au contraire, est assis dans la salle, avec le public. Il écoute, il regarde... puis il juge. On lui demande non pas de raconter l'événement, en tant que nouvelle, mais de décrire et d'évaluer un produit offert sur le marché culturel. C'est un journalisme de service, en somme. Et un journalisme d'humeur aussi, puisque c'est souvent l'émotion du critique qui devient information!

Susceptibilité et conflits de fidélité

La grande promiscuité entre les artistes et les chroniqueurs qui couvrent chaque domaine spécialisé rend difficile cet exercice de la critique. En effet, si le revenu des professionnels du hockey ou du tennis dépend de leur performance, pas des journalistes, celui des gens de lettres ou de spectacle est souvent tributaire de l'évaluation de leur travail par les critiques. Alors, quand on aime bien tel artiste, quand on connaît les efforts qu'il a mis dans la préparation de son spectacle ou de son manuscrit, on hésite forcément à reconnaître publiquement qu'on a été déçu. La tentation de la complaisance est d'autant plus forte ici que le milieu culturel québécois est fragile : on n'ose pas juger un produit culturel local, réalisé avec des ressources minimales et dans un climat de travail souvent difficile, aussi sévèrement qu'on le ferait pour un produit étranger.

En outre, les artistes (ceux de la scène du moins, dont le métier est de s'exposer aux regards de tous) sont en général des gens qui ont un ego très fort et une sensibilité à fleur de peau ; ils perçoivent donc les critiques négatives comme autant de coups de poignard, difficilement pardonnés. Si un journaliste attaque un politicien, celui-ci en gardera peut-être une certaine rancœur, mais rien de plus, la controverse faisant partie des règles du jeu politique. Dans le domaine de la scène, bien des artistes ne s'y habituent guère, et finissent par considérer certains critiques comme des ennemis personnels.

La rupture entre les spécialistes et leur public

La proximité entre les chroniqueurs et le micromilieu qu'ils couvrent rend en outre difficile la communication avec un large public. C'est que les critiques d'art et de culture sont, comme tous les journalistes, à l'affût des nouvelles tendances, des faits qui bousculent les traditions, des discours qui provoquent ; il leur arrivera donc de rompre progressivement avec les produits culturels perçus comme banals pour s'intéresser aux spectacles les plus innovateurs, aux œuvres de recherche. Avec raison ? Peut-être. Le problème ne vient pas de la justesse de leur choix, mais du fait que le public ne les suit pas toujours… En somme, les chroniqueurs ne s'intéressent pas toujours à ce qui intéresse les gens !

Dans le domaine de la peinture, par exemple, la quasi-totalité des chroniqueurs fréquente un réseau sélect de galeries branchées, et boude les artistes commerciaux, ceux qui, pourtant, arrivent le mieux à vivre de leur art. De manière analogue, les plus grands succès d'édition sont bien souvent traités avec un certain mépris par les chroniqueurs littéraires. Il se vend bien plus de romans Harlequin que d'œuvres de Nathalie Sarraute ! Et les chroniqueurs de jazz boudent volontiers les *dixie bands* les plus populaires auprès des foules.

Il est difficile d'éviter cette rupture. Lorsque, depuis deux ou trois ans, vous allez au cinéma six ou sept fois par semaine pour les besoins de votre travail, il peut arriver que vous trouviez mortellement ennuyeux le cinquantième film fleur bleue qu'on vous propose cette année, et que vous fascine, au contraire, une œuvre fortement originale, où vous découvrez le cri du cœur (sous-titré!) d'un créateur brésilien. On attend d'ailleurs de vous cette capacité de saisir l'inédit. Le seul problème, c'est que 100 000 personnes iront voir le film commercial que vous jugiez sàns intérêt, et qu'ils ne seront que 5 000 à apprécier le produit que vous estimez génial!

La tentation de l'hermétisme

L'isolement du chroniqueur risque d'être amplifié par le problème du langage particulier au domaine qu'il couvre. Chaque milieu produit son propre vocabulaire : ce sont les étiquettes qu'on donne aux différentes écoles de création, les termes techniques propres à chaque discipline, les tics de langage à la mode. Au début, un chroniqueur soucieux de vulgariser peut faire un effort pour éviter ces pièges. Mais quand vous fréquentez le même milieu depuis deux ou trois ans, que ces termes vous sont devenus familiers et que vous savez, de toute façon, que vous vous adressez surtout à un public restreint qui partage ce vocabulaire, il vous est difficile de conserver vos scrupules.

La tendance à l'hermétisme sera d'autant plus prononcée que, dans le milieu que fréquente chaque chroniqueur, on jugera parfois de la qualité de son travail à sa maîtrise de tels métalangages!

Pour une pratique vulgarisée du journalisme culturel

Dans le journalisme culturel, entre le commentaire subjectif et l'analyse savante, il y a place à une pratique orientée vers la mise en contexte des œuvres artistiques.

Si le spectacle sportif est en effet un spectacle sans message (sauf sur un plan symbolique, peut-être), le spectacle culturel est au contraire un « discours » sur le monde : discours social ou politique d'un romancier, d'un dramaturge ou d'un peintre ; discours sur l'art, sur la matière, sur l'effort de création que suscite la sculpture ; provocation de l'artiste d'avant-garde qui, par ses installations étonnantes, interroge notre propre manière d'aborder l'art. Quelle qu'elle soit, l'œuvre d'art ne peut se comprendre sans l'explication de ce à quoi elle fait référence.

Prenons un exemple concret. Vous entrez dans une galerie d'art contemporain. Sur les murs, de vastes tableaux maculés de taches aux couleurs vives. Première réaction, presque inévitable : « Je donnerais un pinceau à mon enfant de cinq ans, et il ferait la même chose ! » Pourtant, l'œuvre du peintre, même lorsqu'elle paraît brouillonne, est l'aboutissement d'une démarche esthétique qui lui est propre. Elle fait en outre référence à d'autres démarches picturales et s'inscrit dans un ou plusieurs courants artistiques. Enfin, elle fait parfois écho à un discours social, comme ce fut le cas de la peinture automatiste, geste d'expression libératrice des peintres associés au manifeste *Refus global,* dans le Québec de Duplessis. Nul ne peut apprécier complètement une œuvre d'art s'il ne possède pas ces clés de décodage, s'il ne connaît pas son contexte, en somme. Or, n'est-ce pas le rôle des journalistes que de mettre en contexte les faits observés ?

Pour bien jouer son rôle et rendre intelligibles les spectacles ou les œuvres qu'il couvre, le journaliste culturel devrait donc chercher à présenter l'œuvre en la réinsérant dans son triple contexte : le contexte externe d'abord (De quoi parle-t-elle ? Quel est son message explicite ?) ; le contexte artistique particulier à ce domaine d'expression (Dans quel courant s'inscrit cette œuvre ? En quoi l'artiste innove-t-il ?) ; et enfin le contexte formé par la démarche individuelle de l'artiste (Quel était son projet? Quelles œuvres a-t-il produites auparavant? etc.). Le principal défi du chroniqueur artistique, c'est d'y parvenir sans avoir recours au jargon des créateurs. De rendre le sens accessible. Bref, de vulgariser.

Dans les pages culturelles des quotidiens, on trouve parfois de telles couvertures approfondies d'œuvres cinématographiques, théâtrales ou littéraires, parfois d'œuvres musicales... Mais l'offre culturelle est si abondante, et le personnel des sections « arts et spectacles » si limité, qu'on se contentera le plus souvent de répertorier les événements culturels en couvrant au besoin les conférences de presse, et de publier ensuite les critiques, c'est-à-dire l'appréciation des chroniqueurs-vedettes du média, le mode de traitement qui suscite le plus de fidélité du public. C'est encore plus vrai à la télévision, où le grand nombre d'événements à couvrir et la brièveté des reportages aux nouvelles empêchent le travail en profondeur, sauf dans d'occasionnels films documentaires. On pourra parfois approfondir un peu plus dans les journaux spécialisés comme *Voir* ou dans les magazines littéraires, mais les textes sont souvent trop hermétiques pour qu'on puisse parler vraiment de vulgarisation. Quant à la presse « artistique », celle qui s'accroche au « *star system* », elle ne joue pas du tout dans ce registre.

Le critique, le rapporteur et le philosophe

Ce journalisme culturel de vulgarisation n'est pas la seule pratique acceptable; il y a aussi place, dans nos journaux, pour des critiques censeurs, ces juges à la plume acérée qui savent reconnaître l'œuvre exceptionnelle, et n'hésitent pas à dénoncer ce qui est pauvre.

Tout comme il y a place pour des articles qui se limitent à la seule description de l'œuvre, quand il est essentiel de mentionner un événement, une parution ou l'arrivée d'un spectacle attendu avant que le critique n'ait fait son travail. Le public a besoin de ce survol de tout ce qui lui est offert. On peut déplorer cependant que ce type de recensement constitue souvent l'essentiel des textes qu'on trouve dans nos journaux.

Enfin, mentionnons qu'une vision un peu plus globale du journalisme culturel, où l'objet de reportage n'est plus seulement l'œuvre d'art ou le spectacle, mais la culture au sens le plus large, devrait conduire à dépasser le journalisme de vulgarisation tel que défini ci-dessus. Puisque toute œuvre est un discours sur le réel, certains journalistes choisiront de partir de ce discours pour explorer les pistes qu'il ouvre, les enjeux qu'il soulève. Utiliser en somme le produit culturel comme assise pour réfléchir sur la culture et la société. Cette approche plus philosophique (ou sociologique), on la retrouve plus souvent dans les périodiques culturels spécialisés — qui s'adressent à un lecteur soucieux d'approfondir — que dans les médias de masse, destinés à une consommation rapide.

Le journalisme «féminin» et la presse féministe

On ne trouve guère plus de «pages féminines» dans les quotidiens du Québec. Il y en a eu durant des générations, mais elles ont succombé à la prise de conscience féministe des années 1970. Les femmes journalistes se sont de plus en plus opposées à ce que leurs textes soient relégués dans des pages-ghettos qui rassemblaient dans un espace à part — réservé aux lectrices — les débats importants sur la famille, les politiques sociales, les garderies, l'accès à l'égalité, le harcèlement sexuel, etc. Elles refusaient en outre d'être contraintes à ne traiter que de ces débats « socio-familiaux », à l'exclusion des autres questions qui intéressent pourtant les femmes : le chômage, l'éducation, la politique, la culture, l'économie... Bref, pourquoi devait-on reléguer 52 % de la clientèle d'un journal dans cinq ou six pages seulement ?

Mais les anciennes pages féminines avaient, en fait, une fonction précise : les propriétaires de journaux n'ignoraient pas que les femmes lisaient aussi le reste du journal, mais certains annonceurs exigeaient un espace particulier pour leurs publicités. C'est pour loger les annonces des vendeurs de produits de beauté, de mode féminine et de soins esthétiques que ces pages avaient été créées. Leur sabordage formel allait entraîner la renaissance de ces ghettos sous d'autres noms : « mode, beauté, coiffure », « vivre aujourd'hui », « mode, décoration », etc.

Dans les magazines, par contre, ce changement « de surface » n'a jamais eu lieu. La presse féminine est bien vivante, alors que *Elle-Québec, Coup de Pouce, Clin d'œil, Châtelaine, Santé* et combien d'autres se partagent les mêmes marchés publicitaires et le même public cible. On y trouve de nombreux textes d'intérêt général pour les femmes — et pour les hommes aussi, du reste —, dans le domaine de la culture, de la santé, de la vie politique ou sociale, etc. On y trouve aussi de larges sections consacrées à la mode, au maquillage, à la cuisine, etc., des textes qui relèvent souvent plus de la rédaction promotionnelle que du véritable journalisme. Nous y reviendrons en fin de chapitre.

Arrêtons-nous simplement, l'espace de quelques pages, pour réfléchir sur le sort réservé à la couverture des débats d'intérêt primordial pour les femmes, depuis la disparition des pages qui leur étaient réservées. Un petit rappel historique, d'abord : c'est grâce à quelques femmes journalistes affectées à ces pages, ou aux émissions orientées vers la « femme au foyer », que les médias québécois ont commencé à découvrir, dans les années 1960, l'existence des questions importantes liées à la condition féminine. Quelques noms en vrac : Fernande Saint-Martin et Michèle Lasnier (à *La Presse* puis à la création de *Châtelaine*), Céline Légaré (à *La Presse* puis à *La Patrie*), Monique Brunelle (au *Soleil*), Solange Chalvin et Renée Rowan (au *Devoir*), Claire Harting (au *Photo-Journal* puis au *Journal de Montréal*), Lizette Gervais et Lise Payette (à Radio-Canada). Autour d'elles devaient se constituer les premiers noyaux importants de femmes journalistes dans nos salles de presse.

Ces pionnières ont souvent dû se battre pour pouvoir dépasser l'information mondaine et de consommation, et toucher les dossiers politiques et sociaux qui concernaient plus particulièrement les femmes. Par leur action, elles ont largement contribué à éveiller les Québécoises, d'abord, puis l'ensemble des Québécois, à de nombreux dossiers sociaux importants. C'est par exemple dans *Châtelaine* qu'a été abordé, dès 1963, le dossier de la contraception, ce qui devait provoquer une remise en question profonde de l'influence de l'Église au Québec. C'est la presse féminine de cette époque qui a placé au rang des priorités les politiques familiales, puis, plus tard, l'éveil féministe, l'inégalité en emploi ou la violence faite aux femmes.

Dans les années 1970, les salles de rédaction reconnaîtront enfin que ces dossiers sont d'intérêt public et les intégreront dans l'ensemble du champ social. Certains médias continuent à publier des pages de mode ou de consommation, mais on crée par ailleurs des « chroniques féminines » beaucoup plus politisées et on intègre les femmes journalistes dans les autres secteurs. « Le problème, écrivaient Armande Saint-Jean et Lysiane Gagnon dans une étude menée en 1977 pour la Fédération professionnelle des journalistes, c'est que cette transformation a eu pour effet d'atomiser les seules sections où les femmes, étant majoritaires, auraient pu constituer un bloc compact, s'encourager mutuellement à fouiller plus en profondeur le domaine de la condition féminine, et faire équipe en ce sens. » *Châtelaine* ayant repris une facture plus traditionnelle — après avoir été très politisée, pendant les années 1980 — et *La Vie en Rose* étant disparue en 1987, la presse féministe est moins présente depuis les années 1990 qu'elle ne l'était, vingt ans plus tôt.

On pourrait, d'une manière un peu naïve, se demander pourquoi la condition féminine devrait donner lieu à une couverture spécifique. Après tout, il n'y a pas de pages spécifiquement masculines dans les journaux, ni d'émissions « pour hommes seulement » à la radio ou à la télévision. Quelques statistiques illustreront le problème. Une étude menée au Canada par Media-Watch en 1984 a montré que 88 % des spécialistes, 83 % des acteurs sociaux et 70 % des « témoins de la rue » qu'on voyait aux téléjournaux étaient des hommes. Un rapport du Conseil de la radiodiffusion et des télécommunications canadiennes (CRTC) publié en 1986 confirmait qu'un événement organisé par un groupe de femmes ou traitant de la condition féminine a 1 chance sur 25 d'être mentionné pendant les périodes de grande écoute de la télévision.

Dans son livre *Le Silence des médias*[11], Colette Beauchamp donne de nombreux exemples de choix de couverture injustifiables, au détriment des « affaires de femmes ». En avril 1986, par exemple, aux États généraux sur l'éducation, le conférencier d'ouverture était l'astronaute canadien Marc Garneau. Vedette médiatique, ce militaire s'est fait le défenseur d'un système d'éducation orienté vers l'élite, et a affirmé que l'éducation pour tous était une « charité illusoire » qui nous mènerait tout droit à la faillite. Tous les médias ont propagé ces propos dans leurs manchettes. Quinze jours plus tard, un forum sur le pouvoir, l'éducation et la santé, organisé par les femmes de la Centrale de l'enseignement du Québec, invitait pour la conférence

---

11 Éditions du remue-ménage, Montréal, 1988.

d'ouverture la philosophe, écrivaine et chercheure féministe européenne Françoise Collin, l'historienne Micheline Dumont et la sexologue Andrée Matteau. Trois femmes qui ont réfléchi sur l'éducation, qui ont publié des analyses riches et nuancées. Le lendemain matin, pourtant, pas un mot sur ces communications, dans aucun des médias montréalais. Bien sûr, elles n'étaient pas astronautes[12]!

À la clôture de ce forum, deux jours plus tard, *Le Devoir* y allait d'un petit article, en page 3. Mais ce même jour, le journal a consacré la manchette à un très long article sur trois membres des Real Women du Québec qui partageaient la philosophie du mouvement pro-vie et dénonçaient l'idéologie féministe. Ces femmes ne représentaient alors qu'elles-mêmes, le mouvement Real Women n'ayant encore aucune assise au Québec.

À la fin de semaine suivante, tous les médias ont placé à la « une » la manifestation d'une centaine d'opposants à l'avortement devant la clinique du docteur Morgentaler dans l'est de Montréal. Ce même jour, la Fédération des femmes du Québec, qui comptait 35 000 membres, tenait dans la même ville son vingtième congrès annuel. Les médias n'ont pas couvert ce congrès.

Les exemples de ce genre s'accumulent par centaines. On peut y voir, parfois, de la mauvaise foi de la part des directeurs d'information qui donnent volontiers plus d'importance aux paroles d'hommes qu'aux paroles de femmes, mais c'est souvent un phénomène plus insidieux : nos journaux privilégient

---

12 Je dois admettre par honnêteté que les astronautes Julie Payette et Roberta Bondar ont occupé elles aussi par la suite une très large place dans les médias. D'ailleurs, si les sujets et les points de vue féminins ont plus de place dans nos médias aujourd'hui qu'au moment de la première édition de ce livre, c'est moins à cause d'un changement d'attitude des chefs des nouvelles que parce que les femmes ont pris de plus en plus de place dans les emplois professionnels et dans les lieux de pouvoir.

la parole des vedettes, des élus, des experts, des porte-parole des grandes institutions. Or, ce sont des hommes qui contrôlent tous ces postes de pouvoir. L'application même de la grille d'« objectivité » des journaux aboutit à dévaloriser certains intervenants... et surtout certaines intervenantes ! Dans les affaires féminines, le problème vient de la difficulté à reconnaître la légitimité des porte-parole.

Parce que les dossiers politiques prioritaires pour les femmes ont souvent été menés par des groupes qui affichaient une idéologie féministe, nos médias ont restreint leur espace de parole, sous prétexte que le rôle de la presse est de couvrir les faits, pas de véhiculer les idéologies. Une manifestation de femmes pouvait faire la manchette ; pas un discours féministe. Mais les journaux ont-ils la même réticence à l'égard du discours conservateur de la nouvelle droite économique, ou devant les éloges du modèle libéral américain qui ont fusé de partout depuis l'effondrement du rideau de fer, en 1989-1990 ?

Les spécialisations par créneau publicitaire

Certains journalistes se spécialisent dans la mode, la décoration, la gastronomie, le tourisme, le plein air. Leurs confrères les regardent parfois avec envie (quoi de plus agréable que d'être payé pour bien manger ou pour voyager !), parfois avec un peu de mépris. Est-ce vraiment faire du journalisme que de remplir chaque semaine les espaces entre les annonces de mode, avec des photos reçues par la poste et des commentaires adaptés ? Ou même de « couvrir », dix ou douze fois l'an, les défilés promotionnels organisés par des couturiers pour mousser leurs ventes ? Ou de raconter une récente excursion au soleil offerte par un grossiste en voyages ?

Certes, la mode est une industrie importante. Le tourisme aussi, comme le sont la gastronomie, la rénovation et la décoration domiciliaires, voire le plein air. Mais pourquoi ces secteurs industriels ne sont-ils pas couverts en tant qu'activité économique, au même titre que l'agriculture ou la construction ? Parce qu'il s'agit de loisirs ? Parce qu'ils expriment aussi notre culture ? Alors, pourquoi n'en parle-t-on pas dans la section culturelle, à côté du rock ou du cinéma, ou dans la section « détente », à côté du plein air ou du bridge ?

La réponse est simple : ces secteurs spécialisés existent — tant dans les quotidiens que dans les magazines ou les chaînes de télévision, définies de plus en plus par leurs publics spécialisés — parce qu'ils correspondent à de très forts créneaux publicitaires. C'est l'abondance des annonces de destinations vacances qui « impose » la publication d'un cahier « tourisme ». C'est pour attirer les annonces de restaurants qu'on les associe à une chronique régulière.

Notons que cela ne suffit pas à discréditer ces pratiques journalistiques. On écrit souvent de très bonnes chroniques sur les restaurants ; elles fournissent aux lecteurs des renseignements utiles sur les tables, bonnes et moins bonnes. Il y a d'excellents chroniqueurs touristiques et, plus rarement j'en conviens, de bons chroniqueurs de mode. Mais à cause du cadre de pratique de ces journalismes, la frontière entre l'information et la promotion est souvent franchie. Certains journalistes attitrés à la critique gastronomique vous avoueront que, lorsqu'un restaurant visité est vraiment médiocre, ils préfèrent ne pas en parler, plutôt que de lui faire mauvaise presse... et de risquer de le perdre comme annonceur.

Dans les magazines spécialisés, très dépendants de leurs annonceurs, la marge de manœuvre laissée à l'information critique est à peu près inexistante (notons que c'est vrai pour bien d'autres spécialités que celles mentionnées ici). Dans les quotidiens, où la liberté pourrait être plus grande parce que les interventions directes dans le contenu rédactionnel sont plutôt rares, c'est le volume de matière à remplir et l'impossibilité de fouiller chaque nouvelle au-delà des pochettes de promotion qui constituent les principaux obstacles.

Mais il y a un public pour ces textes, diront les éditeurs, pour justifier qu'on en publie tant. Et ils ont raison, bien sûr. Il y a un public pour les chroniques de restaurants comme il y en a un pour les chroniques de bridge, de jardinage ou d'observation des oiseaux. Sauf que tout cet espace qu'on ouvre à des textes de service, voire de promotion plus ou moins consciente, c'est à l'information *significative* qu'on le soustrait. Et pendant qu'on accumule ces textes à la marge du journalisme, qui donc se penche sur les véritables enjeux de l'industrie ou du loisir touristique, sur la culture véritable qu'exprime la mode ou la décoration, sur notre façon de nous nourrir ou de nous vêtir?

Il existe pourtant des moyens de le faire. J'ai créé et dirigé pendant plusieurs années le magazine *L'Épicerie*, une émission d'une demi-heure consacrée à l'alimentation à la télévision de Radio-Canada. Il y est question de santé, de prix et de qualité des aliments, de culture culinaire. Une émission comme *À la di Stasio*, diffusée à Télé-Québec, s'est aussi donné dès le départ un mandat culturel. De façon analogue, on trouve dans les chaînes spécialisées des émissions intelligentes sur le tourisme ou sur la rénovation. Après tout, nous passons une grande partie de notre temps à nous nourrir, à nous vêtir et à nous loger, à aménager notre espace, à voyager. Il y a dans toutes ces activités des enjeux collectifs et des choix à faire. La pertinence de l'observation des événements (nouveaux produits, nouveaux usages, nouvelles tendances) et de leur mise en contexte existe, à condition d'imposer une barrière absolue entre l'information et la promotion. Hélas, tous les médias n'ont pas les moyens ni la volonté de le faire de façon aussi nette. Et la multiplication de petits médias spécialisés ou de sites web sous-financés et dépendant fortement de leurs annonceurs ne favorise pas le développement d'un tel espace de liberté et de distance critique.

CINQUIÈME PARTIE

Les pratiques non conventionnelles : le journalisme d'enquête, le « nouveau journalisme » et le journalisme web

15

Le journalisme d'enquête

Nous vivons, dit-on, dans une société d'information. Des centaines d'institutions le croient, en tout cas, et savent s'organiser pour que leurs messages passent la rampe. Leur objectif: rejoindre le plus large public possible. Pour y parvenir, elles embauchent des professionnels, organisent des événements, courtisent des journalistes, suscitent des déclarations de personnages publics. Leurs messages méritent-ils toujours une place d'honneur aux bulletins de nouvelles? Peut-être pas! Mais si les moyens mis en branle sont efficaces, si l'événement est assez «gros» et, surtout, si les organisateurs sont perçus comme des détenteurs de pouvoir, les médias n'oseront pas faire la sourde oreille. Après tout, n'est-ce pas le rôle des témoins que de raconter ce qui se passe sur la scène publique?

Le problème, c'est qu'à force de colporter tous ces faits, ces paroles et ces rumeurs qui occupent l'avant-scène, les journalistes finissent par n'être que l'écho d'un spectacle où se croisent trop de messages. Non pas qu'il faille, du jour au lendemain, cesser de véhiculer les propos des ministres, patrons, vedettes, leaders syndicaux et autres ténors sociaux. Mais cette information-écho ne peut être comprise, et surtout jugée, que si les journalistes regardent aussi derrière la scène, du côté de ceux qui tiennent les ficelles. Le plus souvent, ces derniers préfèrent rester dans l'ombre. Et s'ils acceptent parfois d'être interrogés, pour peu que les journalistes insistent, ce qu'ils livrent n'est que partiel, masquant la partie des enjeux qui ne serviraient pas leurs intérêts. Il faut alors foncer, fouiller, s'acharner; c'est l'essence même du bon journalisme que de « mordre jusqu'à l'os ». Mais il arrive que les outils que nous avons décrits dans ce livre ne suffisent pas à déterrer la vérité et que le journaliste doive avoir recours à des moyens non orthodoxes. C'est alors qu'on parle de journalisme d'enquête... au sens policier du terme!

Par ailleurs, de l'autre côté du spectacle médiatique, il y a le public. C'est à lui que s'adressent, à travers les médias, tous ces organisateurs d'événements. Mais, là encore, on ne peut comprendre le sens de ce jeu organisé si on ne jette jamais un regard vers la salle. Qui sont ces sans-abri dont on parle tant dans les colloques universitaires? Qui sont ces syndiqués de la base pour qui s'organisent les fronts communs? Qu'arrive-t-il aux moins nantis quand on coupe les programmes sociaux? Comment vivent les nouveaux arrivants, quand la vague d'immigration est passée et que plus personne ne parle d'eux?

Dans ces cas, la difficulté n'est pas de même nature que celle qui caractérise le journalisme d'enquête. Le public ne se cache pas. Mais il n'a pas toujours des idées claires à exprimer ou, du moins, les moyens de le faire. Ni l'usage facile de la parole en public. Les travailleuses immigrées, exploitées dans quelques usines non syndiquées où les normes minimales de sécurité ne sont même pas assurées, ne viendront pas d'elles-mêmes révéler leur quotidien aux médias. Pas plus que les femmes ou les hommes seuls et malheureux de l'être, les milliers de fonctionnaires démotivés ou les propriétaires anonymes de *bungalows* de banlieue. Comment le témoin professionnel, habitué à rapporter des paroles et à raconter des événements, parviendra-t-il à rendre compte de cette vie sans « message » apparent? Des journalistes essaient pourtant de le faire, à l'occasion. Pour contourner ces obstacles et rendre compte, de l'intérieur, de ce que vivent les « sans-voix », ils ont parfois recours, là encore, à des astuces professionnelles qui sortent du cadre normal de l'exercice du métier de journaliste. Ce sont ces pratiques non conventionnelles que l'on a classées sous l'étiquette de « nouveau journalisme ».

Soyons clairs, ici : tout bon journaliste doit savoir fouiller derrière le décor et rendre compte de ce que vivent les gens derrière le message de leurs porte-parole; mais c'est lorsqu'il faut, pour y parvenir, transgresser les conventions généralement admises de la pratique du métier, celles qui ont été décrites jusqu'ici dans ce livre, que le journalisme d'enquête et le « nouveau journalisme » deviennent des genres spécifiques. Situés de part et d'autre de la scène, l'un côté coulisses, l'autre côté salle, ils ne sont pas nécessairement supérieurs au journalisme de nouvelles, d'événements ou de paroles, mais ils en sont complémentaires. Et ils sont essentiels, si les médias prétendent vraiment informer.

La petite histoire du journalisme d'enquête

Au milieu des années 1970, le journaliste américain Don Bolles entreprend une vaste enquête sur la spéculation immobilière en Arizona. Un matin de juin 1976, il tourne la clé de contact... et son automobile explose! Dans l'ambulance, il n'aura le temps de dire que deux mots : « Mafia... Emprise... » *Emprise*, c'est le nom d'une importante compagnie américaine impliquée, entre autres, dans le financement de plusieurs équipes sportives professionnelles.

Don Bolles ne fut pas le premier journaliste tué dans l'exercice de ses fonctions. Des correspondants de guerre sont tombés au front et des reporters ont déjà été pris en otage et exécutés par des terroristes. Mais ces journalistes peuvent être perçus comme des victimes accidentelles de leur travail; ils étaient au mauvais endroit, au mauvais moment. Don Bolles, lui, a été abattu parce qu'il en savait trop!

Quelques jours plus tard, les éditeurs des grands journaux américains tiennent leur congrès annuel. On y discute abondamment de l'affaire Bolles. Naît alors le projet d'un service coopératif visant à assurer que toute enquête interrompue de manière criminelle soit automatiquement reprise par plusieurs journaux, afin que les criminels ne soient plus jamais tentés de s'attaquer aux journalistes. C'est le début de l'IRE (pour Investigative Reporters & Editors).

Au programme de cette association figurent des mesures défensives comme la possibilité pour tout journaliste de mettre en dépôt dans un endroit protégé tous les documents compromettants sur lesquels il met la main dans le cadre d'une enquête; si jamais un « accident » arrive à ce journaliste, sa documentation sera alors transmise à plusieurs de ses collègues, qui s'engageront à terminer le travail inachevé. L'IRE met également en place des mesures éducatives: congrès, remise de prix annuels de journalisme d'enquête, publication d'une revue sur les méthodes d'enquête à partir d'études de cas réels, ateliers de formation, etc. En plus de cette association, les éditeurs ont aussi créé une fondation qui finance depuis lors les projets d'enquêtes entrepris par des journalistes indépendants ou par des médias incapables d'en assumer seuls les coûts extraordinaires.

Toutes les enquêtes ne comportent pas le même risque,

certes. N'empêche qu'on a failli, au Québec, vivre en 1974 une histoire semblable. Jean-Pierre Charbonneau, qui fera par la suite une carrière politique comme député de Verchères, travaillait à l'époque comme chroniqueur judiciaire au *Devoir*. Il avait mené, peu de temps auparavant, une enquête sur la complicité entre le chef de la police de Montréal et certains leaders du crime organisé. Il jouissait de très bonnes relations dans les milieux criminels, mais surtout dans les milieux policiers, chez ceux qui, en silence, désespéraient de voir advenir un peu plus de moralité dans la hiérarchie policière. Un jour, un homme se présente à l'entrée de la salle de rédaction du *Devoir* et demande à voir M. Charbonneau. On lui indique son pupitre. L'homme sort un revolver, tire en direction du journaliste et prend la fuite. Jean-Pierre Charbonneau en sera quitte pour une blessure au bras.

Ce n'est pourtant qu'en 1978, quatre ans plus tard, que sera créé au Québec et ailleurs au Canada le Centre pour le journalisme d'enquête, avec un mandat analogue à l'IRE américain. Ce qui convaincra les journalistes de l'urgence d'un tel service, c'est « l'affaire Samson ». Rappelons quelques faits. En 1976, alors que les employés de la chaîne d'épicerie Steinberg sont en plein conflit syndical, une bombe explose sur le terrain d'un des dirigeants de l'entreprise, Melvin Dobrin. Elle explose un peu trop tôt, en fait : Robert Samson est blessé par l'engin qu'il s'apprêtait à déposer. Or, Robert Samson est policier à la Gendarmerie royale du Canada (GRC)! Depuis les événements violents de 1968 (l'émeute de la Saint-Jean-Baptiste), de 1969 (la manifestation du Mouvement McGill français) et surtout de l'automne 1970 (le double enlèvement du diplomate James Richard Cross et du ministre québécois Pierre Laporte, exécuté par ses ravisseurs), les journalistes soupçonnaient la police d'avoir infiltré les mouvements gauchistes du Québec. Mais de là à poser des bombes!

La version officielle, c'est que Robert Samson aurait agi de son propre chef. Un « instable », dira-t-on au siège de la GRC. À son procès, l'agent pris en faute refuse de jouer ce rôle. Il affirme au contraire avoir agi « en service commandé » et, pour ajouter à la crédibilité de son témoignage, Samson dévoile d'autres opérations illégales auxquelles il aurait participé, dont la mise à sac des locaux de l'Agence de presse libre du Québec, en février 1972.

Les journalistes du Canada tout entier découvrent alors avec étonnement que leur pays, en apparence si vertueux, entretient une police qui n'hésite pas à transgresser les lois. Et dire qu'on croyait ces scénarios de film noir réservés aux éminences grises de la CIA américaine ! Les journalistes québécois découvrent quant à eux qu'ils n'ont pas fait leur travail : en 1972, lorsque les « marginaux » de l'Agence de presse libre avaient dénoncé le viol de leurs locaux et le vol de nombreux documents, et que le ministre québécois de la Justice, Jérôme Choquette, avait juré en conférence de presse que la police n'y était pour rien, tous les journalistes avaient cru le ministre et oublié l'affaire. Il était temps qu'il se fasse un peu plus d'enquêtes, dans ce petit monde du journalisme servile.

Il y a eu, au tournant des années 1980, une véritable émergence du journalisme d'enquête. Mais cette première vague n'a pas duré très longtemps. La crise économique a appauvri les salles de rédaction. Les journalistes n'ont pas souvent reçu de leurs patrons l'appui dont ils auraient eu besoin pour fouiller l'envers du décor. Après quelques années d'effervescence, le journalisme d'enquête est redevenu anémique. Au début des années 1990, le Centre pour le journalisme d'enquête a changé de nom pour devenir la Canadian Journalism Association (CJA), une association professionnelle avec un mandat de représentation beaucoup plus large. Comme si l'enquête — au sens le plus exigeant du terme — était passée de mode !

Mais le journalisme d'enquête connaît présentement un

nouvel essor qui s'explique en partie, et de façon ironique, par la crise majeure qu'ont traversée les médias traditionnels. La montée des journaux gratuits, la multiplication des sites web dévolus à l'information et la fragmentation des auditoires de la télévision ont rendu incertaine la survie des entreprises de presse traditionnelles et les ont contraintes à offrir un contenu exclusif si elles voulaient survivre. Au congrès de la Fédération professionnelle des journalistes du Québec, en 2006, l'éditeur Pierre Karl Péladeau est venu expliquer que c'était à ses yeux la seule voie d'avenir pour les quotidiens payants. À la même époque, la télévision de Radio-Canada a pris le risque de lancer un magazine hebdomadaire consacré entièrement à l'enquête, puis d'y affecter une équipe spécialisée dans sa salle des nouvelles. *La Presse* a emboîté le pas peu après. Les autres journaux ont suivi.

Qu'est-ce que le journalisme d'enquête?

Pris dans son sens le plus large, le terme *enquête* peut couvrir une très grande part de l'activité journalistique. Dès qu'un reporter se pose une question d'intérêt public et n'obtient pas de réponse immédiate, et qu'il décide alors d'aller voir sur le terrain comment les choses se passent, de poser des questions gênantes ou de fouiller dans la documentation technique à la recherche d'éléments de réponse, on peut affirmer qu'il « mène une enquête ». On pourrait ainsi parler d'« enquêtes de terrain » sur la qualité de l'enseignement du français, sur l'engorgement des urgences ou sur la grogne au sein de la fonction publique municipale. Ou d'une enquête sur l'augmentation de la part du secteur privé dans les soins de santé, sur la faible concurrence dans le secteur de la machinerie lourde ou sur les salaires payés aux dirigeants des grandes entreprises.

Dans tous ces cas, il s'agit bien d'enquêtes, au sens le plus large : une démarche journalistique fondée sur un questionnement et sur un effort de vérification méthodique. Ainsi, une des premières grandes enquêtes à avoir été primée par le Centre pour le journalisme d'enquête, au tournant des années 1980, portait sur les demandes de hausse des tarifs résidentiels de Bell Canada au CRTC. L'entreprise évoquait la nécessité d'investir massivement dans la modernisation d'un réseau téléphonique qualifié de désuet. L'économiste Michel Nadeau, alors journaliste au *Devoir*, avait entrepris une étude systématique des investissements de l'entreprise et découvert que la modernisation ne visait pas le service de base des abonnés du téléphone, mais plutôt le service des affaires, où il fallait préparer la révolution informatique et tenir tête au concurrent du secteur commercial, Télécommunications CNCP. De fait, ce travail d'analyse de Michel Nadeau était remarquable. Mais en réalité, aucun bon journaliste n'aurait dû rapporter les arguments de Bell Canada sans les confronter aux données techniques. Après tout, Michel Nadeau n'avait utilisé, pour son « enquête », que des documents officiels et publics. Les outils décrits jusqu'à présent dans ce livre suffisent donc pour ce genre de journalisme : entrevues avec des personnes-ressources compétentes, utilisation de la documentation technique, analyse des rapports annuels… et surtout, au départ, une bonne dose de scepticisme face à tous les discours officiels. Michel Nadeau nous avait donné à tous une solide leçon de bon journalisme.

Mais le concept de « journalisme d'enquête » dont il est question dans le présent chapitre (l'*investigative reporting* des Américains) concerne une tout autre réalité. Il porte sur ces situations qui ne peuvent être éclairées si les journalistes n'ont pas accès à des documents confidentiels, si on ne les informe pas du déroulement de rencontres secrètes, si des informateurs privilégiés ne leur communiquent pas, sous le sceau de la confidence, certains éléments d'information. Dans certains cas, la cueillette de l'information et sa vérification imposent de transgresser les règles de base du métier (notamment le fait que le journalisme se pratique à visage découvert, que les gens ont le droit de savoir pourquoi on les interroge, qu'on respecte leur vie privée, etc.) et parfois même de contourner certaines lois. C'est dans ces situations où existe un conflit entre l'éthique et l'accès à l'information que l'on parle de journalisme d'enquête, au sens policier du terme.

Regardons rapidement quel genre de dossier nécessite ce type de d'enquête. C'est d'abord le cas lorsque l'information est consciemment dissimulée, soit parce qu'elle touche des activités illégales (fraudes, activités criminelles, trafic d'influence), soit parce qu'elle relève du domaine de la stricte confidentialité (décisions d'investissements prises dans des bureaux fermés, tractations internationales entre compagnies privées)... sans oublier les erreurs politiques qu'on préfère taire, les fautes professionnelles qu'on cherche ensuite à maquiller, etc.

Vient ensuite l'information obscure non pas parce qu'on la camoufle volontairement, mais parce qu'elle ne peut être comprise qu'en recoupant d'innombrables sources, dont certaines, là encore, relèvent du domaine privé. La stratégie des multinationales pétrolières ou gazières, par exemple, peut être analysée à partir des outils économiques (gisements connus, coûts d'exploration et d'exploitation, panorama de la consommation, prix du pétrole brut et du gaz naturel), mais il faut aussi tenir compte des tractations politiques entre nations productrices et consommatrices, des alliances entre ces entreprises et les sociétés nationales qui leur fournissent la ressource et d'une kyrielle d'autres considérations externes (garanties de prêts, soutien militaire et ventes d'armes aux gouvernements, conflits frontaliers entre pays

producteurs, etc.). Il y a, dans le monde, une demi-douzaine
d'instituts qui ne font que ça : analyser et chercher à comprendre
le secteur pétrolier. Et le journaliste qui veut s'y aventurer ne
peut le faire sans y consacrer des mois, voire des années, à moins
qu'il n'ait accès à des analyses le plus souvent confidentielles.

Il en va de même de bien d'autres secteurs de l'économie,
de la politique internationale ou de la haute finance. Ainsi, au
moment où le lobby de la droite financière canadienne a réussi
à convaincre la quasi-totalité des journaux du pays du niveau
catastrophique de notre dette nationale et de l'imminence d'une
crise majeure, le journaliste Miville Tremblay, de *La Presse*, a
mis un an — grâce à une bourse de recherche de la Fondation
Atkinson — pour voir clair dans les attitudes et les attentes des
investisseurs institutionnels et pouvoir tracer un portrait beaucoup plus nuancé de notre vulnérabilité nationale[1]. Il a dû, pour
y parvenir, voyager dans plusieurs capitales étrangères, être reçu
en privé par des banquiers, des analystes et autres gestionnaires
de portefeuille, un travail qui, on en conviendra, dépasse les
moyens normalement accessibles à un journaliste, même dans
la presse spécialisée.

Mais il y a aussi des zones obscures dans certains aspects
plus « ordinaires » de notre vie sociale. Le travail au noir, par
exemple, est en principe une activité frauduleuse, mais il est
toléré dans bon nombre de secteurs : travail domestique et garde
d'enfants en milieu familial ; travaux mineurs de rénovation
domiciliaire ; tâches confiées en sous-traitance à des ouvrières
à domicile, etc. Sans oublier toute l'économie non marchande,
celle des échanges de services entre voisins. Le phénomène est
donc important, mais difficile à cerner parce qu'il se situe hors

---

1   Miville Tremblay, *Le Pays en otage*, Montréal, Éditions Québec Amérique,
1994, 345 p.

de l'activité économique formelle, à la frontière de la vie privée bien souvent.

Nous parlerons donc ici de journalisme d'enquête dans cette perspective restreinte **où la préparation d'un article ou d'un dossier suppose l'accès, pour le journaliste, à des sources d'information non publiques.** Nous tenons pour acquis que le journalisme de doute méthodique, de remise en question et d'analyse systématique des documents publics — l'autre acception du terme *enquête* — peut, quant à lui, être pratiqué avec les outils déjà décrits dans les chapitres précédents.

La pertinence du journalisme d'enquête

Si le journalisme d'enquête, au sens où nous l'entendons ici, repose sur l'accès à des documents confidentiels et à des données cachées, certains pourraient se demander si c'est bien là le rôle des journalistes. N'y a-t-il pas, dans notre société, des institutions responsables de la surveillance des activités illégales? Ne compromet-on pas la sécurité publique, en jouant ainsi les apprentis justiciers?

Un premier élément de réponse, c'est que ces organismes de contrôle agissent parfois eux-mêmes dans l'illégalité! Ils le font d'autant plus facilement qu'ils fonctionnent, par définition, dans la sphère du secret. La pègre ne jouirait pas d'une aussi grande marge de manœuvre sans de solides appuis dans le monde politique et dans la hiérarchie policière. Les trafiquants d'armes ne parviendraient pas aussi aisément à contourner les politiques officielles sans la complicité des entreprises et des diplomates en poste à l'étranger. Bien sûr, la vigilance de la presse ne suffit pas à empêcher ces trafics d'influence. Mais elle peut contribuer à restreindre les abus, dans la mesure où tout comportement incorrect risque, tôt ou tard, d'être dévoilé. La corruption existe certes chez nous, car la presse ne parvient pas toujours à jouer les chiens de garde ; mais elle n'est jamais aussi généralisée que dans les pays privés de toute presse libre.

La pertinence du journalisme d'enquête tient en second lieu au fait que certains dossiers d'intérêt public ne peuvent pas être compris adéquatement sans l'apport de renseignements confidentiels. Les grandes entreprises prennent leurs décisions d'investissement sur la foi d'enquêtes confiées à des organismes à caractère quasi policier ; les partis politiques orientent leur stratégie électorale à partir de sondages qu'ils se gardent bien de rendre publics ; les relations internationales se font à coups de discours officiels publics et d'entretiens privés, les seconds étant plus décisifs que les premiers. Bref, la justesse de l'analyse sociale et politique nécessite souvent que les journalistes osent être indiscrets. C'est ce qui a amené Jean-Claude Leclerc, alors éditorialiste au *Devoir,* à se demander : « Pourquoi les espions seraient-ils nécessaires aux industriels, aux gouvernements, aux forces policières, mais pas au grand public ? Pourquoi ne serions-nous pas les espions du monde ordinaire ? »

Ajoutons ici que le journalisme d'enquête est d'autant plus essentiel qu'il existe, dans presque toute institution où se développent des activités louches, des « victimes » qui réclament justice et des « témoins » qui se scandalisent et ont envie de parler. Il y a donc des informations qui aboutissent tout naturellement aux médias. La question n'est donc plus de savoir si les journalistes ont raison de vouloir déterrer ce qui est enfoui, mais s'ils ont le droit de l'enterrer à nouveau quand il leur est révélé !

Enfin, il y a l'argument économique déjà mentionné : au moment où l'information officielle est offerte dans des journaux gratuits, qu'on peut y avoir accès à toute heure du jour sur d'innombrables sites web ou sur les chaînes d'information continue, s'ils veulent survivre, les grands médias doivent se distinguer par la pertinence et l'exclusivité de leur contenu. La publication d'enquêtes fouillées n'est pas la seule solution, certes, mais cela peut faire partie d'une stratégie à long terme pour fidéliser un public.

Des obstacles à surmonter

Si le fait de miser sur le journalisme d'enquête peut paraître, à long terme, une stratégie gagnante, ce n'est hélas rentable qu'à long terme. Dans l'immédiat, cette forme de journalisme est coûteuse, risquée et surtout difficile.

La concurrence sur la nouvelle

Premier obstacle, déjà évoqué dans ce livre : les médias cherchent tous à être « dans la course », à parler des événements dont tous les autres parleront. Pleins feux sur la scène publique, en somme, dont on ne peut s'écarter très longtemps si on ne veut pas perdre une clientèle qui ne s'y retrouverait plus.

Certes, une bonne enquête qui aboutit deviendra aussitôt matière à débat public. Mais on ne sait jamais, au début d'une recherche, si le travail ne finira pas en queue de poisson. Miser sur l'enquête, cela signifie libérer des journalistes, plusieurs semaines s'il le faut, sans être certain du résultat. Les médias n'écartent pas cette option, mais ils attendent souvent d'avoir de bonnes pistes avant de mobiliser des reporters. Et comme on envoie ces derniers, en attendant, couvrir le quotidien, ramener une ou deux nouvelles chaque jour, suivre les politiciens, les vedettes, les colloques, personne n'a le temps de se demander où chercher !

Du reste, les sujets d'enquête deviennent eux-mêmes, dès la publication, un territoire de forte concurrence. Ce n'est pas mauvais en soi. Quand les journalistes du *Washington Post* ont commencé à fouiller l'entrée par effraction dans les locaux de campagne du Parti démocrate dans l'édifice Watergate et les liens entre le commando et l'entourage de Nixon, c'est parce que plusieurs autres journaux sont entrés à leur tour dans la course aux confidences et aux documents secrets que le scandale a finalement emporté le président. Ce fut aussi le cas avec les enquêtes de 2008 et 2009 de *La Presse* sur la corruption au sein du parti Union Montréal au profit de quelques gros entrepreneurs. C'est en partie parce que les autres quotidiens ont emboîté le pas qu'on a pu faire la lumière sur autant de transactions douteuses (dont le contrat de fourniture des compteurs d'eau, finalement annulé après enquête du vérificateur général de la Ville).

Mais cette concurrence peut aussi contribuer à disperser les efforts. Pendant les audiences publiques de la Commission Bastarache sur le processus de nomination des juges et l'influence alléguée des financiers du Parti libéral, les responsables des nouvelles de Radio-Canada ont demandé qu'on affecte l'équipe d'enquête en priorité là-dessus, parce qu'elle avait été à la source de cette investigation. Elle y a perdu quelques semaines, sans grand résultat. Par la suite, quand Radio-Canada a révélé que le maire de Laval, Gilles Vaillancourt, avait versé en secret de l'argent comptant à des candidats de deux partis politiques québécois, les équipes d'enquête des autres médias se sont concentrées pendant quelques mois sur la Ville de Laval, mettant de côté d'autres pistes qui auraient pu aboutir plus facilement.

Bref, pour mener à terme des enquêtes délicates, il faut accepter d'y consacrer du temps (des mois, bien souvent) sans trop se laisser distraire. Or, le temps est une denrée rare, dans nos salles de rédaction.

Le coût élevé des enquêtes

Si certains médias bien nantis peuvent se permettre de libérer un journaliste pendant plusieurs semaines pourvu que son projet d'enquête repose sur des bases solides, beaucoup d'autres vont d'emblée rejeter le moindre projet à long terme en affirmant qu'ils n'en ont pas les moyens.

Car, en plus de mobiliser souvent des journalistes durant plusieurs semaines, les enquêtes les plus ambitieuses entraînent d'importants frais directs : photocopie de lourds documents, frais de consultation d'experts, frais juridiques, protection offerte à certains informateurs vulnérables, etc. Et tout cela, rappelons-le, sans aucune garantie de publication... avec en prime le risque d'être poursuivi !

Certains médias préféreront donc « passer leur tour ». Au mieux, ils tenteront de prendre le train en marche, en fouillant certains aspects précis de scandales divulgués par d'autres médias, quand le fruit est déjà mûr, en somme. Ou ils mèneront des enquêtes peu risquées, relativement faciles, et dont on sait qu'elles vont aboutir rapidement. On pourrait donner comme exemple la publication des primes salariales ou des dépenses remboursées à des administrateurs de sociétés publiques, obtenues par demande d'accès à l'information. Ou la mise à l'épreuve de certains services publics, une démarche qui ne demande pas beaucoup de temps et risque de donner naissance à des articles savoureux[2].

---

2 Notons que de telles enquêtes sur les produits ou les services peuvent être pertinentes. Les émissions destinées aux consommateurs comme *J.E.*, *La Facture* ou *L'Épicerie* en diffusent souvent, et elles obtiennent les meilleures cotes d'écoute parmi les émissions d'information. Mais l'essentiel de leur travail ne se situe pas dans la sphère du journalisme d'enquête (au sens fort) dont il est question dans ce chapitre.

La peur des poursuites

Au début des années 1980, *La Presse* a laissé le journaliste Michel Girard travailler presque exclusivement sur des enquêtes. On lui doit la dénonciation des astuces financières du fondateur de Télé-Médic, la mise à jour des sommes énormes que le Parti québécois avait engouffrées dans l'organisation de la fête nationale en 1977, la description de tractations financières douteuses entre Loto-Québec, la Société immobilière du Québec et les promoteurs d'un ensemble judicieusement nommé « La grande passe » (!) et, surtout, la démonstration flagrante, en 1982, que le premier ministre René Lévesque avait menti à l'Assemblée nationale au sujet du règlement hors cour des poursuites relatives au saccage de la baie James.

À la suite de cette dernière affaire, où les preuves étaient accablantes, René Lévesque a envoyé à l'éditeur de *La Presse* une mise en demeure lui enjoignant de se rétracter. Au lieu d'appuyer son journaliste, la direction du quotidien s'est contentée d'une demi-rectification, en réaffirmant les faits, mais en reconnaissant que l'usage du verbe *mentir* dans le titre était peut-être un peu trop fort. Il n'en fallait pas plus pour que les avocats du premier ministre utilisent cet aveu comme preuve à l'appui d'une poursuite.

Cette affaire n'a jamais abouti au tribunal, comme c'est très souvent le cas au Canada lors de poursuites contre les médias. Mais même une poursuite abandonnée coûte très cher en frais d'avocats. C'est à la suite de cette affaire que *La Presse* a décidé de retirer Michel Girard des enquêtes! Il faudra attendre plus de vingt ans pour que le quotidien remette en place une solide équipe d'enquête.

Les personnes mises en cause dans des enquêtes peuvent donc menacer de poursuivre le média à tout propos; même lorsque le dossier est solide, les médias préfèrent souvent reculer.

Aux États-Unis, le principe de la liberté de presse est fondé sur le premier amendement de la Constitution et a été plusieurs fois réaffirmé par la Cour suprême. Au Canada, parce que les compensations accordées par les tribunaux ont toujours été beaucoup moins généreuses, les plaignants ont eu plus souvent tendance à se désister, et la jurisprudence est moins riche. Dans les faits, la liberté d'expression et son corollaire, la liberté de presse, ont quand même été considérées par le plus haut tribunal canadien comme des valeurs fondamentales, mais nous avons traversé récemment une période inquiétante où les tribunaux de première instance et les cours d'appel ont privilégié la réputation des victimes d'enquête et leur droit à la vie privée[3]. Résultat : les personnes mises en cause dans des enquêtes savent qu'en poursuivant les médias, elles les incitent à modérer leurs attaques, et elles gagnent du temps. Même lorsque leur dossier est solide, bien des médias préfèrent reculer faute de moyens pour porter leur défense jusqu'en Cour suprême.

---

3 En 1997, la Cour suprême du Canada a accordé à Pascale-Claude Aubry un dédommagement symbolique de 200 dollars parce que sa photo, pourtant prise dans un lieu public, avait été publiée sans son consentement ; la plaignante n'avait pourtant subi aucun dommage réel à la suite de cette publication. Ce jugement a montré à quel point la justice canadienne considérait comme sacré le respect de la vie privée. Deux fois, en 1998 et 1999, des juges québécois de première instance ont refusé à des journalistes l'accès aux formulaires de remboursement de dépenses d'une élue municipale et de fonctionnaires, en affirmant que, même si les dépenses avaient été payées par les fonds publics, l'usage que ces personnes en avaient fait relevait de leur vie privée. Ce jugement, aberrant du point de vue du droit du public à l'information, a été renversé en Cour supérieure en décembre 1999. Mais cela montre à quel point de nombreux juges ont une vision très restreinte de l'intérêt public.

La méfiance des sources

Enfin, il ne faut pas oublier que les enquêtes commencent le plus souvent sur des pistes très imprécises : un document confidentiel envoyé dans une enveloppe anonyme, un coup de téléphone d'un informateur qui refuse de se nommer, une rumeur, un témoin qui accepte de parler mais ne rapporte en fin de compte que des faits invérifiables, etc.

Dès lors, le journaliste peut mettre son enquête en branle, mais il découvrira rapidement que, dans le milieu qu'il observe, les gens se méfient des journalistes et hésitent à lui parler. Il est alors difficile de confirmer la moindre piste auprès de gens qui ont tout intérêt à se taire, parce qu'ils profitent eux-mêmes du « scandale » ou qu'ils risquent gros s'ils livrent de l'information. Et si le journaliste « ouvre son jeu » et pose aux acteurs ciblés ou à leurs proches des questions trop précises, il y a bien des chances que cela déclenche une opération de repli, de camouflage et de destruction de documents à l'intérieur du milieu sous enquête où il deviendra de plus en plus difficile de retracer la moindre preuve. En fin de compte, il y a plus d'enquêtes qui tournent court qu'il y en a de publiées.

Les nouvelles contraintes imposées par les tribunaux

Pendant longtemps, la règle explicite qui justifiait aux yeux des juges la publication d'un article reposait sur deux critères. D'abord, l'information était-elle exacte ? Ensuite, était-elle d'intérêt public ? C'est ce deuxième critère que les juges devaient pondérer par rapport aux autres droits fondamentaux garantis par les chartes tels le droit de contrôler l'utilisation faite de son image et le droit à la vie privée.

En 1994, Radio-Canada a porté en appel un jugement de la Cour supérieure du Québec qui lui imposait de payer des dommages et intérêts aux propriétaires de la station privée Radio Sept-Îles, à la suite de la diffusion d'un reportage sur leurs démêlés avec le fisc et sur de possibles fraudes. Certes, le reportage comportait quelques erreurs de faits, mais la Cour d'appel a renversé cette décision en affirmant que la responsabilité journalistique est assimilable à la responsabilité professionnelle et que son évaluation doit faire appel au critère d'un « comportement raisonnable » de la part du professionnel. Dans le cas d'un reportage, il faut donc déterminer si l'enquête préalable a été exécutée en prenant des précautions normales et en utilisant des techniques d'investigation disponibles ou habituellement utilisées. La faute ne se réduit pas à la seule publication d'un renseignement erroné ; elle est liée à « l'inexécution d'une obligation de diligence ou de moyens ». S'il y a atteinte à la réputation, cette atteinte ne sera sanctionnée par les tribunaux que si la démarche est fautive, c'est-à-dire si on y retrouve une violation des standards professionnels de l'enquête et de l'activité journalistique.

Ce jugement a été accueilli comme une victoire importante par tous les médias. Désormais, une erreur de fait dans un article n'allait plus entraîner une condamnation automatique si le média pouvait démontrer « avoir tout fait dans les règles » à l'étape de la préparation du reportage.

Mais ce fut, pour un temps du moins, une victoire à la Pyrrhus. Puisque l'évaluation de la responsabilité journalistique allait désormais porter sur les moyens mis en œuvre pour traquer la vérité et pour respecter le droit des personnes, et non plus seulement sur l'exactitude et l'intérêt public du reportage, les juges ont commencé à se poser des questions sur les « règles de pratique » de la profession. Ils ont cherché à comprendre ce qui est généralement admis et ce qui ne l'est pas, en consultant notamment les divers codes de déontologie adoptés par certains médias ou certaines associations professionnelles.

Cela a conduit à certains des jugements les plus sévères portés contre les médias. Dans la double poursuite des docteurs Frans Leenen et Martin Myers contre CBC — pour un reportage de l'émission *The Fifth Estate* mettant en cause l'intégrité des deux médecins qui continuaient à prescrire et recommander un médicament qu'ils savaient pourtant potentiellement dangereux —, le tribunal a estimé en 2001 que l'information était exacte et d'intérêt public, mais que les médecins avaient été traités avec manque de respect, qu'ils n'avaient pas eu toutes les occasions de faire valoir leur point de vue, que le producteur et sa journaliste avaient même utilisé des techniques « malicieuses » et que ces attitudes étaient inacceptables compte tenu de la gravité des accusations portées contre les deux médecins. CBC a dû payer plus d'un million de dollars en dommages, la Cour suprême ayant refusé d'entendre son ultime appel.

En juillet 2004, la Cour suprême a confirmé un jugement analogue contre Radio-Canada dans l'affaire Néron. Gilles Néron n'était pourtant pas directement mis en cause dans le reportage de l'émission *Le Point* à l'origine de sa poursuite. Le reportage portait plutôt sur la Chambre des notaires, dont M. Néron était responsable des relations publiques. Dans une demande officielle d'interview au nom de la présidente de la Chambre, après un premier reportage dévastateur, le plaignant avait invoqué plusieurs erreurs ou omissions qu'il fallait corriger. Radio-Canada a vérifié les faits et conclu que cette demande d'interview reposait sur des mensonges. On a donc diffusé un second reportage pour démontrer la mauvaise foi de la Chambre. À la suite de ce second reportage, l'organisme a mis fin à son contrat avec Gilles Néron, le dénonçant même dans une lettre envoyée à tous les notaires du Québec. Dans ce cas encore, les juges n'ont jamais mis en cause l'exactitude des faits ni leur intérêt public, mais ils ont reproché à Radio-Canada de ne pas avoir traité Gilles Néron de manière respectueuse, de ne pas lui avoir laissé le temps de vérifier la source des informations erronées qu'on lui reprochait d'avoir diffusées, etc.

Ces deux jugements ont fait craindre qu'il devienne désormais presque impossible de diffuser des enquêtes. Ils ont surtout fait en sorte que les règles de déontologie des médias (l'équité, l'équilibre entre les opinions, le respect de la vie privée, le fait de travailler « à visage découvert », etc.) sont devenues les bases sur lesquelles se fondent désormais les juges pour évaluer leur responsabilité. Or, la déontologie est très souvent beaucoup plus exigeante que le droit. Certains comportements parfaitement légaux peuvent être tenus pour inappropriés dans l'exercice d'un journalisme respectueux. À la suite de ces jugements, certains grands médias ont décidé de ne pas se donner de code de déontologie pour éviter que cela ne se retourne contre eux dans des poursuites à venir.

En pratique, toutefois, le nombre des enquêtes diffusées depuis quelques années n'a pas diminué. Ces jugements ont eu pour effet de forcer les journalistes à redoubler de prudence, en s'assurant de respecter à chaque étape de la collecte et du traitement de l'information les normes éthiques les plus rigoureuses. Cela a beaucoup alourdi le travail des journalistes (et des services juridiques des entreprises de presse), mais cela a aussi contribué, paradoxalement, à l'amélioration de la qualité du travail d'enquête des médias.

Les moyens et les méthodes du journalisme d'enquête

Connaissant ces obstacles et ces exigences nouvelles, on peut suggérer un certain nombre de conditions générales qui favorisent l'émergence du journalisme d'enquête dans nos salles de rédaction. Mentionnons, entre autres, une plus grande spécialisation des journalistes, une meilleure formation, notamment sur les outils de recherche et les sites de documentation, une organisation de la salle de presse favorable au travail en équipe et une politique rédactionnelle qui encourage le travail en profondeur à partir de pistes incertaines plutôt que la couverture à tout prix de tous les événements du jour.

Le point de départ : « l'enveloppe brune » ou la dénonciation

C'est le cliché de base du genre. Un journaliste reçoit, par la poste ou autrement, un dossier confidentiel dans une enveloppe cachetée. Il l'ouvre et prend connaissance de faits troublants, jusqu'ici inconnus. La plupart du temps, la source est anonyme.

Il ne faut pas se faire d'illusions : aucune information confidentielle n'est divulguée si, de l'intérieur, il n'y a pas quelqu'un qui a intérêt à parler. Il s'agit parfois de la victime d'une injustice, parfois d'un observateur de l'interne scandalisé (un *whistleblower*). Une telle fuite est toujours un point de départ intéressant pour une enquête.

Si la source est anonyme, il est difficile d'en évaluer la crédibilité. Il peut même s'agir d'un dossier fabriqué pour nuire à un adversaire. En principe, on ne doit jamais publier une telle information sans en avoir vérifié la validité auprès d'au moins une autre source.

Le plus souvent, par contre, la source n'est pas anonyme, mais l'information qu'elle affirme détenir est difficile à démontrer. La personne nous fait part de soupçons, se pose de sérieuses questions, témoigne de rumeurs qui courent dans son milieu. Au mieux, elle donne aussi le nom de personnes qui pourraient nous informer... pour peu qu'elles acceptent, ce qui est rarement le cas. À ce stade, tout reste à faire, et l'enquête risque bien souvent de tourner court.

Un problème particulier se pose quand l'information anonyme reçue au départ provient clairement d'une opération illégale, un document volé par exemple. Un arrêt de la Cour suprême a confirmé en 2010 que ce n'est pas la responsabilité du média de s'assurer de la légalité de provenance d'un document. Le responsable du vol peut être poursuivi, mais le média a le droit de diffuser l'information ainsi obtenue si l'intérêt public le justifie. Par contre, l'article 193 du Code criminel, concernant les enregistrements de conversations téléphoniques produits à l'insu de tous les interlocuteurs (l'écoute policière ou l'écoute illégale), est beaucoup plus restrictif et rend illégale toute communication par des tiers, en public comme en privé, de l'information ainsi obtenue, sauf lors d'un témoignage. En principe, cette interdiction « universelle » couvre les médias. Cela signifie que, dans certains cas, les journalistes peuvent prendre connaissance de conversations révélatrices d'activités criminelles d'un intérêt public certain... sans avoir le droit d'en parler dans leurs reportages, ni même de consulter des experts à leur sujet[4].

---

4 Au moment de la rédaction de ce livre, cette disposition n'a jamais été contestée devant la Cour. Un média parviendrait-il à faire invalider cet article s'il démontrait que cette restriction empêche les journalistes de mettre au jour des opérations illégales ou frauduleuses dont ils sont informés?

L'apprivoisement (et la patience)

Informé de l'existence possible de pratiques douteuses au sein d'une entreprise, un journaliste décide d'examiner la situation de plus près. Mais poser des questions trop directes risque de provoquer, à l'interne, un arrêt stratégique des pratiques en cause et la destruction des preuves. Il vaut mieux être patient. Il faudra parfois plusieurs semaines, voire quelques mois, pour se bâtir un réseau de relations à l'intérieur de l'entreprise. Dans certains cas, les journalistes choisiront l'approche indirecte : on commence par rédiger un article sur le domaine d'activité, on publie ensuite un article « positif » sur l'entreprise, on fréquente ses directeurs, on crée des liens, on apprivoise...

Cette stratégie est nécessaire non seulement pour éviter d'éveiller les soupçons, mais aussi parce que, avant d'attaquer tout dossier controversé, le journaliste doit s'assurer de bien connaître l'entreprise et le secteur qu'il aborde. Sans familiarisation initiale, il risque de se faire facilement manipuler.

En outre, plus on fréquente un milieu, plus on y est accepté, plus on arrive à reconnaître les sources fiables et les appuis potentiels, en même temps que les réseaux qu'il faudra démasquer. En matière d'enquête, la précipitation est la pire ennemie des journalistes.

Mais infiltrer un milieu et l'apprivoiser demande des mois. Difficile, quand on travaille au quotidien. Un exemple : dans la foulée de son enquête sur la société de production Cinar, Radio-Canada a dénoncé une pratique de double facturation très répandue dans l'industrie de la production audiovisuelle, rapportée par des témoins désirant demeurer anonymes. Les reportages de Sophie Langlois ont bien décrit comment fonctionnait l'escroquerie. Mais, faute de preuves, l'enquête policière n'a jamais abouti. Pour monter une telle preuve, il aurait fallu que l'équipe d'enquête s'associe à un des producteurs indignés, suive avec lui tout le processus et prenne les fraudeurs en flagrant délit, dates et montants à l'appui. Beaucoup de médias pensent que ce genre d'enquête relève plutôt de la police, et préfèrent publier le peu qu'ils savent, en réclamant une enquête. Mais en publiant trop tôt, ils permettent aux fraudeurs d'effacer leurs traces !

Le développement d'un réseau de sources fiables

L'information à l'origine d'une enquête provient parfois de personnes qui ne sont pas conscientes de leur importance ou, au contraire, qui désapprouvent une situation et veulent la rendre publique par sens civique, sans toujours mesurer les risques qu'ils courent. À « brûler » trop vite de telles pistes par des entrevues hâtives, on risque de permettre aux responsables de « faire leur ménage », mais aussi de trouver rapidement l'origine de la fuite.

Il faut donc gérer avec prudence toute information litigieuse. Procéder à de nombreuses vérifications indirectes, sans jamais laisser savoir ce que l'on cherche, ni surtout ce que l'on sait. Cela prend du temps. Or, les personnes qui transmettent à un journaliste un dossier compromettant s'attendent à ce que l'affaire fasse les manchettes le lendemain ou les jours suivants. Il faut donc aussi entretenir la patience de ses sources. Gagner leur confiance, mais surtout la conserver malgré les longs délais de publication.

Par certains côtés, le rapport qui s'établit alors entre le journaliste et ses sources rappelle celui qui lie les enquêteurs policiers et les « indicateurs ». La même prudence s'impose pour ne pas « brûler » une source. Les informateurs doivent apprendre à être discrets dans leur collecte d'information et dans la manipulation des éléments de preuve. Ils doivent éviter les conversations susceptibles d'être écoutées, faire des photocopies sans laisser de traces, éviter les photocopieuses identifiables, etc.

Au fil des jours, l'informateur peut repérer, dans son milieu de travail, d'autres personnes qui pourraient faire progresser l'enquête. Il faudra tôt ou tard prendre contact avec elles. Mais attention! On ne sait jamais si l'une ou l'autre ne risquera pas un jour de trop parler et de faire savoir aux personnes visées la nature des questions indiscrètes que l'on pose. Il faut donc être prudent dans l'infiltration progressive d'un milieu. Ne jamais révéler précisément la nature de ce que l'on cherche, ni le nom de ses informateurs, même s'il s'agit de collègues assez proches les uns des autres en apparence.

Cela n'empêche pas, bien sûr, de faire référence à une personne pour aborder un nouvel informateur potentiel : « Je prépare un article sur tel sujet, et votre collègue Untel m'a suggéré de vous rencontrer. » Au départ, rien de bien précis sur les véritables enjeux. Et même si le journaliste développe avec ce nouvel informateur une relation de complicité véritable, il demeure préférable de ne pas lui révéler le nom de ses autres contacts. Cette discrétion est d'autant plus importante pour cet informateur qu'elle garantit sa propre sécurité face aux personnes qu'il recommandera à son tour.

Mais pendant qu'un journaliste s'attarde patiemment à monter un dossier méthodique, avec des preuves béton, un média concurrent peut à son tour tomber sur l'affaire et publier l'information sans y mettre les mêmes soins (je le sais, ça m'est arrivé : pendant que je montais minutieusement à Radio-Canada une opération pour prouver le caractère frauduleux d'une entreprise de sollicitation téléphonique, mes collègues de *J.E.* ont « foncé », caméra à l'épaule, dans les locaux de l'entreprise, mettant ainsi un terme à mon patient travail d'infiltration).

Le *database mining* et l'enquête assistée par ordinateur

L'information à l'origine d'une enquête ne provient pas toujours d'une source externe. Certains journalistes vont parfois se poser des questions sur les liens entre les partis politiques et les entreprises qui bénéficient des contrats gouvernementaux, sur les propriétaires des édifices où logent les ministères, sur le niveau réel de la rémunération et des avantages sociaux consentis aux dirigeants des sociétés d'État, sur l'utilisation par les élus de leurs comptes de dépenses remboursables, sur la qualité de la gestion d'organisations caritatives qui sollicitent la générosité du public, etc.

Dans ces cas, le journaliste commencera son enquête en consultant les registres publics dont on a déjà souligné la richesse au chapitre 11. Il devra plus souvent demander aux organismes concernés qu'on lui envoie tous les documents pertinents. Si ces organismes sont régis par la Loi sur l'accès à l'information, le journaliste a de bonnes chances de recevoir l'information qu'il demande, même si les responsables n'hésitent pas à étirer les délais.

Mais cette information brute n'est pas souvent facile à traiter et à interpréter. Les fichiers répertoriant tous les contrats accordés par Hydro-Québec, par exemple, peuvent compter plusieurs centaines de pages et comprendre plusieurs dizaines de milliers d'entrées — même pour une seule année ou pour un seul projet de grand barrage ou de centrale hydroélectrique. La majorité des entreprises mentionnées dans ces fichiers ne sont pas connues. Plusieurs d'entre elles peuvent aussi avoir confié à des sous-traitants une partie des travaux requis. Explorer de tels fichiers d'information brute peut demander des semaines de travail. Il sera souvent utile de transcrire les éléments essentiels dans des fichiers de type Excel ou autres bases de données, pour pouvoir rapidement les classer selon le nom des entreprises, selon leurs actionnaires, selon l'importance des sommes totales reçues, etc. Les médias ont donné un nom à cet exercice de fouille dans des fichiers d'information à la recherche d'indices révélateurs : le *database mining* (ou extraction dans les bases de données). C'est toujours un exercice laborieux, mais beaucoup d'enquêtes importantes publiées aux États-Unis depuis le début des années 2000 ont commencé par de telles fouilles.

Notons que l'effort est moins considérable quand le journaliste a obtenu d'abord une information précise sur des pratiques douteuses, et qu'il sait donc au départ ce qu'il doit chercher dans les bases de données brutes. De nombreuses enquêtes que nous avons menées depuis quelques années à Radio-Canada ont nécessité, à un moment ou à un autre, qu'on aille fouiller dans diverses bases de données : registres des propriétés foncières, contributions aux partis politiques, listes des soumissionnaires retenus dans les appels d'offres publics, listes des membres des corporations professionnelles, etc.

Ces techniques de recherche sont à la base de ce qu'on appelle « le journalisme assisté par ordinateur ». Le terme renvoie aussi à la consultation de nombreux registres comme les dossiers de cour ou les répertoires d'entreprises et de leurs propriétaires, puis à l'importation de ces données dans la base de données de logiciels spécialisés dans les recoupements et l'analyse relationnelle *(social network analysis)*[5].

Notons que les journalistes spécialisés dans les enquêtes internationales se sont donné des sites de partage *(e-groups)* et qu'ils ont mis sur pied un réseau de rencontres périodiques dont ils profitent pour échanger de l'information sur les dossiers qui nécessitent une vision plus large : identification des réseaux

---

5   Au moment de la rédaction de ce livre, le plus puissant de ces outils s'appelle « i 2 ». Il est utilisé par plusieurs groupes de journalistes d'enquête à travers le monde, mais aussi par des services policiers et des services de renseignements. Mais il existe beaucoup d'autres logiciels de ce genre.

criminalisés, relevés de transferts de fonds transfrontaliers (*off shore*) et utilisation des paradis fiscaux, relevés des contrats d'armements, etc.

Le recours à une fausse identité

Mais revenons à la scène locale. Face à des activités frauduleuses, criminelles ou antisociales, le journaliste devra parfois travailler de façon anonyme : se faire passer pour un simple client, un contribuable, une « victime » potentielle ; s'offrir comme appât, en somme, question d'amener la personne visée à se commettre. C'est souvent la seule façon de vérifier une information, de prendre un coupable la main dans le sac.

Mais attention, le fait d'obtenir de l'information sous de faux prétextes ou sous une fausse identité est contraire à la déontologie et, comme nous l'avons vu plus haut, les tribunaux ont de plus en plus tendance à juger les actes des journalistes en fonction de leurs normes éthiques. Pour justifier un tel accroc en cas de poursuite, le journaliste devra faire la preuve que l'intérêt public l'imposait et qu'il n'y avait pas d'autre façon d'obtenir la même information.

Et encore ! Aux États-Unis, deux journalistes qui se sont fait embaucher comme emballeurs dans une entreprise de distribution de viande et qui ont démontré qu'on y remballait des viandes invendues en modifiant leur date de péremption se sont fait condamner par un juge pour avoir soumis à leur « employeur » des curriculum vitæ falsifiés ! Le principe invoqué était qu'on n'a jamais le droit, même pour les fins d'une enquête d'intérêt public, de commettre soi-même un geste illégal.

Ainsi, par exemple, il serait tout à fait illégal de se faire passer pour un fonctionnaire de l'impôt pour obtenir des renseignements confidentiels de la part d'une personne faisant l'objet d'une enquête.

Les entrevues faites sous une fausse représentation

Certaines personnes ne se laisseront pas approcher si on leur dit vraiment le but de notre enquête. Il est alors tentant (et très souvent efficace) de solliciter une entrevue sous un tout autre prétexte (un portrait, un hommage, un article bilan du secteur, etc.). Ce n'est qu'en cours d'entrevue que l'on aborde le dossier controversé, subrepticement d'abord, mine de rien, puis de manière de plus en plus insistante.

Les grands escrocs sont souvent des gens vaniteux, qui aiment parler aux journalistes, soigner leur image. Il est surprenant de constater avec quelle naïveté ils révèlent parfois leur fourberie sans même s'en rendre compte.

Mais attention : là encore, la pratique n'est pas conforme à la déontologie. Pour la justifier éventuellement devant un tribunal, il faudra démontrer que cette interview était nécessaire et impossible à obtenir autrement. Dans l'affaire Guitouni (cet ancien président de l'Action démocratique du Québec dont Radio-Canada avait dénoncé le curriculum vitæ mensonger et la pratique thérapeutique ayant des aspects sectaires), la juge de première instance a fondé sa condamnation de la société d'État en bonne partie sur le fait qu'on avait trompé le personnage en lui faisant croire qu'on préparait un hommage à sa carrière. La nécessité d'«avoir des images de son centre thérapeutique», invoquée par la journaliste, n'a pas été considérée comme une raison suffisante. Bien que le jugement ait été grandement atténué en appel, la jurisprudence demeure : attention aux entrevues faites sous de fausses représentations.

L'enregistrement de conversations téléphoniques

La loi autorise l'enregistrement d'une conversation téléphonique dès qu'une des deux personnes y consent. Un journaliste
a donc le droit d'enregistrer toutes les conversations auxquelles
il participe. Mais l'éthique veut que les journalistes travaillent
à visage découvert. En principe, si l'on enregistre une conversation, on doit en informer son interlocuteur. Et s'il s'oppose à
l'enregistrement, on doit y mettre fin.

En cas d'enquête sur des activités antisociales ou criminelles, par contre, l'enregistrement clandestin devient nécessaire comme preuve devant les tribunaux. Si le contenu de la
conversation n'est pas destiné à une diffusion, les journalistes
n'ont pas à en informer leur interlocuteur.

Pour la presse écrite, cette distinction ne tient pas : tous les
propos recueillis sont en principe diffusables, sauf si l'interlocuteur exige la confidentialité (*off the record*) et que le journaliste
l'accepte.

Certaines enquêtes sur la qualité d'un service à la clientèle
ou sur la nature d'une information transmise par téléphone, par
exemple, requièrent que le journaliste fasse un appel sans révéler
sa véritable profession (pensons aux enquêtes de *La Facture* sur
la qualité de certains services publics). Même s'il ne s'agit pas de
dénoncer des activités criminelles ou antisociales, l'enregistrement devient alors la seule preuve dont disposera le journaliste
pour appuyer son enquête.

Même si un tel enregistrement est « légal », cela ne veut pas
dire que les tribunaux trouveront légitime qu'on en diffuse des
extraits sans le consentement de l'interlocuteur. À moins de
pouvoir démontrer clairement que la diffusion d'un tel enregistrement était d'intérêt public, et que la gravité de la situation
dénoncée le justifiait, mieux vaut alors obtenir le consentement

de l'interlocuteur avant de diffuser la conversation, ou s'assurer qu'il ne pourra pas être reconnu.

L'utilisation d'une enregistreuse ou d'une caméra cachée

Ce peut être le journaliste qui aborde la personne sous enquête avec, dans son blouson, une enregistreuse en état de marche ou, dans son sac, une microcaméra bien camouflée. Ce peut aussi être un quidam qu'il envoie faire une démarche et poser pour lui certaines questions. Prenons le cas d'une personne de race noire qu'on envoie solliciter un appartement dans une conciergerie soupçonnée de faire de la discrimination. Dans bien des cas, c'est la seule façon de vérifier une information. Ici, *J.E.* et *La Facture* nous ont habitués à cette approche.

Comme pour l'enregistrement d'une conversation téléphonique, les témoignages enregistrés clandestinement constituent des preuves incontournables de la réalité d'une situation qu'on souhaite dénoncer. En télévision, surtout, il ne suffit pas de dire les choses, il faut les montrer. La preuve par l'image est convaincante.

De plus en plus, les gens se méfient lorsque vous entrez chez eux avec une sacoche. Ils commencent à connaître la technique. Mais qu'importe : de nouveaux gadgets, de plus en plus minuscules, prennent déjà la relève. Cela dit, si vous êtes dans un espace privé et que le propriétaire vous demande formellement de cesser de tourner, vous êtes légalement tenu de le faire.

L'autre limite, c'est que l'image montre clairement des «coupables». Or, dans bien des enquêtes (sur l'impolitesse de préposés à la clientèle, par exemple, ou sur les techniques de vente sous pression), la situation dénoncée ne justifie pas qu'on stigmatise des personnes qui, aussi incompétentes soient-elles, ne sont quand même pas des criminels. Dans d'autres cas, il n'est pas souhaitable de désigner deux ou trois individus quand la situation dénoncée touche l'ensemble d'un système. Certes, on peut brouiller l'image, mais on pourrait choisir de recourir à un simple enregistrement sonore, plus facile à brouiller, quitte à reconstituer la scène par la suite.

L'infiltration

L'infiltration se situe au point de rencontre de toutes ces méthodes. Le média envoie alors son journaliste, ou un informateur spécialisé, postuler un emploi dans le milieu qu'on cherche à percer. Il y a quelques années, Brigitte McCann, du *Journal de Montréal*, s'est laissée embrigader chez les raéliens et a raconté les dérives de ce mouvement. Une journaliste de *La Presse* a déjà passé plusieurs semaines comme serveuse de restaurant pour documenter et témoigner des abus que ces femmes subissent au quotidien. Il existe en France une émission de télévision intitulée *Les Infiltrés* qui se spécialise dans le placement dans des entreprises ou des groupes suspects d'informateurs munis de caméras cachées, et qui racontent ensuite (et font voir) ce qui s'y passe. Ils ont ainsi infiltré des foyers de personnes âgées, des réseaux de pédophiles, des écoles financées par l'extrême droite ou même une salle de rédaction d'un magazine à potins. À l'émission *Enquête*, à Radio-Canada, on a aussi utilisé cette technique à quelques reprises.

Quand les comportements qu'on cherche à révéler sont clairement illégaux (ou du moins antisociaux), il peut arriver que l'infiltration soit la seule façon de les dévoiler. D'autant plus que les victimes refusent souvent de parler ouvertement de ce qu'elles subissent, et qu'elles risquent d'être poursuivies si elles le font sans pouvoir apporter de preuves.

Mais il peut arriver qu'on infiltre un lieu de travail... sans trouver la moindre preuve des comportements frauduleux qu'on cherchait à mettre au jour. Dans la presse écrite, le journaliste infiltré pourra toujours raconter son expérience dans un reportage à caractère humain, quitte à taire le nom des personnes rencontrées et à ne pas mentionner l'entreprise. En télévision, la chose est plus délicate puisque les règles de déontologie de la profession et les jugements en matière de droit à l'image et à la vie privée interdisent de diffuser la voix ou l'image d'une personne filmée à son insu, sauf si l'intérêt public le justifie. Il nous est arrivé à Radio-Canada de ne rien diffuser d'un tournage, après qu'un journaliste infiltré ait passé plusieurs semaines dans l'entreprise ciblée. Rien dans le matériel recueilli ne justifiait le recours à une caméra cachée.

Conseils utiles dans la cueillette d'information

Parce qu'elle nécessite l'accès à des sources confidentielles, la pratique du journalisme d'enquête fait appel à des techniques qui lui sont propres : recherche méthodique d'information non publique, techniques particulières pour aborder les sources, leur enseigner la prudence et assurer le caractère secret de leur collaboration, mise en sécurité de tous les documents, contre-vérification de tous les renseignements obtenus d'une seule source, etc. Regardons d'un peu plus près ces techniques, tout en prévenant le lecteur qu'aucune liste de ce genre ne saurait être exhaustive.

• **Toujours chercher à acquérir d'abord une vision d'ensemble du domaine sur lequel portera son enquête.** L'attaque trop rapide d'un dossier que l'on maîtrise mal constitue l'erreur la plus fréquente chez des journalistes habitués au rythme du quotidien. Un document confidentiel révélant les décisions dou-teuses d'un organisme leur tombe entre les mains. Une bonne piste, croient-ils. Ils partent alors en chasse. Mais les premières personnes interrogées auront tôt fait de les rassurer, de replacer les choses dans une « juste perspective », bref, de désamorcer l'affaire.

Bien sûr, Il est possible que la piste initiale n'ait eu guère de pertinence. Mais comment le savoir vraiment? Si l'on n'en connaît pas, sur le domaine, autant, sinon plus, que ses interlo-cuteurs, ceux-ci pourront toujours camoufler certains aspects des dossiers dont ils ont la responsabilité, et fournir des expli-cations rationnelles à toutes les interrogations. Avant de fouiller les aspects louches d'une affaire, il faut donc se donner le temps d'en connaître les principaux acteurs, leurs responsabilités res-pectives, leur mode habituel de fonctionnement, etc.

C'est parce qu'il avait suivi pendant trois ans le secteur municipal, notamment le mode d'attribution des contrats, que Guy Pinard a pu dénoncer avec autant de perspicacité, entre 1974 et 1976, les fraudes dans la gestion du chantier olympique. Par la suite, Louis-Gilles Francœur, du *Devoir*, a mis plus de deux ans à étudier le milieu québécois de la construction avant de publier une enquête dévastatrice sur l'organisme parapublic qui le chapeautait. Et il lui a fallu plusieurs années de couverture méthodique pour devenir ensuite le journaliste le plus redouté en matière d'enquêtes sur les questions environnementales. Plus récemment, il aura fallu plus d'un an d'enquête avant que Marie-Maude Denis et Alain Gravel ne révèlent les liens privi-légiés entre l'homme d'affaires québécois Tony Accurso et les dirigeants du Fonds de solidarité FTQ, puis l'influence de plu-sieurs membres du crime organisé auprès des dirigeants de la FTQ-Construction.

À ce stade, il faut savoir consulter les analyses sectorielles, les monographies, les rapports publics, mais aussi les documents plus difficilement accessibles qu'il faudra parfois obtenir avec l'appui de la Commission d'accès à l'information. Il faut colliger tous les renseignements disponibles. Ne pas se gêner pour proposer parfois à son employeur des articles plus anodins sur le secteur sous observation afin d'entrer en contact avec les gens de l'intérieur et d'y développer un réseau de personnes-ressources. Et se donner le temps d'observer, d'analyser, de comprendre...

• **Formuler des questions précises et savoir les raffiner à mesure que surgissent les éléments de réponse.** Après quelques semaines de travail, quelques mois peut-être, on finit par en connaître assez sur le secteur d'activité qu'on a ciblé pour y entreprendre son enquête. Voilà maintenant le temps de s'arrêter et de formuler le plus clairement possible ses objectifs. C'est ce qui permettra de reconnaître désormais l'information pertinente, mais surtout de repérer les personnes qu'il faudra approcher et celles qu'on aura avantage à éviter. Il s'agit en somme de bien cibler ses démarches futures, au lieu d'« aller à la pêche » dans toutes les directions. C'est une économie d'efforts, mais surtout on risque moins de « brûler » malencontreusement ses pistes en posant trop tôt les mauvaises questions aux bonnes personnes, ou les bonnes questions aux mauvaises personnes.

• **Savoir jauger la fiabilité de ses sources.** Les personnes qui entrent en contact avec les journalistes pour transmettre de l'information confidentielle sont toujours intéressées, d'une façon ou d'une autre, à sa diffusion. Elles peuvent le faire par sens moral, bien sûr ; mais elles ont parfois tout à gagner de la publication d'un scandale touchant un rival, ou, s'il s'agit des victimes d'une situation, elles peuvent être motivées par quelque besoin de vengeance. Cela ne signifie pas que les renseignements recueillis soient faux. Mais il faut bien mesurer les limites de ses sources quant à leur crédibilité ou quant à la collaboration qu'on peut en attendre. Et surtout, ne jamais se fier à une source unique ! Toujours tout vérifier.

• **Protéger ses sources et les « éduquer ».** On l'a dit : les personnes qui acceptent de parler aux journalistes ne sont pas toujours conscientes des risques qu'elles courent, si jamais la teneur de leur propos venait aux oreilles des personnes qu'elles dénoncent. C'est la responsabilité du journaliste de faire en sorte que ses témoins soient protégés, et que leur témoignage demeure confidentiel le plus longtemps possible.

À l'inverse, il arrive souvent que les informateurs soient impatients. Ils s'attendent à ce que l'affaire qu'ils dénoncent fasse la manchette dès les jours suivants, quitte à livrer leur témoignage à un autre média si rien ne se passe. Le journaliste doit alors freiner les ardeurs de ses sources, leur enseigner la patience. Leur expliquer qu'une information explosive, publiée trop vite sans un solide dossier à l'appui, peut ne devenir qu'un pétard mouillé. Faire en sorte qu'elles acceptent alors de se taire et qu'elles collaborent en continuant à observer et en informant le journaliste de tout ce qui est digne d'intérêt, sans précipitation.

• **Savoir approcher les gens avec une attitude détendue et les mettre en confiance.** Lorsqu'on aborde des gens pour parler de sujets délicats, il faut savoir le faire avec doigté. D'abord pour ne pas montrer son jeu à un éventuel « complice » des gens qu'on cherche à démasquer, mais surtout pour ne pas effaroucher une personne-ressource qui pourrait devenir précieuse. Certaines personnes vont se laisser aller plus facilement aux confidences si on les rencontre dans le cadre détendu d'un congrès, ou d'une entrevue au petit déjeuner, voire à leur domicile plutôt qu'à leur bureau.

Nous voici donc à un stade où les renseignements commencent à s'accumuler. Les confidences, aussi. Telle hypothèse, évoquée par une de vos sources, peut être confirmée par une autre, ou par la lecture méthodique des rapports, des études de documentation, des contrats ou des actes notariés qu'on a retracés.

« Dès que j'ai commencé à bien cerner mon sujet, disait l'écrivain E.L. Doctorow, l'auteur de *Ragtime*, je suis devenu comme un aimant. Les informations nouvelles me tombaient dessus sans même que je les cherche ! » Il en va de même pour la majorité des enquêtes. Dès lors, ce n'est plus la quête d'information qui pose problème, mais la vérification systématique qu'elle exige.

• **Ne pas hésiter à avoir recours à l'expertise externe pour comprendre et interpréter correctement les documents techniques reçus.**

• **Conserver dans un endroit sécuritaire tous les documents originaux qui peuvent devenir des éléments de preuve.**

Quand un dossier d'enquête devient assez solide pour justifier une publication, le journaliste doit poser de front les questions menaçantes aux personnes responsables. Parfois, il s'agit seulement de mesurer la part de responsabilité d'un dirigeant dans une décision douteuse (était-il informé ? a-t-il pris lui-même la décision ?), de faire confirmer officiellement des renseignements qu'on tient de sources fiables mais incertaines ou de sources dont on ne peut révéler l'identité pour des raisons de sécurité, ou de compléter un dossier qui serait impubliable sans l'addition de deux ou trois éléments clés que seuls les responsables peuvent fournir au journaliste.

• **Déterminer d'abord très précisément les « trous » à combler, et préparer avec beaucoup de soin les dernières entrevues, pour aller chercher exactement ce que l'on veut en suscitant le moins possible de méfiance, et sans révéler ses sources, même de manière indirecte.** Il est parfois payant, dans de telles entrevues, de prétendre savoir plus de choses qu'on en sait réellement et de forcer la note (le *bluff*). Dans d'autres cas, au contraire, il vaut mieux jouer les êtres compréhensifs et laisser l'impression qu'on accepte toutes les réponses. Il n'y a pas de stratégie universelle : tout dépend de la nature de son interlocuteur, de son goût pour la parole, et de la personnalité propre du journaliste. Notons toutefois que les entrevues menées à deux personnes, selon la stratégie du « bon » et du « méchant » (une technique typique des entrevues policières), donnent parfois d'excellents résultats. Mais encore là, il ne s'agit pas d'une recette miracle.

Ce qu'on peut affirmer, toutefois, c'est que plus on sait précisément ce que l'on cherche, plus il sera facile de l'obtenir en entrevue.

• **Tirer profit du téléphone pour joindre les gens qui cherchent à s'esquiver.** Dans des affaires délicates, certaines personnes refusent *a priori* de rencontrer les journalistes; elles chercheront donc à repousser toute entrevue. Dans de tels cas, le téléphone peut être d'un grand secours… à condition de maîtriser quelques « trucs du métier ». Donnons quelques exemples en vrac (la liste sera forcément incomplète) :

1. Si vous appelez les gens au travail, faites-le de préférence très tôt le matin, avant que la série des réunions interminables ne les entraîne; en général, ils sont alors plus disponibles. Et il est plus délicat pour eux de passer toute une journée sans retourner un appel reçu dès leur arrivée au bureau qu'un appel reçu sur le tard.

2. Si cela ne donne pas de résultat, essayez au contraire les appels tardifs, après les heures de bureau, quand les secrétaires et autres «filtres téléphoniques» ont quitté les lieux; qui sait si votre «cible» ne prendra pas le risque de répondre directement au téléphone?

3. Si on vous demande de vous nommer et que vous craignez le «blocus», donnez alors votre nom — sans autre détail — en précisant que c'est un appel interurbain… Dans bien des cas, votre interlocuteur se sentira obligé de vous

mettre immédiatement en communication avec celui ou celle que vous cherchez à joindre.

4. Si la personne au téléphone insiste pour vous aider, cherchez à poser des questions anodines, mais dont la réponse se situera au-delà de ses compétences. Elle finira par vous passer son supérieur!

5. Quand vous obtenez enfin la communication avec la personne que vous souhaitiez joindre, elle cherchera souvent à couper court à votre entretien en se disant très occupée… Ne vous laissez jamais placer en position d'infériorité: «Vous êtes occupé? Parfait! Moi aussi. Je vous propose qu'on fasse ça rapidement. Vous êtes d'accord?» Comment peut-elle décliner une telle offre? En suscitant son approbation sur la «stratégie de la communication», vous l'enfermez malgré elle dans votre logique.

6. Comme pour toute entrevue, n'oubliez pas «l'effet miroir»: faites le point avec votre interlocuteur sur chaque chose importante qu'il vous aura dite. Il se sentira plus à l'aise et aura l'impression que ses paroles sont enregistrées fidèlement, qu'il maîtrise bien cet échange.

7. Demeurez toujours calme. C'est la clé de toute entrevue efficace.

Enfin, il y a la question délicate des enregistrements de conversations téléphoniques. En journalisme d'enquête, le principe est simple: enregistrez tout. Quand on cherche à mettre en lumière des comportements frauduleux ou à démontrer des complicités et qu'on s'expose donc à des poursuites, les enregistrements deviennent des éléments de preuve indispensables. Et si la personne que vous mettez en cause refuse toujours de vous accorder une interview, le simple enregistrement de vos appels infructueux à son répondeur suffira à démontrer au juge que vous avez à tout le moins tenté de recueillir son point de vue.

La stratégie de publication

Le journalisme d'enquête se distingue donc du journalisme «ordinaire» par son objet : une recherche d'information qui n'est pas accessible au public. Il s'en distingue aussi par ses méthodes : un travail à long terme qui requiert souvent des complicités dans le milieu étudié et qui force le journaliste à dissimuler ses véritables objectifs. Mais les deux formes de journalismes se différencient aussi par leurs stratégies de publication.

Alors que le journalisme privilégie d'ordinaire la recherche du *scoop*, c'est-à-dire la publication en urgence de tout ce que l'on sait pour éviter d'être doublé par un concurrent, le journalisme d'enquête exigera souvent qu'on retienne des renseignements importants pendant plusieurs jours, plusieurs semaines même. Un dossier publié avant que toutes les preuves ne soient amassées risque en effet de mettre la puce à l'oreille aux gens qu'on cherche à impliquer, ce qui leur donnera tout le temps de préparer une défense imparable.

Mais la stratégie de publication devra souvent être plus raffinée encore. Le média qui prend le risque de publier une information secrète doit en effet se préparer à contrer tous les démentis qui ne manqueront pas de venir de toutes parts, dès le lendemain de la publication. Il suffit alors qu'un dossier contienne deux ou trois erreurs, même mineures, pour que les personnes attaquées mettent en doute — preuves à l'appui — la crédibilité du journaliste. Rappelez-vous que, dans bien des cas, un président de compagnie, un premier ministre ou un leader populaire bénéficieront de plus d'appuis spontanés dans l'opinion publique que la plupart des journalistes. Et qu'ils ont de solides équipes techniques pour préparer leur défense.

Il existe diverses façons de prévenir la contre-attaque. On peut, par exemple, choisir de ne publier d'abord qu'une infime partie de ce que l'on sait. Les personnes attaquées s'empresseront de démentir les faits rapportés, de minimiser le scandale, de mettre en doute la compétence du journaliste qui, bien sûr, « a tout interprété de travers ». Mais voilà qu'au lieu de se rétracter, de faire des excuses publiques, le média donne dans la surenchère : « Non seulement nous n'avons pas menti, mais nous en savons beaucoup plus… » Parce que les « victimes » auront utilisé leur capital de crédibilité pour se défendre contre des attaques sans importance, leur force de persuasion sera sérieusement affaiblie au moment de réfuter les dénonciations ultérieures.

Dans bien des cas, il sera utile de connaître à l'avance la nature de la défense de l'organisme visé, pour décider de la stratégie de publication des divers éléments de l'enquête. Dans ce but, le journaliste pourra laisser transparaître, dans ses dernières entrevues, une parcelle de ce qu'il sait, sans révéler bien sûr l'essentiel du scandale qu'il s'apprête à rendre public. Ses interlocuteurs commencent alors à « respirer » un peu mieux : « Ah! Il ne sait rien d'essentiel. » Les réponses qu'offrent alors les personnes interrogées révèlent souvent leur éventuelle défense publique. Le journaliste peut jouer le jeu en se disant convaincu par ces réponses.

À la première publication, le journaliste ne diffuse donc que ces éléments secondaires, connaissant déjà les réponses toutes prêtes de l'adversaire. Mais il a déjà commencé à préparer ses prochains textes où il réfutera, un à un, les arguments qu'on s'apprête à lui opposer!

Mentionnons cependant que s'il est souvent dangereux de publier trop tôt un dossier d'enquête insuffisamment documenté, il arrive par contre qu'un dossier ne puisse progresser qu'après publication de certaines données partielles ou incertaines. Imaginons par exemple qu'une rumeur coure dans un milieu; tout vous porte à croire qu'elle est fondée, mais personne n'accepte de commenter; une publication partielle, prudente («D'après certaines rumeurs que la direction refuse de commenter...»), suscitera peut-être des démentis immédiats; mais le concert de déclarations subséquentes suffira parfois à relancer l'enquête.

Le chroniqueur parlementaire d'Ottawa Jeff Carruthers a déjà reconnu qu'«on apprend souvent plus à la suite de la publication d'une information fausse qu'après cent appels téléphoniques concernant une information non publiée». Il convient toutefois de prendre alors toutes les précautions requises: le journaliste présentera cette information comme partielle ou incertaine, en donnant tout de même les motifs qui l'amènent à croire qu'elle pourrait, malgré tout, être fondée. Bref, on ne doit jamais s'écarter de la plus stricte honnêteté journalistique, et on doit être prêt à rectifier le tir à mesure que l'information se précisera.

Il reste que cette technique de cheminement de l'information par publications partielles successives est dangereuse sur deux plans: le journaliste ne doit l'utiliser qu'exceptionnellement s'il ne veut pas y perdre sa crédibilité; et de tels «ballons d'essai» risquent, s'ils sont mal arrimés, de faire en sorte que des dimensions plus graves soient à jamais étouffées.

16

Le « nouveau journalisme »

Il y a des domaines où, pour obtenir une information adéquate, les journalistes ne peuvent se contenter d'interroger les porte-parole, de fouiller les documents techniques, d'analyser... Ils doivent parfois se fondre totalement dans le milieu qu'ils couvrent et participer à l'événement de l'intérieur s'ils veulent en saisir tout le sens.

C'est ainsi que, pour comprendre le drame de la ségrégation, le journaliste américain John Howard Griffin a décidé, en 1960, d'absorber un produit chimique qui modifierait la couleur de son épiderme et de vivre, littéralement, dans la peau d'un Noir. Le livre qu'il a fait paraître à la suite de cette expérience peu commune, *Black Like Me* (en français : *Dans la peau d'un noir*, aux éditions Gallimard), demeure un document exceptionnel qu'aucun enquêteur n'aurait pu écrire sans un tel subterfuge.

Ces jeux de rôle, de déguisement et d'insertion dans un milieu sous une fausse identité ont souvent été utilisés pour préparer de grands dossiers d'enquête, comme ce fut le cas pour la recherche de Günter Wallraff sur le sort des réfugiés turcs en Allemagne fédérale (*Tête de Turc*, aux éditions de La Découverte, 1986). Ils le sont parfois pour des reportages moins ambitieux, publiés dans nos quotidiens. Telle journaliste postule un emploi comme serveuse de restaurant, y « survit » une semaine, et décrit ensuite, au jour le jour, les mille et une frustrations de ce métier du bas de l'échelle; telle autre choisit de se bander les yeux pour pouvoir décrire de l'intérieur les difficultés vécues par un aveugle; son collègue choisit de dormir quelques jours sur le banc d'un parc, où il se lie d'amitié avec quelques clochards dont il cherchera ensuite à décrire le quotidien; etc.

Ces reportages sont, à leur manière, des enquêtes. On peut les rapprocher des procédés d'infiltration dont il a été question au chapitre précédent. Mais ils s'en distinguent dans la mesure où ce que l'on cherche, ce n'est pas tant de révéler des comportements criminels ou irresponsables ou de lever le voile sur ce qui est caché, mais simplement de témoigner « de l'intérieur » de ce que vivent les gens qu'on a choisi d'accompagner. Contrairement à tout ce qu'on a dit jusqu'ici, le reporter ne se contente plus du témoignage des autres; il s'infiltre lui-même dans le monde qu'il observe, il devient acteur, il se met en scène! Le point de vue rapporté est alors, nécessairement, subjectif.

Notons que, pour raconter les choses de l'intérieur, le reporter n'est pas toujours contraint à de tels jeux de rôle. L'observation minutieuse d'un milieu et l'écoute complice suffisent parfois. Mais en choisissant de se fondre parmi les gens qu'il veut mettre en scène, le journaliste fait le pari d'en tirer une connaissance plus intime et plus vraie. Émile Zola n'aurait pas pu, dit-on, écrire ses livres remarquables sur les classes paysannes ou prolétaires de la France du XIXe siècle sans ses innombrables notes, prises à partir de ses propres expériences; il a choisi de vivre parmi ces gens pour pouvoir mieux les décrire ensuite. L'écrivain Arthur Hailey a toujours procédé de la sorte aux États-Unis pour décrire des milieux aussi différents que ceux des banques, de l'industrie automobile, des aéroports, des hôpitaux, etc.

Technique utilisée occasionnellement par les romanciers, cette insertion dans le milieu sous observation renverse pourtant un des postulats primordiaux du journalisme contemporain tel qu'on vient de le décrire : l'objectivité, cette règle qui veut que les journalistes donnent la parole aux acteurs sociaux et s'effacent du champ de la communication qui relie les porte-parole et le public. Bien sûr, de nombreux journalistes ont pu, à l'occasion, pénétrer dans le champ de vision de leur reportage, s'insérer comme acteurs entre le messager et le message. Pendant plusieurs années, toutefois, seuls quelques pionniers s'y sont risqués plus régulièrement. Les plus connus, aux États-Unis : Truman Capote, John MacPhee, Tom Wolfe, Norman Mailer... Le pionnier en France : Jean Cau, du *Nouvel Observateur*.

Au cours des années 1960, la voie ouverte par ces pionniers a reçu une étiquette officielle, celle du *New Journalism* (l'expression serait de Tom Wolfe, l'auteur de *The Right Stuff*, de *The Bonfire of the Vanities*, etc.). Le genre a fleuri dans la presse *underground*, dans cette culture dite « alternative » : *Rolling Stone, Village Voice, New West, Mother Jones*, etc.

Sous cette étiquette, on a bientôt regroupé non seulement les récits journalistiques subjectifs, ceux qui mettaient en scène le journaliste lui-même, mais toute une famille de reportages dont l'écriture faisait appel aux procédés littéraires, aux mises en scène dramatiques, à la reconstitution d'atmosphères fictives, pour donner au lecteur l'impression de participer à l'événement. Dès lors, le « nouveau journalisme » allait devenir tantôt un genre en soi, une façon de couvrir les événements et les gens, tantôt une source d'inspiration pour l'écriture de reportages dont le contenu, par ailleurs, demeurait conventionnel.

Comme bien des étiquettes attribuées après coup à des

mouvements artistiques ou littéraires, le terme *nouveau* renvoie donc à une famille de procédés et techniques qui ont en commun de rompre avec les canons traditionnels du journalisme, sans pour autant offrir un ensemble bien défini de nouvelles règles de pratique. Et surtout, l'utilisation de l'étiquette « nouveau » ne signifie pas que l'« ancien » est périmé!

Essayons de donner rapidement les caractéristiques de ce journalisme aux frontières un peu floues.

Le journaliste comme participant : le monde vu de l'intérieur

La première caractéristique du « nouveau journalisme », version « pure et dure », est donc l'insertion du reporter en tant que participant dans la situation qu'il choisit d'observer. À l'extrême limite, nous voici aux côtés du mythique Tintin, reporter sans magnétophone ni carnet de notes, traversant d'innombrables aventures. La réalité est rarement aussi palpitante! N'empêche qu'il faut parfois opter pour le jeu de rôle si l'on veut comprendre la dimension subjective de la réalité et saisir les frustrations vécues par les gens qu'on cherche à observer. Surtout lorsqu'il ne se passe guère d'événement, rien de significatif en apparence, rien de spectaculaire. Rien que la vie, en somme. Banale, comme toujours!

L'auteur du reportage se met alors dans une situation donnée et raconte ce qui lui arrive. La nouvelle, ou plutôt le « fait d'information », ne sera pas tant les événements rapportés, une succession de petits riens sans conséquence, que le tableau émotif qui s'en dégage : ce que le journaliste a ressenti, ses frustrations, ses petits bonheurs aussi.

Le procédé a des limites évidentes. D'abord, on ne peut

jamais vraiment *être* l'autre. Un journaliste peut choisir de vivre un mois avec, pour seul revenu, le montant de l'assistance sociale. Le récit de son « défi » ne sera pas dépourvu d'intérêt, surtout lorsqu'il devra décrire sa « débrouille » pour étirer ses derniers dollars, et son expérience quotidienne de la soupe populaire. N'empêche qu'il demeure journaliste, propriétaire d'une maison sans doute, bien rémunéré et conscient d'avoir un avenir. Le désespoir, il le fréquente peut-être de plus près. Mais peut-il vraiment le partager ?

De toute façon, ce jeu de rôle engage rarement le journaliste de façon aussi totale. Celui qui choisit de couvrir de l'intérieur un milieu de travail, par exemple, doit d'abord s'y insérer. S'il veut le faire à l'insu de tous, il doit disposer de beaucoup de temps, postuler un ou plusieurs emplois dans le secteur, sous une fausse identité parfois, être finalement embauché, apprendre ce métier, créer des liens plus étroits avec ses nouveaux collègues de travail, bref, y consacrer plusieurs semaines, voire plusieurs mois, avant que son témoignage ne soit valable. Or, il découvrira souvent que, dans les milieux les plus difficiles surtout, les gens sont secrets. Qu'il n'est pas facile de s'en faire des amis, de partager leurs émotions. Et qu'ils deviennent encore plus méfiants si on leur pose trop de questions[1].

Mentionnons en outre que le fait de recueillir des confidences sous une fausse identité et de les publier ensuite n'est pas conforme à l'éthique la plus élémentaire du journalisme. Tôt ou

---

1 Un de mes étudiants en journalisme a tenté, il y a quelques années, de s'insérer incognito dans le milieu des sans-abri de Montréal pour en tirer un reportage photographique. Il a passé quelques semaines à dormir avec eux dans les refuges et à les accompagner dans la rue, le jour. On l'a laissé prendre des photos jusqu'à ce qu'il commence à engager des conversations et à poser des questions. Dès lors, la méfiance s'est installée : on a cru qu'il était un « flic ». Il a finalement dû révéler son identité et ses véritables intentions pour obtenir, sans trop de problèmes, la collaboration des sans-abri !

tard, le reporter devra révéler à ses « informateurs » involontaires la vraie nature de sa démarche, au risque de les offenser. Voilà pourquoi il sera en général bien plus efficace de jouer cartes sur table. Le journaliste se présentera à l'employeur comme journaliste, et demandera d'avoir libre accès au groupe de travail qu'il entend couvrir. Il partagera le travail des autres employés en tant que témoin externe, cela va de soi, mais dans la plus grande complicité possible. Il s'y fera des amis d'autant plus facilement que ceux-ci sauront pourquoi il les questionne et auront accepté les règles de ce jeu de la vérité. S'il sait comment s'y prendre et s'il aborde les gens avec respect, il arrivera sans problème à recueillir leurs confidences et à comprendre ce qu'ils vivent et ne savent pas toujours dire. C'est sur ce plan que le journalisme plus traditionnel, le journalisme de paroles, est souvent faible.

Dès lors, le journaliste étant redevenu témoin plus qu'acteur véritable, la distinction entre le nouveau journalisme et le reportage conventionnel paraît s'estomper. De fait, elle tient bien souvent plus à la nature de l'information prise comme cible (le quotidien et non l'événement), au point de vue adopté (partial et subjectif) et aux techniques d'écriture (littéraires ou cinématographiques).

L'anecdote et le quotidien

En quoi l'information traitée par les « nouveaux journalistes » se distingue-t-elle ? D'abord, parce que c'est le quotidien qu'on cherche à saisir, au fil des multiples anecdotes individuelles, et non plus l'événement porteur de conséquences collectives. En second lieu, le reportage qu'on en tirera racontera non seulement les faits, mais aussi les émotions ressenties par les acteurs, leur vision des choses.

Mais attention ! Si un média accepte de diffuser de tels récits subjectifs, c'est parce qu'il pense que ces témoignages sont transposables, qu'à travers ces cas types on ouvre une fenêtre sur des phénomènes sociaux qui seraient difficiles à cerner autrement. Sinon, cette approche n'équivaudrait qu'à du voyeurisme, à du potinage, et apporterait bien peu d'information.

Pourquoi cette place à l'anecdote ? Parce qu'à travers le récit de quelques journées dans la vie d'une infirmière ou d'un travailleur au salaire minimum, d'une enseignante ou d'un employé de garderie, le lecteur finit par comprendre le sens véritable de leur engagement ou de leurs revendications, et se trouvera moins dépourvu lorsqu'une crise sociale éclatera. Parce qu'à travers le témoignage anecdotique d'une semaine passée à Harlem ou dans une réserve amérindienne en saison calme, le lecteur peut mieux mesurer le désespoir d'une population ou la dimension de ses rêves, et comprendre ce qui se passe quand soudain les barricades s'installent. Parce que, en somme, le journalisme d'événements privilégie toujours les crises sociales et les discours officiels qu'elles suscitent, mais jamais ce qui se dit et ce qui se vit entre les conflits[2].

---

2   Le journaliste Pierre Foglia, de *La Presse*, est surtout connu pour ses chroniques d'humeur, parfois irrévérencieuses, ses balades en vélo, ses préférences littéraires et musicales et ses récits anecdotiques au quotidien. On oublie parfois qu'il aura aussi été un des meilleurs journalistes de terrain, notamment quand il a passé une semaine à Harlem pour rencontrer ses résidents, ses spéculateurs immobiliers, ses patrouilleurs de nuit ou ses pasteurs (1981) ; quand il est allé au Liban, en pleine guerre civile, raconter le quotidien des gens ordinaires (1982) ; quand il a parcouru l'Ukraine au lendemain de la chute de l'empire soviétique (1992) ; ou quand il s'est rendu à Bagdad témoigner de la vie qui reprend son cours après des années d'horreur (2011). Dans chaque cas, c'est à travers le récit de ses rencontres, dans l'intimité des gens ordinaires, qu'il nous a fait découvrir leur vie réelle, derrière les grands enjeux politiques.

Un témoin qui prend parti

Seconde caractéristique du « nouveau journalisme » : il adopte d'emblée un point de vue subjectif, forcément partial, sur les événements rapportés, parce qu'il choisit de raconter les choses comme les acteurs les ont vécues et ressenties.

Cela aboutit parfois à travestir un peu la réalité. Il est possible par exemple que l'employée qui vit au quotidien le harcèlement sexuel de son patron ou l'immigrant qui est victime de racisme aient tendance, après un certain temps, à grossir des faits banals, à afficher des craintes injustifiées. En journalisme conventionnel, le reporter s'imposerait, en pareil cas, une certaine fidélité aux faits, et se sentirait forcé de tout vérifier et de décrire réellement ce qui s'est passé, quitte à y accoler ensuite les différentes « lectures » subjectives des acteurs.

Dans le nouveau journalisme, l'important n'est pas tant les faits que les émotions qu'ils suscitent, les perceptions qui en résultent. L'objet du reportage n'est pas le monde, mais « le monde vu par… ». Peu importe ce qui s'est réellement passé dans ce cas précis ; ce qui intéresse le reporter, c'est de montrer comment les gens ont vécu ce quotidien et comment ils le ressentent, comment leur univers subjectif se construit peu à peu. Cela aussi fait partie du réel.

On ne s'étonnera donc pas de constater que le « nouveau journalisme » ait pris son essor dans la presse de combat (en Europe) ou dans l'*advocacy journalism* (aux États-Unis). Les journalistes de ces médias engagés ont souvent adopté le point de vue selon lequel le ton impersonnel de la presse « neutre » favorise les pouvoirs en place, et que la sympathie volontaire et avouée pour une cause, pour ses défenseurs ou pour les victimes d'une injustice serait, en fin de compte, la meilleure façon de faire avancer cette cause, sur le plan social.

523 LE « NOUVEAU JOURNALISME »

Le retour du « je » en information

Parce qu'il est souvent au cœur de la situation qu'il décrit, l'auteur du reportage de « nouveau journalisme » n'a pas le choix, à certains moments : il doit se mettre en scène, et parler au « je ». Même dans les cas où sa matière première est le récit de ceux et celles qu'il a côtoyés pendant quelques jours, le caractère partiel, souvent partial, de ce qu'il rapporte requiert qu'il précise clairement le point de vue adopté. « Voici le témoignage que je vous rapporte. Les faits sont-ils vrais ? Sont-ils déformés ? Que m'importe ! J'ai vécu une semaine avec cette femme, j'ai partagé ses émotions, je suis son complice. Ce que je vous transmets, c'est ce qu'elle m'a raconté, ce qu'elle a ressenti, ce que j'ai ressenti avec elle. » Voilà pourquoi, en même temps qu'à la subjectivité des acteurs, le nouveau journalisme fait appel à la subjectivité du reporter.

Notons que l'usage du « je » n'est pas exclusif au nouveau journalisme. Même dans un reportage traditionnel, il arrive que l'émotion du témoin fasse partie de l'information à transmettre. C'est le cas notamment quand on couvre en direct les moments de panique qui suivent une tragédie majeure, tel un tremblement de terre ou l'écrasement d'un avion. Ou lorsqu'un journaliste doit rapporter un moment d'intense émotion et qu'il se sent emporté par le « courant » qui traverse la foule.

Mais les moments où il est justifié de mettre en scène ses propres sentiments sont plutôt rares en information. Dans le nouveau journalisme, au contraire, ce procédé narratif va de soi. On ne rapporte plus les faits, mais sa propre enquête sur les faits, avec tout ce que ça comporte de liberté — et de narcissisme parfois agaçant, il faut bien l'admettre.

Des procédés littéraires et cinématographiques

Le « nouveau journalisme » est, enfin, une question de forme. Ce n'est pas un hasard si le genre s'est développé au moment où le cinéma et la télévision découvraient les caméras légères et la puissance du reportage vérité. L'information télévisée allait désormais se faire sur le vif, dans les lieux mêmes de l'événement. Le coup d'État en direct ! Les reporters ont cherché à recréer les mêmes effets dans leurs textes écrits.

Pour faire vivre les choses par le lecteur, les recréer par la magie de l'écriture, le nouveau journalisme allait puiser abondamment dans les techniques d'écriture cinématographiques : un récit, des décors, des personnages bien campés, des dialogues, de l'action... Si possible, une intrigue, un suspense. Et puis des procédés moins linéaires, comme les ellipses, les *flash-back*, les séquences en leitmotiv qui marqueront, comme au cinéma, les temps forts ou les transitions.

Le problème, c'est que le journaliste n'a pas toujours vécu tous les événements qu'il doit ainsi évoquer. Qu'importe ! Ne lui a-t-on pas raconté l'essentiel de ce qui s'est passé ? N'a-t-il pas rencontré quelques témoins et noté leurs émotions ? C'est cette trame émotive qu'il tentera alors de recréer. Il inventera, s'il le faut, les détails évocateurs en gardant, comme seule contrainte, le respect de l'atmosphère. Les témoins lui ont parlé de leur tristesse ? Pourquoi ne pas imaginer alors une journée triste, sous un ciel pluvieux ? Personne n'a noté les propos authentiques ? Pourquoi ne pas imaginer un dialogue vraisemblable ? L'écriture devient impressionniste. Elle flirte dangereusement avec la fiction.

Cette forme d'écriture rejoint certaines traditions européennes de journalisme très personnalisé. *Paris-Match* a toujours insisté sur les décors et les impressions, sans se gêner pour imaginer le détail des scènes. *Le Canard enchaîné* a toujours traité l'information par le jeu de la mise en scène et du texte fortement subjectif. *Le Nouvel Observateur*, la revue *Autrement* ou le quotidien *Libération* utilisent aussi ce style impressionniste, même pour la couverture de l'événement. Le nouveau journalisme n'y est plus un genre défini, mais bien une façon de dire les choses. Un style. Un ton.

Encouragée en partie par l'essor de la télévision, cette nouvelle forme d'écriture a, réciproquement, modifié le style des reportages électroniques. Le ton impressionniste des reportages écrits, leur relative liberté de reconstitution du réel, posait en effet un nouveau défi à la télévision qui demeurait prisonnière des « vraies » images. Une télévision plus subjective a alors vu le jour, en particulier dans ce que les Américains ont appelé le *soft news*, c'est-à-dire l'information douce (ou l'*infotainment*), celle qui porte sur les valeurs, sur le vécu, sur les témoignages, et non sur les événements, les chiffres, les institutions. On y a vu apparaître une télévision d'atmosphère, aux effets recherchés. Des reportages scénarisés comme des docudrames. Une trame musicale qui sert d'appui à la narration et en souligne les temps forts. Un montage tantôt nerveux, tantôt statique, vient moduler l'intensité des émotions.

Les forces et les faiblesses du « nouveau journalisme »

La trop longue pratique du journalisme « objectif » a conduit ses praticiens à se couper souvent de leurs émotions. Ils mettent en scène des données statistiques, des déclarations, des tendances. Quand ils partent à la recherche de l'être humain, le temps d'un gros plan sur un visage en larmes ou sur un cri du cœur, ce n'est souvent que pour une ou deux images sensationnelles, quelques secondes d'émotions, quelques phrases, juste ce qu'il faut pour illustrer un propos. La vie en extraits de quinze secondes.

En replaçant le quotidien de gens ordinaires au cœur de l'information, le « nouveau journalisme » a contribué à redonner une dimension humaine à la fonction journalistique. Les emprunts au cinéma et à la littérature ont aussi entraîné un renouvellement de l'art de raconter les histoires (ou un retour aux sources, peut-être : après tout, l'art du récit est aux racines mêmes du journalisme !). Ce renouvellement a ensuite dépassé les frontières du genre, pour colorer tout le courant contemporain d'écriture journalistique.

Mais surtout, en donnant au journaliste témoin la fonction d'intermédiaire, on arrive parfois à mieux faire passer des problématiques complexes. L'auteur dit à son public : « Au départ, je ne connais rien de plus que vous à ce que je vous présente… Mais suivez-moi. On va vivre ensemble l'aventure de l'information. Je vous présenterai les choses à mesure que je les découvrirai et que j'apprendrai à les comprendre. »

Cela peut être la découverte des rapports complexes entre les paysans colombiens et les narcotrafiquants, à travers un récit de voyage dans les campagnes andines. Ou cinq jours et cinq nuits passés avec les éboueurs de New York à la veille d'une difficile négociation de leurs conditions de travail. Ou le récit subjectif d'un congrès international « restreint » en virologie auquel participent deux douzaines de spécialistes du sida. Ou trois semaines de travail quotidien dans un laboratoire américain d'intelligence artificielle. Explorations libres de milieux généralement peu accessibles à l'information « officielle », de tels reportages élargissent indéniablement le champ d'investigation du journalisme et le pouvoir de vulgarisation de la presse. Ils donnent son plein sens au mot « témoignage » pour définir la fonction journalistique.

Il faut reconnaître cependant que le nouveau journalisme engendre bien souvent des textes longs, parfois bavards, où la forme vivante du récit masque, à l'occasion, la pauvreté de la recherche. Deux semaines de voyage dans les campagnes de Colombie donnent sans doute de bons récits de voyage. Mais suffisent-elles à donner au premier reporter venu une connaissance réelle du pays qu'il traverse?

La primauté de la forme sur le fond conduit parfois à des exercices de corde raide. Si les effets de suspense, les tournures dramatiques, les effets de décor, les jeux de mots saisissants ou autres impressions fugaces permettent parfois de pondre sur commande un texte brillant et personnel, la tentation est forte de faire appel à ces artifices pour faire rebondir l'action, même lorsque la réalité ne s'y prête pas tout à fait. C'est la rigueur et l'honnêteté journalistique qui en souffrent parfois[3].

« Peu importe, dira le reporter, si le ciel était vraiment gris ce jour-là… puisque tout le monde était triste. La meilleure façon de faire passer cette tristesse dans mon reportage est de le situer sous la pluie, alors pourquoi ne pas me permettre cette licence? » La couleur du ciel n'a peut-être pas beaucoup d'importance en effet, mais où donc s'arrêter, dans cette adaptation libre du réel?

Cette question se pose en télévision de manière encore plus dramatique. Il arrive que, pour transmettre au téléspectateur l'émotion ressentie par un témoin, on recrée à l'écran le déroulement précis des choses. Les images sont alors fictives. On peut se demander quelle crédibilité conserve alors le média, si

---

3   Le lecteur pourra relire, là-dessus, la première note infrapaginale du chapitre 3, sur l'exigence de vérité comme fondement du journalisme. J'y rappelais quelques scandales ayant marqué le journalisme aux États-Unis, alors que des journalistes-vedettes ont avoué avoir inventé de toutes pièces de grands pans de leurs récits.

le téléspectateur ne sait plus ce qui est réel et ce qui ne l'est pas dans les scènes qu'on lui présente. L'utilisation d'une inscription explicite, en cas de simulation, ne suffit pas toujours à dissiper la confusion, lorsque les images sont efficaces. Ainsi, en 1989, un journaliste des nouvelles de la station ABC, John McWethy, rapportait une nouvelle selon laquelle un diplomate américain faisait l'objet d'une enquête du FBI parce qu'il aurait livré des documents ultrasecrets à un agent soviétique du KGB. L'information s'appuyait sur un reportage qui montrait le diplomate en question en train de remettre une mallette de cuir à cet agent étranger. Cette simulation était tellement réaliste dans le choix des acteurs, des décors et du fond sonore, qu'elle devait, dans les jours suivants, susciter une très large controverse.

Certes, ce ne sont pas tous les reportages de nouveau journalisme qui sont affligés de cet excès d'imagination. Mais il faut être conscient que le ton subjectif et les techniques d'écriture propres à ce genre favorisent le recours à des procédés d'évocation qui risquent d'entraîner le journaliste hors des limites de son métier.

17

Le journalisme web

En principe, le réseau Internet n'est pas en soi un nouveau média; c'est un système de communication qui relie les ordinateurs entre eux, via les réseaux du téléphone ou du câble. Les ordinateurs branchés au réseau Internet ne constituent pas, eux non plus, de nouveaux médias, même si on peut y « déposer » de l'information (ou des données de recherche, des textes littéraires, des photos de famille, de la pornographie ou n'importe quoi d'autre, en fait).

Mais le couplage entre l'ordinateur et le réseau fait que chacun peut rendre accessible à tous ce qu'il aura déposé dans la mémoire de son ordinateur ou dans celle d'un serveur du réseau. Dès lors, il s'agit bien de publication au premier sens du mot (le fait de rendre public), et on peut considérer les sites web consacrés à l'information comme une nouvelle forme de média, relevant à la fois de la presse écrite — par les textes et les photos qu'on y trouve, et par leur « mise en pages » — et de la presse électronique — par le mode de distribution, mais aussi parce qu'on peut y insérer des animations, des séquences vidéo ou des extraits sonores.

Une première remarque s'impose. Si tous les sites web sont des publications au sens technique du terme, cela n'en fait pas automatiquement des médias d'information. Un site produit par un individu sous la forme d'un journal intime avec photos ou un site consacré à la littérature ou à la pornographie n'ont rien à voir avec l'information telle que nous l'avons définie dans ce livre. Il reste que plusieurs milliers de sites ont comme intention première de diffuser de l'information : ce sont les sites produits par les médias en place — quotidiens, stations de radio ou de télévision, magazines — ou les magazines électroniques propres au web (on les appelle les « web magazines », ou « webzines »).

Mais on peut aussi considérer comme des sites d'information de nombreux sites individuels spécialisés produits par des amateurs de photo, de cinéma ou de politique, voire les admirateurs d'une artiste... N'y trouve-t-on pas bien souvent des nouvelles sur le thème choisi, des analyses, des critiques et une abondante documentation de base? Auparavant, les investissements requis pour mettre sur pied une station de radio ou lancer un imprimé constituaient un frein à la prolifération de ces médias traditionnels. Avec le réseau Internet, n'importe qui peut devenir éditeur, avec un investissement de quelques dizaines de dollars par mois. Cela pose notamment un énorme problème de définition du statut de journaliste[1].

----

1   Comme le journalisme n'est pas une profession à accès restreint comme le sont la médecine ou le droit, définir précisément qui est journaliste et qui ne l'est pas pourrait ne pas paraître nécessaire. Il reste que, pour faire leur travail, les journalistes doivent souvent avoir accès à des lieux où le grand public n'est pas admis (congrès ou conférence de presse, par exemple) ou à de l'information qui n'est pas de nature publique (la documentation accessible aux palais de justice, notamment). Quand il s'agit de filtrer les journalistes à qui on accordera de tels privilèges, la relative anarchie créée par l'apparition des « webzines » complique sérieusement les choses !

Mais le type de journalisme qui se pratique sur le web est, sous plusieurs aspects, différent de celui qu'on retrouve dans les médias de masse.

Les caractéristiques propres au journalisme web

Commençons par une remarque : en principe, tout ce qu'on a dit du journalisme dans ce livre peut être appliqué intégralement au web, si on n'utilise ce réseau que comme une nouvelle plateforme pour diffuser les mêmes contenus. Au départ, ce fut le cas de la majorité des sites, du reste. Et aujourd'hui encore, rien n'empêche en principe un éditeur de site web d'embaucher des journalistes pour couvrir des événements ou mener leurs propres enquêtes sur le terrain, et livrer ensuite des textes ou des reportages télé en tous points analogues à ceux qu'on trouve dans les médias traditionnels.

C'est en fait ce qui s'est passé avec le site *Rue Frontenac*, créé par les journalistes et photographes du *Journal de Montréal* pendant leur long conflit de travail, entre 2009 et 2011. C'était pour l'essentiel un journal quotidien livré sur écran. Mais cette expérience a été possible parce que les employés de ce quotidien web recevaient leur salaire directement de leur fonds de grève et que le site pouvait donc compter sur une abondante main-d'œuvre gratuite. Dans le contexte économique actuel, où la grande majorité des sites doivent payer leur personnel sans avoir encore établi de « modèle d'affaires » rentable, les médias du web doivent trouver des façons de produire du contenu à moindre coût, et de mettre à profit les caractéristiques propres au réseau Internet pour enrichir l'offre présentée à leurs lecteurs internautes.

La prospection des hyperliens

La première « valeur ajoutée » offerte par le réseau Internet repose sur les caractéristiques du langage HTML, qui permet de naviguer rapidement d'un site à l'autre. Avant l'arrivée du web, le lecteur d'un article de journal était « prisonnier » des choix que le journaliste avait fait pour lui. Prenons l'exemple d'un article sur le discours à la nation du premier ministre : on y avait soigneusement sélectionné les passages les plus importants, et fourni toute l'information utile pour en évaluer la signification, mais le lecteur n'avait pas accès au texte intégral du discours. Sur le web, au contraire, toutes les sources sont en théorie accessibles par un simple clic de souris (ou une touche sur un écran tactile).

Les sites dérivant de médias traditionnels ont donc misé d'abord sur le contenu déjà offert sur leurs anciennes plate-formes (un contenu recyclé, et donc gratuit, estiment-ils) et décidé de confier à leurs « journalistes web » le soin de transpo-ser dans un premier temps ce contenu pour l'adapter au format des pages-écrans. En second lieu, les journalistes web devaient ajouter, à même cette inépuisable toile d'information accessible via Internet, des liens vers les documents source, ou vers d'autres éléments d'information qui pouvaient compléter ce matériel de base.

Si les hyperliens offerts aux internautes constituent une valeur ajoutée propre aux sites web, ils constituent aussi, pour les rédacteurs web, une source d'information privilégiée. Au Québec, même les sites spécialisés et autres « webzines » qui ne relèvent pas de médias traditionnels font assez peu de place aux articles originaux, à la couverture d'événements ou aux enquêtes inédites, à cause de la taille restreinte de leur personnel. L'in-formation qui y est présentée est très souvent puisée dans les sites spécialisés étrangers que les journalistes web parcourent de manière systématique, et qu'ils traduisent et adaptent pour les internautes d'ici.

Il s'agit néanmoins d'un travail journalistique : prendre du contenu et le présenter sous une autre forme, rédiger de courtes synthèses, mettre en valeur certains éléments, ajouter des illustrations, rechercher des compléments d'information dans la documentation accessible sur le réseau, ajouter au besoin des commentaires qui permettront au lecteur de mesurer la crédibilité des sites auxquels on le renvoie. Mais alors que les journalistes des médias traditionnels ne consultent la documentation archivée qu'au moment de la recherche et de la rédaction — pour explorer plus à fond le contexte de l'information qu'ils ont recueillie sur le terrain —, cette documentation constitue au contraire l'unique terrain d'exploration de beaucoup de journalistes qui œuvrent sur le web, ou du moins leur espace de travail principal.

À la limite, on peut dire que cela a abouti à la mise en ligne de ce qu'on a appelé les « usines à contenu » : des sites qui se spécialisent dans la production à la chaîne d'articles sur tous les sujets à la mode, produits par des rédacteurs sédentaires payés à la ligne, et qui puisent massivement leur contenu dans le web. Ces « fournisseurs » alimentent désormais à bas prix certains médias clients, court-circuitant une bonne partie de la réflexion et de l'effort journalistiques traditionnels.

Une écriture à adapter à l'écran

On pourrait croire *a priori* que rien ne distinguera le texte publié sur ces sites de son équivalent sur papier. C'est encore plus vrai avec les tablettes électroniques, où les « applications magazines » ont souvent été conçues pour imiter, dans leur graphisme, le média sur papier dont elles dérivent.

Mais la réalité, c'est que les habitudes de lecture des internautes sont différentes de celles des lecteurs de la presse écrite
traditionnelle. Plusieurs études l'ont confirmé : les internautes
tendent à parcourir de l'œil l'ensemble de la page-écran, à
demeurer moins longtemps sur chaque élément et à se laisser
plus facilement distraire par les liens qu'on leur offre. Bref, ils
sont des lecteurs moins persévérants. Les éditeurs web l'ont
compris, et insistent en général pour qu'on produise sur écran
des textes plus succincts, avec des phrases et des paragraphes
plus courts… quitte à offrir des hyperliens vers d'autres pages
qui permettront aux lecteurs d'approfondir à leur gré. Il s'ensuit
un découpage de l'information différent de ce qui existe dans la
presse écrite traditionnelle[2].

En outre, les gens qui naviguent sur les sites web s'attendent
à y trouver non seulement de l'information écrite, mais aussi des
segments vidéo, des animations, des forums, bref, un ensemble
d'éléments multimédias et interactifs qui imposent une planification différente du développement de chaque « article ».

Un contenu qui évolue sans cesse

La troisième caractéristique propre au web, c'est l'absence de
toute contrainte quant aux horaires de diffusion. Une information peut y être placée instantanément, on peut la faire évoluer
au fil des heures, et l'internaute peut la consulter à son gré, à
toute heure du jour.

---

2 Ce découpage en multiples segments, né dans l'univers d'Internet, a déjà eu
une influence sur la mise en pages des magazines plus traditionnels, notamment
dans la presse jeunesse. On trouve de plus en plus de magazines où les articles se
présentent comme une multitude d'encadrés courts, associés à des photos, des
dessins, des anecdotes.

Certes, les chaînes d'information continue, à la radio ou à la télévision, permettaient déjà la diffusion immédiate d'une nouvelle. Mais le contenu offert en ondes y est unique et dépend des choix de programmation. L'auditeur doit être à l'écoute quand passe le bulletin ou l'émission spéciale en direct. Il peut au contraire consulter le web de n'importe où (surtout depuis l'avènement des téléphones intelligents et des tablettes électroniques) et au moment qui lui convient. Cela impose un rafraîchissement permanent du contenu des articles, afin de les tenir à jour. Pour les journalistes habitués à des heures de tombée précises et à des temps de pause entre la rédaction initiale et d'éventuels « suivis », cette dynamique nouvelle d'une information en évolution constante représente une contrainte additionnelle.

Le mariage du fond et de la forme

Dans la presse écrite, le journaliste rédige d'abord son texte, avant de le remettre à un maquettiste ou à un graphiste qui s'occupera de sa mise en pages. En télévision, par contre, le contenu des reportages et leur mise en forme sont indissociables. Sauf pour les bulletins de nouvelles, où les journalistes travaillent seuls en général, c'est à un réalisateur qu'on confiera la conception d'ensemble du reportage télévisé, à partir des éléments d'information colligés par les recherchistes et interviewers. Les réalisateurs qui travaillent en information exercent donc une fonction journalistique, au sens où on l'a décrite dans ce livre : ils traitent l'information pour la rendre accessible au grand public, pour en faire ressortir la signification. Mais une partie de leur travail impose une bonne maîtrise des caractéristiques techniques de la production vidéo : prises de vue particulières, effets de montage, variations de rythme, utilisation de la musique et des effets sonores, recours à l'infographie, etc.

Sur le web aussi, le contenu et sa mise en forme sont étroitement associés. Certes, les premiers journalistes embauchés par les sites web d'information se sont souvent contentés d'écrire leurs textes synthèses comme ils l'auraient fait pour un média écrit, en le découpant en blocs assez courts pour s'insérer dans une seule page-écran, et en suggérant quelques liens vers leurs sites sources ou vers d'autres sites d'information complémentaire; ils ont ensuite laissé à des graphistes le soin de « coder » leurs textes et de les illustrer.

Ce n'est pas une façon idéale de tirer profit des ressources multimédias qu'offre le réseau Internet : insertion possible de séquences sonores, visuelles ou infographiques; ouverture de fenêtres offrant une aide dynamique quand le lecteur rencontre des concepts qui ne lui sont pas familiers; personnalisation du contenu en fonction des préférences exprimées par chaque visiteur ou des sites qu'il a visités antérieurement; échanges possibles avec les lecteurs grâce à des outils d'interrogation en langue naturelle, etc. Le recours possible à de tels éléments gagnerait à être planifié au moment même où le journaliste collige son information et rédige son texte. Au-delà du contenu du type média de masse, qui apparaît en premier lieu quand on clique sur un sujet donné, le « web-journaliste » devrait prévoir quelle information complémentaire pourrait être requise par une multitude d'internautes aux profils très différents, et offrir autant de pistes d'exploration, en mettant à profit l'univers quasi illimité du web et les multiples outils interactifs qu'on y trouve désormais.

Cela suppose une bonne maîtrise technique. Peut-être devrait-on y affecter des réalisateurs formés en conséquence, comme on le fait en télévision.

Mais cela suppose aussi une nouvelle philosophie de l'information, en rupture avec celle des médias de masse.

Une nouvelle approche pour les journalistes

Dans les médias de masse, les journalistes sélectionnent les éléments d'information en fonction du public à qui ils s'adressent. Ils doivent donc bien connaître ce public, mesurer ce qu'il sait et ce qu'il ignore, et ce qui sera significatif pour lui. Comme ils ne peuvent pas tout dire, ils doivent aller à l'essentiel. Mais tout ce qui est nécessaire pour comprendre les enjeux doit faire partie du texte, car le lecteur ou l'auditeur est « captif » : il n'a pas en main les ressources pour compléter l'information essentielle qui lui manque.

Sur le web, au contraire, les textes synthèses seront en général très succincts, on l'a vu, parce que les gens n'aiment pas lire de trop longs articles sur leur écran d'ordinateur et parce que les liens proposés permettent au lecteur de compléter son information en remontant à la source ou en allant consulter divers sites explicatifs.

Média de masse vs média sur mesure

Cette « architecture » particulière de l'information offerte sur le web brise la hiérarchie traditionnelle des médias de masse, où le journaliste décide quelle information il doit fournir à son public. Ici, au contraire, chaque visiteur choisit ce qu'il lira, jusqu'où il voudra explorer en amont, quels documents archivés il consultera. Il le fait au rythme qui lui convient et dans l'ordre qui l'intéresse. Dans ce contexte, l'information journalistique devient une production de documents archivés parmi d'autres.

On peut dès lors se demander si les sites d'information sur le web correspondent bien à la définition des médias de masse. Ne devrait-on pas les voir plutôt comme des portes d'entrée à partir desquelles chaque visiteur choisira son propre itinéraire d'exploration? Les journalistes qui y travaillent devraient-ils tenir compte de cette diversité d'itinéraires possibles, en organisant leur matière sous forme de « guide de recherche » adapté à chaque sujet et à chaque démarche individuelle?

Le journaliste comme courtier en information

Dans cette perspective, on pourrait souhaiter que les journalistes web développent des habiletés assimilables à du « courtage de l'information », plutôt qu'à du journalisme de masse au sens traditionnel. Il s'agirait pour eux de cerner les besoins propres de plusieurs « clients », d'anticiper leurs démarches de recherche, de prospecter les sites jugés crédibles, d'en vérifier le contenu par des démarches complémentaires (sur Internet ou en consultant des personnes-ressources), de préparer des synthèses adaptées à chaque type de clients, etc.

Notons que cela n'enlève rien à la pertinence de la formation traditionnelle offerte par les écoles de journalisme. Les techniques de recherche et d'entrevue demeurent utiles. La clarté de l'écriture et les enchaînements logiques sont aussi essentiels sur le web qu'en presse écrite ou parlée. Mais devrait-on insister un peu moins sur les techniques de rédaction comme les *leads* (les cinq *W*), et un peu plus sur les habiletés d'analyse conceptuelle?

Ce qui est sûr, c'est que les premiers journalistes à avoir été embauchés comme reporters web y sont arrivés mal préparés. Le développement du réseau s'est fait à un tel rythme que les écoles de journalisme n'ont pas eu le temps de concevoir des programmes adaptés.

Une révolution encore à venir ?

Dans la deuxième édition de ce livre, j'ai écrit qu'il faudrait un certain temps avant que les artisans des « webzines » ne maîtrisent à la fois la « grammaire visuelle » propre au web et les outils techniques permettant d'en tirer pleinement profit. Mais j'imaginais qu'en quatre ou cinq ans, on mesurerait vraiment tout le potentiel du web.

En fait, la situation n'a pas évolué aussi rapidement que je l'aurais cru. Bien sûr, de nouveaux logiciels ont permis de faire apparaître la « blogosphère » (l'ensemble des carnets de bord électroniques qui permettent l'insertion libre de liens, de photos, de séquences vidéo ou d'autres fichiers, en plus de favoriser les échanges avec les lecteurs) ainsi que les sites de partage tout aussi polyvalents de type YouTube, Myspace et Facebook. Ces outils ont donné naissance au phénomène des réseaux sociaux. Les médias traditionnels se sont vite installés sur ces sites de partage, parce qu'ils pouvaient y rejoindre une nouvelle clientèle. De même qu'ils ont offert à leurs internautes de commenter presque tous leurs articles ou leurs reportages, transformant le web en un véritable forum, une sorte de tribune libre permanente.

Malgré tout, je ne suis pas encore convaincu que, onze ans plus tard, les webzines se soient vraiment affranchis de la tradition statique du papier. Peut-être que l'arrivée récente des tablettes électroniques changera la donne. Elles permettent en effet l'intégration, sur le même espace de consultation, du contenu traditionnel (un article de magazine qu'on peut lire dans l'autobus, par exemple) et de toutes les possibilités additionnelles que permet le web (des photos ou des vidéos complémentaires, des animations 3-D, des suppléments interactifs pour répondre aux questions des lecteurs, des forums, des hyperliens, etc.). Mais surtout, les médias y trouvent pour la première fois un nouvel espace de développement avec ses propres sources de revenus, puisqu'ils encaissent une bonne partie des frais de téléchargement et d'abonnement à ces « applications ». Les conditions sont en place pour l'innovation.

Bibliographie sélective

Guides de travail et de rédaction

AGNÈS, Yves, *Manuel de journalisme. Écrire pour le journal*, nouvelle édition, Paris, La Découverte, 2008, 480 p.

BARNABÉ, Réal, *Guide de rédaction. Les nouvelles radio et l'écriture radiophonique*, Montréal, Albert Saint-Martin et Radio-Canada, 1989, 132 p.

BARNABÉ, Réal, *L'Interview à la télévision*, Montréal, Saint-Martin, 1998, 106 p.

CHAR, Antoine, *Comme on fait son lead, on écrit*, Québec, Les Presses de l'Université du Québec, 2002, 218 p.

GAILLARD, Philippe, *Technique du journalisme*, 6ᵉ édition, Paris, Presses universitaires de France, coll. « Que sais-je? » (nᵒ 1429), 1996, 128 p.

LAPOINTE, Pascal, et Josée Nadia DROUIN, *Science, on blogue*, Québec, Multimondes, 2007, 308 p.

LAPOINTE, Pascal, *Guide de vulgarisation*, Québec, Multimondes, 2009, 319 p.

LARUE-LANGLOIS, Jacques, *Manuel de journalisme radio-télé*, Montréal, Albert Saint-Martin, 1989, 230 p.

MALTAIS, Robert, *et al.*, *L'Écriture journalistique sous toutes ses formes*, Montréal, Les Presses de l'Université de Montréal, 2010, 135 p.

MANIER, Paul-Stéphane, *Le Journalisme audiovisuel. Techniques et pratiques rédactionnelles*, Paris, Dixit Éditions, 2004, 224 p.

NADEAU, Jean-Benoît, *Écrire pour vivre. Conseils pratiques à ceux qui rêvent de vivre pour écrire*, Montréal, Québec Amérique, 2007, 418 p.

NADEAU, Jean-Benoît, *Le Guide du travailleur autonome*, 2ᵉ édition, Montréal, Québec Amérique, 2007, 264 p.

NOËL, André, *Le Style. Conseils pour écrire de façon claire et vivante*, Montréal, La Presse, 2005, 203 p.

ROSS, Line, *L'Écriture de presse. L'art d'informer*, 2ᵉ édition, Boucherville, Gaétan Morin Éditeur, 2005, 256 p.

VALLIÈRES, Nicole (avec Florian SAUVAGEAU), *Droit et journalisme au Québec*, Groupe de recherche en information et communication/Fédération professionnelle des journalistes du Québec, 1981, 189 p.

Essais sur le journalisme

AGNÈS, Yves, *Le Grand Bazar de l'info. Pour en finir avec le maljournalisme*, Paris, Michalon, 2005, 196 p.

AUBIN, Henry, *et al.*, *Questions d'éthique : jusqu'où peuvent aller les journalistes?*, Montréal, FPJQ/Québec Amérique, 1991, 144 p.

BEAUCHAMP, Colette, *Le Silence des médias*, Montréal, Remue-ménage, 1988, 281 p.

CHAR, Antoine, *La Guerre mondiale de l'information*, Québec, Les Presses de l'Université du Québec, 1999, 168 p.

CHAR, Antoine, Margot RICARD, Yves THÉORET *et al.*, *Les médias québécois sous influence?*, Québec, Les Presses de l'Université du Québec, 2008, 156 p.

CHAR, Antoine, *et al.*, *La Quête de sens à l'heure du web 2.0*, Québec, Les Presses de l'Université du Québec, 2010, 112 p.

CHARRON, Jean, *La Production de l'actualité*, Montréal, Boréal, 1994, 446 p.

COURTEMANCHE, Gil, *Douces Colères*, Montréal, VLB Éditeur, 1989, 157 p.

GUAY, Jacques, *La Presse des autres*, Montréal, Lanctôt éditeur, 1996, 176 p.

HERMAN, Edward S., et Noam CHOMSKY, *La Fabrication du consentement. De la propagande médiatique en démocratie*, Marseille, Agone, 2008, 660 p.

KEABLE, Jacques, *L'Information sous influence (comment s'en sortir)*, Montréal, VLB éditeur, 1985, 229 p.

LAPLANTE, Laurent, *Le Vingt-Quatre Octobre*, Québec, Éditions du Beffroi, 1988, 261 p.

MONIÈRE, Denis, et Julie FORTIER, *Radioscopie de l'information télévisée au Canada*, Montréal, Les Presses de l'Université de Montréal, 2000, 145 p.

MORISSETTE, Rodolphe, *La Presse et les tribunaux, un mariage de raison*, Montréal, Quebecor, 1991, 543 p.

OCKRENT, Christine, et Hervé DEGUINE, *La Liberté de presse*, Toulouse, Milan, coll. « Les essentiels », 1997, 68 p.

STOICIU, Gina, *Comment comprendre l'actualité*, Québec, Les Presses de l'Université du Québec, 2006, 206 p.

WHITE, Patrick, *Le Village CNN. La crise des agences de presse*, Montréal, Les Presses de l'Université de Montréal, 1997, 192 p.

Histoire de la presse

ALBERT, P., et F. TERROU, *Histoire de la presse*, Paris, Presses universitaires de France, coll. « Que sais-je ? » (n° 368), 1979, 370 p.

BOURDON, Joseph, *Montréal-Matin : Son histoire, ses histoires*, Montréal, La Presse, 1978, 282 p.

FELTEAU, Cyrille, *Histoire de La Presse*, Montréal, La Presse, tome 1 : *Le Livre du peuple*, 1983, 406 p. ; tome 2 : *Le plus grand quotidien français d'Amérique*, 1984, 286 p.

GINGRAS, Pierre-Philippe, *Le Devoir*, Montréal, Libre Expression, 1985, 293 p.

GODIN, Pierre, *La Lutte pour l'information (histoire de la presse écrite au Québec)*, Montréal, Éditions du Jour, 1981, 317 p.

LAGRAVE, Jean-Paul de, *Histoire de l'information au Québec*, Montréal, La Presse, 1980, 245 p.

Remerciements

Si les idées exprimées dans ce livre sont les miennes, plusieurs personnes ont alimenté ma réflexion et l'ouvrage n'aurait pas pu prendre forme sans leur apport. Dans certains cas, ils ont accepté de relire et de commenter les passages qu'ils avaient inspirés ; dans d'autres cas, c'est plutôt dans leurs écrits que j'ai puisé. Je tiens à remercier tout particulièrement :

Mme Karen Messing, pour son analyse critique de mes deux premiers chapitres, et pour tous les passages traitant des sources scientifiques (chapitres 12 et 14) ;

M. Guy Lamarche, pour son apport aux chapitres 3 et 4, surtout en ce qui concerne les exigences propres à l'écriture radiophonique ;

M. François Demers, pour sa réflexion sur les sources « légitimes » citées par les journalistes (chapitre 8) ;

M. Pierre d'Amour, pour sa lecture critique du chapitre 13 sur les rapports annuels;

M. Gérald Leblanc, pour avoir inspiré le passage sur le journalisme parlementaire;

M. Rodolphe Morissette, dont les réflexions publiées régulièrement dans *Le Trente* ont enrichi le passage sur le journalisme judiciaire;

M. Gilles Gougeon, pour le passage sur le journalisme international;

M. Alain Dubuc, pour avoir alimenté ma réflexion sur le journalisme économique;

M. Réjean Tremblay, pour avoir largement inspiré le passage sur le journalisme sportif;

M. Jacques Godbout, pour sa critique du passage sur le journalisme culturel;

Mme Colette Beauchamp, qui a inspiré le passage sur le journalisme « féminin » et féministe;

Mme Geneviève McSween, pour sa relecture du chapitre sur le journalisme d'enquête;

M. Jean-Pierre Rogel, pour la chapitre 16 sur le « nouveau journalisme ».

Plusieurs personnes ont, par ailleurs, accepté de lire le manuscrit (première édition), tout au long de son développement. Je remercie en particulier: M. Jacques Rivard qui, le premier, m'a incité à structurer mes notes de cours et fut donc, indirectement, à l'origine de ce livre; Mme Céline Martin et MM. François Demers, Guy Lamarche et Jacques Godbout ainsi que Mme Rachel Bureau-Lévesque qui en a assumé la révision linguistique, avant son départ pour l'impression.

Table des matières

QUATRIÈME PARTIE • LES CHAMPS DE PRATIQUE SPÉCIALISÉS

CINQUIÈME PARTIE • LES PRATIQUES NON CONVENTIONNELLES : LE JOURNALISME D'ENQUÊTE, LE « NOUVEAU JOURNALISME » ET LE JOURNALISME WEB

CRÉDITS ET REMERCIEMENTS

Les Éditions du Boréal reconnaissent l'aide financière du gouvernement du Canada
par l'entremise du Fonds du livre du Canada (FLC) pour leurs activités d'édition
et remercient le Conseil des Arts du Canada pour son soutien financier.

Les Éditions du Boréal sont inscrites au Programme d'aide aux entreprises du livre
et de l'édition spécialisée de la SODEC et bénéficient du Programme de crédit d'impôt
pour l'édition de livres du gouvernement du Québec.

Couverture : © Gino Santa Maria, Dreamstime (recto) ;
© Ashestosky, Dreamstime.com (verso).

Ce livre a été imprimé sur du papier 100 % postconsommation,
traité sans chlore, certifié ÉcoLogo
et fabriqué dans une usine fonctionnant au biogaz.

MISE EN PAGES :
CHRISTIAN CAMPANA

CE CINQUIÈME TIRAGE A ÉTÉ ACHEVÉ D'IMPRIMER EN JUILLET 2019
SUR LES PRESSES DE MARQUIS IMPRIMEUR
À MONTMAGNY (QUÉBEC).